Y0-BZE-009

QUEENIE

Du même auteur
chez le même éditeur :

L'HÉRITAGE, 1982.

Michael Korda

QUEENIE

Traduit de l'américain
par
Jean Rosenthal

Stock

Titre original :

QUEENIE
(Linden Press, New York).

Pour Margaret, avec tout mon amour ;
et à Dick et Joni —
collègues, frères d'armes, amis.

La foule des reporters s'écarta devant la villa en bord de mer de Bel Air pour laisser passer le corbillard. Il était blanc : de son vivant elle avait toujours détesté le noir. Un serviteur d'un certain âge, en veste blanche, les traits figés dans le deuil, ouvrit la grille de fer forgé et désigna l'arrière de la maison, hors de vue des caméras de télévision et des photographes. Il suivit la voiture jusqu'à la porte de service et sans un mot entraîna le directeur des Pompes funèbres par l'escalier de service.

Devant la porte de la chambre, un homme les attendait. Avec son costume sombre, il aurait pu être lui aussi un employé des Pompes funèbres, encore que quelque chose dans son beau visage hâlé parût déplacé en présence de la mort. « Elle est prête », annonça-t-il.

Ils pénétrèrent dans la vaste pièce. L'éclairage indirect était doux, dissipant à peine la pénombre. Billy Sofkine l'avait conçu tout exprès pour flatter le teint. Tout dans la chambre était rose : les murs, le lit, les rideaux, et jusqu'à la moquette. Partout il y avait des fleurs. Le lit semblait même flotter dessus.

« Tant de fleurs déjà, Mr. Tyrone ? demanda le maître de cérémonie d'une voix étouffée.

— Non, dit l'homme. Mrs. Tyrone en avait toujours autant. Chaque jour. »

Le maître de cérémonie se planta au pied du lit et contempla le corps, les mains croisées devant lui comme s'il était intimidé. C'est qu'elle n'était pas seulement une star : des stars, il en avait déjà enterré. Mais c'était la perfection du visage qui le stupéfiait. Les yeux qui, pendant des décennies avaient ébloui des hommes et des spectateurs, étaient clos, mais les pommettes légendaires, les lèvres pleines, les somptueux cheveux noirs avaient été épargnés par le temps et la maladie. Elle portait un peignoir rose et souriait.

« Mon Dieu ! s'exclama-t-il, elle est aussi belle que jamais ! »

Derrière lui, ses trois assistants posèrent par terre avec un bruit sourd le cercueil d'aluminium. « Vous préféreriez peut-être ne pas voir le... hum, la levée du corps », dit le maître de cérémonie, mais Tyrone ne manifestait aucune intention de partir.

L'homme des Pompes funèbres essaya de se rappeler ce qu'il savait du mariage des Tyrone, encore que, bien sûr, le plus important était que tout le monde parlait toujours du « mariage de Diane Avalon », comme si ça ne valait pas la peine de connaître le nom de son mari. Voilà des années, elle avait fait un retour à l'écran avec le jeune Tyrone comme vedette masculine, mais ça n'avait pas marché, du moins pour lui. Même la fortune et le nom de Diane Avalon n'avaient servi à rien : en fait, ils l'avaient rendue ridicule, ce qui avait été fatal pour sa carrière.

Bien sûr, cela n'avait pas nui le moins du monde à sa réputation à elle. Rien ne pouvait la toucher. Les femmes allaient voir le dernier film de Diane Avalon pour admirer quelqu'un qui semblait avoir vaincu la nature et contraint le temps à s'immobiliser. Et voilà maintenant que l'âge et la nature l'avaient rattrapée enfin, comme toujours.

Pendant des années on avait raconté que le mariage n'allait pas et le maître de cérémonie scruta le visage de Tyrone pour y trouver des marques de chagrin ou pour en constater l'absence. Mais ç'avait été la raison pour laquelle Tyrone avait échoué en tant qu'acteur : quelles que fussent ses émotions, elles ne s'inscrivaient pas sur son visage.

« Puis-je me permettre une suggestion... vous enlevez les bijoux ? »

Tyrone acquiesça. Il se pencha pour ôter les bagues des doigts de Diane. Il eut un certain mal à leur faire franchir les jointures gonflées. Vers la fin, Diane, chaque fois que c'était possible, dissimulait ses mains. Elle pouvait masquer beaucoup de choses, mais pas l'enflure de l'arthritisme sur ses doigts.

L'expression de Tyrone ne changea pas. Il semblait penser à quelque chose. Puis il se décida, reprit les bagues dans sa poche et, au prix d'un effort considérable, les remit aux doigts de la morte.

« Elle voudrait sûrement être enterrée avec ses bijoux », expliqua-t-il. Il se redressa, salua de la tête le maître de cérémonie et sortit de la chambre d'un pas calme et sans hâte.

L'homme des Pompes funèbres resta un moment sans voix. Il en avait vu beaucoup dans sa carrière, mais jamais un homme renoncer ainsi à quelques centaines de milliers de dollars de diamants. Il y avait presque de quoi vous faire croire à l'amour, songea-t-il, mais il se dit qu'il devait y avoir une autre raison : le remords, peut-être ? Puis il claqua dans ses mains à l'adresse de ses assistants. « Fermez-moi ça ! » lança-t-il.

Il faudrait faire veiller le corps vingt-quatre heures sur vingt-quatre, se dit-il, sinon les bagues auraient disparu bien avant qu'elle arrive à Forest Lawn...

« Et de quoi est-elle morte au juste ? » demanda Armand Silk.

Billy Sofkine haussa les épaules : « Qui sait ? Un lifting de trop, j'imagine ? » Lui-même s'était fait tirer la peau du visage tant de fois qu'il commençait à ressembler à un sac en crocodile bien conservé.

« Quel âge avait-elle ?

— Soixante au bas mot, peut-être plus. »

Ils déjeunaient au Polo Loundge, dans la pergola, sous un auvent fleuri. Billy avait décoré la moitié des maisons de Bel Air, de Malibu et de Cuernavaca, y compris celles que possédait Diane Avalon dans ces trois endroits.

« Elle devait être riche comme Crésus, observa Billy.

— Je pense bien ! Timmy Tyrone a de la chance.

— Il lui était très dévoué. A ce qu'on dit.

— Comme un toutou. Il avait besoin d'une mère. Elle avait besoin d'un fils.

— De quoi est-elle vraiment morte, à ton avis ?

— Un excès de style et de bon goût. Elle a lutté contre l'âge aussi longtemps qu'elle a pu, mais quand son visage a commencé à s'effondrer, elle a tout bonnement renoncé. Tu ne t'imagines pas Diane dans un fauteuil roulant ni même avec l'air d'une vieille dame, non ? Eh bien, elle non plus. A son dernier essayage, elle m'a dit qu'elle avait connu le meilleur de la vie. Elle ne voyait aucune raison d'attendre le pire. Les médecins lui donnaient des comprimés, tu sais. Elle ne voulait pas les prendre. » Il soupira.

Armand Silk habillait la plupart des vieilles fortunes de Beverly Hills et de Bel Air. Il fronça les sourcils en voyant passer une jeune femme vêtue de jeans de couturier et d'une blouse en soie ouverte jusqu'au nombril. « Quelle vulgarité », murmura-t-il avec agacement. Le style était mort avec Diane Avalon. Sa clientèle atteignait de telles tranches d'âge qu'il en serait bientôt réduit à dessiner des linceuls.

Billy Sofkine se pencha tout contre l'oreille de Silk, faisant tinter son bracelet d'or incrusté de lapis-lazuli. « Dans quoi crois-tu qu'ils vont l'enterrer ? » demanda-t-il.

Silk gloussa. Il avait coupé la robe qu'elle portait lors de sa dernière apparition en public, quand l'Académie des arts et des sciences du cinéma lui avait décerné un oscar spécial, comme pour dire adieu à une époque disparue, ce qui était le cas. Mais cela ne l'empêchait pas d'être mauvaise langue. « Si ce qu'on a toujours dit d'elle est vrai, chuchota-t-il, avec un petit rire, on devrait l'inhumer dans un sari. »

Il y avait tant de gens à l'enterrement de Diane Avalon qu'on ne pouvait y assister qu'avec une invitation numérotée. Les détectives privés engagés pour la circonstance éconduisirent des douzaines d'intrus et la télévision enregistra la cérémonie pour les informations de six heures. Lord Beaumont, le plus grand acteur anglais du siècle, lut l'oraison funèbre, la majestueuse voix shakespearienne retentissant dans les haut-parleurs et dominant le froissement des feuilles des palmiers.

Il avait joué son premier grand rôle romantique au cinéma comme partenaire de Diane quarante ans auparavant, quand il était jeune homme. Aujourd'hui, où il avait l'air si vieux qu'il aurait pu jouer le roi Lear sans maquillage, il ôta ses lunettes aux verres épais comme des loupes et promena sur l'assistance son regard de myope, des larmes ruisselant sur ses joues.

Il repoussa le microphone, ferma les yeux et se mit à réciter :

« L'âge ne peut la flétrir, ni l'habitude faner
Son infinie diversité ; d'autres femmes écœurent
Les appétits qu'elles nourrissent, mais elle ne fait qu'affamer
Plutôt que rassasier. »

« Il faut rendre cette justice à Dicky, chuchota à son voisin Aaron Diamond, qui depuis des années était l'avocat de Diane. Il a de la classe. » Et parmi ceux qui portaient les cordons du poêle on reconnaissait George Cukor, Cary Grant, Jimmy Stewart — et même Frank Sinatra, qui en général ne se dérangeait jamais pour aucun enterrement. Au moment où le cercueil recouvert de fleurs roses descendait dans la tombe, on lâcha deux douzaines de colombes blanches. Il y avait tant de fleurs que Danny Zegrine fut pris d'une crise d'asthme et qu'il fallut le reconduire jusqu'à sa limousine.

Ce soir-là, Johnny Carson réclama une minute de silence au début de son émission. Dans le monde entier, des notices nécrologiques rappelaient la vie et les mariages successifs de Diane Avalon. L'enfance de Diane, ravissante fille de riches Anglais au temps de l'Empire des Indes, avait été, comme l'écrivit Joyce Haber, « celle d'une princesse de conte de fées ».

Le lendemain, on ouvrit son testament. Sa fortune était estimée à plus de soixante-dix millions de dollars, y compris les différentes maisons. Et on légua l'essentiel en fidéi-commis pour ses amis, pour des œuvres et pour ses domestiques. Cinq millions de dollars allèrent à la fondation Will Rogers pour la maison de retraite des vieux comédiens.

« C'était une sainte », dit Aaron Diamond les larmes aux yeux, tout en annonçant les legs.

A Timmy Tyrone, son dernier mari, elle laissait un million de dollars et la Porsche turbo qu'elle lui avait achetée pour son récent anniversaire.

Certains dirent que Timmy devint blanc de rage en entendant la nouvelle, et d'autres affirmèrent l'avoir entendu jurer qu'il n'aurait jamais dû lui remettre ses bagues.

Lorsqu'on interrogea Diamond, il dit : « Elle n'a aimé qu'un seul homme dans sa vie. » Mais il ne précisa pas duquel il s'agissait.

Puis il soupira. Il était vieux, très vieux, si vieux qu'il se souvenait de Diane Avalon à vingt ans lorsqu'elle était arrivée à Hollywood — il y avait des gens qui disaient qu'il était déjà vieux en ce temps-là.

« Elle n'a jamais porté chance aux hommes de sa vie, ajouta-t-il. Pourquoi en serait-il autrement avec Timmy ? »

Diane légua sa nature morte de Van Gogh à l'Institut des arts de Los Angeles. Aussi loin qu'on s'en souvenait, on l'avait vue accrochée au-dessus de sa cheminée dans sa maison de Malibu, une petite toile représentant une paire de gants bleus posée sur une table, auprès d'un vase de fleurs. Le tableau n'avait jamais paru à sa place dans la salle de séjour avec ses grandes baies vitrées, ses miroirs et son ameublement blanc sur fond blanc, mais Billy Sofkine n'avait jamais réussi à persuader Diane de le mettre ailleurs.

Il y avait sur le cadre une petite plaque en or sur laquelle était gravé : « Pour Diane, avec mon amour — David Konig, 1er septembre 1937. » La direction du musée fit dévisser la plaque avant d'accrocher la toile et la fit remplacer par une autre où l'on lisait simplement : « Don de Diane Avalon. »

« Qui était Konig ? » demanda un des conservateurs adjoints.

Un homme d'un certain âge auprès de lui haussa les épaules. « Un producteur. C'est lui qui a découvert Diane Avalon. Au temps du noir et blanc. »

Ils regardèrent tous deux le tableau. « Il devait avoir bon goût. Et beaucoup d'argent.

— Les deux. Il était célèbre pour ça. »

Lord Goldner était, comme d'habitude, pressé. Malgré son âge et sa corpulence, il était toujours pressé. Une de ses secrétaires lui tendait son manteau noir pour que Goldner pût en enfiler les manches, une autre lui lisait tout haut son programme, une troisième lui passait un coup de téléphone de dernière minute. En bas, attendait la Rolls qui devait l'emmener à Heathrow d'où il devait prendre Concorde pour New York. Son assistant était déjà dans la voiture avec un porte-documents plein de courrier dont Goldner devait prendre connaissance pendant le trajet jusqu'à l'aéroport.

« Mr. Diamond sur la deux, lord Goldner, annonça la troisième secrétaire en pressant le bouton du téléphone sans fil.

— Aaron, mon cher », ronronna Goldner tout en passant son manteau. Ses lunettes étaient de travers, son feutre noir à large bord de guingois, il avait un cigare entre les lèvres, un gros Montecruz Individuale numéro 1 : la plantation appartenait à Goldner. Il possédait tant de choses qu'il en avait perdu le compte. « Qu'est-ce que je peux faire pour vous ?

— Il s'agit de quelque chose que moi je peux faire pour vous.

— Encore mieux.

— Je voulais vous parler après l'enterrement, mais je vous ai manqué.

— Je suis parti très vite. Franchement, je n'avais aucune envie de rester là à échanger des anecdotes sur la pauvre Diane avec un ramassis de vieillards qui ne la connaissaient pas vraiment... D'ailleurs, Danny Zegrine avait retardé pour moi le départ de son avion.

— Il paraît que vous avez acheté le paquet d'actions de Danny. Si vous voulez mon avis, vous avez payé trop cher. »

Lord Goldner eut un petit gloussement : une sorte de rire huileux qu'on avait souvent caricaturé mais jamais très bien imité.

« Vous l'avez vendu avant de l'acheter, c'est ça ? » demanda Diamond.

Lord Goldner poussa un petit soupir qui tira une bouffée de son cigare ; Diamond entendit le bruit de succion et il comprit qu'il devrait se contenter de cette réponse. « *Mazel Tov,* fit Diamond. Mais ce n'est pas pour ça que j'appelais. Diane vous a laissé quelque chose dans son testament. »

Goldner retira le cigare de sa bouche. Il paraissait surpris.

« Elle vous a laissé une propriété. Un immeuble d'appartements à Londres. »

Goldner ferma les yeux. « Curzon Tower, à Shepherd's Market, murmura-t-il.

— Exact. L'immeuble est évalué à cinq millions de livres.

— Ça vaut beaucoup plus aujourd'hui. Les Arabes cherchent tous des appartements bien situés dans le West End. Mais bien sûr Diane ne pensait pas à l'argent. C'est un geste sentimental.

— Qu'est-ce qu'il y a de sentimental à propos d'un immeuble, bon sang ? Ça n'est même pas si ancien. Je ne crois pas que Diane y ait jamais vécu, n'est-ce pas ?

— Non. Elle n'a jamais vécu là-bas. Mais, à une certaine époque, en être propriétaire comptait beaucoup pour elle. »

Les secrétaires de Goldner désignaient leurs montres avec de grands gestes. Il n'en tint aucun compte.

« Je vais vous envoyer les papiers. Je ne comprends rien à ces foutus actes notariés anglais.

— Envoyez-les-moi, envoyez-les, mon bon. Mes avocats s'occuperont de tout ça.

— Entendu, fit Diamond. Bon Dieu ! Je n'arrive pas à croire qu'elle est morte ! Elle paraissait encore magnifique la dernière fois que je l'ai vue. Je connaissais Diane depuis longtemps, longtemps.

— Hé oui, fit Goldner, moi aussi. Depuis très longtemps. »

Et là-dessus, bien qu'il fût en retard et qu'on l'attendît à New York pour un déjeuner d'affaires, lord Goldner s'assit avec son manteau, tenant son chapeau dans sa main potelée, et se mit à pleurer.

« Allô ? Vous êtes toujours là ? » demanda Diamond à six mille kilomètres, mais Goldner ne répondit pas. Il pensait au jour où il l'avait rencontrée. C'était la plus belle fille qu'il eût jamais vue. Sa beauté n'avait jamais disparu ; il en était arrivé à la considérer comme immortelle.

Et voilà qu'elle était morte... Et que pour la première fois de sa vie il se sentait vieux lui-même...

A Marrakech, il faisait déjà très chaud. Le toit de la villa semblait le jardin secret d'un sultan, planté d'arbres, de buissons et de fleurs. Le sol était carrelé dans le style arabe, une mosaïque aux motifs brillants et entrelacés. Au centre du jardin suspendu se trouvait une fontaine mauresque. Des oiseaux aux couleurs vives voletaient au milieu des orangers, des citronniers nains, leurs ailes battant contre le ciel bleu où se découpaient les pics blancs de l'Atlas.

Allongé sur un matelas, un beau jeune homme lisait l'édition parisienne du *Herald Tribune*. Il était nu et il avait la peau aussi bronzée et huilée que celle d'un mannequin dans une publicité pour lotion solaire. Il portait un gros bracelet d'or à chaque poignet et une chaîne en or autour du cou.

« Dominick ! cria-t-il. Tu as lu le journal ? »

A une extrémité du toit en terrasse se dressait une tente de soie à grandes rayures. De son ombre une voix plus grave répondit : « J'ai la flemme. D'ailleurs il a toujours deux ou trois jours de retard.

— Mais, mon chou, il faut bien se tenir au courant... Savoir ce qui se passe dans le monde.

— Je sais ce qui se passe à Marrakech. Tu n'es pas rentré avant trois heures du matin.

— Oh ! Tout le monde ne peut pas se coucher à dix heures. Il y en a qui aiment s'amuser un peu, de temps en temps.

— Il y en a qui pourraient se retrouver à Londres à démêler des cheveux s'ils ne font pas attention.

— Ne soyons pas mesquins. Je ne démêlais pas. Je coupais. J'étais styliste... Tu sais qui est mort ?

— Je n'en ai pas la moindre idée. S'il y a un sujet qui ne m'intéresse pas, c'est la mort.

— C'est ta vieille amie Diane Avalon, voilà ! Qu'est-ce que tu dis de ça ? »

Mais, quoi que le plus âgé des deux hommes en pensât, il ne le dit pas tout de suite. Il resta silencieux dans son transat, enveloppé de la tête aux pieds dans un peignoir et des serviettes, le visage protégé par un large chapeau de paille et les yeux dissimulés par d'épaisses lunettes noires. Seules ses mains étaient découvertes. Elles étaient boudinées, molles, d'une blancheur cadavérique, parsemées des taches brunes du vieillissement.

Il défit le papier d'un bonbon à la menthe et le prit dans sa bouche. Il le suça un moment avec gourmandise, puis il éclata d'un rire mauvais.

« Bon sang ! s'écria-t-il d'un ton triomphant. J'ai survécu à cette vieille garce ! »

La pièce qui jadis avait été photographiée dans toutes les revues d'architecture était maintenant plongée dans l'ombre et il y flottait de vagues relents de vieillesse et de maladie. Une paroi tout entière était en verre teinté, dominant le Pacifique soixante mètres plus bas. Le mur du fond était en pierres grossièrement taillées, avec une cheminée assez grande pour rôtir un bœuf, mais qui ne semblait guère hors de proportion ici, car la chambre aurait pu sans mal abriter une maison de taille normale. Le lit était gigantesque, circulaire et dressé sur une estrade recouverte de moquette. Au-dessus, pendant du plafond à chevrons, était accroché un miroir circulaire.

L'homme qui avait dormi dans ce lit était célèbre. En tant que cinéaste, il avait travaillé avec quelques-unes des plus belles femmes du monde : il y avait des vedettes qui ne se laissaient photographier par personne d'autre. En tant que metteur en scène, il était devenu riche, avec une série de succès tout à la fois élégants et érotiques. Il avait le talent de découvrir de belles jeunes femmes et de faire d'elles des stars : c'était le don pour lequel il était le plus connu. Elles avaient toutes le même type : chacune avait de longs cheveux noirs, des yeux sombres, de hautes pommettes, un teint parfait et un peu olivâtre. On racontait qu'il couchait avec toutes et que toutes avaient été amoureuses de lui, mais il ne s'était jamais marié.

Maintenant il dormait seul — ou, pour être plus exact, il reposait inconfortablement — dans un lit d'hôpital qu'on avait approché de la baie vitrée pour qu'il pût regarder la mer. Il parlait rarement. La seconde attaque l'avait laissé totalement paralysé et il était veillé vingt-quatre heures sur vingt-quatre par une infirmière, bien qu'il y eût rarement autre chose d'autre à faire que de changer les bocaux de son goutte-à-goutte intraveineux. Du glucose s'égouttait en lui d'un flacon accroché à la tête du lit métallique. De l'urine s'écoulait dans une fiole au pied du lit. Lorsque le premier bocal était vide, le second était plein, l'infirmière les changeait et demandait au patient s'il se sentait bien, rituel qui n'amenait jamais de réponse ni même une lueur de compréhension. Il respirait. Parfois il soupirait. C'était tout.

Il avait gagné beaucoup d'argent. Et, grâce à des conseils avisés, il l'avait gardé. La vaste maison était toujours pleine de gens : ses soirées étaient célèbres à Hollywood. L'hôte savait s'amuser, il savait amuser les autres aussi, mais parfois, malgré la maison, les filles, les toiles impressionnistes aux murs, l'oscar sur la table de son bureau, il semblait malheureux, comme si au terme d'une longue existence, il ne se retrouvait pas là où il avait espéré aller.

« Je n'ai aimé qu'une femme dans ma vie », confia-t-il un jour à un ami, avec une note de désespoir dans la voix — mais il ne voulut pas dire qui elle était et, après être resté assis en silence quelques minutes à écouter les vagues se briser contre les rochers au pied de la falaise, il s'était levé pour aller prendre un sauna et un bain dans les eaux minérales de son jacuzzi afin de se préparer à une nouvelle journée de plaisirs.

On aurait cru, comme l'avait fait observer un de ses invités, que le plaisir était une peine à laquelle il avait été condamné à perpétuité. Si tel était le cas, il avait enfin purgé sa condamnation. La maison maintenant était vide, à l'exception des infirmières qui s'y relayaient jour et nuit et d'un couple de vieux serviteurs. La piscine chauffée, en marbre, avec un tunnel qui permettait à ses invités de quitter ou de regagner la salle de séjour, avait été vidée, les chambres d'amis étaient désertes et les volets clos, les voitures de sport et les limousines restaient inutilisées dans le garage, s'affaissant peu à peu sur des pneus qui s'aplatissaient. Le seul véhicule qu'on gardait en état maintenant était une discrète ambulance vert foncé et blanche, qui attendait vingt-quatre heures par jour le moment où la vie ne pourrait plus être entretenue que dans la salle de réanimation d'un hôpital.

L'infirmière assise à son chevet regardait la télévision, les bras croisés. Au-dessus du récepteur des chiffres sur une série de cadrans surveillaient le pouls et la respiration du vieil homme. Le poste était installé de façon qu'il pût le regarder, car les médecins estimaient que la stimulation visuelle ne pouvait pas lui faire de mal, pouvait même garder son cerveau en vie et en état de fonctionner. Mais jusqu'alors on n'avait observé aucun résultat digne d'être noté. La plupart du temps il avait les yeux ouverts, rien ne montrait pourtant que son ou image parvenaient jusqu'à son cerveau. Il aurait aussi bien pu contempler un mur blanc.

L'infirmière actionna la commande à distance et sur l'écran apparut une rediffusion de l'enterrement de Diane Avalon. Elle le regarda quelques minutes jusqu'au moment où quelque chose attira son attention : un bruit bizarre, comme si quelque chose n'allait pas avec le son. Elle baissa le volume mais le bruit persistait. Elle se rendit compte alors, à son horreur, que c'était son patient. Il avait la bouche ouverte, les yeux fixés sur l'écran et ses lèvres s'agitaient. Elle crut un moment qu'il était en train de mourir, mais les cadrans des appareils de surveillance placés au-dessus du récepteur affichaient tous des paramètres normaux — du moins pour un paralytique, se dit-elle.

Elle se pencha vers lui, approcha l'oreille de sa bouche crispée, s'efforçant de comprendre le gargouillement étranglé qui ne ressemblait en rien à la parole humaine. Un filet de salive s'écoulait des lèvres bleuies. Elle l'essuya avec un Kleenex. C'était bien sa chance, songea-t-elle : il allait mourir pendant son tour de garde.

« Qu'est-ce que nous avons, Mr. Chambrun ? » demanda-t-elle, sans s'attendre à une réponse. C'était une habitude. On parlait aux patients au pluriel même quand c'étaient des légumes. Sinon, on cessait de les considérer comme des êtres humains, ce qui était facile à faire mais indigne d'une professionnelle.

Il dirigea tant bien que mal un doigt tremblant vers l'écran en émettant une sorte de croassement.

« Je ne comprends pas ce que vous dites. »

Le doigt du vieillard tremblait de rage devant son impuissance. Il ferma les yeux comme s'il essayait de concentrer toute son énergie sur ce qu'il voulait dire. « Queenie ! » murmura-t-il d'une voix rauque.

« Non, Mr. Chambrun. C'est l'enterrement de Diane Avalon. La vedette de cinéma. Elle est morte si peu de temps après avoir reçu son oscar, la pauvre... »

Le vieil homme ouvrit les yeux, puis il se mit à pleurer, les larmes ruisselant sur ses joues fripées, le souffle saccadé. Les cadrans au-dessus du poste de télévision lançaient des avertissements menaçants.

L'infirmière éteignit le récepteur et se tourna pour préparer une seringue hypodermique, mais le vieil homme semblait plus perturbé que jamais. Croyant qu'il était peut-être en colère parce qu'elle avait éteint la télévision, elle se pencha pour le calmer.

« C'est pour votre bien, Mr. Chambrun, dit-elle de sa voix la plus apaisante d'infirmière. Vous vous excitiez trop à regarder. » Elle lui enfonça l'aiguille dans le bras mais, avant que l'injection ait pu agir, il agrippa d'une main qui était comme une serre sa blouse juste au-dessous du sein, se cramponnant au nylon blanc étincelant de sa tenue d'infirmière avec une force stupéfiante. « Queenie, énonça distinctement le vieillard, Queenie, je t'aime ! »

Puis il sombra de nouveau dans le silence, tandis que l'effet de la piqûre commençait à se faire sentir. Elle regarda sa tête retomber sur l'oreiller et rajusta sa couverture.

Il faudrait qu'elle appelle le docteur, se dit-elle, pour lui signaler l'incident.

Mais elle ne pouvait s'empêcher de se demander : qui diable était « Queenie » ?

Première Partie

Queenie

1

1926

« Queenie, où es-tu ? » La voix de la femme s'élevait impatiente dans la chaleur moite et sans air. A huit heures du matin, il faisait déjà plus de trente-cinq degrés. Le ciel sans nuages était d'un gris sans vie, comme si la chaleur avait fait fondre les couleurs. Devant le bungalow, une tonga attendait, le cocher et son poney immobiles sauf pour chasser les mouches qui bourdonnaient autour de leurs yeux.

« *Queenie !* » cria de nouveau la femme en martelant du bout de son parasol bordé de dentelle les planches usées de la véranda, pour souligner son propos.

De derrière la maison, les domestiques reprirent l'appel sur un ton plus aigu, leurs voix s'élevant au-dessus du remue-ménage des pots et des casseroles en un chœur désordonné. Un couple de vautours, surpris par le bruit, s'envola d'un arbre en face en battant l'air mollement de ses ailes poussiéreuses et vint tournoyer au-dessus de la maison.

« Drat ! Où est donc cette enfant ? » reprit la femme, ouvrant le parasol d'un geste sec comme si elle cherchait à se dissimuler au regard des vautours.

« Je suis ici, maman. »

Une fillette apparut sur la véranda. Elle portait une courte robe blanche avec une ceinture, des chaussettes blanches jusqu'aux genoux et elle était coiffée d'un casque colonial dont un ruban rose servait de bandeau. L'ovale de son visage avait la forme parfaite d'un cœur, les yeux grands et sombres brillaient derrière de longs cils ; ses cheveux longs aussi étaient d'un noir de jais. Elle ne semblait pas se soucier d'être en retard.

« Nous allons arriver en dernier à la chapelle, vilaine fille. Où donc étais-tu ?

— Je ne t'avais pas entendue, maman. »

La femme secoua la tête. Dans sa longue robe blanche, c'était une silhouette imposante, presque royale. Elle portait un chapeau du style de ceux de la reine Mary : une toque de velours cylindrique, ornée de quelques plumes d'autruche et d'une voilette.

« Ne reste pas tête nue, mon enfant ! Combien de fois faut-il que je te le dise ? Qu'est-ce que fait le soleil au teint ?

— Il l'assombrit, maman.

— Absolument, ma chérie. Et nous ne voulons pas attraper de coups de soleil, n'est-ce pas ? » demanda la femme ; pourtant elle-même avait le teint assez sombre pour être à l'abri d'un pareil risque — contrairement à la fillette dont la peau était d'une couleur polie de paille, presque translucide.

« C'est affreux, ce casque, gémit la fillette.

— Mets-le, Queenie ! Il n'y a que les indigènes qui se promènent tête nue au soleil. »

L'air renfrogné, la petite fille se coiffa de son topi. Il est vrai que c'était une coiffure laide — et inconfortable aussi — et le ruban rose ne servait qu'à en souligner la laideur. En l'apercevant, la femme se crispa de colère.

« Qu'est-ce que c'est que ça, jeune fille ? demanda-t-elle en brandissant le parasol dans la direction générale de son couvre-chef.

— Un ruban, maman.

— Ne sois pas insolente ! C'est un ruban rose, vilaine fille ! Comment oses-tu ? »

Elle replia le parasol, le posa contre la balustrade, saisit le topi couvrant la tête de l'enfant et en arracha le ruban, le tenant entre deux doigts gantés de dentelle comme si elle risquait de se salir.

« Je t'en prie, maman, tu peux me le rendre ?

— Certainement pas. Combien de fois te l'ai-je dit ? On ne porte pas de rose.

— Je trouvais que c'était joli.

— Joli ! Le rose est vulgaire. C'est bon pour les petites bougnoules.

— Mais nous ne sommes pas des bougnoules, maman ? » demanda la fillette.

La femme lâcha le ruban et gifla l'enfant.

Le claquement réveilla le cocher de la tonga, qui contempla avec stupeur la femme et sa fille, puis referma les yeux pour ne pas voir ce spectacle. Les Indiens ne battent jamais les enfants. C'était inconcevable, mais, se dit-il, les coutumes de ces gens étaient mystérieuses. Ils n'avaient pas de castes, ils n'étaient ni musulmans ni hindous. On disait même qu'ils mangeaient et du bœuf et du porc, offensant ainsi la sensibilité religieuse de toutes les communautés...

Sur la véranda, il y eut un moment de silence, puis la petite fille éclata en sanglots.

« Nous ne sommes pas des bougnoules, déclara la femme. Nous sommes des Européens domiciliés en Inde ! Ton grand-père était un authentique sahib, ma petite, tout comme ton pauvre père. Je ne vais pas te laisser porter du rose comme la première serveuse de bar venue. Où diable te l'es-tu procuré, Queenie ? »

La fillette cessa de pleurer. Sa mère portait rarement la main sur elle et c'était le choc plus que la douleur qui avait déclenché les larmes. « C'est oncle Morgan qui me l'a donné, dit-elle.

— Vraiment ? » Et brusquement la femme renonça à son ton et à ses manières de lady. Sa voix s'éleva, son accent prit un côté chantonnant plus indien qu'anglais et, les deux mains plantées sur ses larges hanches, elle se tourna vers la porte en criant : « Morgan, misérable, où es-tu ? »

Il y eut un mouvement derrière une des fenêtres, le bruit d'un store en rotin qu'on soulevait et une tête d'homme apparut : un beau visage, le teint mat, un peu plus sombre que celui de Queenie, mais bien moins sombre que celui de la femme, une petite moustache noire offrant un contraste plutôt bizarre avec un menton sans vigueur et des lèvres pleines de sybarite. C'était un visage que les femmes trouvaient séduisant, mais il y avait là quelque chose de mou et d'enfantin, malgré la moustache. L'homme avait les yeux marron et, même de loin, ils semblaient refléter une certaine mélancolie raffinée. Il se frotta les paupières, puis mit une main en visière pour se protéger de la lumière. « Qu'est-ce qu'il y a ? demanda-t-il. Pourquoi me réveilles-tu comme ça alors que j'ai besoin de dormir ?

— De dormir ? Tu ne serais pas obligé de dormir toute la journée si tu avais un travail convenable. Tu es foncièrement paresseux, voilà la vérité. Pourquoi as-tu donné à Queenie un ruban rose ?

— J'ai rapporté ce truc du club. Quelqu'un a dû le laisser tomber.

— Une petite traînée ! Tu n'avais pas à le donner à notre Queenie.

— Oh ! Quelle importance, Vicky ! Cesse d'en faire un tel plat.

— Mais si, je vais en faire un plat ! Je ne veux pas qu'elle porte du rose ! Notre Queenie sera une dame, ça, je te le dis ! »

L'homme regarda la petite fille, avec son profil parfait, ses grands yeux sombres, des larmes encore accrochées aux longs cils, il regarda ses jambes minces. Il éclata de rire.

« Quel foutu gâchis ce sera ! » cria-t-il. Et puis il rabaissa le store avec fracas.

Morgan Jones se détourna de la fenêtre et soupira. Inutile, il le savait, d'essayer de se rendormir. La chaleur était insoutenable et ne ferait qu'empirer. La nuit n'apporterait guère de soulagement : le ciel au-dessus de Calcutta serait chaud et sombre comme un four, si chaud que même les indigènes le supportaient mal. Ils ne semblaient jamais aller au lit, ceux du moins qui possédaient un lit.

Ici, à Chowringhoo, les nuits étaient plus calmes, à part le cri guttural du veilleur boiteux lorsqu'il faisait sa ronde. Certes, ce n'était pas Jovindpour, où vivaient les sahibs et où toutes les rues étaient pavées, mais du moins y avait-il des arbres et des jardins, même s'ils étaient poussiéreux et mal entretenus. Ce n'est pas le pays, bien sûr, ce n'est pas l'Angleterre, se dit Morgan — oubliant comme d'habitude qu'il n'avait jamais vu le « Pays » et que cela avait peu de chance de jamais lui arriver.

La sortie de sa sœur ne le mettait pas en colère. D'abord il faisait trop chaud ; mais aussi il partageait ses sentiments ou du moins les comprenait-il. Qu'elle détestât la couleur rose était peut-être ridicule, mais Morgan savait, tout comme elle, que c'était par ce genre de petit détail que se définissait leur situation sociale.

Calcutta était pleine de familles qui avaient renoncé, qui avaient laissé leurs filles épouser de jeunes hommes à la peau plus sombre, qui avaient commencé à considérer l'Inde comme le « Pays ». Morgan comprenait l'inquiétude de sa sœur. Ce n'était pas difficile de se laisser aller et de tomber, comme beaucoup le faisaient, mais Morgan était bien décidé à rentrer au pays d'où était venu son père — qui y était retourné en laissant sa famille derrière lui.

Même aujourd'hui, à vingt-cinq ans, Morgan avait du mal à qualifier cela d'abandon. Il savait que c'était l'usage, et que bien des Anglais venaient pour dix ou douze ans, vivaient avec une femme indienne, puis rentraient chez eux pour fonder une nouvelle famille, voire pour reprendre leur vie familiale au point où ils l'avaient laissée.

Il savait aussi que ce n'était pas la coutume des vrais sahibs, avec leurs clubs, leurs épouses, leurs régiments ou leurs postes de hauts fonctionnaires, que d'agir ainsi. Les Anglais qui prenaient pour épouses des indigènes étaient de plus basse extraction : c'étaient des cheminots, des employés du télégraphe, des gens qui surveillaient les canaux, le service des eaux, les usines électriques, les filatures de jute, les machines. Les femmes avec qui ils vivaient étaient toujours de basse caste, ou même des hors-caste, car une femme d'un certain milieu ne se donnerait jamais à un étranger, les Indiens ayant des préjugés raciaux aussi solides que les Anglais, sinon plus.

La sœur de Morgan adorait leur père, dont la photographie un peu passée était accrochée dans un cadre en bois doré au mur du salon. Au long des années, Vicky avait tissé toute une légende autour de ce père vagabond. A l'en croire, Jones était un inspecteur chargé de surveiller les chemins de fer, un homme dont les directeurs et les ingénieurs en chef sollicitaient l'avis sur des problèmes concernant les voies ferrées, les ballasts, les ponts — bref, un gentleman. Morgan ne croyait guère à tout cela, mais ne voyait pas de raison d'en discuter avec sa sœur pour qui de toute façon le sujet était sacré. Le seul souvenir que lui-même avait de leur père était celui d'un petit homme barbu et coléreux, qui sentait fort le whisky, le poussier et la sueur.

Morgan alluma une cigarette, scruta son visage dans le miroir, puis entreprit de se savonner les joues. Il ouvrit la porte et réclama de l'eau chaude, sans obtenir de réponse. Il cria de nouveau, plus fort, déclenchant cette fois un concert de vociférations en bas.

Morgan poussa un gémissement, pas seulement parce qu'il avait la gueule de bois, mais parce que tout cela était si typiquement anglo-indien : le vacarme, l'inefficacité, le fait qu'un Anglo-Indien devait crier pour se faire obéir d'un Indien, alors qu'un authentique sahib n'aurait même pas à élever la voix. Il entendait crier sa mère, qui était revenue à l'hindi pour mieux poursuivre sa description peu flatteuse des ancêtres de la wallah chargée de l'eau chaude.

Lorsque Vicky était à la maison, la vieille dame était obligée de parler anglais, ce qui apportait de sévères restrictions à sa possibilité de tenir une conversation, et plus encore de gourmander un serviteur. Elle n'était pas plus à l'aise avec la langue anglaise qu'elle ne l'était avec les toilettes européennes que Vicky insistait pour lui faire porter, car sa mère n'avait jamais maîtrisé les mystères des jupons, des corsets, des bas ni des chaussures. Son mari la laissait évoluer en sari ; aujourd'hui, à un âge où elle avait bien le droit d'avoir la paix, elle était forcée de porter des robes à fleurs, des bas qui pendaient en plis sur ses jambes et des chaussures qui lui blessaient les pieds, si bien qu'elle avait plus ou moins établi sa résidence permanente dans la cuisine, où elle pouvait ôter ses chaussures et cancaner à voix basse en hindi avec la cuisinière et l'ayah.

La chambre où se tenait Morgan était petite, mais d'un dépouillement presque monastique. Le peu d'argent que la famille devait consacrer à la décoration, on le dépensait pour le salon et la salle à manger, afin d'impressionner les visiteurs. Les vêtements de Morgan étaient pendus à une tringle au fond de la pièce, derrière un rideau fleuri. Avec sa voiture, une petite Austin délabrée, c'étaient les biens auxquels il tenait le plus : la tenue habillée qu'il portait pour aller travailler tous les soirs, un spencer blanc, trois costumes entretenus avec soin et qui pouvaient passer pour coupés par un tailleur de Londres, si on n'y regardait pas de trop près. On le tenait pour l'homme le mieux habillé du quartier, et quoi de plus normal, puisqu'il n'était pas un employé, ni un mécanicien, ni un conducteur de locomotive aux ongles toujours noircis d'encre ou de cambouis. Il était un musicien et un artiste, il jouait du saxophone dans la plus élégante boîte de nuit de Calcutta.

L'heure du thé était le moment de la journée que Queenie préférait. Elle était encore dépitée par la perte de son ruban : tout de même, à douze ans, ou *presque* douze ans, elle avait le droit de porter un ruban sur son topi ! — mais du moins les plateaux de cake et de biscuits offraient-ils quelque consolation.

« C'était toujours l'heure de la journée que préférait ton grand-père, dit sa mère en beurrant pour Queenie une tartine de pain.

— Je crois me rappeler, Vicky, dit Morgan, que le paternel préférait la bière au thé. Je dois dire que, moi-même, je prendrais bien une bière.

— Certainement pas à l'heure du thé, Morgan ! » fit-elle d'un ton décidé tendant une tasse à son frère. Il l'accepta avec un soupir : pas de doute — il n'en avait jamais eu —, Victoria généralement obtenait ce qu'elle voulait. Elle imposait ses diktats par la seule force de sa volonté, et pas seulement à Morgan mais à tout son entourage. Même les pensionnaires vivaient dans la terreur de Vicky. Seule Magda, la plus ancienne de leurs locataires, osait parfois braver Vicky, et c'était précisément ce qu'elle faisait maintenant en apparaissant par le rideau qui séparait le salon de la véranda. Au mépris de l'usage qui imposait de s'habiller pour le thé, elle arborait un kimono à fleurs.

« Il fait trop chaud pour mettre une robe », expliqua Magda, sans le moindre effort pour faire passer cela pour une excuse. Elle avait un accent européen, une voix de gorge un peu gutturale faite pour une autre langue plus rude. Une vie passée à fumer des cigarettes à la chaîne avait donné à la voix de Magda une tonalité rauque que certains hommes trouvaient excitante, mais qui contrastait étrangement avec sa beauté blonde et fragile, encore que celle-ci commençât comme sa voix à s'atténuer.

En la regardant, on devinait qu'elle avait jadis été belle, mais ce qui restait de cette beauté n'était qu'une ruine intéressante : sous la peau pâle, des pommettes hautes, une large bouche sensuelle, de grands yeux aussi bleus que la Tamise sur les boîtes de biscuits de Queenie. Sous les yeux, des cernes violacés, indices d'une vie difficile, de longues veillées, de maladie ou de souffrance, ou de quelque mélange de tout cela. Ce n'était pas un visage heureux : les os étaient trop près de la surface, si bien que, sous une lumière crue, l'esquisse d'un crâne sous la chair était déplaisamment visible.

« Du thé ? demanda Vicky d'un ton mondain tout en jetant un regard mauvais au kimono.

— Du thé, bien sûr. » Magda mit trois cuillerées de sucre dans son thé, puis en versa une autre dans la tasse de Queenie avec un clin d'œil complice.

« Il faut boire le thé brûlant et bien sucré, fit Magda, sans se soucier du regard noir que lui lançait Vicky. En Russie, quand j'étais là-bas, nous prenions un morceau de sucre entre les dents avant de boire notre thé. On le servait toujours dans un verre, vous savez. Ah ! Que c'était bon !

— Parle-nous du général, Magda, supplia Queenie.

— Le général ? Mais, ma petite, je t'en ai parlé mille fois !

— Laisse la pauvre Magda tranquille, Queenie, fit Vicky.

— Mais non, mais non. » Magda se mit à tousser : une toux profonde et violente qui semblait ne jamais devoir finir — puis elle but une gorgée de thé. « Le général était un homme merveilleux, Queenie. Six pieds de haut : un géant, comme un ours. Quand il riait, c'était... le tonnerre ! Il avait une grande barbe broussailleuse, tout argentée.

— Comme Ramdan Singh, le facteur ?

— Pas du tout comme Ramdan Singh ! Ce n'était pas une vilaine petite barbe en pointe de Sikh ; c'était une vraie barbe qui descendait jusqu'à la poitrine du général et recouvrait la moitié de ses décorations.

— C'était un très vieil homme ?

— Pas si vieux, ma chérie. Pourquoi ?

— Tu disais qu'il avait la barbe argentée. »

Magda soupira et alluma une cigarette, malgré le fait que Vicky de toute évidence désapprouvait qu'on fumât à la table du thé. « Oh ! Je le reconnais, il n'était pas jeune, mais les généraux ne le sont jamais.

— Est-ce qu'il vivait dans un palais ?

— Que de questions ! Il avait un magnifique palais, Queenie, mais je l'ai rencontré à la guerre, alors, je n'ai jamais vu son château. Je jouais à Kiev — mon Dieu, il faisait si froid en scène que je croyais mourir ! — et il est venu dans ma loge avec une bouteille de champagne, deux coupes et un seau de charbon. Tu ne peux pas savoir ce que le charbon représentait pour moi à cette époque. Plus que le champagne ! Le matin, il m'a envoyé une troïka, un superbe traîneau attelé de trois chevaux. Son ordonnance m'a donné une cape doublée de fourrure et une lettre du général m'invitant à venir le rejoindre à ses quartiers. Les quatre années suivantes, nous ne nous sommes pas quittés.

— Il devait t'aimer beaucoup », dit Queenie d'un ton d'envie, ses yeux sombres fixés sur le visage de Magda, sans se soucier de la tranche de gâteau aux raisins que sa mère avait placée sur son assiette, maintenant qu'elle avait mangé sa tartine beurrée.

« Comme la vie elle-même, ma chère petite. Plus que la vie, en fait. C'est la seule forme d'amour qui compte, Queenie. »

Magda lança un rond de fumée dans la chaleur de la véranda et le regarda flotter là. « Le reste... c'est du vent. »

La nuit tomba brutalement. Il n'y avait pas de crépuscule, pas de déclin progressif du jour. A un moment il faisait grand soleil et une chaleur accablante et quelques instants plus tard il faisait nuit noire et encore plus chaud.

« Ça me manque, la fin du jour », fit Magda d'un ton triste. Elle battait les cartes posées devant elle en soupirant tandis que la chaleur les lui collait aux doigts. Magda avait toujours un jeu de tarots. Elle ne se lassait pas de se dire l'avenir, comme si elle était décidée à trouver de bonnes nouvelles dans les cartes.

« Allons, fit-elle enfin en serrant son kimono autour d'elle et en fourrant ses tarots dans sa poche. Il faut que j'aille au travail. Vous aussi, Morgan.

— Je peux venir avec toi ? demanda Queenie.

— Bien sûr que non, ma chérie, répondit sa mère. Il va bientôt être l'heure d'aller au lit.

— D'ailleurs, ajouta Magda en se levant avec un bâillement, tu es trop jeune. Tu auras tout ton content de boîtes de nuit quand tu seras plus vieille. »

« Maman, demanda Queenie, est-ce que je peux aller regarder Magda se maquiller ?

— Pas ce soir, ma chérie », dit Vicky avec un petit reniflement désapprobateur. Il y avait tant de choses qu'elle désapprouvait. Elle s'était toujours considérée comme une femme respectable, avec les principes moraux les plus stricts, et c'était vrai. Elle n'avait fait d'exception qu'une fois, lorsqu'elle s'était laissé séduire à un bal de l'Institut des chemins de fer par un souriant Irlandais aux cheveux noirs du nom de Tim « Tiger » Kelley, qui était arrivé en Inde comme jockey par l'Australie, la Tasmanie et Singapour. Si elle n'avait pas été une Anglo-Indienne, elle aurait reconnu en Tiger un voyou, mais Tiger était blanc, et un homme blanc était une si belle prise pour une Anglo-Indienne au teint sombre comme elle qu'elle n'avait pas posé de questions — ce qui était aussi bien, puisque Tiger aurait répondu par des mensonges.

Vicky en fait chérissait la mémoire des cinq années qu'avait duré son mariage avec Kelley. Si petit qu'il fût, Tiger était plein d'énergie (d'où son surnom), toujours prêt à boire ou à festoyer, généreux avec son argent — et, malheureusement, tout autant avec celui des autres chaque fois qu'il en avait l'occasion. Sa carrière sur les champs de courses de Calcutta s'arrêta brutalement lorsque les commissaires l'accusèrent de parier contre ses propres montes, puis de ralentir leur allure — accusations dont il se révéla qu'elles avaient déjà été portées contre Tiger dans d'autres régions de l'Empire, en même temps que celle d'émettre des chèques sans provision, d'accumuler les dettes et d'être bigame. Il quitta précipitamment l'Inde, promettant de faire venir Vicky et Queenie dès qu'il le pourrait, et plus jamais l'on n'entendit parler de lui.

La vie depuis lors n'avait pas été facile pour Vicky, et pas seulement parce qu'elle avait la peau un peu trop sombre. Abandonnée par son mari volage et empêtrée dans les dettes qu'il avait laissées, elle avait été obligée de prendre des pensionnaires « pour joindre les deux bouts » et, comme elle était peu désireuse de louer des chambres à des mécaniciens veufs ou à des aiguilleurs célibataires, des gens anglo-indiens à la peau sombre et sans éducation, qui ne se rasaient qu'une ou deux fois la semaine et qui avaient du cambouis sous les ongles, elle avait trouvé plus agréable d'accueillir des dames. Il va sans dire qu'aucune Anglaise ne voudrait vivre dans un foyer anglo-indien, mais Calcutta était une ville cosmopolite et, grâce à Morgan, elle eût tôt fait de trouver ces clientes européennes : des femmes aux noms imprononçables et aux regards tristes, qui avaient traversé une bonne partie de l'Europe et de l'Asie dans le sillage de guerres et de révolutions, et pour qui Calcutta était souvent la dernière étape, sauf quand elles pouvaient économiser assez d'argent pour aller jusqu'à Bombay et de là rentrer par bateau en Europe.

La plupart d'entre elles travaillaient comme « hôtesses » chez Sirpo, ou dans les établissements du même genre et, si Vicky les soupçonnait de gagner leur vie par d'autres moyens moins respectables, elle avait toujours réussi à se cacher ce soupçon, même si ce n'était pas le cas pour les voisins. A vrai dire, elle en était arrivée aujourd'hui à être propriétaire d'une pension de famille pour femmes égarées d'une moralité douteuse, par une progression si insensible et si inévitable que le problème moral ne s'était jamais posé à elle.

« Pourquoi est-ce que je ne peux pas aller voir oncle Morgan jouer ? demanda Queenie en émiettant sa tranche de cake pour en grignoter les raisins.

— Ce n'est pas un endroit pour les enfants, Queenie, fit sa mère en jetant un coup d'œil hostile en direction de Morgan.

— C'est vrai, dit-il, plus à l'intention de Vicky que de Queenie. Mais, quand Queenie sera grande, elle pourra faire ce qu'elle veut.

— Nous verrons, fit Vicky d'un ton pincé. Si elle travaille bien à l'école — elle jeta à Queenie un regard sévère pour bien préciser que ce n'avait pas été le cas jusqu'alors — et si elle passe ses certificats, alors elle pourra choisir le métier qu'elle voudra. Regarde Peggy D'Souza : elle vient d'entrer comme dactylo dans une grande société anglaise de Connaught Street, à peine sortie de l'école ! Elle est là, dans un très beau bureau, à travailler pour un Anglais. Ecoutez ce que je vous dis, elle finira par épouser un Anglais, vous verrez. Et par rentrer au Pays avec lui ! »

Morgan haussa un sourcil. L'admiration que Vicky portait à Peggy D'Souza était un thème bien connu, mais Morgan ne partageait pas la vue optimiste qu'avait sa sœur de l'avenir de Peggy. Il avait sur le bout de la langue de faire observer que Peggy avait en fait échoué à son examen et qu'elle avait été engagée pour des raisons qui n'avaient rien à voir avec ses talents de dactylo, mais il resta silencieux. Quant aux D'Souza, ils avaient tout bonnement adopté leur nom portugais deux générations plus tôt dans l'espoir que cela les ferait passer plus facilement pour des Européens d'origine méditerranéenne, espoir bien vain, puisque la plupart d'entre eux, à l'exception de Peggy, étaient noirs comme du cirage.

« C'est assommant, l'école, dit Queenie.

— Jamais de la vie, répondit Vicky machinalement. Il faut bien étudier. Ensuite tu trouveras une bonne place et tu rentreras en Angleterre pour vivre comme une vraie dame.

— Je préférerais être une actrice comme Magda. »

Vicky soupira.

« Tu ne devrais pas mettre ce genre d'idée stupide dans la tête de Queenie, dit-elle à Morgan lorsqu'ils se retrouvèrent seuls.

— Ce n'est pas plus stupide que de raconter à cette enfant qu'un jour son père viendra la chercher, Vicky.

— Oh ! Ça pourrait arriver.

— Vicky, dit Morgan avec douceur, tu sais bien que non. Tiger avait une famille en Tasmanie et une autre en Afrique du Sud — et je ne parle que de celles que nous connaissons. A l'heure qu'il est, il est sans doute à Hong Kong ou en Australie. Ou plus vraisemblablement en prison. »

Elle fixait l'obscurité. Tout ce que disait Morgan était sans aucun doute vrai, mais elle y résistait de tout son être. En Angleterre, Queenie serait libre, personne n'aurait besoin de savoir ce qu'elle était ni d'où elle venait. Elle avait le teint assez pâle pour se faire passer pour Anglaise, avec peut-être juste un soupçon de sang étranger, alors qu'en Inde elle serait toujours à la merci d'une remarque sournoise, d'une rumeur désobligeante, d'un coup d'œil en coulisse, quand on ne parlerait pas d'un « ancêtre un peu foncé » ou d'une « grand-mère moricaude ».

Queenie ôta ses chaussures et s'assit en soupirant sur le carrelage de la cuisine. Queenie aimait bien la cuisine, et pas seulement parce que c'était un territoire interdit ou parce que la cuisinière avait toujours quelques pâtisseries indiennes — des mélanges poisseux et peu hygiéniques à base de fruits, de noix et de miel que sa mère condamnait avec presque autant d'énergie que le fait de marcher pieds nus. Ici, on ne lui demandait pas de se tenir droite ou de « se conduire comme une dame » ni de « surveiller son langage » comme sa mère aimait tant à le dire. Pour sa grand-mère et pour les domestiques, elle était la « petite princesse » et elle pouvait se conduire à sa guise.

Grand-mère et l'ayah étaient accroupies à la mode indigène en train de boire du thé. Elles avaient toutes les deux un visage brun, ridé et fripé par l'âge, mais celui de l'ayah était plus heureux, peut-être parce qu'elle n'avait pas à faire semblant d'être autre chose que ce qu'elle était : une femme d'un certain âge à la caste incertaine, aussi indienne que la nuit brûlante et parfumée dehors. Et puis, comme Queenie ne pouvait s'empêcher de le remarquer, l'ayah était bien plus à l'aise — et bien plus présentable — dans son sari que Mrs. Jones dans sa robe froissée, boutonnée de travers et dont l'ourlet pendait d'un côté.

Par la porte ouverte, elles apercevaient la longue rangée des cours dans la journée, chacune avec une cuisine plus ou moins identique, et elles pouvaient commenter ce qui se passait dans toute la rue. La nuit, elles écoutaient.

« Chut ! murmura grand-mère en se penchant, l'oreille tendue. La petite D'Souza est en train de se faire enguirlander par sa mère. Hier soir, elle est rentrée tard Ce soir, elle sort encore », annonça grand-mère, car l'ayah était un peu sourde.

Queenie entendait les échos d'une dispute provenant de la maison voisine. « Ça m'est égal, maman, c'est un Anglais ! » entendit-elle Peggy D'Souza crier au milieu du vacarme.

« Elle couche avec un Anglais », précisa grand-mère en hindi.

L'ayah hocha la tête. « Tout le monde le sait. Il la ramène chez elle dans sa voiture. Hier soir, ils se sont embrassés dans la rue. Je l'ai vu de mes yeux.

— C'est bien d'embrasser un homme ? » demanda Queenie.

Les deux vieilles femmes éclatèrent de rire, en se balançant sur leurs talons. Même la cuisinière, qui d'ordinaire gardait le silence, se mit à glousser.

« Tiens, fit l'ayah entre deux éclats de rire, tu entends la petite ? A peine sevrée la voilà déjà qui s'intéresse aux hommes ! »

Sa grand-mère pinça si fort la joue de Queenie que celle-ci faillit éclater en sanglots. « Tu ne dois pas parler de ça à ta mère, lui recommanda-t-elle. Il y a des domaines sur lesquels nous en savons plus que les Anglais. »

A qui le « nous » faisait allusion, c'était là un sujet quelque peu déconcertant pour Queenie. Grand-mère était de toute évidence aussi indienne que l'ayah, malgré les toilettes occidentales que maman lui imposait. Queenie y avait beaucoup réfléchi. Même en appliquant les règles les plus élémentaires de l'arithmétique, cela signifiait que sa mère et Morgan étaient demi-indiens, et qu'elle était un quart indienne — ou trois quarts anglaise, selon ce qu'on choisissait.

D'ailleurs, même si elle n'était qu'une enfant, Queenie avait déjà appris qu'il n'existait pas de créatures baptisées « indiennes ». C'était là un continent qui abritait difficilement des brahmines de haute caste et des intouchables, des hindous et des musulmans, de paisibles dadus bengalis, et des guerriers sikhs, des Pathans farouches et des Cachemiris amateurs de bonne vie, des Rajputs de six pieds de haut et des peuplades des collines qui étaient presque des pygmées, aucun d'eux n'ayant grand-chose en commun, pas même une langue, à moins qu'on ne comptât l'anglais ; c'était une terre où les femmes en *purdah* se rendaient voilées dans des temples où les murs offraient une débauche de sculptures interdites, où un mahārādjah descendait d'une Rolls Royce carrossée en or massif pour laver les pieds des lépreux et des mendiants, où on laissait les enfants mourir dans les rues tandis qu'on préservait avec un zèle religieux la vie d'une vache... Tout cela faisait partie d'elle et en même temps elle se sentait étrangère à tout cela.

Ce doit être agréable, songea Queenie, d'être une chose ou une autre, de *savoir* où l'on est. Elle se blottit contre les deux vieilles femmes, le regard perdu dans la nuit, où le seul objet visible maintenant était le rougeoiement de la pipe de Mr. D'Souza.

« Pourquoi Mrs. D'Souza est-elle en colère contre Peggy ? » demanda-t-elle, plus pour se maintenir éveillée et éviter qu'on ne lui dise d'aller au lit que par réelle curiosité.

« Peggy a désobéi à sa mère », répondit sa grand-mère.

Si ensommeillée qu'elle fût, cette réponse satisfit Queenie.

« Si Peggy se marie, est-ce que son mari l'emmènera au Pays ? »

Grand-mère contempla la nuit et soupira. Puis elle posa doucement une main sur le visage de Queenie, ses doigts sombres caressant la peau pâle et lisse de sa petite-fille, et, d'une voix douce et triste, elle murmura : « Queenie, le Pays, c'est ici. »

2

1929

Depuis quelque dix ans qu'il travaillait ici, Morgan se demandait pourquoi une boîte de nuit, conçue sans doute pour faire oublier aux gens le fait qu'ils étaient en Inde, devait être décorée de faux palmiers et d'arches orientales.

En fait, le propriétaire, Gaetano Sirpo, avait voulu au départ calquer le décor sur celui du café de Paris à Londres, où il avait jadis travaillé comme serveur avant la grande guerre, mais un incendie durant la construction, qu'avait suivi la menace d'une faillite prématurée, l'avait contraint à acheter ce qui se trouvait disponible sur place en matière de décoration.

Malgré les ventilateurs qui tournaient mollement entre les lustres, il régnait dans l'établissement une chaleur si étouffante que même les habitants de Calcutta les plus endurcis parfois s'évanouissaient, mais Sirpo ne considérait pas cela comme un inconvénient. « Plus il fait chaud, plus ils boivent », disait-il avec satisfaction chaque fois qu'on abordait ce sujet.

L'accès en était interdit aux Indiens ; un mahārādjah qui aurait été accueilli à bras ouverts dans les boîtes de Londres ou de Paris ne s'y aventurait de temps en temps que s'il était avec un groupe de sahibs. Ce n'était pas le genre d'endroit où l'on laissait entrer non plus un Anglo-Indien, mais ce problème-là bien sûr se posait rarement. C'était une question de classe plutôt que de couleur : peu d'Anglo-Indiens avaient le goût ou l'argent de fréquenter les boîtes de nuit, et en outre ils étaient pour la plupart des calvinistes ou des méthodistes de stricte observance. Pour les jeunes filles anglo-indiennes, c'était différent. Elles étaient admises chez Sirpo, à la grande horreur de leurs parents, la règle non écrite étant qu'elles devaient avoir le teint pâle. La plupart d'entre elles étaient amenées par de jeunes Anglais : la génération de leurs aînées n'aurait jamais rêvé de faire cela. Invariablement, elles portaient des robes roses et dansaient mieux que les Anglaises.

« Elles ont ça dans le sang », se dit Morgan Jones, tout en regardant une jeune femme en rose danser un tango pendant sa pause. Elle lui parut ressembler à Peggy D'Souza, mais c'était difficile à dire avec cet éclairage faiblard et tremblotant. Morgan la salua de la main. Elle lui répondit par un clin d'œil, la fleur qu'elle avait dans les cheveux s'agitant au rythme du tango.

« Joli morceau, fit d'un ton admiratif le joueur de contrebasse, un Australien du nom de George Higgins. Je l'ai à l'œil depuis le début de la soirée », ajouta-t-il avec une exactitude dans le vocabulaire qui n'était pas voulue, car il avait servi dans la campagne de Palestine sous le général Allenby et perdu un œil au cours d'une bagarre avec deux lanciers de la police militaire dans un bordel de Basra, en même temps que ses dents de devant. Un dentiste militaire lui avait remplacé ses dents par ce qui semblait être du carrelage de lavabo miniature ; l'œil de verre avait un certain charme arrogant qui manquait totalement à l'œil d'origine ; à vrai dire, c'était l'œil de verre maintenant qui semblait fixé sur Peggy D'Souza pendant que le bon œil fixait sur Morgan un regard éteint.

« Pas mal », reconnut Morgan. Son admiration pour les Anglais ne s'étendait pas aux coloniaux comme Higgins, qui de toute façon était un homme à l'humour vulgaire et aux façons communes.

« Tu la connais ? demanda Higgins.

— Non », répondit Morgan sans vergogne. Il n'allait tout de même pas présenter Higgins à Peggy D'Souza, si c'était bien elle.

« Je parie que si, mon vieux », fit Higgins d'un ton coléreux. Même à jeun — ce qui n'était pas le cas pour l'instant — il était prompt à s'emporter. « Je l'ai vue te faire un clin d'œil, tu sais. C'est une payse ? »

Morgan eut un sourire songeur. La remarque de Higgins n'était pas une insulte. Morgan ne cachait pas qu'il était anglo-indien, ce qui de toute façon aurait été impossible à dissimuler, mais Peggy était donc indéniablement une « payse », tout comme les Australiens étaient des « pays » de Higgins. Est-ce une insulte, se demanda Morgan, d'appeler un homme ce qu'il est ? Mais bien sûr que oui et le ton de Higgins montrait clairement que c'était délibéré.

« Ça se pourrait », répondit Morgan, qui s'en voulait de sourire.

« Bien sûr, on ne peut pas toujours être certain, reprit Higgins en baissant la voix, un tas de ces filles-là peuvent passer pour blanches, pas vrai ? Un type que je connais dit qu'on peut toujours s'en apercevoir en regardant les ongles, les gencives… et leur façon de se conduire au lit ! » Il se mit à rire, projetant ainsi quelques postillons sur le visage de Morgan, au vif dégoût de celui-ci. Morgan s'essuya le visage d'une main.

« Fait chaud là-dedans », fit Higgins d'un ton compatissant, en remarquant le geste de son compagnon. En même temps, Peggy

D'Souza, qui s'était approchée d'eux dans les bras de son jeune Anglais s'écria : « Salut, Morgan.

— Salut, Peggy, dit Morgan, se rendant compte tout en parlant que le bon œil de Higgins lui lançait un regard sinistre.

— Je croyais que tu ne la connaissais pas ?

— Je n'étais pas sûr que c'était Peggy, fit Morgan en haussant les épaules.

— Mon cul ! Je croyais qu'on était copains ! Tu crois peut-être que tes petites moricaudes sont trop bien pour un Australien comme Higgins, c'est ça, hein ? Tu me débectes. »

Higgins recula, avec l'instinct d'un homme qui a l'habitude des bagarres de bistrot : il était trop près de Morgan pour se servir efficacement de ses poings et il avait besoin d'une certaine distance pour allonger son premier coup. Il feinta, repliant son bras droit, puis décocha au plexus solaire de Morgan un méchant crochet du gauche qui se trouva bloqué net car il avait été empoigné par-derrière par le vieux Sirpo en personne qui surgissait de nulle part au moindre signe de violence dans son établissement.

« Pas ici ! lança-t-il. Je ne permets pas les bagarres parmi le personnel.

— Ce n'était pas ma faute, Mr. Sirpo », dit Morgan, douloureusement conscient que sa voix avait pris un ton geignard et l'accent chantant des Anglos-Indiens dont les Anglais se gaussaient tant.

Alberto, le neveu de Sirpo, apparut sans un mot, comme il le faisait toujours à la moindre menace de bagarre, le visage impassible, son poil dru dissimulé par une épaisse couche de talc qui lui donnait un air un peu clownesque bien mal assorti aux yeux sombres et sans expression.

« Un problème ? » demanda-t-il.

Sirpo haussa les épaules. Alberto poussa Morgan de côté, se planta devant Higgins en regardant le fond de la salle comme si rien de ce qu'il voyait d'ici ne l'intéressait, et d'un geste brusque envoya un coup de genou dans l'aine de Higgins. L'expression d'Alberto ne changea pas ; à vrai dire, à deux mètres de distance, on n'aurait pu dire qu'il s'était passé quelque chose. Higgins poussa un gémissement étouffé — le vieux lui serrait si fort la gorge qu'il ne pouvait pas crier — puis s'effondra en geignant, les mains crispées sur son entrejambe, pendant que le vieux Sirpo l'aidait à rester sur ses pieds.

« Remets-toi au travail, dit Alberto d'un ton calme. Tu reprends ta contrebasse. Tu ne fais plus d'histoires. Si tu en fais, je te tue. Compris ? »

Higgins hocha la tête. Il bavait un peu et son œil de verre avait tourné dans l'orbite si bien qu'on n'en voyait plus que le blanc.

« C'est bien », dit Alberto en tapotant l'Australien sur la joue. Alberto sourit, exhibant une rangée de dents en or étincelantes. « Et toi, Morgan, ajouta-t-il, tu oublies tout ça, compris ? Les clients veulent se battre, parfait, dès l'instant qu'ils paient les dégâts. Mais pas le personnel. »

Morgan acquiesça, soulagé de constater que la responsabilité, comme il convenait, retombait sur Higgins. « Très bien, Mr. Sirpo, dit-il. Vous pouvez compter sur moi », ajouta-t-il avec empressement.

Alberto lança derrière lui un regard impassible à la piste de danse, les mains croisées derrière le dos dans l'attitude traditionnelle du maître d'hôtel. « Attention à Higgins, dit Alberto. Il n'en a pas fini avec toi. »

Il faisait encore nuit quand Morgan rentra de son travail, environ une heure avant l'aube. C'était le moment de sa journée qu'il préférait, sauf les nuits où sa vieille Austin refusait de démarrer. On ne pouvait pas dire qu'il faisait frais, mais aussi frais que la chose était possible à Calcutta et, dans la voiture, avec la capote baissée, on était presque bien.

Morgan donna un brusque coup de volant pour éviter une vache qui dormait au milieu de la rue. En Angleterre, se dit-il, il n'y avait pas de ces saloperies de vaches à dormir sur la chaussée, et pas de mendiants non plus. Morgan soupira. On était en 1929. En Angleterre, même les pauvres avaient l'eau courante et assez à manger alors qu'ici il y avait quatre cents millions de personnes qui continuaient à s'essuyer le derrière avec leurs doigts et qui satisfaisaient leurs besoins naturels en pleine rue !

Il y avait dix ans que Morgan travaillait chez Sirpo et l'Angleterre lui semblait aussi loin que jamais. Les gens disaient mille choses aimables sur sa façon de jouer — on admirait et on applaudissait ses solos — mais aucun des pisteurs de talents n'avait jamais surgi pour lui proposer un contrat avec un orchestre anglais, et Morgan commençait à se dire qu'aucun ne le ferait jamais. Il n'y avait pas plus d'espoir que de voir, comme le croyait sa sœur, le père de Queenie venir la chercher un jour.

Assis dans la voiture, il songea un moment à Queenie, répugnant à monter se coucher. Elle commençait à poser des problèmes à sa mère et, selon Morgan, c'était bien prévisible. Après tout, ce n'était plus une enfant. Dans le cas de Queenie, sa beauté n'arrangeait rien. Même dans sa tenue d'écolière, elle montrait déjà les premiers signes du corps d'une femme mûre : de longues jambes bien formées, une taille fine, de petits seins parfaits. D'autres fillettes de quatorze ans étaient bien faites, mais c'était le visage de Queenie qui la rendait si spéciale : les grands yeux sombres, avec leurs longs cils, les hautes pommettes, les lèvres si pleines et si parfaitement dessinées qu'elles semblaient presque provocantes sur une si jeune fille.

Morgan trouvait que vivre dans l'intimité d'une beauté si tôt épanouie mettait ses nerfs à rude épreuve. Il était difficile de regarder Queenie sans penser au sexe. Parfois, c'était même impossible et cela l'emplissait de honte.

Il arrêta le moteur, serra le frein et mit les clés de la voiture dans sa poche, puis il s'étira en s'arrêtant devant la grille de la maison.

Il remonta l'allée, ses escarpins vernis claquant sur les dalles descellées, puis il s'arrêta car, du coin de l'œil, il venait de remarquer une tache blanche dans les buissons sur sa gauche, quelque chose qui n'était pas à sa place dans un paysage qu'il connaissait par cœur, même dans l'obscurité. Pendant une fraction de seconde, il se demanda si Vicky n'avait pas laissé un torchon ou une serviette à sécher, mais il savait pertinemment que c'était impensable — la corde à linge était derrière la maison, non pas devant où les voisins risquaient de la voir — et à l'instant même où il se rendait compte qu'il contemplait un plastron de chemise blanche, une voix familière dit : « Maintenant, je vais t'apprendre, espèce de bougnoule de mes deux ! »

Higgins chargea comme un sanglier, poussa un grognement et expédia un violent coup de poing sur la joue de Morgan. Le choc et la douleur éclaircirent aussitôt les idées de ce dernier. Il était trop tard pour s'excuser et impossible de fuir, car Higgins avait déjà passé le bras gauche autour de Morgan, l'immobilisant de façon à pouvoir de son poing droit marteler les reins de son adversaire. D'un instant à l'autre, Higgins allait lui donner un coup de genou dans l'aine, Morgan le savait et, quand il serait à terre, Higgins le frapperait sans merci et à coups de pied.

« Au secours ! » cria Morgan dans le silence de la nuit, puis il eut le souffle coupé car Higgins venait de lui donner le coup de genou auquel il s'attendait et Morgan, qui savait que cette douleur n'était qu'un avant-goût de ce qu'allait lui infliger Higgins quand il serait au sol, se prit soudain à réagir avec la fureur insensée d'un lâche affolé.

Reprenant son souffle, il donna un coup de tête en plein dans le visage de Higgins. Celui-ci poussa un cri de surprise et de douleur, puis chargea de nouveau, tandis que Morgan le criblait de coups de poing inefficaces. Higgins toucha Morgan au nez, puis s'approcha pour le coup de grâce, ceinturant Morgan pour le contraindre à tomber, lorsque Morgan vit quelque chose bouger derrière eux, une tache blanche qui surgissait de derrière les buissons. Peut-être Higgins l'avait-il remarquée aussi : en tout cas, il tourna soudain la tête, donnant à Morgan, qui était à genoux, l'occasion de saisir son adversaire par le nez et par une oreille, puis il y eut un choc sourd, et Higgins s'affala sur le sol, ses doigts s'agitant faiblement. Son œil de verre avait sauté et fixait sur le ciel nocturne un regard lugubre.

« Oh ! Mon Dieu, dit Queenie. Je lui ai arraché l'œil ! Je vais vomir. »

Morgan reprenait son souffle. Il la distinguait fort bien maintenant, plantée au-dessus de Higgins dans sa chemise de nuit de coton, une brique à la main. « Ça n'est rien, fit-il, c'est son œil de verre. Tu ne l'as pas rendu aveugle. Peux-tu m'aider ? »

Queenie laissa tomber la brique, se pencha et, avec son aide, Morgan se remit debout. Pour une fille qui avait horreur de la gymnastique et du sport, elle avait une force insoupçonnée, se dit-il, et une extraordinaire présence d'esprit. Il fut surpris de pouvoir remarquer, malgré sa souffrance, qu'une des bretelles de sa chemise de nuit avait craqué, exposant au clair de lune un petit sein ferme et de forme parfaite lorsqu'elle se pencha vers lui. Le bouton en était délicat et dardait si près du visage de Morgan qu'il en fut presque tenté de l'embrasser.

« Tu fais peur à voir, dit Queenie. Crois-tu que tu as le nez cassé ? »

Morgan se palpa le visage, tressaillit de douleur, mais ne parvint à déceler aucun mouvement du cartilage. « Je ne pense pas, dit-il d'une voix rauque.

— Qui est-ce, lui ?

— Un type de la boîte. Higgins. Un salaud d'Australien.

— Pourquoi voulait-il te battre ?

— Oh ! Pour un tas de raisons... Il disait des choses sur Peggy D'Souza et, de fil en aiguille... »

Queenie éclata de rire. « Tu ne défendais tout de même pas l'honneur de Peggy, Morgan ! C'est une cause perdue !

— Oh ! Il n'y avait pas que cela... C'était plutôt une discussion générale sur les femmes anglo-indiennes, si tu veux...

— Ça ne vaut pas la peine de se faire casser la figure pour ça. Crois-tu que nous l'avons tué ? »

Morgan se pencha et examina Higgins.

« Non, il est vivant. La question est de savoir ce qu'on va faire de lui. On ne peut pas le laisser sur la pelouse.

— Pourquoi ne pas le mettre dans la voiture et le conduire jusqu'à l'arrêt d'autobus de Brahmapore Street ? Quelqu'un le trouvera là le matin. Seulement nous ferions bien de nous dépêcher.

— Nous ?

— Tu ne peux pas le porter tout seul. Allons, viens. Je vais le prendre par un bras, toi par l'autre. »

Morgan secoua la tête, ce qui fut extrêmement douloureux, puis renonça. A eux deux, ils traînèrent Higgins jusqu'à la voiture et le hissèrent sur la banquette avant. Au grand soulagement de Morgan, elle noua avec soin la bretelle déchirée de sa chemise de nuit. « Je ferais mieux de retrouver son œil de verre, dit Morgan.

— Toi, si tu veux, moi, je m'arrête là. »

Morgan récupéra l'œil sur le trottoir et revint le mettre dans la poche du veston de smoking de Higgins. Puis il desserra le nœud papillon noir de Higgins, déboutonna son col et lui ôta ses fausses dents. « Il ne s'agirait pas qu'il s'étrangle », expliqua-t-il.

Queenie s'installa sur la banquette arrière, les bras autour de ses genoux, jusqu'à ce que Morgan parvînt à Brahmapore Street. Là, ils descendirent avec soin Higgins de la voiture et l'installèrent sur le banc de l'arrêt d'autobus. Il avait le menton qui lui tombait sur la poitrine, comme un homme qui s'est endormi après une nuit de beuverie.

« Il sera très bien là, dit Morgan. Aucun Indien n'aurait le cran d'aller voler un Blanc en tenue de soirée. »

Pour le retour, Queenie s'assit devant, auprès de Morgan, sans se soucier apparemment du fait qu'elle n'était vêtue que d'une légère chemise de nuit. La brise lui agitait les cheveux et elle soupirait de plaisir, heureuse de ce moment de fraîcheur.

« Qu'est-ce que tu faisais éveillée ? demanda Morgan.

— Je n'arrivais pas à dormir. » Elle s'étira langoureusement et puis agita sa chemise de nuit pour laisser passer la brise. « Je voudrais déjà être grande », ajouta-t-elle.

Morgan se pencha et la gratifia d'un petit baiser avunculaire. « Tu devrais aller vite te recoucher, dit-il. Je crois qu'il vaut mieux que ta mère ne sache rien de ton rôle dans tout cela. »

Queenie hocha la tête. C'était bien vrai. « Et ton visage ? demanda-t-elle.

— Je vais me laver.

— Tu ne peux pas faire ça tout seul. »

Il haussa les épaules. Elle avait raison.

Arrivée dans la chambre de Morgan, Queenie versa l'eau de la cruche dans la cuvette à fleurs émaillée et vint la poser sur le lit où Morgan était assis, soudain épuisé et comme vidé de ses forces. Queenie se mit à rire. « En tout cas, tu n'as pas perdu tes dents.

— Je le sais, Queenie. Mais qu'est-ce que ça a de si drôle ?

— Higgins n'a plus les siennes ! dit-elle en pouffant. Nous avons oublié de les remettre dans sa poche ! » Plongeant la main dans la veste de Morgan, elle en retira les fausses dents de Higgins qu'elle posa auprès de la cuvette. « Un trophée, dit-elle.

— Il va être furieux. Je devrais peut-être les lui rendre...

— Pas question, Morgan. Laisse-le manger du porridge jusqu'à ce qu'il ait un nouveau dentier. C'est le moins qu'il mérite pour avoir insulté les femmes anglo-indiennes. Ou bien tu pourrais les offrir à Peggy D'Souza ! »

Morgan éclata de rire, malgré ses lèvres douloureuses, et commença à ôter son col, déposant les boutons de plastron dorés auprès des dents de Higgins qui semblaient sourire comme jamais elles ne l'avaient fait dans la bouche de leur propriétaire.

Il regarda Queenie essorer le gant éponge et se pencher pour lui laver le visage. A la lueur de sa lampe de chevet, on voyait combien la fillette était toute rouge, sans doute d'excitation, et puis il s'aperçut, avec un petit frisson d'inquiétude et de plaisir coupable, qu'il apercevait distinctement à travers le tissu léger ses boutons de seins et un petit triangle sombre entre ses jambes.

« Je crois qu'il vaut mieux que les événements de ce soir restent un secret entre nous, Queenie, dit-il tandis que le gant éponge lui effleurait le visage.

— Oh oui, fit-elle, toujours. »

Là-dessus, brusquement, Morgan s'évanouit, au moment où l'eau froide touchait ses blessures.

Lorsqu'il s'éveilla, moulu de courbatures de la tête aux pieds, c'était presque midi, et il se rendit compte, brusquement horrifié, qu'on lui avait ôté son habit ainsi que sa chemise déchirée et ensanglantée. Il était allongé en caleçon sur le lit et, en entrouvrant péniblement un œil gonflé, il constata que ses escarpins vernis étaient bien rangés auprès de la table de toilette, sur laquelle les dents de Higgins lui souriaient.

C'était Queenie qui l'avait déshabillé, aucun doute là-dessus. Il en éprouva d'abord de l'humiliation, puis une certaine excitation et pour finir un sentiment accablant de culpabilité devant ce qu'il ressentait.

Désormais, se dit-il, il allait devoir prendre garde.

Queenie n'était plus une enfant.

Les blessures de Morgan lui valurent dans la maison un respect nouveau. Pour Vicky, l'œil au beurre noir de Morgan, son nez enflé et ses lèvres tuméfiées étaient des blessures d'honneur. Il se trouva pour la première fois traité avec la déférence due au seul homme de la maison.

Magda, qui souvent le taquinait, lui manifestait maintenant un certain respect amusé, car le général avait été un farouche partisan des corrections pour mettre au pas soldats, domestiques, juifs et paysans insolents.

Pourtant, il était étonnamment mélancolique pour un héros, comme si l'incident lui pesait. Magda en était convaincue, quelque chose l'ennuyait. Elle connaissait comme personne les humeurs des hommes. « Un peu d'entrain », lui dit-elle.

Morgan souriait autant que le lui permettaient ses lèvres enflées. Ils étaient assis sur la véranda, dominant le site de la rencontre désormais fameuse, essayant d'échapper un peu à la chaleur. Queenie et sa mère étaient installées toutes les deux sur un canapé d'osier, la mère en train de coudre, les lunettes chaussant le bout de son nez, Queenie étudiant sans joie ses leçons tout en essayant de ramasser un crayon avec ses doigts de pied. Morgan buvait à petits coups un verre de bière — concession de Vicky à son nouveau statut.

« Mais je suis très content, dit-il.

— C'est bien normal, dit Magda. Les Sirpo vous reprennent dès que vos lèvres auront cicatrisé. Et Higgins a disparu.

— Je sais. Il a fait ses bagages et filé sans même réclamer ses dents.

— Bon débarras, dit Vicky. Queenie, cesse de jouer avec tes doigts de pied et remets tes chaussures. Ce n'est pas convenable d'être pieds nus comme une indigène.

— Oh ! Maman, il fait si chaud. Et ce livre est si assommant. J'ai horreur de l'arithmétique. A quoi bon ?

— Tu ne trouveras pas de bonne situation si tu ne sais pas compter, mon enfant. Et d'ailleurs, tu as ta composition. »

Queenie soupira et s'approcha de sa mère. « Maman, dit-elle, en levant les yeux vers elle, il y a un groupe théâtral à l'école. Est-ce que je peux m'y inscrire ?

— Bien sûr que non.

— Pourquoi ?

— D'abord, parce que tu ne travailles pas assez bien en classe. Et puis le théâtre, ça n'est pas convenable. Je suis surprise que l'école tolère une chose pareille.

— Mais si. Beryl O'Brien en fait partie, et pourtant son père est contrôleur des messageries et a un bureau pour lui tout seul.

— C'est bien possible. Les O'Brien sont tout à fait respectables, je ne vais pas le nier, mais ce n'est pas une raison parce qu'ils laissent Beryl faire une stupidité pour que tu en fasses autant.

— Mais maman ! Ils montent toutes sortes de pièces tout à fait bien. Gilbert et Sullivan ! La mère de Beryl lui a coupé un ravissant kimono pour le mikado — et pourtant, avec un petit visage rond comme le sien, elle va avoir un drôle d'air en Japonaise. Enfin, je suppose que le kimono cachera son gros derrière.

— Queenie, on ne parle pas mal d'autrui. Surtout quand il s'agit de choses auxquelles ils ne peuvent rien. Beryl est une très gentille petite fille. Elle sera tout à fait jolie quand elle aura perdu ses rondeurs d'enfant.

— Je n'en suis pas si sûr, observa Morgan. Sa mère est bâtie comme un buffle. »

Queenie regarda Morgan, en étouffant un fou rire, ses doigts de pied crispés sous le canapé. Il remarqua pour la première fois qu'elle n'avait plus les mains d'une écolière. Comme il les regardait, il se sentit rougir. Il avait les yeux fixés sur les cuisses de la fillette, découvertes par la courte jupe de son uniforme, tandis qu'elle se tortillait sur le canapé, cherchant encore à attraper le crayon avec ses doigts de pied malgré les avertissements de sa mère.

Morgan s'éclaircit la voix. « Je ne vois rien de mal à ce que Queenie essaie », dit-il. Il avait espéré donner une impression de solide bon sens masculin, mais il se rendit compte tout en parlant que sa voix n'avait pas l'accent de l'autorité. Il n'avait pas l'habitude de s'opposer à sa sœur — assurément pas en ce qui concernait Queenie.

Il y eut un moment de silence ; puis, à la surprise de son frère, Vicky leva la tête de son ouvrage, soupira et acquiesça. « Tu as sans doute raison », dit-elle à regret, comme si le nouveau rôle de Morgan lui conférait une sagesse particulière.

« Je crois que cela ne peut pas lui faire de mal, reprit Morgan d'un ton plus ferme. Si des filles comme Beryl O'Brien en font partie, il n'y a pas à s'inquiéter. » Il regarda Queenie qui le dévisageait avec une gratitude si passionnée qu'il s'en mit à transpirer. Il se força à plonger les yeux dans sa tasse de thé, même là il voyait toujours dans son esprit la douce courbe des lèvres de Queenie.

« J'espère seulement que cela ne va pas mettre des idées dans la tête de cette petite », fit Vicky d'un ton sombre.

Inutile de s'inquiéter pour cela, songea Queenie. Des idées, elle en avait déjà plein la tête, dont bien peu auraient plu à sa mère. Elle n'avait aucune envie d'aller travailler comme dactylo ou comme secrétaire dans un bureau sans air de Calcutta — encore que, bien sûr, ce fût un avenir plus attirant que de grandir pour épouser quelqu'un comme Paddy O'Brien, le frère aîné un peu scrofuleux de Beryl, et de passer le restant de ses jours à s'occuper des enfants pendant qu'il buvait de la bière avec ses amis et s'inquiétait de savoir ce qui se passerait quand les Indiens reprendraient les chemins de fer.

Queenie ne s'intéressait guère au théâtre et ne nourrissait aucun rêve pour ses talents d'actrice, mais le groupe théâtral représentait pour elle un pas dans la bonne direction. Ce qui la surprenait, c'était le fait que Morgan eût pris son parti contre sa mère. Lorsqu'elle le regardait, il avait tendance à rougir ou à se mettre à transpirer. Cela arrivait à l'école aussi, car l'idée de s'inscrire au groupe théâtral ne lui était pas venue spontanément : c'était Mr. Pugh lui-même, lequel semblait la dévorer des yeux presque autant que Morgan, qui l'avait suggéré.

La plupart des professeurs la négligeaient : elle n'était ni bonne en sport ni une élève brillante. Mr. Pugh, qui enseignait la littérature anglaise et la musique, était une exception. Parfois ses yeux, qui étaient protubérants et d'un étrange bleu délavé, semblaient se fixer sur elle avec une intensité inquiétante. Pugh, songea Queenie, était un homme bizarre, même pour un professeur. Elle n'avait qu'à jeter un coup d'œil dans sa direction pour le faire rougir, mais, ce qui était plus étrange encore, c'était l'habitude qu'il avait de la dévisager, elle, lorsque lui récitait des poèmes. Magda, lorsque Queenie lui en parla, ne fut d'aucun secours. « Tous les Anglais ont horreur des femmes », déclara-t-elle.

Queenie était assise dans le lit de Magda, le menton sur ses genoux, et elle regardait Magda terminer de se maquiller. « Est-ce que je peux essayer votre noir à yeux ? demanda Queenie.

— Non, il ne m'en reste presque plus. Et puis ta mère s'en apercevrait.

— Je l'essuierai.

— La dernière fois tu as oublié et elle en a vu des traces sur ton oreiller. J'ai cru que je n'en entendrais jamais la fin. " Ensuite ce sera le rouge à lèvres ", m'a-t-elle dit. Ce sera en effet sans doute ça.

— Je voudrais être assez vieille pour me maquiller. Heather Gomes le fait bien.

— La petite fille aux vilains cheveux ? Mais elle en a besoin, la pauvre ! Elle se met du blanc nacré parce qu'elle a la peau si sombre. Remercie le ciel de ne pas avoir besoin de ce genre de choses, Queenie. Tu as une peau superbe. Elle est bien assez pâle. Si tu la soignes, crois-moi : elle te soignera.

— Est-ce que les hommes aiment la belle peau ?

— Oui, bien sûr. Même l'homme le plus laid croit qu'il a droit à une femme belle — et qu'il a le droit d'être difficile en plus !

— C'est agréable d'être avec un homme ?

— Ça peut l'être, oui. Mon Dieu, ce que tu en poses, de questions ! Ça dépend de l'homme et des circonstances. Quand on est amoureux, c'est merveilleux. Quand on ne l'est pas... eh bien, tu le découvriras aussi.

— Vous étiez amoureuse du général ?

— Bien sûr. Mais un amour comme ça, on n'en rencontre pas tous les jours, Queenie. Quand ça arrive, il faut s'y cramponner, parce que souvent ça ne dure pas.

— Je ne pense pas que vous ayez raison à propos de Mr. Pugh.

— Pugh ? Qu'est-ce qu'il a ?

— Je ne crois pas qu'il déteste les femmes.

— C'est le cas de tous les Anglais, je te l'ai dit. Ils n'y peuvent rien.

— Il me regarde toujours du coin de l'œil. Et vous savez ce que je l'ai entendu dire à propos de moi à un autre professeur ?

— Comment voudrais-tu que je le sache, ma chérie ? demanda Magda en se contemplant dans la glace.

— Il a dit : " Cette petite Queenie Kelley, elle a des yeux à réveiller un mort ! " »

Magda se tourna en riant, d'un rire rauque et guttural qui était presque celui d'un homme, pas du tout un rire anglais. Elle but une gorgée de gin, alluma une autre cigarette, puis se retourna vers le miroir pour réparer son maquillage.

« Ma chère enfant, annonça-t-elle, tu viens d'entendre ton premier compliment d'adulte ! »

3

« Autour de moi je ne vois que changement et décadence. » Cyril Frederick John Fitzroy-Pugh, licencié ès lettres, ancien élève d'Oxford, regardait par la fenêtre de son bungalow la rangée poussiéreuse de constructions similaires qui miroitaient dans la chaleur du petit matin ; il alluma sa première cigarette de la journée et se mit à tousser.

Ce n'était pas l'Inde dont il avait rêvé, un monde de splendeur orientale et de lourde sensualité. Pugh imaginait des tentes de soie, le murmure d'un frais ruisseau coulant à l'abri des arbres, des joyaux étincelants à la lueur du feu, une fille impudique et voluptueuse, ses seins dénudés luisant doucement comme des perles, avec un visage tout à la fois enfantin et sagace, la jupe diaphane s'entrouvrant lascivement tandis qu'elle se penchait sur lui en riant et que ses longs doigts effilés l'étreignaient...

La musique là-bas s'arrêtait. On n'entendait plus maintenant que le souffle un peu précipité de la fille ; il sentait son corps frais et parfumé, fier de sa nudité, il sentait cette douce peau contre la sienne...

« Cyril ! Petit déjeuner, mon cher ! Les filles sont déjà là ! » La voix de Mrs. Pugh transperça l'air brûlant comme le sifflement d'une balle, mais elle parvenait en même temps à évoquer, rien qu'en quelques mots, tout un monde de souffrances, de sacrifices et de rancœurs.

Pugh revint à regret au monde réel. La pensée de Mrs. Pugh, son corps osseux hélas trop révélé par sa robe d'été blanche l'oppressaient presque autant que la perspective de descendre s'asseoir pour prendre son petit déjeuner avec ses trois godiches de filles. Pugh se rendit compte que la fille de son rêve éveillé ressemblait fort à Queenie Kelley, puis il se rappela qu'il avait laissé sa cigarette allumée sur le bord de la fenêtre.

Il essaya de réparer avec ses ongles la brûlure du vernis, aggrava les choses et renonça. Quand Mrs. Pugh remarquerait le vernis écaillé, voilà qui emplirait sa conversation pendant des jours. Ces petits manquements de sa part à lui étaient son unique source de plaisir. Pugh resserra sa cravate, arbora une expression qui convenait à un père de famille doublé d'un professeur et descendit l'escalier pour rejoindre sa famille.

Contrairement à la plupart de ses collègues, John Pugh aimait les jeunes.

Il les aimait en fait un peu plus que de raison, ce qui expliquait pourquoi il enseignait la littérature anglaise et la musique en Inde plutôt qu'en Angleterre, où ses « rapports » (comme il se plaisait à dire) avec les jeunes avaient abouti à plusieurs épisodes embarrassants et pénibles. Les autorités voyaient d'un mauvais œil les « rapports » de Pugh avec ses élèves, et on avait laissé entendre qu'il serait bien avisé de quitter l'Angleterre s'il souhaitait poursuivre sa carrière.

Tout cela bien sûr était ridicule, comme Pugh l'avait expliqué à sa femme et à ses supérieurs. L'accusation d'avoir « importuné » une écolière de treize ans, lui assura-t-il, n'était qu'une basse calomnie. L'accusation selon laquelle il avait demandé à l'enfant d'ôter ses vêtements était tout aussi dénuée de fondement — et d'ailleurs n'était-ce pas ridicule pour les enfants d'être emmaillotés dans autant de couches de laine épaisse ? La nudité n'avait rien de honteux : *mens sana in corpore sano*, avait-il dit au proviseur ainsi qu'aux deux inspecteurs en imperméable et chapeau melon venus de Londres pour enquêter sur la plainte, mais même le latin ne les avait pas convaincus.

Au souvenir de ce déplaisant entretien, Pugh sentit sa nausée revenir.

« Bonjour, Cyril », fit Mrs. Pugh d'une voix timide. Elle semblait toujours au bord des larmes, mais Pugh en était arrivé depuis longtemps à la conclusion qu'il s'agissait là d'une illusion d'optique causée par la combinaison de ses épaisses lunettes sans monture et d'une regrettable propension au rhume des foins. « Avez-vous bien dormi, chéri ? » demanda Mrs. Pugh, l'interrompant comme d'habitude dans ses pensées. Pugh se demandait si c'était de sa part un acte inconscient ou de la pure malveillance.

« Très bien, répondit-il sans vergogne, car il avait passé la nuit, comme toujours, dans une inconfortable stupeur où la chaleur excitait ses fantasmes sexuels. Et vous ? demanda-t-il machinalement.

— J'avais une migraine épouvantable. Et mon rhume des foins. Je n'ai pratiquement pas fermé l'œil. »

Pugh hocha la tête avec ce qu'il espérait voir passer pour de la compassion. Mrs. Pugh se plaignait toujours de mal dormir, mais pour autant que Pugh avait pu l'observer, elle dormait comme une souche. Il est vrai que la moindre manifestation chez son mari de quelque intérêt sexuel la faisait aussitôt plonger dans le sommeil. Pour mettre un terme à la conversation, il ouvrit son exemplaire du *Bengale*, le quotidien de Calcutta et, pendant quelques minutes, se plongea dans cette lecture.

« Je serai peut-être en retard cet après-midi, dit-il en reposant son journal. Je commence les répétitions du *Mikado*. »

Mrs. Pugh renifla. « Il ne faut pas vous épuiser, Cyril, dit-elle. Vos élèves vous prennent tellement. »

Que Queenie n'eût aucun talent — aucun du moins pour jouer Gilbert et Sullivan — voilà qui apparut aussitôt aux yeux de Pugh. Les atouts de la fillette, pour remarquables qu'ils fussent, ne comprenaient pas une bonne voix de chanteuse ; pour tout dire, elle paraissait n'avoir aucune oreille.

Mais ce qu'elle avait — et ce à un degré extraordinaire —, c'était la *présence*. Elle était si belle qu'on ne pouvait détourner les yeux d'elle, mais il n'y avait pas que cela : elle semblait avoir le don d'attirer l'attention sur elle. L'effet en était renforcé par une modestie certaine. Queenie semblait sincèrement ne pas être consciente de sa beauté, ou peut-être tout simplement en était-elle encore confuse et gênée.

Malgré tous les efforts de Pugh pour la faire répéter, elle semblait incapable d'entrer dans la peau de son rôle, et il comprenait aisément pourquoi les autres filles la trouvaient figée. Et le fait qu'il se mît à transpirer abondamment chaque fois qu'il la touchait ne facilitait pas son rôle de metteur en scène. Les méthodes de Pugh étaient peu orthodoxes. Il se tenait très près de ses comédiennes, si près qu'il les effleurait souvent et il utilisait ses mains pour leur montrer quels gestes et quels mouvements elles devaient faire. Les filles n'y voyaient pas d'inconvénient. Mr. Pugh était un sahib et ne pouvait donc pas à leurs yeux ni à ceux de leurs parents faire de mal ; et puis il leur témoignait plus d'intérêt qu'aucun des autres professeurs, même si cet intérêt s'exprimait d'une façon quelque peu hors des conventions.

« Je ne sais pas jouer, dit Queenie. Les autres ont raison.

— Ma foi... vous n'avez pas l'air de vous amuser, Queenie. »

Queenie le dévisagea. C'était la première fois que Pugh l'appelait par son prénom, et c'était strictement interdit par les règlements de l'école. L'idée ne lui était pas venue que Mr. Pugh — un maître, un sahib et incontestablement un adulte — pouvait se laisser influencer tout comme Morgan. Elle s'humecta les lèvres et lui accorda toute son attention, ce qui lui valut le plaisir de le voir rougir.

Pugh sentit le sang lui monter aux joues — en même temps qu'il avait conscience des yeux des autres élèves fixés sur lui. Il consacrait trop de temps à Queenie, il le savait. Même la pianiste, Miss Rhys-Mogford, si vieille qu'elle fût, et à demi aveugle, n'allait pas manquer de le remarquer. Déjà elle toussait avec impatience.

« Venez dans la salle de classe cet après-midi après l'école, murmura-t-il, nous parlerons de la pièce. »

Queenie était plantée devant lui, les mains croisées d'un air modeste juste au-dessus de la ceinture de sa jupe plissée. Son blazer était entrouvert, mais son corsage boutonné jusqu'au cou.

Il n'était pas tout à fait à son aise seul avec elle. Un professeur pouvait se permettre pas mal de choses, à condition qu'on ne le trouvât jamais en tête à tête avec une de ses élèves. En tête à tête avec une jeune fille, on pouvait l'accuser de n'importe quoi. Aux yeux de bien des gens, le seul fait d'être dans cette classe poussiéreuse avec Queenie, *et* avec la porte fermée, serait la preuve d'intentions criminelles.

Pugh était perché, une fesse sur son bureau qui tanguait un peu car il avait un pied plus court que les autres. Il avait eu beau en faire la remarque Dieu sait combien de fois à Mr. Kalit Singh, le concierge, rien n'y faisait. Singh était un Sikh, qui portait sa barbe teinte en noir dans un petit filet de façon qu'elle fût bien effilée en pointe pour toutes les religieuses cérémonies auxquelles les Sikhs étaient contraints d'assister.

« Est-ce que je vais avoir un rôle dans la pièce ? interrogea Queenie. Maman sera déçue si je n'en ai pas, monsieur.

— Je vais vous mettre dans le chœur, Queenie. En plein milieu. Ça devrait lui faire plaisir.

— J'ai été si mauvaise que ça, monsieur ? »

Pugh se leva et s'approcha d'elle. « Allons, allons », fit-il doucement, car elle semblait sur le point d'éclater en sanglots. Sans même penser, il lui passa un bras autour des épaules.

« C'est ma façon de parler, n'est-ce pas ?

— Ma foi, c'est vrai que vous avez un accent, mais les autres filles aussi.

— Si je parlais correct, j'aurais un meilleur rôle ?

— Correctement, Queenie. Mais il n'y a pas que l'accent. Les comédiens amateurs sont censés être drôles, vous comprenez. Il faut apprendre à vous laisser aller, à vous amuser... Avez-vous entendu parler de Sigmund Freud, Queenie ? »

Elle secoua la tête.

« C'est un homme très sage. Il divise l'esprit humain entre le ça et le moi... Laissez-moi vous expliquer plus simplement. Une part de nous-même veut bien se conduire et l'autre part veut s'amuser. Si nous réprimons... si nous ne laissons pas cette partie de nous-même qui en a envie s'amuser... alors on devient malade — une maladie de l'esprit. On devient amer, malheureux, incapable de profiter de la vie.

— Comme Miss Rhys-Mogford ?

— Exactement. » Pugh laissa ses mains descendre le long du dos de Queenie. Elle ne résista pas. En fait, elle semblait attendre avec patience l'initiative suivante. Sous le tissu de son blazer bleu il sentait — tout juste — la bretelle de sa chemise. Ses mains tremblaient un peu et il les fit glisser jusqu'à la taille de la fillette. Très lentement, il laissa une main descendre un peu plus bas, après le bord de son blazer pour venir s'arrêter sur le renflement de ses fesses. Il maudissait la robuste flanelle grise de la jupe d'uniforme, son imagination courait jusqu'à la chair lisse qu'elle recouvrait, dissimulée à n'en pas douter par une modeste mais provocante culotte d'écolière.

Pugh gémit en sentant la pression qui lui gonflait l'entrejambe ; puis, à son horreur, il entendit des pas dans le couloir : sans doute Kalit Singh qui faisait bien inopportunément sa ronde. Il s'écarta de Queenie et croisa les mains derrière son dos comme le professeur qu'il était.

« Vous travaillez encore, sahib Pugh ? cria Singh de l'autre côté de la porte.

— Oui, Mr. Singh, répondit Pugh sur le même ton, j'ai bientôt fini. »

Singh s'attarda un moment en se dandinant sur ses pieds.

« Je fermerai, Mr. Singh, cria Pugh. Ne vous inquiétez pas.

— Comme le veut le sahib. »

Les pas de Singh s'éloignèrent dans le corridor. Pugh eut un soupir de soulagement, puis son attention revint à Queenie.

« Vous pouvez m'apprendre à parler correctement ? demanda-t-elle.

— Que voulez-vous dire par “ correctement ” ? demanda-t-il.

— Pas comme une petite tchi-tchi. Comme vous.

— Ça prendrait du temps... peut-être des leçons particulières... »

Pugh réfléchit un moment et se dit que c'était une occasion qu'on lui offrait sur un plateau. « Je pense que ça pourrait s'arranger, dit-il enfin.

— Oh ! Merci, monsieur », fit Queenie.

Il s'approcha et lui tapota l'épaule, un geste ferme et professoral, tout à fait dans les limites de ce qui était permis, mais il ne parvenait pas à retirer sa main. Il chassa un grain de poussière imaginaire sur la flanelle bleu marine, puis ses doigts suivirent les contours du revers pour venir effleurer le corsage. Le sens du toucher, se dit-il, quels dons merveilleux il a à nous offrir. Puis il songea à Mrs. Pugh, dont la peau sèche et fripée, tendue sur une ossature peu accueillante, n'avait pas grand-chose à offrir à aucun des sens.

« Je pense que quelques leçons particulières feront merveille pour vous, Queenie, dit-il. Et, quand nous sommes tous les deux... vous n'avez pas besoin de m'appeler “ monsieur ”. »

« Mais enfin ça va sûrement coûter quelque chose ? fit Vicky d'un ton hésitant. Les leçons particulières, ça n'est pas donné, j'imagine.

— Non, maman, il fait ça pour rien. Il pense que ma voix a besoin d'être travaillée, voilà tout. Il va m'aider à me débarrasser de mon accent.

— Quel accent, j'aimerais bien savoir ? Tu parles comme nous tous.

— Je veux parler comme une vraie lady anglaise.

— Oh ! Mon Dieu ! Je me demande ce que ce sera ensuite. »

Morgan leva les yeux de son journal.

« Ces leçons particulières pour notre Queenie, qu'est-ce que tu en penses, Morgan ? »

Morgan n'avait guère écouté leur conversation, mais plus qu'aucun d'eux il était conscient des avantages d'avoir un accent « correct ». Le sien était moins marqué que celui de Vicky, mais quand même perceptible. Queenie aurait plus de chances de passer pour une Anglaise si elle parlait sans cet accent anglo-indien et c'était donc une bénédiction si ce Pugh voulait bien la faire travailler.

Il n'était pas surpris que Pugh le fît pour rien. Les Anglais étaient comme ça, surtout les professeurs. Les vrais sahibs étaient des gentlemen. Ils faisaient ce qu'ils croyaient bien, sans attendre de paiement ni de remerciements. Ce Pugh était manifestement de cette sorte-là, se dit-il, un sahib de la vieille école, qui comprenait que Queenie avait quelque chose de spécial.

« Parler d'argent à un homme comme Pugh l'offenserait, dit-il. Il voit que Queenie est douée. Il offre de lui donner des leçons particulières. Nous devons accepter avec gratitude.

— Oh ! Bon, fit Vicky, sans doute que oui. Queenie, mon enfant, remercie bien Mr. Pugh. »

Mais, quand Magda apprit la nouvelle, elle se montra sceptique.

« Personne ne fait jamais rien pour rien, dit-elle, en levant un moment les yeux de ses tarots, surtout pas les Anglais. »

« L'anglais est une langue, Queenie, expliqua Pugh. Donc nous la parlons, nous ne la chantons pas. »

Si douteux que fussent les dons de comédienne de Queenie, la rapidité avec laquelle s'améliorait son élocution stupéfiait. Même débarrassée de son accent anglo-indien, la voix de Queenie gardait des tonalités un peu chantantes. Elle parlait avec une précision exagérée et les efforts de Pugh pour la faire penser à la façon dont elle utilisait ses lèvres et sa langue avaient eu pour effet de lui donner, quand elle parlait, un léger zozotement en même temps qu'une esquisse de sourire impénétrable se dessinait sur son visage.

Dès l'abord, elle s'était prêtée à ses attouchements, mais sans rien donner en échange. Il n'avait pas osé l'embrasser, mais il laissait ses mains errer sur le corps de la fillette avec une sorte de détachement, comme s'il remarquait à peine lui-même leur manège. Il se demandait si c'était un jeu. Le mettait-elle à l'épreuve pour voir jusqu'où il irait ? Et à quel point réagirait-elle ?

C'était une question à laquelle Queenie aurait eu du mal à répondre. Elle savait pertinemment que les tâtonnements maladroits de Mr. Pugh étaient « mal », mais elle ne savait pas très bien comment les arrêter et ce n'était guère un problème qu'elle pouvait évoquer devant sa mère ni Morgan. Lorsque Pugh la touchait, Queenie ne ressentait rien, elle éprouvait seulement un certain intérêt clinique à observer comment il réagissait. Elle ne trouvait pas ses attentions particulièrement agréables, mais elle était flattée de l'intérêt qu'il lui portait et assez amusée de découvrir comme c'était facile de le provoquer. Et puis, c'était une grande personne, un Anglais ; ce n'était donc guère à elle de discuter son comportement.

« Est-ce que vous avez un petit ami ? » demanda-t-il un après-midi, la leçon terminée.

Elle se mit à glousser. Pugh se demanda un instant s'il n'avait pas utilisé un terme inadéquat. Il n'était certes pas vieux, quarante ans seulement, mais le vocabulaire des écolières changeait si vite qu'il n'avait aucune idée de ce que pouvait être aujourd'hui l'expression exacte.

« Pas de soupirant du tout ? Une jolie fille comme vous ? »

Queenie secoua la tête. Elle ne semblait pas s'en soucier ni le regretter.

« J'aurais cru qu'il y aurait une file d'attente à votre porte pour vous emmener danser.

— Maman n'approuverait pas. Elle dit que les garçons ne veulent qu'une chose. Et puis ils sont tous boutonneux, avec de vilains poils sur la figure parce qu'ils n'ont pas encore commencé à se raser. Quand j'irai danser, ce sera avec mon oncle Morgan. Il est bien plus beau.

— Vous avez raison, les garçons sont des monstres. C'est une des raisons pour lesquelles j'ai toujours préféré enseigner à des filles. Mais, ce que je voulais dire, c'est que le désir et la curiosité en ce qui concerne le sexe sont des sentiments parfaitement sains et naturels, Queenie. Vous avez sûrement éprouvé des envies ?

— Des envies ? »

Pugh chercha un autre mot pour se faire comprendre, mais n'en trouva pas. Les joues de Queenie, il le voyait dans la lumière déclinante, étaient légèrement rosies, mais était-ce du désir ou de la gêne, impossible de le dire.

« Est-ce qu'un homme vous a jamais embrassée, Queenie ? demanda Pugh, en se penchant si bien qu'il avait les lèvres toutes proches des siennes.

— Seulement oncle Morgan. »

Elle était surprise de la facilité avec laquelle elle parvenait à amener Pugh à la traiter comme une grande personne. Elle se demandait si ce serait aussi facile avec Morgan.

« Ah ! reprit Pugh, je parlais d'un *vrai* baiser ! » Mais juste au moment où il allait lui montrer ce qu'il voulait dire, on frappa à la porte et Kalit Singh cria : « Il est tard, sahib... je ferme. »

Pugh se redressa avec un mouvement d'affolement qui effaça net son désir. Que savait au juste Singh ? se demanda-t-il. Et combien de temps garderait-il le silence ? C'était bien risqué, ce jeu qu'il jouait avec Queenie.

Pugh décida d'y mettre dès maintenant un terme. Puis il regarda Queenie, qui était toujours plantée là dans son uniforme, son mystérieux sourire à la Mona Lisa aux lèvres, et il dit :

« A demain, Queenie. »

En fait, Kalit Singh savait tout, ou du moins s'en doutait-il, car il n'était pas stupide. Ce soir-là, assis en tailleur dans l'une des deux pièces de son appartement, il s'ouvrit à sa femme de l'inconvenante passion de Pugh sahib pour la petite Kelley.

« Il la touche avec ses mains », dit Singh en baissant les yeux.

Mrs. Singh secoua la tête. « Aucun bien ne viendra de là », dit-elle. Elle se tourna vers ses quatre filles qui la dévisageaient, leurs yeux grands ouverts à la lueur tremblotante de la lampe à essence, brûlant d'en entendre davantage. « Ce n'est pas une conversation pour vous », déclara-t-elle.

Mais, par bonheur, Singh s'attaquait déjà à un sujet plus immédiat. Les Anglais, annonça-t-il, avaient condamné à l'emprisonnement à vie un musulman coupable d'avoir tué sa femme — encore que, même compte tenu du fait que ce n'était qu'un chien de musulman, l'homme n'eût fait que protéger son honneur, car il l'avait découverte dans sa propre chambre avec un autre homme.

« Il paraît que ce Ram Dass a traité ce musulman de porc sans honneur en plein tribunal.

— C'est ce qu'ils sont.

— C'est vrai. Mais on ne doit pas dire ces choses-là dans un lieu de justice. Les musulmans préparent une manifestation pour demain. Déjà les marchands du bazar mettent des planches devant leurs vitrines.

— Il va y avoir une émeute ?

— Qui peut dire ? Dans les mosquées, on est très en colère. Demain, les filles et toi devraient rester à la maison.

— Et toi ? »

Singh termina son repas, plongea les doigts dans un bol d'eau et secoua la tête. « Ne suis-je pas le concierge de Saint Anthony ? demanda-t-il avec indignation. Ma place est là-bas. »

Il se demanda s'il ne devrait pas prévenir le proviseur que des troubles menaçaient dans les rues, mais il décida de n'en rien dire. C'était indigne de lui de colporter des rumeurs. Si les troubles éclataient, il garderait l'école. Tel était son devoir.

Un Sikh pouvait faire face à toute une foule.

« Je n'aime pas ça », dit Morgan. L'après-midi touchait à sa fin, et même ici, à Chowringhee, les signes de troubles étaient évidents. Les policiers, patrouillant nerveusement deux par deux, balançaient leurs *lathis*, de longues matraques au bout recouvert de cuir. Une longue file de camions avait amené de leur cantonnement tout un bataillon de l'infanterie légère du duc de Cornouailles en tenue de combat ; les hommes interpellant les filles et chantant.

De la véranda, il voyait de la fumée s'élever des bazars et il entendait la lointaine rumeur de cris et de slogans lancés par la foule. La foule des musulmans, disait-on, s'était dirigée vers la maison de Ram Dass Mehta et, en découvrant qu'il avait eu la sagesse de s'enfuir, elle y avait mis le feu. L'émeute alors se déroula comme si elle suivait une antique chorégraphie. La police chargea la foule à coups de *lathis*, brisant quelques crânes, et les Hindous s'emparèrent de quelques malheureux musulmans et les rossèrent ; puis une foule de fanatiques musulmans tenta de massacrer une vache devant un temple hindou, provoquant une contre-manifestation qui déferlait maintenant sur les rues de la ville.

Si les Anglais agissaient assez vite, se dit Morgan, l'émeute pourrait s'arrêter d'elle-même, avec seulement quelques douzaines de tués dans chaque camp. Mais, dès l'instant où assez de sang avait coulé, tout était possible. Les émeutes d'Amritsar avaient fait des milliers de victimes.

« Est-ce que Queenie ne devrait pas être rentrée ? » demanda-t-il.

Vicky acquiesça. Elle se tordait les mains d'inquiétude.

« Mais pourquoi est-elle si en retard ?

— Elle a une leçon particulière avec Mr. Pugh.

— Ah ? Alors il aura sûrement la bonne idée de la raccompagner. D'ailleurs, la foule ne s'attaquera pas à une Européenne. Il n'y a pas de quoi s'inquiéter. »

Morgan toutefois non seulement voyait que sa sœur était soucieuse, mais force lui était de reconnaître que lui-même commençait à s'inquiéter.

« Je vais aller la chercher, dit-il. Il commence à faire sombre. »

Vicky acquiesça avec reconnaissance. « Sois prudent, dit-elle.

— Oh ! Je serai prudent. Il n'y a rien à craindre. »

Mais, à mesure qu'il roulait dans les rues désertes et mal éclairées, Morgan commençait à avoir peur. Dans un moment pareil, tout homme raisonnable était chez lui, la porte verrouillée et un fusil à la main, s'il avait la chance d'en posséder un. Il freina brusquement pour éviter un mendiant à un coin de rue, et puis vit que c'était en fait un cadavre : un malheureux balayeur hindou, un hors-caste, qui avait été battu à mort et mutilé.

Au loin il entendit le crépitement d'une fusillade. Morgan franchit le carrefour, accéléra, tourna à droite en direction de l'école et trouva la route bloquée par une douzaine de musulmans frénétiques, avant-garde dépenaillée d'une foule plus nombreuse. Un pavé vint se fracasser contre la voiture, suivi d'un autre, qui vint casser un phare.

Il n'hésita qu'une fraction de seconde. La rue était trop étroite pour faire un demi-tour, mais il pouvait sans doute faire marche arrière assez vite pour fuir par des rues plus calmes. Puis il se rappela que c'était le seul chemin direct vers l'école Saint Anthony et il se résigna, à regret et avec stupeur, à un acte de courage. Il actionna son klaxon, appuya sur l'accélérateur et fonça sur un groupe d'hommes qui accouraient, les yeux grands ouverts, les mains serrant si fort le volant qu'il lui semblait que ses jointures allaient faire craquer la peau.

Il sentit son aile avant droite heurter un homme et le projeter en l'air ; une brique toucha le pare-brise, projetant sur lui une averse d'éclats de verre. Il y eut une violente secousse et, le temps d'un battement de cœur, il crut que la voiture allait caler, puis il se rendit compte qu'il avait heurté un homme de plein fouet. L'homme était accroché à l'avant de la voiture, les doigts crispés autour des phares, le visage sombre tourné vers Morgan, la bouche grande ouverte, les yeux injectés de sang, pétrifié de peur, de souffrance ou des deux à la fois. Sous le choc, le turban de l'homme s'était desserré et flottait au vent, arrivant jusqu'au visage de Morgan.

Morgan prit le coin suivant sur deux roues, priant le ciel que les pneus usés n'éclatent pas ; le violent virage fit perdre prise à l'homme. D'abord un doigt, puis un autre vinrent lâcher les phares, laissant de petites traînées sanglantes sur le cuivre bien astiqué, puis l'homme disparut sous le capot de la voiture, sans un bruit. Morgan sentit une horrible secousse au moment où les roues arrière passèrent sur quelque chose de mou, puis il se retrouva avec la voie libre, roulant à près de cent à l'heure, la foule impuissante hurlant derrière lui.

Il s'arrêta au carrefour suivant, arracha le turban accroché au pare-brise et le jeta dans le caniveau.

Puis il se pencha pour vomir.

L'école semblait plus silencieuse que d'habitude ce soir-là, c'était tant mieux. Pugh avait entendu dire qu'il devait y avoir un défilé en ville et cela semblait avoir attiré un grand nombre de gens, lui donnant l'occasion d'une tranquillité plus grande pour ce qui allait être, espérait-il, une séance définitive avec Queenie.

Durant leur leçon, il s'était pour la première fois permis de s'asseoir auprès d'elle. Peu à peu, doucement, il se pressait contre elle, sa cuisse touchant celle de la fillette. Il ne voulait pas brusquer les choses.

« Vous ne seriez pas plus à l'aise sans votre blazer ? demanda-t-il. Il fait très chaud ici.

— Nous ne sommes pas autorisées à l'enlever.

— Je vous assure que ça n'a aucune importance. Tenez, je vais ôter mon veston. »

Queenie docilement enleva son blazer, le plia avec soin et poursuivit sa leçon.

La passion de Pugh monta en voyant Queenie en corsage, les petits seins bien fermes à peine visibles sous le léger coton. Il jeta ses deux bras autour d'elle, d'une façon un rien plus abrupte qu'il ne l'avait prévue et peut-être avec trop de vigueur. Pour la première fois elle parut étonnée, voire inquiète, mais il poursuivit, persuadé que c'était le moment.

« D'abord le baiser de l'abeille, cria-t-il, citant inexactement dans son extase le poète Browning, maintenant celui du papillon ! »

Mais tandis qu'il écrasait sa bouche contre celle de Queenie, essayant de frayer un passage à sa langue entre les lèvres de la jeune fille il la sentit qui essayait de se dégager. Apparemment, il était cette fois allé trop loin.

« Laissez-vous aller ! supplia-t-il, d'une voix rauque. Regardez-moi dans les yeux ! »

Mais les yeux de Queenie, si grands ouverts qu'ils fussent, semblaient fixer tout autre chose : il s'aperçut avec une brusque horreur qu'ils étaient tournés vers la porte.

Morgan arrêta sa voiture devant la grille fermée de l'école.

« Quelles nouvelles, Bahadur sahib ? » demanda Kalit Singh.

Comme Singh se penchait pour voir qui était dans la voiture, il éprouva un moment de honte. Il avait cru que c'était un vrai sahib, et l'avait donc gratifié du titre honorifique de « Bahadur », et il était consterné de voir qu'il n'y avait au volant qu'un Anglo-Indien sans importance, qui ne méritait pas pareille appellation.

« Vous avez eu un accident ? demanda-t-il en hindou, regardant les dégâts subis par la voiture.

— Une petite mésaventure », répondit Morgan. Il parlait parfaitement l'hindou, encore qu'il choisît le plus souvent de ne pas le faire. En cet instant, toutefois, il éprouvait le besoin de trouver un allié, et un Sikh serait toujours mieux que rien. « J'ai renversé un musulman. »

Singh se mit à rire, levant poliment la main devant sa bouche comme le voulait la coutume. « Avez-vous tué ce chien ?

— Je crois. Je lui suis passé dessus. »

Singh eut un sourire radieux. « Mais c'est magnifique ! dit-il en brandissant son *lathi.* Vous êtes vraiment un Bahadur sahib, comme je l'ai tout de suite deviné. Les émeutiers sont près ?

— A quelques rues d'ici.

— Nous allons tous deux ensemble défendre l'école. Nous nous battrons comme des frères. »

Morgan jeta à Singh un regard consterné. Il n'avait aucune intention de contenir une foule en compagnie de Singh, même si à n'en pas douter rien n'aurait pu plaire davantage à ce dernier.

« En quoi puis-je vous être utile ? demanda Singh.

— J'ai ma nièce ici à l'école... Queenie Kelley. Vous la connaissez ? »

Singh baissa les yeux et s'inclina. « Comment ne la connaîtrais-je pas ? N'est-ce pas le travail du concierge de connaître chacune des élèves ?

— Savez-vous où elle est ? Je suis venu la chercher.

— Voilà qui est sage. Un homme doit veiller sur sa famille. Le salut des siens est son premier devoir.

— Absolument. Sa mère est inquiète.

— Je vous montrerais bien où elle est, mais je ne peux pas quitter mon poste, fit Singh en ouvrant la grille. Avancez en voiture jusqu'au grand bâtiment de brique. Prenez la porte principale et vous trouverez la classe de Pugh sahib, c'est la seconde porte sur la gauche. La lumière sera allumée. Et, Bahadur sahib... reprit Singh avec quelque embarras, comme s'il voulait ajouter quelque chose.

— Oui ? demanda Morgan avec impatience, tout en embrayant.

— Frappez avant d'entrer. »

Pourquoi, songea Singh, ne pas épargner à un brave une souffrance inutile ?

Quiconque avait tué un musulman — fût-il un Anglo-Indien — avait droit au moins à cela.

Mais Morgan était trop pressé pour frapper.

« Je peux tout expliquer », dit Pugh en se redressant de toute sa hauteur. Il était pas mal plus grand que Morgan et plus solidement bâti, mais il ne donnait aucun signe de vouloir se battre. Tout au contraire, il semblait terrifié — comme pourrait l'être tout professeur surpris dans cette situation.

Quant à Morgan, il était trop stupéfait pour dire un mot. Il regardait Queenie, qui sanglotait maintenant — était-ce de remords ou de peur ? se demanda-t-il — mais la vue de sa nièce dans les bras de Pugh avait mis Morgan dans une telle rage que c'était à peine s'il savait ce qu'il faisait.

« Vous auriez dû frapper, dit Pugh sans conviction.

— Frapper ? Mais vous devriez être en prison !

— Nous répétions ! s'écria Pugh, le visage ruisselant de sueur. Nous étions en train de répéter.

— Je vais vous en donner des répétitions, espèce de porc ! » dit Morgan, qui n'était que trop conscient du fait qu'il ne savait pas quoi faire. Il ne pouvait tout de même pas ne rien faire — ce serait perdre la face devant Queenie — mais la perspective d'un scandale lui donnait le vertige.

« C'est la petite qui m'a aguiché », dit Pugh. Morgan, qui avait déjà les nerfs à vif et qui se doutait vaguement que c'était la vérité, détendit soudain le bras et décocha un coup de poing au visage de Pugh.

« Oh ! Mon Dieu, je suis navré ! » gémit-il.

Mais c'était trop tard. Le professeur roula des yeux blancs et s'écroula par terre, plus de surprise que sous l'effet du coup. Il avait quand même le nez qui saignait et une meurtrissure livide apparaissait déjà sur le côté droit de son visage.

Morgan poussa un gémissement. Ce soir même il avait tué un homme. Voilà maintenant qu'il venait de frapper un professeur — et un Anglais par-dessus le marché. A n'en pas douter, Pugh avait raison. Il aurait dû frapper. Et, d'ailleurs, Morgan le comprit, il avait frappé le pauvre homme autant par jalousie que sous le choc d'une vertueuse indignation. Il se pencha et aida Pugh à se relever.

« Je suis navré, répéta Morgan.

— Comment diable vais-je expliquer cela ? murmura Pugh.

— Dites que vous avez été pris dans l'émeute, suggéra Morgan. Racontez si on vous le demande que quelqu'un vous a lancé une brique.

— Quelle émeute ?

— Oh ! Bonté divine, toute la ville est en feu ! Avec des massacres dans la rue. Filez par-derrière pour éviter que ce maudit concierge ne vous voie dans cet état. Puis rentrez chez vous. Ce sera sans risque maintenant pour un sahib.

— Morgan, dit Queenie à travers ses larmes, je veux rentrer.

— C'est bien pour ça que je suis venu, répondit-il. Mais, sapristi, ma petite, tu vas avoir pas mal d'explications à donner.

— Je ne peux pas expliquer ça à maman, Morgan.

— Non, fit Morgan. Sans doute que non. Mais, vois-tu, ce n'est pas ta mère qui réclame une explication. C'est moi. »

4

La honte rendait Queenie aveugle à ce qui normalement l'aurait effrayée. Elle ne fit pas attention à Kalit Singh lorsqu'il leur ouvrit la grille de l'école en exprimant ses regrets de voir Morgan ne pas pouvoir rester avec lui pour assommer quelques musulmans.

Queenie, pelotonnée sur la banquette, regardait par le pare-brise cassé de la voiture, en souhaitant être morte. Une idée la traversa que, si l'émeute était aussi sérieuse que le disait Morgan, son vœu pourrait bien être exaucé.

Elle regarda Morgan du coin de l'œil. Il roulait à tombeau ouvert dans les petites ruelles sombres, les deux mains crispées sur le volant tandis que la vieille guimbarde dérapait dans les virages et passait en trombe les carrefours. Queenie sentait la peur de son oncle, mais cela ne l'effrayait pas : elle était trop inquiète de ce qu'allait faire Morgan pour redouter quoi que ce fût d'autre.

La voiture croisa de petits groupes de policiers et de soldats qui arrivaient pour réprimer l'émeute. Devant l'église anglicane de Saint Swithin, Morgan dut s'arrêter pour laisser passer un convoi de camions militaires bourrés d'Indiens prisonniers. Nombre d'entre eux étaient couverts de sang, beaucoup étaient grièvement blessés ou avaient reçu sur la tête des coups assenés par les *lathis* de la police.

Un sergent de ville fit signe à Morgan de passer et il embraya bruyamment.

« Que va-t-il leur arriver ? » demanda Queenie, pour rompre le silence qui s'était installé entre eux.

Morgan haussa les épaules. « Pas grand-chose. Ils vont être détenus quelques jours. Les gens parlent toujours de l'indépendance de l'Inde, mais je te dis une chose, ma petite : si les Anglais n'étaient pas ici, ces choses-là arriveraient tout le temps et qui les arrêterait ? Personne !

— Morgan, qu'est-ce qui est arrivé à la voiture ? Tu as heurté quelque chose ?

— Si j'ai heurté quelque chose ? Je pense bien ! J'ai renversé un cochon d'Indien, voilà ce que j'ai fait. Ta mère s'inquiète, je me précipite à ton secours au milieu d'une émeute et qu'est-ce qui se passe ? Je manque être tué, puis j'écrase un homme et, quand j'arrive à l'école, je te trouve dans les bras de Mr. Cyril Fitzroy-Pugh de mes deux ! Belle soirée !

— Morgan, je suis désolée.

— Désolée ? J'aimerais te donner du " désolée " à coups de claques sur les fesses ! Je peux te le dire, ton grand-père t'aurait laissée couverte de bleus ! »

Queenie était assise, les bras serrés autour d'elle, le menton sur les genoux, les yeux fermés. Elle avait encore envie de pleurer, mais elle se maîtrisa. Etait-ce sa faute si Mr. Pugh l'avait embrassée ? Elle avait flirté avec lui, c'était vrai, et cela lui donnait un curieux sentiment de puissance, mais elle ne comptait pas aller si loin, pas plus qu'elle n'avait compris la violence de ses sentiments à lui, puisqu'elle ne les partageait pas.

Sans doute devrait-elle être reconnaissante à Morgan de l'avoir sauvée juste à temps, mais ce n'était pas le cas. Un moment, dans la salle de classe, il lui avait semblé que Morgan et Mr. Pugh se battaient pour elle, comme on lui avait dit que des hommes le faisaient parfois au bar de l'Institut des chemins de fer le samedi soir. Elle se demandait si sa colère était uniquement une affaire d'orgueil familial blessé et d'indignation. Est-ce que par hasard il ne serait pas *jaloux ?* Elle le considéra avec un nouvel intérêt, mais le visage de Morgan était impénétrable. Avant tout il avait l'air épuisé et misérable, se dit-elle.

Il mit le frein et arrêta le moteur. Il ne semblait pas pressé de descendre de voiture et Queenie n'avait aucun mal à deviner ce qui le troublait.

« Qu'est-ce que tu vas dire à maman ? demanda-t-elle.

— Franchement, soupira-t-il, je n'en sais rien. Ça me met dans une situation très délicate. Si je lui raconte la vérité, il va y avoir une scène épouvantable. D'un autre côté, je n'aime pas l'idée de lui mentir.

— J'ai dit que je regrettais.

— Je l'espère bien ! Mais je te le demande, à quoi ça avance d'avoir des regrets ? » Il s'interrompit, ne sachant pas trop comment continuer. Il n'était pas très à l'aise dans un rôle de baron, qui ne correspondait plus du tout aux sentiments que lui inspirait Queenie. « C'est à cause de la façon dont ton père s'est enfui, poursuivit-il tristement. Le soir où il est parti, il m'a dit : " Morgan, veille sur Queenie... sois comme un père pour elle. " Qu'est-ce qu'il me dirait maintenant ? »

Morgan lui aussi avait été abandonné par son père, Queenie s'en souvenait. C'était encore un point qu'ils avaient en commun. Elle essaya d'imaginer ce que serait sa vie si son père n'était pas parti, mais elle n'y parvenait pas.

« Il va falloir que je quitte l'école, dit-elle. Je ne peux pas retourner là-bas. Pas après ce qui s'est passé. »

Morgan eut l'air exaspéré. Il cherchait toujours des solutions, des compromis, des façons de s'en tirer. Queenie, comme son père, fonçait d'ordinaire tête baissée, et au diable les conséquences : elle était entêtée comme une mule !

« Il n'en est pas question, dit-il.

— Mais si, il le faut.

— Ecoute-moi. Si tu quittes l'école, on posera des questions. Les gens demanderont pourquoi tu es partie. Ce foutu Sikh bavardera. Les gens feront des rapprochements, il y aura un horrible scandale.

— Ça m'est égal. Si je retourne, Mr. Pugh me chassera du groupe théâtral — et de sa classe. Les autres filles devineront qu'il est arrivé quelque chose.

— Mais, ma petite, il faut retourner ! Sinon, qu'est-ce qui va t'arriver ? Qu'est-ce que vont dire les gens ? »

Queenie le regarda attentivement, essayant de comprendre sa colère. Ce n'était pas sa réputation à elle qui le concernait, Queenie le pressentait, mais sa réputation à lui. Il avait beau avoir peur de sa sœur, il redoutait encore plus une honte pour la famille. Il lui faudrait peut-être un moment pour lui pardonner ce qui s'était passé ce soir mais, en attendant, ce ne serait pas difficile de s'en faire un allié, pensait-elle. Elle posa d'un geste doux sa main sur celle de son oncle.

« Je ne retournerai que si je peux jouer dans la pièce », annonça-t-elle avec une implacable détermination qui rappela sa sœur à Morgan.

Morgan se laissa aller sur la banquette, il sentait la sueur lui ruisseler le long du dos. Il n'était pas de taille à s'opposer à la volonté d'une femme, il ne l'avait jamais été, et il reconnaissait avec consternation que Queenie s'en était déjà aperçue.

« Je vais parler à Pugh », dit-il d'un ton las en se demandant ce qu'il trouverait bien à lui dire et pourquoi il faisait cela. Mais il le savait très bien. Il n'avait qu'à regarder Queenie pour comprendre que c'était elle qui avait le dessus.

« Il y a encore ta mère », murmura-t-il. Il alluma une cigarette et tourna la tête vers la véranda, puis son regard revint à Queenie, toujours pelotonnée sur la banquette auprès de lui.

Elle ouvrit grand ses yeux et le dévisagea. Même à la faible lumière du tableau de bord, il distinguait quelques larmes accrochées aux longs cils. « Est-ce qu'il faut lui dire quelque chose ? » demanda-t-elle.

Morgan fut si surpris par la simplicité et l'habileté de cette suggestion qu'il ne fit même pas semblant d'être choqué. « Je pense que tu as raison », dit-il à contrecœur. Puis il posa la main sur la joue de sa nièce, essuya la trace qu'y avaient laissée les larmes et dit : « Queenie, dis-moi juste une chose : est-ce que tu l'as fait marcher ? »

Tout en se préparant à aller se coucher, Queenie réfléchissait à cette question sans parvenir à y trouver une réponse satisfaisante.

Sa mère heureusement avait été si contente de voir Queenie rentrer saine et sauve qu'elle n'avait même pas remarqué la gêne de Morgan. Morgan d'ordinaire mentait mal ; dans des circonstances plus normales, sa sœur aurait compris qu'on lui cachait quelque chose, mais la nouvelle que Morgan avait heurté et peut-être tué un émeutier la préoccupait assez pour qu'elle ne posât pas de questions à propos de Queenie.

Avant de passer sa chemise de nuit, Queenie s'interrompit pour se regarder dans le miroir. Elle n'avait rien à reprocher à son corps, à vrai dire elle l'aimait plutôt, mais elle n'arrivait pas à comprendre ce qui excitait à ce point les hommes.

Queenie s'examina, en s'efforçant d'être objective. Elle avait la taille mince, les jambes longues, des seins qu'elle trouvait encore un peu gênants, car ils venaient gonfler la poitrine plate et ferme de son enfance en lui posant toutes sortes de problèmes inattendus. Peut-être excitaient-ils les hommes, mais ils n'excitaient pas Queenie qui s'éveillait parfois le matin, toute surprise de les trouver là. Elle se toucha les boutons de seins en les caressant avec douceur, ce qui lui procura, elle devait en convenir, une agréable sensation. Sa mère l'avait avertie à plusieurs reprises de ne pas se toucher, mais c'était là une mise en garde bien obscure, puisqu'elle s'était refusée à poursuivre sur ce sujet ni à dire *où* elle ne devrait pas se toucher.

Elle regarda son image dans le miroir. Le petit triangle de la toison pubienne lui paraissait laid. Queenie était allée au musée de Calcutta, et elle avait regardé les quelques livres d'art qui se trouvaient à la bibliothèque de l'école. Les peintures et les sculptures des belles femmes qui y étaient représentées n'avaient pas de toison. Si c'était par comparaison avec les modèles des plus célèbres œuvres d'art du monde qu'on jugeait les femmes, alors ces poils-là devaient être affreux et honteux.

Queenie leva une jambe en l'air — elle devait reconnaître qu'elle avait de très jolies jambes —, la garda d'une main dans cette position et se contempla dans le miroir. Puis elle soupira et laissa retomber sa jambe. On frappa à la porte.

« Queenie, ma chérie, demanda sa mère, tu es visible ? »

Queenie s'empressa de passer sa chemise de nuit. « Oui, maman », dit-elle.

Sa mère braqua sur elle son regard de myope. « Tu es toute rouge, ma chérie, dit-elle. Tu es sûre que tu n'as pas la fièvre ?

— Non, maman, je vais très bien. Qu'y a-t-il ?

— Je n'arrive pas à fermer l'œil, ma chérie. Ça a été une journée si éprouvante et voilà qu'en plus ton pauvre oncle Morgan a renversé un homme avec sa voiture...

— Je suis sûre que personne ne le saura... ni ne s'en souciera. Je parie que des douzaines d'Indiens ont été tués aujourd'hui. Pour un de plus ou de moins, la police ne fera pas attention.

— Tu as sans doute raison, ma chérie, mais tout de même... Comment s'est passée ta leçon avec Mr. Pugh ?

— Il dit que je fais des progrès.

— Très bien, ma chérie, dit sa mère d'un ton vague. Tu as de la chance qu'un monsieur comme ça s'intéresse à toi. Ton père disait toujours qu'on pouvait en toutes circonstances faire confiance à un vrai gentleman. » Là-dessus elle se mit à pleurer doucement. « Oh ! Queenie, fit-elle, que va-t-il advenir de nous ? Si seulement ton père était là ! »

Queenie passa un bras autour des épaules de sa mère. Cela n'arrivait pas souvent à celle-ci de craquer et d'éclater en sanglots, mais parfois elle ne parvenait pas à se maîtriser, surtout quand elle pensait à papa. Le père de Queenie était parti depuis douze ans déjà et c'était assez pour que sa mère fût devenue la douairière corsetée qu'elle était maintenant, mais pas assez pour qu'il cessât de lui manquer. Tiger Kelley avait donné à sa mère quelque chose de merveilleux — un plaisir ou un bonheur particulier —, puis il l'avait repris en s'en allant, quand les choses avaient mal tourné pour lui.

Aucun homme ne me fera jamais ça à moi, se promit Queenie et, s'allongeant sur le lit, elle se blottit contre sa mère afin de la consoler pour la nuit, heureuse d'être de nouveau une enfant.

Pugh se leva de son bureau en entendant frapper et fut horrifié de voir Morgan planté là. Il ne put maîtriser un mouvement de recul. Il avait le visage encore meurtri par le coup qu'il avait reçu et il était persuadé que Morgan était venu le poursuivre jusque chez lui pour lui infliger une nouvelle correction. « Si vous portez la main sur moi, j'appelle la police. Je vous en prie, fermez la porte. »

Morgan referma la porte et adressa à Pugh ce qu'il espérait être un sourire conciliant. A vrai dire, il était beaucoup plus terrifié que Pugh et il venait de passer une demi-heure assis dans sa voiture, à transpirer dans la chaleur, en essayant de rassembler son courage. Il comprit qu'il était parti du mauvais pied. Sa nouvelle réputation d'homme violent ne convenait pas ici, même si elle semblait avoir impressionné le pauvre Pugh qui se recroquevillait littéralement dans son fauteuil, les yeux fixés sur le chapeau de Morgan comme si c'était une bombe.

« Allons, fit Morgan, soyez raisonnable. Je ne vous ai pas frappé si fort.

— Bien assez. J'ai eu les pires difficultés à m'expliquer.

— Vous auriez dû raconter que vous aviez été frappé par un émeutier.

— C'est ce que j'ai fait. Pour tout vous dire, je ne crois pas que ma femme m'ait cru. Elle est d'un naturel méfiant, Mr...

— Jones. Morgan Jones.

— Mr. Jones. Voyez-vous, elle va se demander de quoi nous parlons maintenant. Alors, je vous en prie, partez.

— J'ai à vous parler. »

Pugh ferma les yeux. Il resta assis sans rien dire, les mains sur son bureau pour ne pas provoquer Morgan, attendant comme un martyr la suite des événements. « Je vous promets de ne pas revoir la petite, dit-il. Vous avez ma parole.

— Mais ça ne va pas du tout, Mr. Pugh », répliqua Morgan d'une voix que l'inquiétude faisait soudain monter. Il reprit d'un ton de confidence : « Ce n'est pas pour ça que je suis venu. Ecoutez, nous sommes tous les deux des hommes du monde, non ? »

Pugh acquiesça de la tête, mais en fait il ne savait pas très bien ce que Jones voulait dire par « hommes du monde » et il doutait fort que ni l'un ni l'autre ne fût cela.

Morgan s'assit, croisa les jambes et vérifia le pli de son pantalon, révélant une paire de guêtres impeccables, puis il alluma une cigarette. « L'essentiel est d'éviter un affreux scandale, vous ne pensez pas ? demanda-t-il.

— Tout à fait.

— Notre Queenie pourrait porter plainte. Cela vous poserait toutes sortes de problèmes, me semble-t-il ? »

Pugh ferma les yeux un moment pour réfléchir. Inutile de discuter l'affirmation de Morgan. Même s'il était lavé de tout soupçon, il ne manquerait pas d'y avoir des répercussions. Il sentit la sueur perler sur son front. « Je ne suis pas un homme riche, dit-il en fixant son carnet de chèques posé sur le bureau.

— L'argent n'est pas tout, mon cher ami, fit Morgan en rougissant. Nous sommes tous deux des gentlemen. Non, non, je vous assure que je n'en ai pas à votre argent. Mais j'ai une proposition à vous faire. »

L'imagination de Pugh s'emballait. Il s'était résigné à de modestes exigences d'un maître-chanteur ; et voilà maintenant qu'il ne savait plus à quoi s'attendre. « Qu'avez-vous en tête ? » demanda-t-il. Il avait les mains qui tremblaient et il les cacha sur ses genoux. « Et, je vous en prie, parlez bas.

— Gardez Queenie dans votre pièce avec un rôle plus important. »

Pugh se pencha en avant, comme s'il n'en croyait pas ses oreilles. « Un rôle avec du texte ?

— Pourquoi pas ? Elle parle beaucoup mieux depuis qu'elle prend des leçons avec vous. Elle est vraiment si mauvaise que ça ? »

Pugh prit une attitude de maître d'école en joignant d'un air songeur le bout de ses doigts. Maintenant qu'on lui demandait son opinion sur une élève, il semblait plus à l'aise. « Queenie a de nombreuses qualités et une intelligence vive, mais vous pouvez me croire : ce qu'elle ne sera jamais, c'est une actrice.

— Voyons, je ne vous demande pas de la faire jouer dans une pièce à Londres. Les autres filles ne sont probablement pas si bonnes que ça.

— Exact. D'ailleurs, Queenie est si belle que cela fait oublier ses défauts. Mais le problème n'est pas là. Si je lui donne un rôle important, on parlera de favoritisme. Cela provoquera exactement le genre de bavardages que vous et moi essayons d'éviter.

— Ça en provoquera toujours moins que si elle va se plaindre au proviseur, Mr. Pugh. Avec moi comme témoin.

— C'est vrai, dit Pugh en espérant qu'il était tiré d'affaire.

— Si j'étais à votre place, reprit Morgan après un silence, je dirais deux mots au concierge. Il vous en veut, ne vous y trompez pas.

— En effet. Il a d'ailleurs fait quelques insinuations...

— Simples propos d'un moricaud, Mr. Pugh. Ils ne peuvent pas s'en empêcher, ils ont ça dans le sang. Mais, moi, je suis un gentleman comme vous. Je sais me taire. Surtout lorsqu'il s'agit de la réputation de Queenie.

— Vous êtes très attaché à elle ?

— Je pense bien que je le suis.

— C'est une enfant charmante.

— Ah oui, fit Morgan avec un soupir.

— Et, me semble-t-il, qui sait ce qu'elle veut.

— Vous pouvez le dire ! » soupira Morgan, reconnaissant à regret la faculté qu'avait Queenie de le faire tourner autour de son petit doigt, ce que Pugh avait eu l'habileté de deviner.

Ils restèrent un moment assis sans rien dire, plongés dans le silence complice des hommes qui, de toute leur vie, n'ont jamais osé dire non aux femmes.

« Alors, demanda Morgan, c'est d'accord ?

— Mais oui, fit Pugh en se levant de son fauteuil pour serrer la main de Morgan. Mr. Jones, ajouta-t-il avec un sourire de connivence, vous pouvez dire à Queenie que c'est entendu. »

« Je n'ai jamais été aussi heureuse ! cria Heather Gomes à Beryl O'Brien, tandis qu'elles ôtaient leurs kimonos sous lequel elles portaient des shorts de gymnastique et un corsage.

Et tu ne le seras sans doute jamais plus, songea Queenie en les regardant. C'étaient vraiment deux sales petites vaches envieuses, mais elle ne ressentait aucune hostilité à leur égard. Le fait d'avoir joué dans la pièce, et en tenant un des principaux rôles, aurait dû la rendre heureuse, Queenie le savait. Mais ce n'était pas le cas. Elle revoyait toute la soirée avec une telle netteté qu'on aurait dit que c'était à travers les yeux de quelqu'un d'autre. Mr. Pugh buvant jusqu'à l'abrutissement, Morgan les yeux fixés sur elle, sa mère coiffée de son plus beau chapeau, la foule des parents et des amis, le visage luisant de sueur, savourant un moment de triomphe avant que leurs filles ne deviennent des dactylos ou qu'elles ne se marient. Elles revivraient ce moment pendant des années, bien après être devenues des mères de famille lasses et obèses, s'éventant sur leur véranda en attendant le retour de leur mari. Elle pensait que ce n'était pas l'avenir qu'elle se souhaitait.

La soirée lui avait appris au moins une chose : même si elle ne savait pas chanter ni jouer, les gens la regardaient. Elle avait eu plus que sa part d'applaudissements et elle était surprise du plaisir qu'elle y avait trouvé.

Elle ôta son maquillage, en se demandant comment les femmes pouvaient se tartiner ainsi, passa sa belle robe et sortit des vestiaires. Derrière elle, elle entendait les autres qui pépiaient de leurs voix aigrelettes — sans doute à propos d'elle.

Qu'importe, songea-t-elle. Je ne sais pas comment, mais je m'en vais filer d'ici.

5

« Ce que ce serait chic d'être riches ! » fit Queenie avec un soupir.

Elle avait dû déployer des trésors de persuasion pour convaincre Morgan de l'emmener prendre le thé au Grand Hôtel. Il lui avait fallu presque six mois, et encore c'était pour son quinzième anniversaire, même avec un peu de retard. Elle n'avait pas chômé durant ce temps. Si Pugh lui avait donné des cours de diction, c'était auprès de Magda qu'elle apprenait à connaître le monde, ce qui voulait dire pour elle les toilettes, les hommes et les bonnes manières.

Magda enseignait à Queenie quels étaient les meilleurs couturiers — Worth, Molyneux, à Paris, Krivitsky à Vienne, Baum à Budapest —, non que Queenie eût quelque chance de devenir une de leurs clientes. Magda lui montra comment entrer dans une pièce — un long et lent glissement, le dos droit, la tête haute et l'air hautain, et comment s'asseoir en montrant juste un peu de jambe — « assez pour titiller, mais pas plus » —, comment mettre suffisamment de rouge à lèvres pour attirer l'attention, mais pas au point de ressembler à ce que Magda appelait une « traînée ». Elle apprit à Queenie à s'habiller, à tendre sa main à baiser, bref, à attirer un homme et à lui plaire (à l'exception, bien sûr, de l'unique chose qui plaisait le plus aux hommes et que Magda, par crainte de Maman, décida que Queenie était encore trop jeune pour connaître).

Queenie avait emprunté une des robes de Magda pour aller prendre le thé au Grand Hôtel. Elle était bleu pâle, avec un court boléro doublé de soie, et Queenie avait tellement peur de le froisser que c'était à peine si elle osait s'asseoir. Elle descendit le grand escalier jusqu'au salon des Palmiers, dans un tel état de terreur que ce fut à peine si elle remarqua que tous les hommes de l'assistance la regardaient.

Dans le salon des Palmiers on avait du mal à imaginer la brutalité du passé de Calcutta et la misère de son présent. Des serveurs, en jodhpurs blancs, turban cramoisi et kurtas bleu marine qui leur descendaient jusqu'aux genoux avec des lisérés et des boutons d'or, apportaient des plateaux de thé en argent jusqu'aux tables de bambou pendant qu'un ensemble à cordes indien jouait des morceaux de Victor Herbert.

Morgan fixait sa tasse de thé comme s'il allait lire l'avenir dans les feuilles. Il était mal à l'aise, et pas seulement parce qu'il craignait d'être snobé. Il y avait beaucoup de gens là qui allaient chez Sirpo et qui sans nul doute trouveraient audacieux de voir un musicien moricaud avoir même l'idée de mettre les pieds dans le salon des Palmiers du Grand Hôtel.

« Riches ? demanda-t-il. Bien sûr que nous aimerions tous être riches. Mais nous ne sommes pas si mal lotis.

— C'est vrai, Morgan, nous ne mourons pas de faim, je le sais, mais regarde cette femme là-bas. Je parierais que cette robe n'a pas été cousue sur la Singer de la maison. Elle doit venir de chez Worth ou Molyneux. Et ce bracelet de diamants a dû coûter une fortune — s'il est vrai. »

Morgan tourna prudemment la tête en s'efforçant de ne pas avoir l'air de la dévisager. La femme que Queenie regardait était assise à la table voisine. Elle était grande et mince, et fort élégamment vêtue, avec des cheveux blonds dissimulés sous une cloche en velours gris perle fixée par une grosse épingle en diamants. Elle avait peut-être trente-cinq ans ou la quarantaine bien conservée et il émanait d'elle une certaine sexualité agressive à laquelle tous les hommes devaient être sensibles sauf son compagnon, un gros Anglais au teint fleuri en costume blanc : il dévorait des sandwiches avec une passion qui aurait pu laisser croire qu'il n'avait pas déjeuné ou qu'il ne comptait pas dîner, alors qu'aucune des deux explications n'était sans doute vraie.

Morgan revint vers sa nièce en rougissant. « Oh ! Ce sont de vrais diamants, dit-il. Tu peux en être sûre.

— Comment le sais-tu ?

— C'est Mrs. Penelope Daventry. Daventry Street a été baptisé ainsi en l'honneur de l'arrière-grand-père de son mari. Il est arrivé ici au début du XIXe siècle et c'est lui qui a ouvert la première grande filature. C'est lui aussi qui a fait bâtir le vieux théâtre Sans-Souci de Park Street, et puis est parti avec une des comédiennes.

— Il l'a épousée ?

— Non, non, dans ce temps-là personne n'épousait des actrices, Queenie. Ça ne se faisait pas. D'ailleurs, sa robe a pris feu un jour qu'elle s'approchait d'un chandelier. On l'a transportée au palais de l'archevêque qui était juste à côté et elle est morte dans le lit de l'archevêque. On a dit que c'était le seul lit de Calcutta où elle ne s'était pas encore trouvée !

— Pourquoi en sais-tu si long sur les Daventry ? »

Morgan rougit de nouveau. « Mrs. Daventry est une de mes amies. Enfin... disons une relation.

— Et Mr. Daventry ?

— Mr. Daventry, je ne sais pas. Bien sûr, je l'ai vu de temps en temps chez Sirpo.

— Je vois. »

Queenie contempla Mrs. Penelope Daventry avec un intérêt renouvelé, sans se soucier de Morgan, qui se tortillait dans son fauteuil en s'y enfonçant de plus en plus, sans doute dans l'espoir que Mrs. Daventry ne le remarquerait pas. A son poignet gauche, le bracelet de diamants et d'émeraudes étincelait à chacun de ses gestes.

« Les Daventry sont très, très riches ?

— Riches et lancés. Le Calcutta Club, le Turf Club — Daventry en est commissaire —, le grand jeu.

— Ils vont souvent chez Sirpo ?

— Quelquefois, dit Morgan d'un ton vague. Ça dépend.

— Je voudrais bien pouvoir y aller moi-même, juste une fois.

— C'est hors de question, fit Morgan. Ta mère ne le permettrait jamais.

— Elle n'aurait pas besoin de le savoir.

— Ce n'est pas un endroit pour une jeune fille.

— Je ne suis pas une jeune fille. Enfin pas si jeune. Oh ! Morgan, j'aimerais tant te voir là-bas, juste une fois. Tu dois être superbe sur ton estrade.

— Queenie, je t'en prie... N'y pense même pas !

— Je ne peux pas m'empêcher d'y penser. Je viendrai juste pour m'asseoir discrètement, rien que pour voir comment c'est. Je t'en prie mon cher, mon cher Morgan. »

Queenie se pencha par-dessus la table pour donner à Morgan un baiser qui le fit de nouveau rougir. Il lui lança un regard sévère, en s'efforçant de faire comprendre par son expression à tous ceux qui auraient pu voir ce baiser qu'il n'était qu'un oncle ou peut-être un père — qu'il s'agissait d'une sortie familiale et non d'un sordide tête-à-tête entre un homme de son âge et une jeune fille.

« J'y penserai », dit Morgan, se résignant au fait qu'il avait pratiquement capitulé, et Queenie se mit à rire, sachant qu'elle avait gagné, ou du moins presque.

« Oh ! Morgan, dit Queenie, je t'aime tant. »

Et Morgan, cessant de rire, prit un moment la main de Queenie dans la sienne et la serra bien fort en disant : « Je t'aime aussi. » Il se demanda s'ils voulaient dire la même chose, mais il en doutait.

Ils restèrent quelque temps à se regarder, la main dans la main, tandis que les Daventry — Mr. Daventry sans doute étant enfin rassasié — passaient auprès de leur table en sortant.

Daventry trottinait devant sa femme. Mrs. Daventry le suivait, d'un pas long et gracieux, son corps svelte aussi droit que celui d'un garde royal. Elle était en train de ranger son fume-cigarette et son briquet dans son petit sac en perles quand ses yeux, froids et mobiles comme ceux d'un serpent, s'arrêtèrent sur Morgan.

« Votre place n'est pas ici, Morgan », siffla-t-elle sans ralentir le pas.

Et, sans laisser à Morgan le temps de se lever de son fauteuil, elle s'éloigna, saluant çà et là des hommes qui laissaient tomber leur serviette en se levant sur son passage.

« Que va dire ta pauvre mère ? s'écria Magda.

— Elle ne le saura pas.

— Veux-tu te taire ! Je me demande pourquoi je discute même de ça avec toi. Faut que je sois folle. Une fille de ton âge dans une boîte de nuit. *Unglaublich, unglaubich* — incroyable ! Ce n'est pas que ça m'ennuie de te prêter une robe, mais tout ce projet est dément.

— Oh ! Magda, je veux seulement voir comment c'est. »

Magda battit ses tarots et prit une carte. « La reine des fées à l'envers, murmura-t-elle en la montrant à Queenie. Une femme vengeresse et dominatrice, infidèle et traîtresse. Ça n'est pas une bonne carte.

— Qui ça peut être ?

— Pas ta mère, en tout cas. Ça, c'est sûr. »

Magda soupira. Elle écrasa sa cigarette dans un cendrier de cuivre et en alluma une autre. Chaque fois qu'elle regardait Queenie, elle se revoyait au même âge. L'enfance de Magda — pour ne pas dire toute sa vie — avait été si riche en déceptions qu'elle ne voulait pas en infliger une à Queenie, qui se mordait la lèvre d'appréhension. Les larmes commençaient à se former aux commissures de ses yeux sombres et lumineux. Combien de cœurs cette enfant brisera-t-elle, songea Magda — et quel don dangereux est-ce donc là ? « Je trouve ça tout à fait déraisonnable, dit-elle, mais prends la robe rose. Et, Queenie, ne t'attire pas d'histoires... »

Elle n'avait même pas fini sa phrase que Queenie lui avait sauté au cou en riant de triomphe et Magda fit écho à son rire, avec le sentiment, qu'elle avait souvent avec Queenie, qu'elle aussi était de nouveau jeune et qu'elle allait commettre sa première innocente folie.

Après tout, se dit Magda, chez Sirpo ce n'est pas une fumerie d'opium. Et, avec Morgan pour la chaperonner, Queenie ne risque pas grand-chose...

« Ta maman te tuerait ! cria Peggy D'Souza au-dessus du fracas de l'orchestre.

— Tu es la troisième personne à m'avoir dit cela.

— Tu vois bien. Tu connais au moins trois personnes qui ont du bon sens. Le rose te va bien, tu sais. » Elle promena sur la piste de danse un regard maussade. « Pas beaucoup d'animation ce soir. Dieu merci, je vais quitter tout ça.

— Ah oui ? demanda Queenie, ravie de changer de sujet.

— Je pense bien, Queenie ! Je rentre au Pays. »

Queenie regarda Peggy avec une stupéfaction qui n'était pas exempte d'un peu d'envie. « Au Pays ? Comment ça ?

— Je suis fiancée. A un Anglais. Un homme d'affaires anglais. Nous allons vivre à Londres.

— Je peux le voir ? Il est ici ? »

Peggy parut nerveuse. Elle trempa un doigt dans son verre, puis le lécha. « Il est à Bombay... pour affaires, dit-elle. Ce n'est pas parce qu'une fille est fiancée qu'elle ne peut pas s'amuser un peu.

— Il est riche ?

— Il le sera quand il rentrera à Londres. Il m'a expliqué tout ça, le cher Sid. Je n'arrive pas à me rappeler tout, mais nous aurons plein d'argent quand nous serons là-bas.

— Comment s'appelle-t-il, Peggy ?

— Butts, ma chérie. Sid Butts. » Peggy regarda vers la piste, rajusta un peu ses seins dans son soutien-gorge avec ses mains et se leva en lissant les faux plis de sa robe de satin. « J'aperçois quelqu'un que je connais, dit-elle. Reste ici et sois sage. » Elle plongea dans la pénombre en laissant Queenie seule à la table.

Vers minuit, la piste de danse était pleine de monde, l'air lourd de la fumée des cigarettes et le bruit des rires noyait presque celui de l'orchestre. Peggy n'était pas revenue et Queenie, pour la première fois, éprouvait un vague sentiment de désappointement, l'impression de faire tapisserie. C'était amusant d'être ici et de regarder le spectacle, mais pas autant que ce le serait d'en faire partie, se dit-elle.

A peine cette pensée lui avait-elle traversé l'esprit qu'une voix anglaise distinguée dit : « Dites-moi, nous ne nous sommes pas déjà rencontrés ? »

Queenie fut si surprise qu'elle rougit. Elle écarquilla les yeux et aperçut un grand jeune homme en spencer blanc qui la regardait. Il avait le visage avenant, une moustache et une allure militaires.

« Je ne crois pas, répondit-elle. C'est la première fois que je viens ici. »

Il émergea de derrière un palmier. « Comme c'est bizarre, dit-il. J'aurais juré que je vous avais déjà vue... Au Turf Club peut-être ? au Polo ?

— Je ne pense pas.

— Oh ! Mon Dieu, je sais que je vous ai vue quelque part... Attendez... J'y suis ! Vous preniez le thé la semaine dernière au Grand Hôtel, n'est-ce pas ? Juste à côté de Penty Daventry ? Dans la cour des Palmiers ? »

Queenie acquiesça.

Le jeune homme eut un sourire soulagé. « Quelle aubaine, fit-il, de vous retrouver ici ! Mais je suis d'une impardonnable grossièreté, savez-vous ? Je ne me suis pas présenté : Nigel Goodboys. Lieutenant au vingtième lanciers. Cavalerie indienne. Une troupe superbe ! Vous venez d'arriver en Inde ?

— Non, pas du tout.

— Superbe ! Et vous ne m'avez pas dit votre nom.

— Queenie.

— Queenie ! fit-il en riant. Oh ! C'est superbe. Queenie, voyez-vous ça ! Enfin, je pense que vous finirez par me dire votre vrai nom, mais pour l'instant ce sera Queenie, n'est-ce pas ? M'accorderez-vous cette danse... Queenie ? » Il se remit à rire, mais Queenie ne voyait pas ce qu'il y avait de si drôle.

« Oh ! Je ne sais pas... » Queenie mourait d'envie de danser, mais elle avait promis à Morgan de rester discrètement assise. D'un autre côté, Goodboys, avec son visage rose et sa silhouette élancée, représentait exactement le genre d'Anglais dont elle avait toujours rêvé, jeune, beau — et assurément un sahib.

Il haussa un sourcil en la voyant hésiter et se lança dans une nouvelle salve d'excuses plus ou moins incompréhensibles ponctuées de grands rires. Queenie se mit à rire aussi et se leva, remarquant au passage la lueur d'admiration qui s'allumait dans le regard de Goodboys. « Eh bien, dites-moi ! fit-il en la regardant.

— Vous êtes venu tout seul ? » demanda poliment Queenie, tout en prenant le bras que lui tendait le lieutenant Goodboys et en le laissant la guider jusqu'à la piste de danse.

« Pas du tout », dit-il en posant une main au creux de ses reins et en l'attirant un peu plus près. « Je suis venu avec les Daventry. »

Là-dessus, l'orchestre se mit à jouer et Queenie aperçut du coin de l'œil un visage familier — ou plutôt deux visages familiers.

A une table auprès de la piste était assis Mr. Daventry, ressemblant à une version britannique du Bouddha, vêtu d'une veste de smoking blanche révélant une imposante obésité qui tendait son plastron empesé, les yeux fixés sur la bouteille de champagne qu'un serveur était en train d'ouvrir pour remplacer la bouteille vide qui flottait dans le seau à glace posé sur la table.

Auprès de lui, svelte, élégante, ses bras nus comme ses épaules révélés par un audacieux fourreau d'argent qu'on aurait cru peint sur son corps, Mrs. Daventry regardait d'un œil mauvais Queenie dans les bras du jeune Goodboys.

Queenie chantonnait tout en se dirigeant vers les toilettes. Malgré le regard désapprobateur de Morgan sur son estrade, elle venait de danser trois morceaux de suite avec Nigel Goodboys. Celui-ci, contrairement à Mr. Pugh, s'était conduit comme un parfait gentleman. « Dites-moi, dit-il lors d'une pause entre deux danses, vous chassez beaucoup ?

— Je ne monte pas à cheval. »

Goodboys éclata d'un grand rire. « Oh ! oh ! fit-il, vous vous moquez de moi ! »

Son expression soudain s'assombrit et un vague remords vint voiler son regard. « Dites-moi, reprit-il, vous allez me trouver horriblement grossier, mais j'avais promis de danser avec Penty. Nous avons passé un si superbe moment que j'avais complètement oublié. Je vais la trouver verte de rage. »

Goodboys ramena Queenie jusqu'à sa table, promit de revenir dès qu'il le pourrait, puis disparut derrière le palmier pour aller présenter ses excuses à Mrs. Daventry. Il n'avait pas l'air vraiment inquiet.

Queenie le trouvait absolument splendide. Elle n'avait jamais rencontré quelqu'un de pareil auparavant et ne se rendait pas compte qu'il existait des milliers d'Anglais tout comme lui et que, comme les jeunes Anglo-Indiennes, ils se fanaient tôt. Les visages roses viraient au rouge, les silhouettes élancées disparaissaient dans la graisse du quinquagénaire, la bonne humeur était érodée par la boisson, la promotion et le mariage. Mais, pour Queenie, c'était le prince charmant incarné — et ce d'autant plus qu'il l'avait acceptée comme une des siennes !

Elle le regarda se fondre dans l'obscurité, puis se rendit aux toilettes pour s'observer dans la glace. Elle avait du mal à croire qu'elle était toujours la même.

A l'intérieur, c'était plus luxueux qu'elle ne s'y attendait. Il y avait une grande pièce tendue de papier doré et une table à maquillage dorée aussi avec un grand miroir bien éclairé.

Elle se rendit aux toilettes et, quand elle en ressortit, elle découvrit que quelqu'un était assis à la table de maquillage, tournant le dos à Queenie. Dans le miroir, Queenie aperçut le visage de Mrs. Penelope Daventry, les yeux fixés sur son reflet. Son poudrier était ouvert sur la table auprès d'elle et à petites touches légères elle se remettait du rouge à lèvres. Puis elle sourit pour tester la perfection de son maquillage, alluma une cigarette et la plaça dans son fume-cigarette. Elle avait auprès d'elle un grand verre de whisky à demi vide.

Mrs. Daventry se retourna, but une gorgée, laissant au bord du verre une trace rouge, puis ferma les yeux un moment comme si elle souffrait. Le lourd bracelet de diamants tinta contre le verre lorsqu'elle le reposa. Elle semblait plus vieille que dans la cour des

Palmiers et l'éclat de ses yeux verts semblait avoir un peu pâli. L'idée vint à Queenie, qui sentit son estomac se serrer, que Mrs. Daventry était ivre.

Queenie se glissa vers la porte, mais en vain. Les yeux de Mrs. Daventry la suivirent avec le même effet qu'un cobra est censé avoir sur sa proie. « Tiens, tiens, la belle du bal.

— Je m'en allais, dit Queenie.

— Vraiment ? Vous trouverez sans doute Nigel Goodboys vous attendant, ma fille. Vous lui avez fait grande impression.

— Je n'ai dansé avec lui que deux fois », répondit Queenie, d'un ton aussi apaisant qu'elle le pouvait. Elle n'avait aucune envie de s'attirer l'hostilité de cette femme dont le monde était précisément celui auquel elle voulait avoir accès.

Mrs. Daventry eut un sourire déplaisant, haussant ses petits sourcils bien dessinés. « Laissez-moi vous dire une chose, ma chère enfant, dit-elle d'une voix qui était tout à la fois cordiale et menaçante. Bas les pattes en ce qui le concerne, ou bien je vous arracherai les yeux. Je n'aime pas qu'on maraude sur mes terres.

— Mais c'est lui qui m'a invitée à danser.

— J'en suis certaine, ma chère. Mais pas sans un peu d'encouragement de votre part, j'imagine.

— Je ne voulais pas mal faire », dit-elle d'une petite voix, se rendant compte qu'elle parlait comme une enfant. Mais ces paroles d'excuse restèrent sans effet sur Mrs. Daventry.

« Mal ? Ne jouez pas à l'enfant avec moi ! Je ne sais pas qui vous êtes, ma petite, mais, si vous marchez sur mes plates-bandes, vous le regretterez. Vous avez affaire à plus fort que vous, ma jeune demoiselle. Et comment vous appelez-vous, d'ailleurs ?

— Queenie. »

Mrs. Daventry la foudroya du regard. « Queenie. Queenie ? Qu'est-ce que c'est que ce nom-là ?

— C'est le mien.

— Ne faites pas la maligne avec moi, ma fille. Puis-je vous demander comment vous avez rencontré Morgan ?

— C'est mon oncle, Mrs. Daventry. »

Mrs. Daventry eut un rire grinçant. « Vous savez, je crois que vous dites la vérité, dit-elle. La nièce de Morgan ! J'aurais dû m'en douter. Les cheveux noirs, les pommettes, les yeux... mais oui, je vois très bien la ressemblance maintenant. Que c'est drôle ! Alors vous n'êtes qu'une petite tchi-tchi, n'est-ce pas, qui essaie de se faire passer pour blanche ? J'ai hâte de raconter ça à Nigel. Il ne peut pas supporter les tchi-tchi, le cher garçon. Elles ne sont ni une chose ni l'autre, dit-il ; elles ont tout ce qu'il y a de pire dans les deux races et rien de ce qu'il y a de meilleur.

— Mon père était anglais ! s'écria Queenie, se rendant compte tout en disant cela que même cette affirmation était inexacte : il était irlandais, ce qui aux yeux de Mrs. Daventry devait être presque aussi épouvantable que d'être une tchi-tchi, sinon pire.

— Vous croyez que c'est arrivé, n'est-ce pas, espèce de petite putain, avec vos yeux de Marie-couche-toi-là, vos jolis petits seins et tous ces idiots d'hommes qui vous regardent ? Ça ne fait rien. Les filles comme vous, ça ne dure pas, ma petite. A vingt-cinq ans vous serez une grosse mémé, avec une demi-douzaine de sang-mêlé qui vous téteront les seins ! Tout comme votre mère, j'imagine. »

Queenie ne se rendit même pas compte qu'elle pleurait tout en se débattant pour se libérer de l'étreinte de Mrs. Daventry qui l'avait saisie par les poignets. Elle entendit quelqu'un crier : « Ne parlez jamais comme ça de ma mère ! » Mais la voix ne ressemblait pas à la sienne, car elle n'avait jamais crié après personne — et certainement pas après un adulte. Et puis, sans y réfléchir, comme si l'hérédité de son grand-père gallois et de son père irlandais avait fini par émerger en elle, elle lança son bras gauche et gifla Mrs. Daventry de toutes ses forces.

Il y eut un instant de silence pendant que Queenie attendait le châtiment — sous quelle forme, elle n'en savait rien. Mrs. Daventry allait-elle appeler la police ? La foudre allait-elle fendre le plafond doré pour s'abattre sur elle ? Elle était désemparée, terrifiée, stupéfaite de ce qu'elle avait fait. Mais rien ne se passa.

Mrs. Daventry resta pétrifiée sur place, à croire que la gifle l'avait paralysée. Sa maîtrise de soi lui revint comme si elle ne l'avait jamais quittée.

« Il va falloir que je refasse mon maquillage », déclara-t-elle d'un ton calme.

Queenie se dirigea vers la porte, tremblant de tous ses membres. Elle se demandait si elle allait être malade. Avant tout, elle était décidée à ne pas montrer ses larmes à Mrs. Daventry. Elle ouvrit la porte, le fracas de l'orchestre emplissant soudain la petite salle, et elle entendit Mrs. Daventry lui dire d'une voix basse mais claire, en s'adressant au miroir sans se retourner pour la regarder : « Je veillerai à ce que toutes les portes de Calcutta vous soient fermées, ma fille, vous pouvez compter là-dessus. Quand j'en aurai fini avec vous, il n'y aura pas un Anglais, ni une société anglaise, ni un établissement anglais qui voudront de vous. Vous feriez bien de vous dépêcher d'épouser un conducteur de locomotive tchi-tchi, Queenie... parce que c'est tout ce que vous aurez jamais. Maintenant, fermez-moi cette foutue porte. »

Queenie sortit en courant. Elle sanglotait, son visage ruisselait de larmes. Elle passa devant Alberto Sirpo si vite qu'il eut à peine le temps de hausser un élégant sourcil, elle passa devant l'estrade de l'orchestre d'où Morgan la contemplait avec stupéfaction, devant le grand portier sikh sans même l'entendre demander : « Taxi, missy sahib ? » et se précipita dans la rue.

Les bruits et les odeurs de Calcutta l'engloutirent. Dans les rues sombres, des silhouettes se dressaient tout autour d'elle comme des ombres indistinctes, pleurant, suppliant, maudissant.

Elle passait en courant sans les voir, essayant d'échapper à ces tas de haillons vivants, tourna un coin et se retrouva sur une petite place si bourrée de monde qu'on aurait dit une fourmilière de la misère. La chaleur était insoutenable, car c'était la semaine qui précédait la mousson. La ville tout entière, l'Inde tout entière étaient emprisonnées dans un cocon de chaleur et attendaient la pluie.

Queenie s'arrêta, hors d'haleine. Elle avait mal à la tête, elle avait un point de côté à force d'avoir couru, elle sentait tout le poids de l'Inde qui pesait sur elle, qui l'écrasait avec ses traditions, sa monstrueuse indifférence à la vie et à la mort, ses coutumes inébranlables qui se moquaient de tout changement, de tout espoir et de toute jeunesse. Il n'y avait rien ici pour elle à part l'humiliation et le gâchis. C'était la leçon que ce soir du moins elle avait apprise.

Elle s'essuya les yeux et promena autour d'elle un regard désespéré. Elle se trouvait dans une ruelle aux relents fétides. Dans l'obscurité, elle vit un petit groupe d'une douzaine d'hommes se lever brusquement. Ils criaient, mais elle ne comprenait pas ce qu'ils disaient et, lorsqu'elle se tourna pour fuir, ils la cernèrent, leurs longs bras émaciés se tendant vers elle dans des gestes de supplication ou de colère.

Elle trébucha sur les pavés glissants, perdit une chaussure et se retrouva nez à nez avec le visage hideux d'un mendiant. Elle frémit en apercevant les chicots pourrissants de ses dents, le voile laiteux de la cataracte sur ses yeux, les lobes d'oreilles rongés par la lèpre. Elle n'aurait même pas pu dire quel était son sexe.

Une main maigre toucha son poignet. Queenie se dégagea et se mit à courir mais, avec une seule chaussure, elle trébucha et tomba dans l'obscurité. Elle atterrit sur un tas de vieux chiffons malodorants. Sa main toucha quelque chose de mou, de tiède et de poisseux, et elle s'obligea à ne pas penser à ce que c'était ou à ce que ce pourrait être. Elle ferma les yeux. Elle s'attendait d'une seconde à l'autre à être violée ou tuée, mais même cette perspective lui était moins terrifiante que l'horreur de toucher ces gens — ou d'être touchée par eux. Elle sentit une main effleurer ses bras, essaya de hurler et s'entendit gémir en implorant miséricorde. La main lui saisit fermement le haut du bras, puis une voix bienveillante dit : « N'ayez pas peur, missy sahib. Venez avec moi. »

Queenie se laissa remettre sur ses pieds et boitilla à la suite de son sauveteur, si tel était le cas.

« Où allons-nous ? demanda Queenie, cherchant toujours à retrouver son souffle.

— Patience, patience, missy, murmura l'homme en cherchant dans ses vêtements une grande clé de fer qu'il exhiba comme un prestidigitateur.

Ayez toute confiance en votre humble serviteur, Mr. Bos Brammachatrarya. »

Mr. Brammachatrarya ouvrit une porte basse et cloutée et, d'un geste courtois, fit signe à Queenie d'entrer. Il la suivit, refermant la porte derrière lui et poussant avec soin le verrou.

Au bruit de la lourde serrure qui tournait, Queenie se sentit de nouveau en proie à la panique et pourtant Mr. Brammachatrarya, maintenant qu'il s'était retourné, ne semblait guère effrayant. D'abord, il était d'une obésité grotesque, si gros qu'il ressemblait à s'y méprendre au bibendum Michelin. Et puis, comme de nombreux Indiens, il avait adopté une tenue européenne sans y sacrifier totalement.

On aurait dit qu'il s'était cru obligé de faire un geste de respect envers les conquérants britanniques en arborant quelques pièces de leur tenue étrangère, si bien qu'il portait un gilet noir, sans le boutonner, par-dessus un dhoti blanc. Ses jambes étaient moulées jusqu'aux mollets dans des jodhpurs blancs qui les faisaient ressembler à de grosses saucisses, mais en dessous du jarret il portait des chaussettes de soie noire, des fixe-chaussettes rouges et des chaussures anglaises bien cirées. Il était coiffé d'un calot blanc des partisans du Congrès, mais il tenait dans sa main gauche un parapluie noir soigneusement roulé, comme un insigne de sa charge.

Il gratifia Queenie d'un sourire timide et accrocha avec soin le parapluie à une patère auprès de la porte. Il avait le visage si rond et si grand que ses yeux n'étaient plus que de petites fentes sombres où, malgré son état, Queenie perçut tout de même un regard froid et astucieux. Son large nez était chaussé d'un petit lorgnon à monture d'or.

Il écarta un rideau de perles, derrière lequel apparut une petite pièce carrée qui donnait sur une cour sombre. Le sol était couvert de tapis et de grands coussins fatigués. Pas de meubles européens, à l'exception d'un grand et vétuste coffre-fort. Au fond de la pièce, un rideau masquait l'entrée d'une chambre derrière laquelle on entendait le souffle régulier de quelqu'un qui dormait.

Mr. Brammachatrarya s'inclina du mieux qu'il put, étant donné sa corpulence, s'assit sur un des coussins en croisant les jambes avec beaucoup de difficulté et fit signe à Queenie de l'imiter.

« Un rafraîchissement serait sans doute le bienvenu ? demanda-t-il et, sans attendre de réponse, il cria, puis frappa dans ses mains, il cria encore plus fort, déclenchant dans l'obscurité de la cour un torrent de protestations furieuses où il était question d'une heure bien tardive. " Le thé arrive ", dit le gros homme avec un optimisme que Queenie ne partageait pas, puisque rien ne montrait qu'on obéissait à ses ordres.

« Où suis-je ? demanda-t-elle.

— Missy, la question n'est pas où, mais pourquoi ? La rue des

Voleurs n'est pas un endroit pour une jeune personne comme vous — absolument pas.

— J'étais perdue. »

Il croisa ses mains sur sa vaste panse. « Perdue en venant d'où ? demanda-t-il.

— J'étais chez Sirpo et j'étais sortie respirer un peu d'air.

— Ah ! Sirpo, fit Mr. Brammachatrarya en riant. Je connais ! Pour danser, hein ? Très bien ! Comment déjà m'avez-vous dit que vous vous appeliez ?

— Je ne vous l'ai pas dit. C'est Queenie. Queenie Kelley.

— Très bien », dit-il ; mais approuvait-il son nom ou bien saluait-il l'arrivée du thé, c'était difficile à dire, car au même instant un jeune homme maussade en dhoti arriva de la cour, portant un plateau qu'il posa sur le sol avec fracas.

« Merci », lança Mr. Brammachatrarya au jeune homme qui avait déjà tourné le dos. Il tendit à Queenie une tasse douteuse sans soucoupe. « Tenez ! rien de tel qu'une bonne tasse de thé.

— Merci de m'avoir sauvée.

— Vous ne couriez pas de danger réel, Missy, dit Mr. Brammachatrarya en se servant généreusement de sucre.

— La situation me paraissait dangereuse.

— Ah oui ? Ce sont bien sûr des gens très pauvres. Et les pauvres paraissent souvent dangereux à ceux qui sont mieux lotis, mais la plupart du temps ils ne le sont pas. Ce ne sont que des chiffonniers, des mendiants, tout au plus de petits voleurs. Rien de grave... Seulement c'est leur rue, comprenez-vous ? Mais, dites-moi, est-ce qu'on ne serait pas en train de vous rechercher maintenant ? »

Queenie pour la seconde fois songea que Mr. Brammachatrarya n'était peut-être pas aussi bienveillant qu'il en avait l'air. Elle avait entendu parler de traite des Blanches ; elle renifla son thé avec méfiance en se demandant si son hôte n'allait pas la droguer. Mais il parut sincèrement inquiet devant sa réaction.

« Il y a quelque chose qui ne va pas ? » demanda-t-il d'un ton soucieux.

Un peu honteuse, Queenie répondit : « Oui, je pense qu'on doit être en train de me chercher. » Au moment même où elle le disait, Queenie savait fort bien que Morgan serait probablement trop en colère pour se lancer à sa recherche. Il supposerait certainement qu'elle avait trouvé le moyen de rentrer.

Mr. Brammachatrarya savait reconnaître un subterfuge, mais il ne parut pas vexé. « Mais oui, mais oui, bien sûr, fit-il avec entrain, vos amis vont sans doute remarquer votre disparition. Mais ça ne fait rien, Missy, buvez votre thé, puis faites un peu de toilette. Je vous ferai raccompagner par mon boy pour vous guider. »

Mr. Brammachatrarya eut un sourire rassurant. « Je regrette seulement que vous ne puissiez pas rencontrer ma moitié. Mrs. B. est en purdah, et d'ailleurs elle ne parle que l'hindi.

— Je parle hindi, dit Queenie, regrettant aussitôt cet aveu.

— Vraiment ? demanda-t-il, mais c'est bien ! Vous n'êtes pas née en Angleterre ?

— Non.

— Si vous êtes née en Inde, alors il n'y a rien ici qui devrait vous effrayer, dit-il. Vous êtes chez vous. »

Queenie secoua la tête. « Chez moi, c'est l'Angleterre.

— Oh ! Mais non ! Pardonnez-moi, mais ce n'est pas du tout le cas. Une partie de vous est indienne, miss Queenie. C'est ici qu'est votre avenir. Plus tôt vous l'accepterez, mieux cela vaudra. Et alors plus rien dans les rues ne vous fera peur. Vous n'avez aucune raison d'être effrayée. Le jour où les Anglais partiront, ce qui ne manquera pas d'arriver, vous serez indienne aussi. »

Mr. Brammachatrarya se pencha et tapota le genou de Queenie. Elle secoua la tête. C'était un avenir qu'elle ne pouvait pas accepter.

« Je rentrerai chez moi, en Angleterre, déclara-t-elle avec obstination.

— Ah ! dit-il, si vous tenez à être anglaise, c'est là qu'il faut aller. Certains d'entre vous y vont, c'est vrai. Mais quel accueil ils reçoivent là-bas, je ne sais pas. Pour une jolie jeune personne comme vous, sans aucun doute tout est possible. Mais vous n'aurez peut-être pas une route semée de roses... »

Il frappa dans ses mains et le jeune homme à l'air maussade apparut avec une cuvette d'eau et une serviette. Mr. Brammachatrarya ferma poliment les yeux pendant que Queenie se lavait le visage et rajustait sa toilette. Lorsqu'elle eut terminé, il les rouvrit, rayonnant. « C'est beaucoup mieux, dit-il. Le boy va vous chercher une paire de chaussures de Mrs. B. et vous montrer le chemin. »

Mr. Brammachatrarya ne se leva pas pour la raccompagner jusqu'à la porte : ce n'était pas la coutume hindoue. Au lieu de cela, il joignit ses paumes et inclina la tête aussi bas que ses mentons le lui permettaient.

« J'ai passé un très bon moment à bavarder avec vous, dit-il tandis que le boy ouvrait la porte devant Queenie. Si jamais je puis vous être utile en quoi que ce soit, faites-le-moi savoir. Vous n'avez qu'à venir à l'ancien bazar et me demander. N'importe qui vous montrera ma porte. »

Il se leva avec une agilité surprenante et disparut derrière le rideau.

Morgan fut si soulagé de voir Queenie réapparaître saine et sauve que ce fut à peine s'il montra quelque colère, mais elle sentait que la rage bouillonnait sous la surface. Elle le trouva en train de passer son moment de repos assis à une petite table avec Peggy D'Souza auprès de qui il était sans nul doute venu chercher réconfort. « Où diable étais-tu donc ? » demanda Morgan.

Queenie avait réfléchi pendant le chemin du retour et décidé que ce serait une erreur de dire qu'elle avait giflé Mrs. Daventry. Cela risquait non seulement d'alarmer Morgan, mais il supposerait sans nul doute que c'était elle qui était dans son tort et pas Mrs. Daventry qui de toute évidence lui inspirait une crainte respectueuse. « Je ne me sentais pas bien, dit-elle en rougissant de son mensonge.

— Pas étonnant. Il fait une de ces chaleurs », fit Peggy en éventant son décolleté — lequel était généreusement exposé — avec une petite serviette.

— Où diable es-tu allée ?

— Je suis sortie pour prendre un peu d'air et je me suis perdue », expliqua Queenie. Elle n'avait aucune envie d'ajouter une querelle avec Morgan aux divers malheurs de la soirée. « Par chance, un charmant vieil Hindou est venu à mon secours.

— Un macaque ? dit Morgan en fronçant les sourcils.

— Ma foi, oui... Il m'a offert une tasse de thé.

— Tu es allée chez lui ?

— Morgan, c'était un vieil obèse inoffensif. Je serais encore à errer du côté du bazar sans Mr. Brammachatrarya. »

Morgan la considéra avec stupéfaction, puis se frotta les yeux comme un homme qui vient d'entendre une mauvaise nouvelle de trop. « Eh bien, ma fille, on peut dire que tu sais choisir tes amis, tu sais ? Cet homme est un voleur notoire... Un receleur. Un homme qui reçoit des biens volés, tu sais... qui achète ce que les autres volent.

— Il a dit qu'il prêtait de l'argent.

— Ça aussi, certainement. Si ta mère savait... »

Sur ces entrefaites, un Anglais bedonnant s'approcha pour inviter Peggy à danser. Morgan se pencha vers sa nièce et dit d'un ton de confidence : « Allons, maintenant que Peggy est partie, dis-moi la vérité. Est-ce que ce Goodboys a fait quelque chose qui t'a effrayée ? Est-il allé trop loin ?

— C'est un parfait gentleman.

— Ce sont les pires. »

Elle regarda derrière lui la piste de danse où Peggy D'Souza, elle aussi en rose, se bécotait avec le gros Britannique pendant que les dames anglaises ricanaient en la foudroyant du regard. Soudain elle se sentit déprimée, épuisée. « Morgan, dit-elle, je veux rentrer.

— Il va falloir que tu attendes. J'en ai pour encore au moins une heure.

— Je veux dire rentrer chez nous, Morgan. En Angleterre. »

Il se cala dans son fauteuil en soupirant. « Nous avons tous envie de faire ça, Queenie.

— Nous en parlons tous. Mais personne ne le fait. »

Il ferma les yeux un moment. « Ce n'est pas si facile, Queenie.

— Peggy rentre bien, elle.

— Elle a de la chance. Elle épouse un Anglais... Ce Butts.

— J'épouserais bien un Anglais s'il le fallait. N'importe qui, dès l'instant qu'il me ramène en Angleterre. D'ailleurs, quel mal y a-t-il à épouser un Anglais ?

— Aucun, j'imagine. Tout dépend de qui tu épouses.

— Ça m'est égal. N'importe qui pour rentrer chez moi. Et je ferais n'importe quoi.

— Ne dis pas ça », fit-il. Il avait un regard triste et affectueux, comme le vieux Morgan, l'oncle compagnon de son enfance. « Ne te vends jamais au marché, ma petite. » Il posa la main sur son front, comme pour voir si elle avait de la fièvre. « Qu'est-il arrivé ce soir, Queenie ? demanda-t-il doucement. J'ai le droit de savoir. »

Elle se mordit la lèvre. Il avait le droit de savoir dans une certaine mesure, c'était vrai. D'ailleurs, mieux valait que Morgan entendît sa version de l'histoire avant d'entendre de quelqu'un d'autre celle de Mrs. Daventry. « Dans les toilettes, Mrs. Daventry m'a fait une scène pour avoir dansé avec Nigel Goodboys.

— C'est tout ? fit-il en riant. Elle a la langue acérée. C'est vrai qu'elle avait l'air en colère quand elle est sortie des lavabos. Elle a dansé encore une fois avec Goodboys et puis elle a levé le camp. Elle a fait demander l'addition au pauvre Daventry avant même qu'il ait eu le temps de dîner, ce gros porc !

— Morgan... Ça n'était pas drôle. Elle m'a traitée de " sale petite tchi-tchi ". Je n'ai jamais vu personne aussi en colère. Et puis elle m'a menacée.

— Elle t'a menacée ?

— Elle a dit qu'elle me ferait fermer toutes les portes de Calcutta. »

Il passa nerveusement un doigt dans son col empesé. « Je suis sûr qu'elle ne le pensait pas, dit-il lamentablement. Les gens ne pensent pas toujours ce qu'ils disent.

— Si, quand c'est quelque chose de méchant, dit Queenie, se félicitant de ne pas lui avoir dit toute la vérité. Oh ! Mon Dieu, quelle soirée... Je voudrais pouvoir rentrer au Pays.

— Tu es trop jeune...

— Je ne veux pas attendre indéfiniment. Tu n'avais pas envie de rentrer à mon âge, toi aussi ?

— Mais si, bien sûr.

— Et tu es toujours ici. »

Il y eut un silence gêné. Queenie n'arrivait pas à se souvenir d'une époque où Morgan n'eût pas parlé de rentrer au Pays, mais il parlait toujours aussi d' « attendre le bon moment » et elle devinait que, s'il était laissé à lui-même, le bon moment ne viendrait jamais.

« Ce n'est pas si simple, murmura-t-il. D'abord il y a la question d'argent.

— Nous pourrions faire des économies, Morgan. »

Il la considéra avec surprise. Par-dessus l'épaule de son oncle, elle voyait Alberto qui désignait sa montre afin de montrer qu'il était temps pour Morgan de revenir.

« Nous ? demanda Morgan dans un souffle.

— Nous partirons ensemble, dit-elle d'un ton ferme. Alberto t'appelle.

— Fichtre, fit-il en se levant d'un pas un peu incertain. Ma parole, mais tu parles sérieusement.

— Bien sûr que oui !

— Eh bien alors, dit-il, marché conclu, Queenie.

— Tu promets ? »

Il parut déconcerté par le ton sérieux de sa voix, mais Queenie le regarda droit dans les yeux. Elle n'allait pas le laisser se défiler. Morgan, elle le savait, était un homme de parole. Il se considérait comme un gentleman — et puis jamais il ne pourrait ne pas tenir une promesse qu'il lui avait faite.

« Je promets », dit-il avec l'air consterné d'un homme qui s'est laissé prendre au piège.

6

Elle adorait les couleurs vives et le soleil. Son cœur se serra lorsqu'elle entra dans le bureau avec ses lambris sombres, les stores tirés jusqu'en bas pour empêcher la vive lumière d'entrer, les meubles massifs en acajou et les gros fauteuils de cuir tapis dans les ténèbres comme des bêtes de la forêt, des fauteuils et des canapés si grands qu'ils semblaient faits pour une race géante. Elle avait appris que les Anglais — les Anglais pukka — détestaient les couleurs vives. Leurs maisons, leurs bureaux, leurs clubs et leurs gares étaient de fidèles reproductions des constructions victoriennes qu'ils aimaient tant chez eux.

Ce ne fut que lorsqu'elle s'assit qu'elle reconnut l'Anglais bedonnant installé derrière le bureau : c'était l'homme qui avait tapé sur l'épaule de Peggy chez Sirpo pour lui demander une danse. Le visage rond et rose semblait plus sévère ici où il était en position d'autorité, le pukka sahib personnifié, avec ses cheveux roux, son costume blanc fumant dans la chaleur, son nez rouge et une expression irritable destinée à bien montrer que son temps à lui était plus précieux que celui de Queenie.

A son vif soulagement, il ne parut pas la reconnaître. Il n'y avait d'ailleurs aucune raison, se dit Queenie : il ne l'avait vue que quelques secondes voilà plus d'un an de cela. Et puis, maintenant qu'elle avait quitté l'école, elle portait les cheveux relevés pour se vieillir et elle arborait un collier de perles artificielles emprunté à Magda pour ce rendez-vous.

Mr. Chubb — ainsi que l'annonçait la plaque de cuivre bien astiquée vissée sur sa porte — chaussa son pince-nez. Les verres s'embuèrent aussitôt, l'obligeant à clignoter par-dessus. Queenie s'aperçut que c'était ses jambes sur lesquelles était centrée l'attention de Mr. Chubb, et non son visage. Malicieusement elle les croisa lentement, en braquant un pied vers le tapis. Magda lui avait montré comment cela arrondissait le mollet tout en soulignant la finesse de la cheville.

L'expression de Chubb confirma aussitôt que Magda avait raison. Il prit sa feuille de candidature et y consacra toute son attention, en s'éclaircissant bruyamment la voix. Puis il la dévisagea. « Est-ce que je ne vous ai pas vue quelque part ? »

Inutile d'avouer qu'ils s'étaient rencontrés chez Sirpo, décida Queenie. « Je ne pense pas, monsieur.

— J'aurais juré... je n'oublie en général pas un visage... surtout pas un comme le vôtre... Enfin, peu importe. Miss Kelley, c'est bien cela, hein ? Votre père est irlandais ?

— Oui.

— Bon, peu importe. J'ai l'esprit large pour ces choses-là. Vous êtes une Européenne en résidence. » Ce n'était pas une question mais une affirmation.

Elle acquiesça.

« Bien sûr, actuellement nous préférons engager des Indiens, pour être tout à fait franc. Oh ! Ça ne me plaît pas plus qu'à vous, mais c'est une question de politique. Le gouvernement n'arrête pas de parler d'indépendance, voyez-vous. Il y a beaucoup de vent là-dedans mais, si cela arrive, Dieu nous pardonne, il nous faudra beaucoup d'Indiens qui travaillent ici. Une coloration protectrice, pour ainsi dire, hein ? » Il se mit à rire, puis prit dans sa manche un mouchoir de soie et se moucha bruyamment. « Vous étiez à Saint Anthony ? » demanda-t-il.

Elle hocha la tête.

« Mais vous n'avez pas passé votre examen ?

— Je les ai passés, monsieur, simplement je n'ai pas été reçue.

— En général, nous préférons des candidates qui ont réussi leur examen... Enfin, peu importe... L'essai de dactylo... pas brillant, hein ?

— La machine était très dure, monsieur. Je n'en avais pas l'habitude.

— Bien sûr. Je ne suis pas très fort sur ce plan-là, moi non plus. Tout de même, miss Kelley, vos qualifications pour ce poste sont un peu... — il chercha le mot exact — ... minces. Vous ne trouvez pas ? »

Elle hocha la tête avec tristesse. « Je travaillerai dur, monsieur.

— J'en suis sûr, j'en suis sûr. » Chubb reposa sa feuille de candidature et la toisa de la tête aux pieds. Puis il se leva, passa devant son bureau et posa sur l'épaule de Queenie une main moite. « Bien sûr, ce genre de connaissances n'est pas tout, dit-il. Il y a des choses plus importantes que la dactylo, vous ne trouvez pas ?

— Je suppose.

— Les affaires sont une chose sérieuse, miss... vous permettez que je vous appelle Queenie ? »

Elle acquiesça. Chubb avait la main humide maintenant. Elle espérait que cela ne ferait pas de tache sur sa robe.

« Tout à fait sérieuses ! C'est du travail et de lourdes responsabilités. Un homme dans ma position n'a guère de bon temps, je vous assure. Je suis souvent ici jusqu'à une heure avancée de la nuit. Et puis il y a la saison chaude — quand la mem sahib et les enfants partent dans les montagnes pour plusieurs mois... On se retrouve seul, mais on tient le coup. Ce dont on a besoin, c'est de quelqu'un qui partage avec vous le fardeau, quelqu'un de loyal, de bonne volonté — et de discret. »

Queenie sentait qu'elle s'engageait avec Mr. Chubb sur un chemin périlleux, mais c'était le dixième — ou était-ce le douzième ? — rendez-vous qu'elle avait sans la moindre promesse de travail jusqu'alors. Elle devinait fort bien où Chubb voulait en venir avec ses façons de lourdaud et n'avait aucune intention d'occuper ses soirées lorsque sa femme était absente ou lorsqu'il restait tard au bureau, mais, une fois engagée, peut-être pourrait-elle régler tout cela. Magda aurait bien une idée : elle savait toujours quoi faire dans ces circonstances. « Je suis loyale, dit-elle. Et discrète. » Elle ne précisa pas si elle était « de bonne volonté » ou non et Chubb ne parut pas le remarquer.

Il revint à son bureau en fredonnant et prit sa feuille de candidature. « Je vais juste à côté prévenir mon associé, annonça-t-il. Ensuite le boy vous conduira à la comptabilité pour que les babus puissent remplir toute la paperasserie. Attendez-moi deux secondes. »

Il lui lança un bref coup d'œil égrillard, puis sortit, laissant Queenie regarder une photographie sur son bureau. Il y avait le portrait d'une femme à l'air sévère, avec des boucles d'oreilles de perles, qui lançait à l'objectif un coup d'œil noir — sans doute Mrs. Chubb — et une autre où deux enfants trop gros et sans charme étaient montés sur des poneys.

La porte s'ouvrit et Chubb apparut, s'éclaircissant la voix. Il semblait moins joyeux maintenant et même un peu gêné. Il s'assit pesamment derrière son bureau et lui lança un regard franchement désapprobateur.

« Je crains qu'il n'y ait un os », fit-il.

Elle se demandait où était le problème. « C'est parce que je tape mal ?

— Non, non... Mais je ne pense pas que nous puissions vous engager, miss Kelley.

— Pourquoi donc ? Vous m'aviez dit que vous alliez le faire. »

Chubb eut un soupir embarrassé. Il était aussi déçu qu'elle, pour diverses raisons, et un peu honteux aussi. « Je ne peux pas vous dire pourquoi, reprit-il. Mais je pense que vous le savez déjà. »

Elle n'en était pas sûre. Mais elle commençait à se douter pourquoi elle avait tant de mal à trouver du travail. « C'est Mrs. Daventry ? » murmura-t-elle.

Chubb regarda par la fenêtre. « Nous faisons beaucoup d'affaires avec la maison Daventry, dit-il à regret. C'est tout ce que je peux dire. A bon entendeur salut. »

Elle se leva, maîtrisant difficilement ses larmes devant tant d'injustice. Chubb pressa la sonnette de son bureau pour la faire raccompagner.

Mais il ne se leva pas. « Si j'étais vous, Queenie, dit-il, je quitterais Calcutta pendant que vous êtes encore jeune. Vous êtes jolie, hein ? Ça vous mènera loin. Mais pas ici. »

Elle se planta devant le bureau, le visage rouge de colère. « Personne n'a donc le cran d'affronter Mrs. Daventry ? demanda-t-elle.

— Il paraît que *vous* l'avez fait ? Regardez où ça vous a menée. D'ailleurs, ajouta-t-il, elle est des nôtres et pas vous — ou du moins en partie seulement, hein ? »

Là-dessus il tourna les yeux vers les documents étalés devant lui tandis que le boy entrait. « Raccompagne miss Kelley », dit-il froidement. Il la laissa partir sans lui dire au revoir ni même lever les yeux.

Queenie n'avait jamais imaginé qu'elle penserait avec nostalgie aux jours qu'elle avait passés à l'école, mais l'année qui suivit fut si pleine d'humiliations, d'ennuis et de déceptions que l'école lui en semblait idyllique. Elle n'avait pas d'argent, à part le peu que lui donnait sa mère ou ce qu'elle obtenait de Morgan, et apparemment pas d'avenir.

Son seul plaisir était le cinéma, car depuis son quinzième anniversaire, sa mère s'était laissé persuader qu'un film par semaine était de rigueur, à condition qu'il ne fût pas trop « sensationnel » et que Morgan ou Magda la chaperonnât. Dès l'abord, le cinéma avait paru à Queenie plus réel que la vie — en tout cas plus séduisant. Son plaisir n'était qu'un peu gâché par la certitude qu'elle avait d'être aussi belle que nombre de vedettes de cinéma. Certes, elle ne savait pas jouer la comédie, pas véritablement — mais cela comptait-il vraiment ? se demanda-t-elle. Elle était sûre d'une chose en tout cas : tant qu'elle resterait à Calcutta, elle n'avait guère de chances d'être « découverte » comme c'était si souvent le cas des stars.

Elle avait été si secouée par la façon dont Chubb l'avait éconduite que Morgan l'avait emmenée voir un film en pleine semaine pour la consoler. Comme ils sortaient de la salle, elle aperçut sur l'autre trottoir de Corporation Street une affiche dans la vitrine d'une agence Cook vantant les mérites des vapeurs de la P. & O. pour se rendre en Angleterre. On voyait un navire passer devant les blanches falaises de Douvres. Au-dessus, on pouvait lire en lettres rouges : « Places toujours disponibles. »

« As-tu vu Mrs. Daventry récemment, Morgan ? » demanda Queenie tandis qu'ils montaient dans la voiture.

« De temps en temps, fit-il en haussant les épaules.

— Est-ce qu'elle te parle ?

— Franchement, je ne suis pas dans ses petits papiers.

— A cause de moi ? »

Il hocha la tête. Ce sujet semblait le rendre encore plus sombre, mais elle insista. « Tous les deux vous étiez... — elle chercha le mot qui convenait — ... amants, n'est-ce pas ?

— Vraiment, Queenie !

— Enfin, appelle ça comme tu veux. »

Morgan avait le regard fixé sur la rue balayée par la pluie. « Nous avons eu... une sorte de liaison, oui. On peut le dire.

— Je vois. Pourquoi avez-vous rompu, Morgan ?

— Nous n'avons pas “ rompu ” comme tu le dis, fit Morgan avec impatience. J'allais la voir de temps en temps. Lorsqu'elle m'envoyait chercher, je dois le reconnaître. Ces dernières années, moins souvent. Et maintenant plus du tout.

— Elle te manque ?

— Pas du tout », dit Morgan d'un ton léger, mais Queenie devina qu'il mentait. Si difficile que pût être Mrs. Daventry, elle faisait partie précisément du monde qu'il convoitait.

« Elle t'a parlé de moi ?

— Non, répondit Morgan en soupirant. Elle fait exprès de ne pas me remarquer. Je l'ai vue la semaine dernière, assise là avec tous ses diamants. Je lui ai fait signe mais elle s'est contentée de détourner la tête en souriant.

— Je me rappelle son bracelet. Il doit valoir une fortune.

— J'imagine. Qui sait combien ces choses-là valent ?

— Devine.

— Je n'ai aucune idée, Queenie... des milliers de livres. Plus que toi et moi en verrons jamais.

— Assez pour nous emmener en Angleterre, et encore il nous en resterait, dit Queenie avec tristesse. C'est si injuste. »

Dans la voiture, il régnait une chaleur moite. Queenie sentait la sueur qui perlait sur elle et elle détestait cette impression. Elle avait du mal à imaginer Morgan au lit avec Mrs. Daventry. Elle le regarda du coin de l'œil, le voyant soudain sous un jour nouveau et plus intéressant. Elle se demanda si Mrs. Daventry ôtait son bracelet lorsqu'elle était au lit avec Morgan...

« Tu ne crois pas que ce serait agréable de sortir de cette ville, juste une fois ?

— Sortir de la ville ? Que veux-tu dire ?

— Nous pourrions aller pique-niquer. Rien que nous deux. »

Elle baissa modestement les yeux et laissa sa jambe effleurer imperceptiblement celle de Morgan. Elle se demanda si ça suffisait. Elle espérait que oui. Elle n'avait aucune intention d'aller plus loin.

« Un pique-nique ? Et quoi encore ?

— Oh ! Pourquoi pas ? » Elle se pencha et lui planta un rapide baiser sur la joue. « Je t'en prie, Morgan, murmura-t-elle.

— Peut-être, dit-il.

— Je voudrais déjà y être.

— Je n'ai pas encore dit oui.

— C'est tout comme », lança Queenie d'un ton triomphal. Elle lut dans ses yeux qu'il avait déjà cédé. Et, quelque part au fond de son esprit, elle comprit que dès l'instant où Morgan prendrait l'habitude de lui céder pour de petites choses, pour les grandes choses, cela ne tarderait pas.

C'était juste une question de temps.

Comme la plupart des Anglo-Indiens de Calcutta, Morgan était essentiellement un homme de la ville. Un pique-nique, comme une chasse au tigre, était une notion qui lui était profondément étrangère, c'était le genre de choses que les Anglais adoraient : s'en aller dans des endroits isolés et perdus pour subir l'inconfort, la chaleur, la présence des indigènes, en avalant un repas que toute personne censée préférerait prendre confortablement chez elle.

Malgré tout, il tenait à faire plaisir à Queenie pour des raisons qu'il refusait à s'avouer même à lui-même — et aussi parce qu'il avait honte de n'avoir pas avancé le moins du monde dans leur projet de départ pour l'Angleterre.

Morgan songeait à un pique-nique au Jardin botanique, mais il savait fort bien que cela ne satisferait pas Queenie, aussi consulta-t-il Mr. Bisram Chauburi, qui dirigeait le personnel indien chez Sirpo.

« J'emmène une jeune personne », dit Morgan comme pour expliquer ce que sa demande avait d'excentrique.

Mr. Chauburi eut un large sourire. « Shidapour ! s'exclama-t-il. C'est exactement l'endroit où l'emmener. »

Ce ne fut que lorsqu'ils furent à des kilomètres de la ville que Queenie parut de meilleure humeur. Morgan, qui était aussi devenu plus gai une fois sorti de la cité, conduisait en tenant le volant d'une main, son casque colonial repoussé en arrière, et sifflotait entre ses dents. Il avait l'air d'un sahib et il avait le sentiment d'en être un.

A l'arrière de la voiture, regardant devant lui sans rien dire, était assis le khitmatgar, judicieusement fourni par Mr. Chauburi, qui tenait un panier pique-nique sur ses genoux, puisqu'il était impensable pour un sahib — ou même pour quiconque avait la moindre prétention à des ascendances européennes — de servir lui-même son repas. Morgan avait accepté à regret, sacrifiant les avantages de la tranquillité au fardeau de l'homme blanc.

Queenie tout d'abord avait été ennuyée par la présence d'Ahmed, mais comme la plupart des Européens en Inde elle avait le don d'ignorer les serviteurs comme s'ils n'existaient pas et elle ne tarda pas à se féliciter de sa présence avec eux car, sans son aide, Morgan se serait totalement perdu.

Vers le milieu de la matinée, pour la première fois, Queenie commença à sentir enfin la présence de quelque chose d'à la fois plein de vie et de mystérieux : l'Inde de légende, intouchée par la ville et les Anglais. Il n'y avait rien de romanesque dans l'Inde où vivait Queenie, bien que même à Chowringhee il y eût des surprises, comme si les réalités plus brutales de ce vaste et sombre subcontinent se regroupaient au-delà des rues bien balayées et des jardins des quartiers résidentiels, prêtes à tout moment à faire irruption. Mais c'étaient pour la plupart des surprises désagréables : un vautour laissant tomber un ossement humain sur la pelouse, un chien enragé passant dans les rues, un chacal surgissant dans le jardin ou un cobra repéré près de la maison.

A quelques kilomètres à l'est de Shidapour, la route devint un chemin de terre serpentant entre des collines basses couvertes de broussailles. Au loin, Queenie aperçut un bouquet d'arbres : un miracle dans ce climat, comme une oasis en plein désert. La voiture s'enfonça sur un sentier avec des bambous de chaque côté qui en faisaient une sorte de tunnel vert, puis déboucha sur une clairière.

« Shidapour », annonça Ahmed.

Tout d'abord Queenie ne vit pas grand-chose qui justifiât ce long trajet dans la poussière. Elle descendit de voiture et regarda autour d'elle, puis constata qu'ils se trouvaient au sommet d'une petite colline couverte de bambous et d'arbres au feuillage argenté. Juste au-dessous d'eux, il y avait le village, les toits des huttes si bien mêlés au feuillage qu'ils étaient presque invisibles. Devant elle, à la lisière de la clairière, le temple s'élevait au-dessus des arbres, et trois étranges masses de pierre patinées par le temps, chacune d'elles de hauteur différente. Queenie mit sa main au-dessus de ses yeux et vit quelque chose bouger.

« Des singes ! » cria-t-elle et, comme pour confirmer le fait, les singes se mirent à hurler, leur vacarme déclenchant des cris d'inquiétude des oiseaux dans le bouquet de bambous.

Comme toujours en Inde, il y avait trop de tout. Une douzaine de singes aurait bien suffi à fournir un spectacle intéressant, mais il semblait y en avoir des centaines et, à en juger par le bruit des oiseaux, ces derniers étaient par milliers cachés dans les arbres.

« C'est beau, dit-elle.

— Tu trouves ? Ce n'est qu'un temple indigène grouillant d'une foule de singes. Mon Dieu, quel vacarme ils font !

— C'est l'endroit qui est beau. Nous pourrons y aller ?

— Oh ! Certainement. Pourquoi pas ? Mais mangeons quelque chose avant d'aller faire un tour. »

Queenie jeta un coup d'œil et vit qu'Ahmed, avec l'habileté d'un porteur expérimenté, s'affairait déjà à préparer le couvert du pique-nique. Morgan aida Queenie à grimper jusqu'à un rocher où ils s'assirent.

Pas la peine de se poser de questions sur le menu. Ce serait du poulet et des œufs, bien sûr. Pour Ahmed, musulman, pas question de toucher au jambon et l'on considérait de mauvais goût de manger du bœuf de crainte de heurter la susceptibilité des Indiens.

« Qu'avons-nous à boire, Ahmed ? » demanda Morgan.

Ahmed ouvrit le panier et regarda. « Du gin, annonça-t-il, du whisky. Une bouteille de vin.

— Alors un gin rose, fit Queenie.

— Ça, c'est la vie », dit Morgan en s'allongeant sur son coussin. Il y avait des moments où il était assez heureux d'être en Inde.

« Oui. » Elle approcha son coussin de celui de Morgan et s'appuya contre lui. « Je parie quand même qu'un pique-nique en Angleterre est encore plus agréable... avec les champs bien verts. Et des cygnes au lieu de singes.

— Je sais, je sais. Mais il faut du temps, Queenie.

— Du temps ? Qu'est-ce que le temps changera ? Je serai vieille bientôt.

— Allons donc, fit-il en tendant son verre pour le faire remplir.

— Morgan, dit-elle en se lançant, j'ai une idée sur la façon dont nous pourrons nous procurer l'argent.

— Parlons-en plus tard, veux-tu ? Il fait trop bon maintenant. » Il desserra sa cravate et lui sourit. Queenie n'avait pas renoncé si vite, mais elle se rendit compte qu'Ahmed rôdait dans les parages et décida que mieux vaudrait attendre qu'ils fussent seuls.

« Peut-on aller voir le temple maintenant ? » demanda-t-elle.

Morgan acquiesça. Ahmed n'avait pas fini ses préparatifs et, bien que Morgan n'éprouvât aucune curiosité quant à l'architecture religieuse hindoue, il éprouvait le besoin de remuer un peu et d'être seul avec Queenie.

« Nous allons jusqu'au temple, dit-il à Ahmed. Nous déjeunerons quand nous reviendrons. C'est difficile d'y arriver ?

— Non, sahib, fit Ahmed en secouant la tête. Pas difficile. Mais la plupart des gens préfèrent déjeuner d'abord et visiter le temple ensuite, quand il fait plus frais.

— Je trouve qu'il fait assez frais. Nous y allons maintenant ! »

Queenie remarqua que Morgan n'était pas très solide sur ses jambes lorsqu'il descendit du rocher : les deux gins sur un estomac vide l'affectaient plus qu'il ne s'en rendait compte et elle passa son bras sous celui de son oncle pour le soutenir tandis qu'ils entraient dans le tunnel frais et sombre des bambous qui dominaient le sentier. Il se cramponnait à elle, le visage tout près du sien, et elle trouva qu'il la serrait plus fort que ce n'était nécessaire.

De l'extérieur du temple, on pouvait penser que les murs épais et l'obscurité donneraient un peu de fraîcheur, mais bien au contraire le petit bâtiment semblait retenir et amplifier la chaleur comme un four.

Au premier abord, il n'y avait rien de remarquable à l'intérieur, qui ressemblait à une grotte éclairée par des centaines de petites lampes vacillantes d'où émanait une puissante odeur de beurre rance et de graisse brûlée. Au-dessus d'eux on entendait des froissements d'ailes, comme si une colonie de chauves-souris s'agitait, et Queenie pour une fois ne regrettait pas d'avoir coiffé son topi. Morgan, qui percevait sa peur, passa un bras autour d'elle et elle devina ce grand corps qui se pressait contre le sien à travers la légère cotonnade de sa robe d'été.

Queenie se sentait faible, comme si c'était elle qui avait bu le gin au lieu de Morgan. Il l'embrassa, pas brutalement, comme l'avait fait Mr. Pugh, mais avec douceur, ses lèvres effleurant la joue de Queenie. Puis, comme les yeux de la jeune fille s'habituaient à l'obscurité, elle regarda par-dessus l'épaule de Morgan tandis qu'il passait les bras autour d'elle et elle vit que les murs du temple étaient couverts de sculptures.

Au mur du fond, aux couleurs effacées par la faible lumière, était accroché un grand portrait de Shiva peint sur soie. Son corps nu était bleu foncé et son visage celui d'un démon. Il semblait danser avec une grâce majestueuse, tandis que devant lui hommes et femmes, riches et pauvres, ainsi qu'une éblouissante multitude d'oiseaux et de bêtes s'agenouillaient pour l'adorer. Mais, si frappant qu'il fût, le portrait de Shiva était comme effacé par les personnages, par milliers, sculptés avec soin, enlacés en guirlandes qui se perdaient dans les ténèbres de la salle.

Elle mit un moment à comprendre : le temple tout entier était comme un fabuleux catalogue d'actes sexuels sculptés dans la pierre. A la lueur vacillante des flammes, les personnages semblaient évoluer avec langueur, les ombres tremblantes donnant l'illusion de la vie et de la passion, si bien que tout le temple semblait bouger. L'illusion ne dura qu'une seconde, mais elle suffit à donner le vertige à Queenie.

Le moment passa et elle se retrouva dans les bras de Morgan, trempée de sueur. Il avait les lèvres collées aux siennes et son souffle était rauque, que ce fût la chaleur ou une coupable passion. « Queenie, murmura-t-il. Queenie, je t'aime ! »

Elle ne sentait que sa robe en coton que la sueur collait à son corps, ses sous-vêtements qui l'irritaient dans la chaleur et ce que l'étreinte de Morgan avait d'inconfortable. Il était si occupé à la caresser qu'il n'avait même pas remarqué les statues.

Elle le repoussa avec plus de violence qu'elle ne l'aurait voulu et un instant elle crut qu'il allait réagir avec colère.

Mais Morgan avait retrouvé ses esprits. « Mon Dieu, dit-il, je suis navré. » Il s'épongea le visage avec une pochette. « J'ai une migraine épouvantable, dit-il derrière son mouchoir. C'est la chaleur...

— Et le gin, suggéra-t-elle.

— Oui, oui, peut-être bien... Cet imbécile d'Ahmed aurait dû me dire combien il faisait chaud.

— Il l'a dit, Morgan.

— Ah oui ? Je ne l'ai pas entendu. » Morgan prit la main de Queenie et la pressa doucement. « Je n'ai pas pu me maîtriser », murmura-t-il, comme s'il y avait des gens dans la pénombre qui risquaient de l'entendre.

Et puis son regard s'arrêta sur le mur au-dessus de leurs têtes. « Oh ! Mon Dieu, gémit-il. Mais c'est dégoûtant, tout ça ! Qu'est-ce que tu as dû penser de moi ?

— Ça n'a pas d'importance.

— Comment, pas d'importance ? Cet abruti de Chauburi aurait dû me prévenir... » Il s'épongea le visage avec sa manche. « Ce n'est pas du tout ce à quoi je m'attendais. »

Un moment, Queenie crut qu'il allait se mettre à pleurer sous l'effet du choc et du remords ; et peut-être aussi parce qu'il avait enfin laissé s'exprimer les sentiments qu'il lui portait, juste pour les voir tournés en dérision. Elle le prit par le bras et l'entraîna vers la porte. Dehors, le soleil était éblouissant après la pénombre du temple et ils s'arrêtèrent un moment sur les marches, à respirer l'air chaud et sec qui, par contraste, semblait presque rafraîchissant.

Maintenant qu'ils étaient de nouveau à la lumière, Queenie parvenait à penser. Ce qui s'était passé dans le temple était plus que le simple résultat des deux gins et de la chaleur. Elle n'avait jamais douté que Morgan l'aimât ; elle était assez grande pour comprendre qu'il l'aimait plus que ne le devrait un oncle, et de façon différente — mais jusqu'à maintenant elle n'avait pas compris la force de cette passion. « Morgan, questionna-t-elle, est-ce que tu ferais n'importe quoi pour moi ? N'importe quoi que je te demande ? »

Soir après soir, Queenie s'interrogeait. Quelle devrait être l'étape suivante et soir après soir elle finissait par s'endormir sans trouver de solution. A la surprise générale mais que ne partageait pas la mère de Queenie, Peggy D'Souza était partie pour l'Angleterre, avec son Butts, et une fois par semaine sa mère lisait tout haut à Queenie une carte postale d'elle, décrivant les mille merveilles de sa vie nouvelle au Pays.

Au moins une fois par mois, Queenie se glissait hors de la maison, après que sa mère fut allée se coucher, pour rejoindre Morgan chez Sirpo, où au moins elle pouvait danser, écouter de la musique et se faire voir. Au grand agacement de Morgan, elle manquait rarement d'hommes pour l'inviter à danser et elle devint vite fort habile à décliner les propositions de se faire raccompagner chez elle ou d'accepter un tour en voiture.

Elle avait persuadé Morgan de verser des arrhes sur deux billets pour l'Angleterre, mais elle savait que ce n'était là qu'un dépôt symbolique, un premier petit pas qui ne mènerait nulle part — encore qu'il eût l'avantage d'engager Morgan, au moins moralement, à adopter le plan qu'elle mûrissait. Morgan était obsédé ; peut-être l'avait-il toujours été, ou cela venait tout juste d'apparaître. Non, elle le savait, qu'il ne pût avoir d'autres femmes. A sa modeste échelle, il était un séducteur patenté et qui, s'il fallait en croire la rumeur publique, n'avait jamais éprouvé aucun mal à obtenir les faveurs de toutes les femmes qu'il voulait — mais la seule qu'il désirait maintenant, c'était elle.

Il venait même dans sa chambre la nuit et se plantait sur le seuil pour la dévisager en silence. Mais elle hésitait quand même à franchir le dernier pas jusqu'à ce qu'un soir, terrifiée à l'idée que sa mère allait les entendre, mais décidée à en finir avec Morgan, Queenie lui passât les bras autour du cou, collât ses lèvres contre l'oreille de son oncle et lui expliquât ce qu'elle attendait de lui.

Il devint tout pâle — aussi blanc que les draps à la lueur de la lune. « Tu es folle ! » fit-il si fort qu'elle lui plaqua une main sur la bouche.

Il baissa la voix. « Je ne pourrai pas, murmura-t-il. Jamais de la vie.

— Alors, j'épouserai le premier Anglais qui demandera ma main. Même si je dois coucher avec lui d'abord. »

Elle lut la douleur dans son regard, mais il secoua la tête. « Je ne veux même pas en parler », dit-il.

Mais soir après soir, dans sa petite chambre surchauffée ou à une table derrière les palmiers en pots de chez Sirpo, ils en discutaient jusqu'à ce que peu à peu Morgan finisse par accepter qu'elle avait raison et que les seules questions fussent « comment ? » et « quand ? »

« Je ne peux tout de même pas l'appeler comme ça, gémissait Morgan.

— Pourquoi pas ? »

Morgan était sans voix. « Ça ne se fait tout simplement pas, Queenie.

— Eh bien, il va falloir le faire quand même. Ecris-lui un billet et fais-le porter à sa table la prochaine fois qu'elle viendra. Dis que tu as des excuses à lui faire et des explications à lui donner, conseilla-t-elle.

— Il n'y a rien à expliquer, Queenie. Elle sait que tu es ma nièce.

— Elle peut ne pas le croire. Et même si elle le pense, elle s'imaginera sûrement qu'il y a autre chose.

— Je ne crois pas qu'elle veuille me voir. »

Queenie ne parvint pas à empêcher une pointe d'irritation de percer dans sa voix. « Morgan, dit-elle, je t'assure. Mrs. Daventry te verra parce qu'elle ne pourra pas résister.

— Résister à quoi ?

— A une occasion de t'humilier, voyons. Elle voudra se réjouir du fait que tu reviens en rampant. »

C'était vrai. Il essaya malgré tout de dissimuler son agacement. « Et ensuite ? demanda-t-il.

— Ensuite, tu attends le bon moment.

— Mais elle saura que c'est moi qui ai fait le coup !

— Elle ne le saura pas si elle est ivre, répliqua Queenie. D'ailleurs, tu ne seras pas le seul homme à t'être trouvé là, n'est-ce pas, si ce que tu me dis sur elle est vrai ? Et puis il y a les domestiques... Et d'ailleurs, elle n'admettra pas volontiers que tu étais là, non ? Alors à qui pourra-t-elle le dire ?

— Elle le saura, dit Morgan avec un petit frisson. Je ne crois pas que je puisse y arriver. »

Queenie noua ses bras autour de lui et serra, mais Morgan ne réagissait pas. « Je sais, moi, que tu peux, chuchota-t-elle. Même si elle pense que c'était toi, nous serons en route pour l'Angleterre avant qu'elle puisse faire quoi que ce soit. »

En sentant le corps de Queenie pressé contre le sien, Morgan trouva une brusque bouffée de courage. « Oh ! Bon, lança-t-il, je vais le faire. »

Une fois qu'ils seraient en Angleterre, se dit-il, ils pourraient commencer une nouvelle vie ensemble. Un moment il se laissa aller à l'imaginer. Il aurait du travail dans un des meilleurs cabarets de Londres, il serait bien payé, bien habillé, respecté. Le matin, quand il rentrerait en taxi par les rues lavées de pluie, Queenie l'attendrait dans leur appartement, endormie, ou peut-être faisant seulement semblant de l'être, dans leur grand lit, entrouvrant les yeux tandis qu'il se glisserait sous les draps pour s'allonger auprès d'elle, tandis que dehors les cloches des églises de Londres sonneraient sous le ciel gris...

« Après tout, quel est le pire qui puisse arriver ? » demanda-t-il avec un rire insouciant, mais au moment même où il disait ces mots, il connaissait la réponse.

Il pourrait se retrouver en prison.

Le reçu du dépôt versé sur les billets pour l'Angleterre était dans la poche de la veste de Morgan. Cela lui pesait comme un poids de plomb.

Lorsqu'il avait pris l'enveloppe adressée à Mrs. Daventry et qu'il l'avait remise à un serveur pour qu'il la porte à sa table au moment opportun, il avait failli donner le reçu au boy par erreur.

« Ne porte pas ça sur un plateau d'argent, bon sang ! » cria-t-il au serveur qui sourit en hochant sa tête enturbannée. Morgan lui tendit une roupie, puis hésita et lui en glissa une autre. « Attends qu'elle soit seule. Fais ça discrètement. Tu peux y arriver ?

— Très certainement, sahib. »

Pendant au moins une heure, à mesure que la soirée s'avançait, Morgan n'arrivait pas à se forcer à regarder vers la table de Penty Daventry. « Valencia », siffla le contrebassiste tout en jetant un regard de myope au papier que venait de lui passer un serveur et en brandissant soigneusement un billet de cinquante roupies pour que les autres membres de l'orchestre puissent le voir : car c'était la coutume à la fin de la soirée de partager les pourboires pour les airs demandés par les clients.

La piste de danse était pleine — « Valencia » les faisait toujours se lever — mais tout au fond de la salle, en face de lui, Mrs. Daventry resta assise à sa table. Méthodiquement elle déchira le billet que le serveur venait de lui remettre plié dans une serviette. Elle alluma une cigarette, l'inséra dans son long fume-cigarette, puis regarda Morgan et lui fit un clin d'œil.

Mrs. Daventry emplit son verre au carafon posé sur la table roulante, en inspecta le niveau avec soin et ajouta encore un doigt de scotch. « Cheers ! fit-elle. Au bon vieux temps. Comment va ta petite peste en robe rose, Morgan ? Elle n'est pas un peu jeune pour toi ?

— Je ne sais pas ce que vous voulez dire, fit-il.

— Allons donc ! La fille aux yeux de Marie-couche-toi-là, Morgan ! Tu vas les chercher au berceau, mon garçon.

— Queenie ? C'est ma nièce !

— Queenie. » Mrs. Daventry s'attarda sur le nom, en savourant chaque syllabe. « Que c'est divinement vulgaire. Je ne crois pas du tout que tu sois son oncle, Morgan, reprit-elle d'un ton taquin.

— Eh bien, vous avez tort, fit-il d'un ton pincé. Je le suis. »

Mrs. Daventry se mit à rire bruyamment, puis elle regarda Morgan dans le miroir et but une nouvelle gorgée. « Pourquoi m'as-tu envoyé un billet comme ça ? »

Morgan contempla ses mains. C'était la partie la plus difficile, car elle exigeait de l'improvisation. « Vous me manquiez », dit-il.

Elle éclata de rire. « Allons donc, Morgan, dit-elle. Ça ne va pas bien pour toi ? On est fauché, hein ? On espère me piquer un peu d'argent, comme au bon vieux temps ? Eh bien, va te faire voir ! »

Morgan grinça des dents. « Ça n'est pas ça du tout, protesta-t-il. En fait, ça va très bien pour moi...

— Ah oui ? Tu joues toujours pour ta pitance chez Sirpo et tu es aussi loin que jamais de l'Angleterre. Tu n'y arriveras jamais, Morgan.

Tu n'as pas les tripes, mon chou. Quant à ta petite traînée, je lui ai fermé toutes les portes.

— Je sais.

— Elle t'a ouvert son cœur ?

— Oui. Oh ! Bien sûr… c'est une fille entêtée. Je lui ai dit mille fois de vous présenter ses excuses.

— Ses excuses ? Mais je n'en veux pas, je n'en ai pas besoin. Je n'ai pas besoin de toi non plus, d'ailleurs.

— Alors pourquoi avez-vous répondu à mon billet ?

— Je voulais voir si tu reviendrais en rampant, mon chou, dit-elle enfin. Et, bien sûr, c'est ce que tu as fait. Maintenant tu peux filer ! »

Morgan connut un instant d'affolement. Il ne pouvait guère envisager la suite du plan s'il partait maintenant et il n'osait pas affronter Queenie s'il échouait. Quant à l'envie qu'avait Mrs. Daventry de le voir, Queenie ne s'était pas trompée. Bien sûr que Mrs. Daventry voulait l'humilier ! Et, comme d'habitude, elle avait réussi. Pendant une semaine, après avoir reçu son mot, elle était venue chaque soir chez Sirpo, en ignorant complètement sa présence. Le cinquième soir, elle lui avait envoyé un message griffonné sur une serviette avec un crayon à sourcils. En le dépliant, il ne lut qu'un seul mot : « Attends. »

Le lendemain soir, Mrs. Daventry réussit à le voir un instant dans le couloir qui menait aux toilettes des dames, car elle avait envoyé un serveur jusqu'à l'estrade de l'orchestre pour lui dire de l'attendre là. « Demain, dit-elle d'un ton froid. Daventry va à Bombay.

— Comment vais-je entrer ? »

Mrs. Daventry lui lança un regard agacé. Elle avait l'art d'aménager ses liaisons et s'attendait à trouver des hommes à l'esprit aussi vif qu'elle. « Laissez votre voiture à quelques rues de là, murmura-t-elle. Ma femme de chambre vous fera entrer par la porte de côté. Vous n'avez quand même pas oublié, Morgan ?

— Je croyais seulement que les choses avaient pu changer. »

S'il voulait prolonger sa visite, Morgan le comprit, il allait devoir bel et bien ramper et, si au fond de lui il se rebellait à cette pensée, il savait qu'il n'avait pas le choix.

« Je vous en prie, dit-il en s'approchant d'elle. Laissez-moi rester.

— Vous êtes un demi-caste qui croit que c'est arrivé, Morgan. Pire encore, vous êtes assommant. Et vous ne savez pas vous tenir à votre place, n'est-ce pas ? Je n'ai pas oublié que vous avez amené votre petite putain au Grand Hôtel pour le thé. C'est mon terrain, Morgan, pas le vôtre. Un bal à l'Institut des chemins de fer était bien assez pour elle, de temps en temps.

— Vous avez raison, dit Morgan, en s'agenouillant auprès d'elle. Pardonnez-moi, je vous en supplie. Laissez-moi me rattraper.

— Vous rattraper ? Comment ? »

Morgan se pencha, toujours à genoux, et posa la tête sur sa cuisse. Elle passa une main dans ses cheveux, puis enfonça brutalement ses ongles dans le cou de Morgan. « Pauvre petit Morgan, dit-elle d'une voix rauque. Il a été si vilain.

— C'est vrai, c'est vrai », chuchota Morgan, la gorge serrée. Un instant, il s'écœura vraiment, au point d'en être presque malade — mais cela passa, comme toujours.

« Il va falloir le punir », déclara Mrs. Daventry, regardant toujours le miroir, comme si elle se parlait à elle-même. Elle vida son verre, le reposa et se tourna vers Morgan. Elle tenait maintenant à la main une brosse à cheveux en argent, elle avait les yeux grands ouverts et un étrange petit sourire plissait ses lèvres.

« Dégrafe-moi, Morgan, dit-elle d'un ton de commandement, en le frappant violemment sur la joue avec la brosse. Dégrafe-moi avec soin et puis déshabille-toi. Je m'en vais te donner une leçon que tu n'oublieras jamais. »

Morgan, allongé dans la chambre plongée dans l'obscurité, écoutait la respiration de Mrs. Daventry. Il sentait encore les sillons que ses ongles lui avaient laissés sur le dos. Il se demandait s'il avait mis du sang sur les draps. Les serviteurs à n'en pas douter y étaient habitués, se dit-il. A la lueur de la lampe de chevet, il jeta un coup d'œil à Mrs. Daventry. Il n'avait cessé d'emplir son verre au carafon posé auprès du lit et il calcula qu'elle avait bu au moins quatre doubles whiskies sans eau et qu'elle avait pris quelques bouffées d'opium — car Mrs. Daventry avait de l'Orient une vue pragmatique et adoptait tous les plaisirs qu'il pouvait offrir.

Morgan soupira, envisagea la possibilité de s'abstenir de l'étape suivante, mais pensa à Queenie ; il sortit du lit avec prudence.

Il s'habilla sans bruit, reculant le moment qu'il redoutait, jeta un nouveau coup d'œil au lit pour s'assurer qu'elle dormait toujours puis, rassemblant son courage, les genoux tremblants, il s'approcha à pas de loup de la table de nuit, ses chaussures à la main et prit le bracelet de diamants. Il le glissa dans sa poche, à côté du reçu de la compagnie de navigation, enfila ses escarpins et se dirigea vers la porte.

Assis dans la chambre de Queenie, il contemplait d'un œil sombre le bracelet de diamants qui étincelait au pied du lit. Ce spectacle le déprimait à tel point qu'il était incapable de bouger ou même de penser à la crainte qui l'habitait.

« Elle va s'apercevoir de sa disparition en se réveillant, dit-il en fermant les yeux comme s'il espérait ne plus voir le bracelet quand il les rouvrirait.

— Nous en avons déjà discuté, Morgan. Elle ne peut guère aller à la police et dire que tu étais là. Et ç'aurait pu être un des domestiques... Il va simplement falloir faire vite, voilà tout.

— Nous serons pris dès l'instant où nous essaierons de le vendre. Je le sais.

— Pas forcément, fit Queenie. Je connais justement l'homme qu'il nous faut... Allons, Morgan, un peu d'entrain », dit Queenie en lui lançant le bracelet. Son geste fit glisser la bretelle de sa chemise de nuit et Morgan aperçut le bouton d'un sein. Malgré son épuisement et sa crainte, il eut l'ombre d'un sourire. « Enfin, nous rentrons au Pays », dit Queenie en riant. Et soudain Morgan se retrouva riant avec elle.

Après tout, se dit-il, ce n'était pas comme s'il était vraiment un criminel ! Durant le temps qu'il avait connu Mrs. Daventry, n'avait-il pas gagné cent fois le prix du bracelet ?

« Et maintenant ? » demanda-t-il. Tandis que Queenie commençait à lui expliquer son plan, il comprit, le cœur serré, tous les risques qu'il aurait encore à prendre avant de toucher au but.

« Ah ! fit-elle, sentant son hésitation, je n'ai jamais dit que ce serait facile. » Elle éteignit la lumière, roula sur le côté et ferma les yeux. Morgan gagna la porte sur la pointe des pieds et l'ouvrit sans bruit, sachant que pour sa part il allait passer une nuit d'insomnie en pensant à l'étape suivante.

« Morgan, chuchota Queenie, vaut mieux prendre le bracelet, tu ne crois pas ? Nous ne tenons pas à ce que maman le voie. »

Il revint sur ses pas, le fourra dans sa poche et attendit là un instant, espérant qu'elle allait ajouter quelque chose. Mais tout ce qu'il entendit, ce fut le souffle régulier de Queenie : elle dormait déjà.

Mr. Brammachatrarya était assis sur son coussin mangé aux mites comme s'il attendait patiemment Queenie depuis sa dernière visite. Son visage rond n'exprima aucune surprise en la voyant.

« A quoi dois-je ce plaisir après un si long temps, voulez-vous me le dire ? demanda Brammachatrarya de sa voix doucereuse. Vous n'êtes pas perdue encore une fois ?

— Non. Cette fois je suis ici pour affaires. Je devrais dire *nous* sommes ici. Il s'agit d'une affaire confidentielle, ajouta Queenie en jetant un coup d'œil vers le rideau.

— C'est une transaction extrêmement délicate », ajouta Morgan en essayant de capturer l'attention de Brammachatrarya.

Mais ce dernier l'ignora. Il fit à Queenie un sourire étincelant

« Quelle affaire n'est pas confidentielle ? demanda-t-il. Ou délicate ? Mais ma bouche est scellée. »

Elle se tourna vers Morgan, qui tira de sa poche un mouchoir plié et le lui tendit. Queenie posa le mouchoir sur le tapis et le déplia. Une lueur s'alluma dans les yeux de Brammachatrarya, mais ce n'était que le reflet des diamants. Son expression ne changea pas. Ils restèrent assis sans rien dire quelques minutes, car Brammachatrarya de toute évidence n'avait pas envie de parler le premier. Il finit quand même par se pencher non sans mal, prit le bracelet entre ses doigts et le brandit à la lumière en examinant chaque pierre. « Certains demanderaient d'où vient ce bijou, dit-il en le rendant à Queenie. Mais la curiosité est un vilain défaut... Combien vouliez-vous emprunter sur cette pièce, ma chère demoiselle...

— En fait, nous espérions la vendre.

— Ah ! Voilà qui est différent ! Je ne suis qu'un pauvre prêteur hindou. Je crains qu'un objet d'une aussi grande valeur ne dépasse mes moyens.

— Ce n'est pas ce que nous avions entendu dire, Mr. Brammachatrarya, fit Queenie avec respect.

— Rumeurs de bazar ! Calomnies avancées par des concurrents envieux. » Brammachatrarya ferma les yeux et resta quelques instants silencieux, songeant à tout le mal qui existe en ce monde, les mains croisées sur sa vaste bedaine.

Il finit par ouvrir les yeux et les braqua sur Queenie. « Vous vous rendez compte, bien sûr, que seules les pierres ont de l'intérêt ? Il va malheureusement falloir briser le bracelet... Je ne vous dis cela qu'au cas où vous auriez un attachement sentimental pour cette pièce.

— Aucun, dit Morgan.

— Oh ! Tant mieux ! Il est si difficile de donner un prix au sentiment. Quant aux pierres, je serais disposé à vous en donner... oh ! disons cinq lakhs. »

Morgan était pâle de rage. « Ça fait moins de quinze cents livres sterling ! Ce bijou vaut dix fois ça.

— Ah oui ? Alors, cher monsieur, vous devriez le porter à un bijoutier de Corporation Street — avec une facture ou une preuve que vous en êtes propriétaire. » Brammachatrarya semblait ne plus s'intéresser à la discussion. Il baissa les paupières comme s'il allait faire la sieste.

« Mais c'est du vol ! » cria Morgan.

Brammachatrarya ouvrit un œil et haussa les épaules. « Vol n'est pas un joli mot, dit-il. Surtout dans ces circonstances. »

Queenie se pencha, tout près du prêteur, et posa sur la sienne une petite main fluette. « On dit aussi dans le bazar que Mr. Brammachatrarya est un homme juste et généreux, dit Queenie en hindi.

— On dit la vérité.

— On dit aussi qu'il n'est pas homme à profiter d'une jeune femme en détresse.

— Cela aussi est vrai, murmura-t-il, gêné.

— Peut-on fixer un prix à la gratitude ? Peut-être un jour me trouverai-je en mesure de l'aider d'une façon ou d'une autre. Les jeunes vieillissent, n'est-ce pas ? Les jeunes femmes parfois épousent des hommes importants.

— C'est vrai.

— Même à quinze lakhs, ce bracelet serait une occasion... Pour un homme qui saurait où vendre les pierres. Un homme ayant du savoir, de la patience et de la subtilité...

— Pour vous... dix lakhs », dit Mr. Brammachatrarya en se tournant vers Queenie.

Celle-ci acquiesça. Tout bien considéré, ce n'était pas une offre déraisonnable.

Brammachatrarya s'approcha du coffre, l'ouvrit avec une grosse clé de cuivre et y prit une liasse de billets. Il compta dix mille roupies, recompta, s'arrêtant pour se lécher les doigts et déposa l'argent devant Queenie en un petit tas bien ordonné.

« C'est un plaisir de faire affaire avec vous, dit Mr. Brammachatrarya. Bonne chance en Angleterre.

— Comment saviez-vous que nous rentrions au Pays ? demanda Morgan.

— J'ai une bonne mémoire. La jeune dame m'a fait des confidences lors de notre première rencontre, voilà une éternité.

— Nous n'avons pas encore fixé la date exacte. »

Mr. Brammachatrarya secoua la tête. « Je partirais bientôt, dit-il, très bientôt. Ce soir si c'est possible.

— Si tôt que cela ? demanda Morgan.

— Les rumeurs parviennent même jusqu'à cette humble demeure, mon cher monsieur... et ma chère mademoiselle. J'ai entendu dire qu'un bijou de valeur avait été volé à la femme du grand Mr. Daventry. Il semble que les misérables se soient introduits dans la maison et aient menacé la pauvre dame. Un scandale ! Elle a résisté, mais le malfaiteur l'a malmenée, et est parti avec un bracelet... » Mr. Brammachatrarya eut une petite toux discrète. « A n'en pas douter, ajouta-t-il poliment, il est très différent de celui-ci. »

Morgan semblait sur le point de s'évanouir. « Savent-ils qui a fait cela ? demanda-t-il.

— Un musicien. Apparemment sous l'empire de la boisson. Son nom m'échappe, mais par bonheur c'était un Européen et non pas un des nôtres. »

Mr. Brammachatrarya eut un grand sourire, comme s'il apportait de bonnes nouvelles, cependant que Morgan, le visage ruisselant de sueur, se prenait la tête à deux mains et gémissait.

Queenie ne s'occupa pas de lui. L'idée ne lui était jamais venue que Mrs. Daventry serait assez vive pour trouver une explication à la présence de Morgan dans sa chambre. Elle avait sous-estimé cette femme.

Elle se leva et prit la main du gros homme, le visage tout près du sien. « Si cet homme voulait quitter rapidement le pays, dit-elle, cela pourrait-il se faire ? »

Il hocha la tête. « Assurément oui, mademoiselle.

— Et si une femme l'accompagnait ? Y aurait-il un moyen ? »

Mr. Brammachatrarya se tourna vers le rideau, puis vers Queenie, et éclata de rire. « Bien sûr que oui, fit-il. Avec de l'argent, tout est possible. »

« Comment est-ce que je vais trouver du travail sans mon saxophone ?

— Bon sang, Morgan, quand nous arriverons à Londres, tu pourras t'en acheter un neuf. Personne ne croira à un Hindou qui voyage avec un saxophone. »

Morgan arpentait nerveusement le quai encombré. Il arborait un dhoti blanc, une veste européenne et une casquette de toile et il portait deux volumineux sacs de voyage auxquels étaient attachés un parapluie et deux couvertures. C'était bizarre, songea Queenie, qu'il fît un Indien très convaincant en vêtements indiens. Elle se garda bien d'en faire la remarque. Ce n'était pas une chose dont Morgan s'enorgueillirait.

Queenie était assez satisfaite de son propre déguisement. Elle était drapée dans un sari de soie rose et avait la tête complètement dissimulée par un voile de purdah. Elle était quasiment invisible. Tous les Hindous l'ignoreraient respectueusement — tout comme les musulmans, car pour eux aussi le voile était sacré — alors que pour les Européens, elle ne serait qu'une indigène parmi les autres et donc sans intérêt. Elle tendit la main pour toucher le bras de Morgan, mais il s'écarta aussitôt. « Bon sang, Queenie, murmura-t-il, tu sais bien qu'une indigène en purdah ne toucherait jamais son mari en public.

— J'essayais seulement de te prévenir. » Elle tourna la tête vers les grandes grilles de fer où un fonctionnaire des chemins de fer examinait les billets. Deux policiers étaient auprès de lui et, derrière eux, Mr. Daventry, le chapeau rabattu sur les yeux et qui dévisageait les passagers défilant ainsi pour monter dans l'express Calcutta-Bombay. Il semblait de mauvaise humeur et on pouvait deviner sans mal que c'était Mrs. Daventry qui lui avait imposé cette déplaisante corvée.

« Il va me reconnaître, gémit Morgan en anglais.

— Bon sang, parle hindi ! » siffla Queenie.

Si impatiente que fût Queenie envers Morgan, elle se doutait, le cœur serré, que pour une fois son pessimisme était justifié. Daventry allait certainement le reconnaître, même avec une casquette de toile, ne serait-ce que parce que la peur de Morgan serait évidente aux yeux de tous ceux qui le regardaient avec un peu d'attention.

« Je ne peux pas », fit Morgan. Il était paralysé de terreur et Queenie sentit que d'un instant à l'autre il allait se rendre, soulagé d'en avoir fini avec toute cette histoire. Elle ne trouvait rien à lui dire.

« Est-ce que nous ne nous connaissons pas, mon ami ? » demanda une voix douce. Morgan se retourna, terrifié, et se trouva nez à nez avec un visage vaguement familier, en grande partie dissimulé par une barbe soigneusement roulée dans un filet, une moustache bien cirée et un énorme turban bleu marine.

« Tiens, mais c'est Mr. Singh ! » fit Queenie, s'apercevant un instant trop tard, en voyant la stupéfaction de Mr. Singh, que ce n'était guère une remarque convenable pour une femme en purdah.

Singh hocha la tête, serra la main de Morgan et le regarda droit dans les yeux. « Assurément, dit-il, c'est le courageux tueur de musulmans ! Et, derrière le voile de purdah, je crois, voici Miss Kelley ! Mais pourquoi voyagez-vous déguisés en bengalis ? »

La peur semblait avoir rendu Morgan muet, mais Queenie, qui s'efforçait de regarder Mr. Singh par l'étroite fente de son voile, constata qu'il était vêtu d'une tunique bleue à boutons d'or, portant l'emblème des chemins de fer indiens, et elle sentit soudain un petit frémissement d'espoir.

« Vous travaillez aux chemins de fer maintenant ? demanda-t-elle.

— Oui, mademoiselle. Mr. Pugh s'est plaint que je l'espionnais. Il a dit aussi au proviseur que j'étais insolent et grossier, alors on m'a mis dehors. » Mr. Singh cracha sur la plate-forme, puis haussa les épaules.

« Pouvez-vous nous faire monter dans le train ? demanda Queenie.

— Il faut acheter un billet, expliqua Singh, l'air surpris.

— Mais nous avons des billets. Il y a quelqu'un à la barrière que nous ne voulons pas voir. »

Mr. Singh jeta un coup d'œil vers la grille et vit Daventry et les policiers. « Pour mon frère, le tueur de musulmans... je ferais n'importe quoi ! » Envahi par l'émotion, Mr. Singh étreignit Morgan, puis lança un clin d'œil à Queenie. « Suivez-moi, dit-il. Mais, miss Kelley sahib, permettez-moi un conseil. Marchez lentement, s'il vous plaît, et quelques pas derrière nous. Une femme en purdah suit son mari avec respect, comprenez-vous, et marche à pas humbles. »

Queenie les suivit, elle vit Singh guider Morgan par la main jusque dans la gare au milieu d'un labyrinthe de bagages, puis, après avoir franchi plusieurs portes, elle constata qu'ils se retrouvaient sur la plate-forme et que la barrière était derrière eux. Au loin, elle voyait Daventry regarder attentivement tous ceux qui passaient la grille, puis elle se trouva cernée par toute la masse humaine qui grouillait sur le quai, poussant et criant tout en progressant vers le train, et elle comprit qu'enfin ils touchaient au but. Ils avaient réussi ! *Elle* avait réussi !

Elle avait toujours pensé que quitter Calcutta serait le moment le plus heureux de sa vie — mais la ville était loin derrière elle avant même qu'elle sût qu'elle en était partie.

Deuxième Partie

Rani : « La fille aux yeux qui font rêver »

7

Un instant elle vit le ciel d'un bleu éclatant, elle sentit la chaleur, elle entendit la rumeur des oiseaux qui se querellaient sur la véranda — puis elle ouvrit les yeux et elle aperçut le plafond taché d'humidité, elle respira l'odeur de moisissure et de relents de cuisine, elle sentit sur sa peau les draps froids et rugueux de la pension de famille et frissonna. Malgré toutes les couches de vêtements qu'elle pouvait mettre, Queenie avait froid lorsqu'elle se levait.

Elle détestait Londres. Elle détestait surtout cette horrible petite chambre sombre, avec son mobilier délabré et le réchaud à gaz sifflant dans la cheminée qui s'éteignait si on oubliait d'avoir une réserve de shillings pour glisser dans la fente. Elle se dit qu'elle allait passer une grosse jupe avec un cardigan et mettre des bas épais ; elle avait horreur du contact de la laine contre sa peau. Ses gants de laine, qu'elle abhorrait encore plus, étaient suspendus à un fil devant les flammes bleu pâle du réchaud à gaz, en train de sécher, et après un autre matin passé à chercher désespérément du travail il émanait d'eux une odeur que Queenie trouvait répugnante. Tout en Angleterre semblait sentir la laine humide, comme si toute la population se composait de moutons mouillés.

Elle serra son peignoir autour d'elle, posa la bouilloire sur l'unique couronne tachée de graisse du réchaud et soupira. Si seulement elle pouvait trouver du travail, songea-t-elle. Si seulement Morgan pouvait trouver un travail.

En pensant à lui, elle sentit sa colère revenir. Si Morgan ne s'était pas conduit si stupidement sur le bateau, ils vivraient maintenant confortablement tout en cherchant du travail. Si seulement Morgan n'avait pas tout gâché !

Elle se servit une tasse de thé et s'assit à la petite table auprès de la fenêtre. Il y eut un déclic derrière elle : le gaz s'éteignit. Elle chercha dans le pot sur la table une pièce de six pence et découvrit qu'il était vide. Elle espérait que Morgan penserait au moins à rapporter de la monnaie.

A la maison, songea-t-elle, elle était enfin à la maison, au Pays — et déjà elle avait la nostalgie de l'Inde.

Le voyage de Bombay à Port-Saïd avait été horrible. Pour des raisons de sécurité, ils avaient voyagé en classe cabine sur un cargo mixte égyptien des Pyramidean Lines, où un couple d'Hindous ne se ferait pas remarquer. La chaleur dans leur minuscule cabine était si étouffante que Queenie passait les nuits sur le pont, malgré la suie et les cendres de la cheminée qui tombaient en pluie sur elle, sommeillant par à-coups, tandis que Morgan souffrait les affres du mal de mer.

Pendant la traversée de l'océan Indien, plusieurs des passagers d'entrepont furent victimes de coups de chaleur et il y eut même un mort. La crasse et le bruit de l'Egypte, lorsqu'ils finirent par y arriver, dépassaient tout ce qu'elle avait jamais connu, même à Calcutta, et le vapeur français qui faisait le trajet d'Alexandrie à Marseille ne valait guère mieux, car le navire était infesté de parasites de toutes sortes et empestait l'ail. Elle put au moins abandonner son déguisement après Port-Saïd, en même temps que Morgan retrouvait quelque entrain maintenant qu'il était plus près de l'Europe et qu'il n'était plus obligé de s'habiller en Hindou. Peut-être était-ce le soulagement d'avoir évité l'arrestation, ou peut-être avait-il honte d'avoir perdu courage devant Queenie, mais lorsqu'il se retrouva au milieu d'Européens, il devint insolent et arrogant, la laissant seule dans la cabine pendant qu'il passait son temps à boire au bar des seconde classe.

Les hommes qui se réunissaient là étaient les dignes représentants du colonialisme français, les durs à cuire qui avaient passé toute leur vie sous les tropiques à garder les « indigènes » au pas. Ils la contemplaient avec une admiration qu'ils ne cachaient pas et, bien qu'elle ne comprît pas le français, elle devinait qu'ils parlaient d'elle. Au bout de cinq minutes, lasse d'être dévisagée et de faire l'objet de commentaires, elle laissa Morgan tout seul. Quelques verres ne lui feraient pas de mal, se dit-elle.

Mais elle se trompait. La première nuit en mer, il ne rentra en titubant dans leur cabine qu'après une heure du matin et il dormit presque toute la journée du lendemain, ronflant et gémissant dans sa couchette.

Le deuxième soir, Morgan revint à trois heures du matin. Il s'assit sur son lit en soupirant et resta un moment immobile, contemplant ses chaussures comme s'il ne savait pas comment les ôter. Il semblait à Queenie moins ivre que la veille, mais il y avait quelque chose chez lui qui la tracassait, un mélange de honte, de crainte et de remords qui était plus inquiétant que l'ivresse.

« Morgan ? » murmura-t-elle.

Il roula sur sa couchette, toujours avec ses chaussures aux pieds, et se tourna vers la cloison.

« Morgan ! Qu'est-ce qui se passe ?

— Je suis navré, dit-il d'une voix étouffée par l'oreiller. Je suis un imbécile.

— Navré de quoi ?

— J'ai trop bu... j'aurais dû me méfier...

— Morgan, qu'est-il arrivé ?

— Ils ont triché, Queenie. Je te le dis, c'était du vol pur et simple ! »

Elle fixait le dos de Morgan et sentit une brusque nausée la secouer. « Tu ne jouais pas aux cartes, n'est-ce pas ? » demanda-t-elle d'une petite voix, mais elle connaissait déjà la réponse.

« Une partie entre amis... il n'y a rien de mal à ça, Queenie.

— Combien as-tu perdu ? »

Il y eut un long silence. « Ça marchait très bien, dit Morgan. J'avais doublé notre capital, Queenie. Je me disais : nous descendrons au Savoy quand nous serons au Pays, et nous boirons du champagne. »

Queenie serra les bras autour d'elle comme si elle avait froid. J'aurais dû m'en douter, se dit-elle, j'aurais dû empêcher cela. « Combien ? » demanda-t-elle froidement en essayant de dissimuler son appréhension.

Lorsqu'il parla, ce fut d'une voix si étouffée qu'elle dut tendre l'oreille pour l'entendre. « Mille livres », fit-il.

C'était plus que la moitié de leur argent. Elle ne dit rien. Il n'y avait rien à dire. Elle se leva et s'habilla en hâte, s'obligeant à ne pas écouter Morgan qui la suppliait de lui pardonner et qui s'excusait. Elle sortit en claquant derrière elle la porte de la cabine, hésita un instant, puis par les coursives silencieuses et désertes elle se dirigea vers le bar. Un serveur ensommeillé, avec une barbe de plusieurs heures et une veste blanche déboutonnée, haussa les sourcils en la voyant, mais, sans s'arrêter, elle s'approcha du bar où trois hommes à l'air peu commode la contemplaient dans le miroir, lui tournant le dos. Elle sentait l'âcre fumée des cigarettes françaises et les relents douceâtres du Pernod.

« Je veux mon argent », dit-elle.

Il y eut un long silence. Le barman reposa le verre qu'il était en train d'astiquer et disparut dans sa réserve en fermant la porte derrière lui. Le plus grand des trois hommes pivota lentement pour lui faire face, une cigarette collée à sa lèvre inférieure. Il la déshabillait du regard et seule sa colère empêcha Queenie de rougir.

« S'il vous plaît, fit l'homme en français, excusez-moi car je ne comprends pas l'anglais. » Il haussa les épaules, pendant que ses deux compagnons ricanaient dans le miroir.

« Vous saviez assez d'anglais pour jouer aux cartes avec mon oncle. »

Le gros homme éclata de rire. « Peut-être un peu, avoua-t-il. C'est votre oncle ? »

Elle acquiesça de la tête. La colère lui crispait les lèvres.

« Il partage une cabine avec sa petite nièce ? Merde alors ! Je voudrais bien être de votre famille !

— Vous avez triché aux cartes avec lui. »

Le gros homme plissa les yeux. « Qu'est-ce que vous voulez dire ?

— Vous l'avez roulé.

— Elle dit que tu as triché », expliqua en français un de ses compagnons.

L'expression du grand gaillard ne changea pas. Il s'approcha de Queenie puis il lui prit le menton dans sa grosse main, la serrant si fort qu'elle ne pouvait pratiquement plus bouger. « Vous devriez faire attention de ne pas dire des choses comme ça à un homme, ma petite. Ce serait triste de voir votre jolie frimousse abîmée par un être qui ne soit pas aussi gentil que moi.

— Je vais aller trouver le commandant. »

Il éclata d'un grand rire. « Allez, allez, vous verrez où ça vous mènera, mademoiselle. Nous avons fait une partie de cartes. Il a perdu. C'est la vie. Et, d'ailleurs, qu'est-ce que vous allez lui raconter, ma petite ? Que votre " oncle " est un mauvais joueur — et un mauvais perdant ? » Il plissa les yeux et alluma une nouvelle cigarette. « Je ne pense pas qu'il croie à la parole d'une métèque — même aussi jolie que vous — plutôt qu'à celle d'un compatriote. »

Queenie ne savait pas le français, mais elle n'eut aucun mal à deviner la signification de cette remarque. Elle sentait le mépris dans la voix de son interlocuteur. Elle vit son reflet dans le miroir, plantée là, désemparée, au milieu des tables vides sur lesquelles les serveurs avaient déjà entassé les chaises. Elle se demandait ce qui l'avait trahie. Ses cheveux sombres ? La forme de ses yeux, de son visage ou de ses lèvres ? Ou bien était-ce sa façon de marcher ? Elle ne trouvait pas de réponse. C'était quelque chose qu'il lui faudrait apprendre en Angleterre.

Retenant ses larmes, elle tourna les talons et battit en retraite avec ce qu'elle espérait être de la dignité. Elle passa le restant de la nuit sur le pont, enroulée dans une couverture, jusqu'au moment où Morgan finit par la trouver, seule et frissonnante. Emu, sans dire un mot, il la prit par la main et la ramena jusqu'à sa couchette qu'elle ne quitta que lorsque le navire toucha quai à Marseille.

Elle ne raconta pas à Morgan ce qui s'était passé. Elle ne lui adressa pas la parole tout le long du trajet en train de Marseille à Calais, pas même lorsque le train-ferry passa les blanches falaises de Douvres et les amena enfin en Angleterre.

Ce fut seulement lorsqu'ils atteignirent Victoria Station qu'elle se radoucit, comprenant soudain au milieu de la foule grouillante de Londres qu'elle aurait besoin de l'aide de Morgan pour survivre ici. La ville paraissait si énorme, si froide, si sombre et si peuplée qu'elle en avait le vertige. Sans même y réfléchir, elle prit le bras de Morgan et dit : « Nous sommes au Pays ! »

Il hocha la tête, soulagé de l'entendre enfin lui parler.

« Nous ferions mieux de trouver Peggy D'Souza », dit Morgan en claquant dans ses mains pour les réchauffer. Il n'avait pas de gants, pas plus que Queenie, qui frissonnait dans sa robe de coton et son manteau léger pendant que Morgan cherchait dans sa poche l'adresse de Peggy. Au moins, songea-t-elle, Peggy leur offrirait une tasse de thé et de bons conseils sur l'endroit où s'installer. A la pensée du thé, elle se sentit moins misérable et parvint même à prendre quelque plaisir à l'interminable voyage en taxi jusqu'à Bayswater Road où le chauffeur les déposa devant la petite grille en ferronnerie rouillée d'une maisonnette de triste allure qui semblait identique à ses voisines alignées auprès d'elle.

Au tintement de la sonnette, la porte fut ouverte par une femme d'un certain âge, aux cheveux enveloppés dans un vieux chiffon. Elle serrait dans ses bras un pékinois asthmatique et, derrière ses lunettes, toisait Queenie, Morgan et leurs valises avec une franche hostilité.

« Qu'est-ce que vous voulez ? demanda-t-elle. Nous n'avons pas de chambre.

— Nous cherchons Mrs. Butts. »

La vieille dame les dévisagea. Elle portait un peignoir à fleurs, des bas qui tombaient autour de ses chevilles et des pantoufles usées. « Qui ça ?

— Mrs. Butts, Peggy Butts.

— Mrs. Butts, c'est ça ? Oh ! Elle est bien bonne ! » La vieille mégère ricana, exhibant ses fausses dents.

« Ce n'est pas sa maison ? » s'enquit poliment Morgan. Queenie avait douloureusement conscience du fait que l'accent de son oncle, contrairement au sien, demeurait parfaitement reconnaissable.

« Absolument pas ! C'est *ma* maison. Et, si vous croyez que je vais en laisser d'autres comme vous y habiter, vous vous trompez.

— Nous voulions simplement la voir, dit Morgan. Est-elle là ?

— J' pense bien. Vous êtes un de ses parents ?

— Juste un ami de sa ville natale.

— Ah oui ? Et c'est quoi, sa ville natale ? Bombay ou Calcutta ? Troisième étage à gauche. Laissez vos bagages ici, s'il vous plaît. Vous ne restez pas. »

Tandis qu'ils s'engageaient dans l'escalier plutôt raide, tâtonnant à la faible lumière dispensée par une unique ampoule, la vieille dame claqua la porte derrière eux et poussa le verrou.

Queenie frappa à la porte crasseuse au troisième étage. Comme on ne répondait pas, elle frappa plus fort. La porte s'entrebâilla. « C'est qui ? » demanda Peggy D'Souza.

Queenie la contempla avec stupeur. Peggy semblait avoir vieilli de plusieurs années. Sa peau olivâtre était dissimulée sous une épaisse couche de maquillage blanc, elle avait les yeux cerclés de cernes sombres et les lèvres badigeonnées d'un rouge vif qui ne parvenait pas à masquer l'amertume de son expression. Ses faux cils étaient enduits d'une couche de mascara qui se desséchait. Elle semblait avoir pleuré.

En voyant Morgan elle eut un sourire machinal, puis elle reconnut Queenie et sursauta. Elle resserra autour d'elle le kimono à fleurs fanées pour cacher ses seins. « Oh ! Mais c'est la petite Queenie de Ma Kelley ? »

Queenie hocha la tête.

« Ça alors, fit Peggy. Et Morgan, aussi ma parole !

— Nous pouvons entrer ? »

Peggy soupira, puis haussa les épaules et ouvrit la porte plus grande. Derrière elle, Queenie aperçut une petite chambre sombre et sordide. Dans la cheminée, un radiateur électrique à deux résistances rougeoyait. A côté, un réchaud à gaz, sur lequel était posée une bouilloire noircie. L'unique lavabo était encombré de casseroles sales, d'assiettes et de verres. Sur un lit froissé, on pouvait tout juste distinguer un homme endormi en pantalon et maillot de corps, un mouchoir sale déployé sur le visage. Il flottait dans la pièce une odeur difficile à supporter de fumée de cigarette refroidie, de parfum à bon marché et de cuisine. L'homme sur le lit grogna et se retourna. « Qu'est-ce que c'est ? demanda-t-il d'une voix étouffée.

— Des amis, dit Peggy.

— Des amis, mon cul. Dis-leur de décaniller.

— Attends un peu, fit Peggy. Tu en as eu pour ton argent. »

Elle se tourna vers Queenie, et avec une expression tout à la fois de honte et de défi. « Qu'est-ce que vous foutez ici tous les deux ? demanda-t-elle.

— Nous sommes revenus au Pays, dit Morgan. Nous pensions que vous pourriez nous donner un petit coup de main. Nous cherchons du travail, un endroit où loger... »

Peggy éclata d'un rire sans gaieté. « Au Pays ? Mais, mon vieux, le pays, c'est Calcutta !

— Qu'est-il arrivé à Mr. Butts ? demanda Queenie. Maman disait que tu vivais comme une princesse. Elle avait des lettres de toi.

— Oh ! Il fallait bien que j'écrive quelque chose, non ? Je ne pouvais pas dire la vérité. Butts m'a plaquée là, il a filé avec mon argent — c'est pas que j'en avais beaucoup, mais c'était plus qu'il n'en avait, lui, le salaud. Comprenez, je garde la tête au-dessus de l'eau du mieux que je peux. Mais je ne peux pas vous aider. Il va falloir partir.

— Pour aller où ? demanda Morgan. Où pouvons-nous loger ?

— Essayer Fulham Road, mon vieux. Il y a plein d'endroits là-bas où ils prennent des gens comme nous. Ça marchera. En tout cas pour Queenie, avec un visage comme le sien.

— Cesse de cancaner, Peggy. J'ai pas le temps, grogna l'homme.

— Nous pensions que tu connaîtrais peut-être des gens... », commença Queenie, mais elle n'avait pas terminé sa phrase que Peggy D'Souza éclatait en sanglots. « Si je connaissais des gens, ma petite, est-ce que je vivrais comme ça ? » cria-t-elle. Et, tandis que les larmes commençaient à ruisseler sur ses joues en traçant un sillon dans son maquillage, elle leur claqua la porte au nez.

Ils avaient donc adopté cette misérable existence dans un minuscule studio à côté de Fulham Road. Chaque jour, Morgan s'en allait chercher du travail, les pieds trempés dans des chaussures percées, avec dans sa poche une carte en lambeaux de Londres pour l'aider à retrouver son chemin. Le matin, Queenie allait de bureau de placement en bureau de placement, avec un enthousiasme déclinant. Elle n'avait aucune formation et encore moins d'expérience. Partout où elle se rendait, on lui disait combien la situation était peu brillante : les emplois étaient rares, l'argent difficile à trouver, les gens attendaient patiemment des heures de suite pour un travail qui leur donnait à peine de quoi vivre.

L'après-midi, Queenie faisait les courses pour leur dîner, trop consciente du fait que ses vertus domestiques n'étaient guère développées. Ce qu'il y avait de pire à propos du dîner, se disait Queenie, c'était avec quelle rapidité il était terminé : car dès l'instant où ils avaient fini leur repas, il n'y avait rien d'autre à faire qu'à attendre le moment embarrassant où il serait l'heure d'aller se coucher. Elle passait derrière un rideau pour se déshabiller et enfiler sa chemise de nuit, et Morgan à contrecœur en faisait autant pour mettre son pyjama. Il n'y avait pas de divan sur lequel il eût pu dormir et elle ne pouvait guère lui demander de passer toutes les nuits sur le parquet ; aussi dormaient-ils inconfortablement dans le même lit, ce qui n'était pas trop éprouvant pour elle mais présentait de nombreux problèmes pour Morgan. De temps en temps ils se retournaient si bien que son corps se pressait contre celui de Queenie et il faisait comme si c'était accidentel, mais elle le repoussait toujours. Parfois, quand il n'en pouvait plus d'être allongé auprès d'elle, il la touchait de sa main et demandait : « Queenie, est-ce que tu m'aimes ? » Et, quand cela arrivait, elle se redressait d'un bond en lui disant de se tenir tranquille, ce qui provoquait toujours une discussion.

Ils restaient assis côte à côte sans rien dire pendant quelques minutes, en gardant soigneusement leurs distances. « Toujours rien ? interrogeait Queenie, en essayant de faire la paix, puisqu'ils partageaient le même lit.

— Rien de rien, répondait Morgan en haussant les épaules. J'aurais aussi bien fait de ne pas dépenser quarante livres dans ce bric-à-brac pour un saxo : personne ne veut même m'entendre en jouer. A ce train-là, tu auras un travail avant moi.

— Ça m'étonnerait. Je ne peux même pas trouver une place de vendeuse, soupira-t-elle. Ces boîtes de nuit où tu vas te présenter, dit-elle, ils n'ont pas besoin de filles ?

— Oh si ! J'imagine... Mais tu ne voudrais pas faire ce genre de chose, Queenie.

— Ils ont des hôtesses, non ? Je sais danser. »

Morgan s'éclaircit la voix. « Ce n'est en général pas tout ce qu'elles font, dit-il.

— Je vois.

— Bien sûr, les artistes c'est autre chose. Mais il faut être chanteuse ou danseuse.

— Je peux danser. Je pourrais apprendre à chanter.

— C'est de la folie. D'ailleurs, il ne s'agit pas des danses auxquelles tu penses, Queenie. Les danses exotiques c'est tout à fait différent.

— C'est difficile ?

— Je ne pense pas... Comment veux-tu que je sache ? La plupart du temps, elles prennent juste des attitudes en se déshabillant, à part le corps de ballet où il y a de vraies danseuses. Mais c'est hors de question. Et qu'est-ce que ta mère dirait ?

— Elle n'est pas ici. D'ailleurs, je ne pense pas qu'elle trouverait ça pire que voler.

— Tu devrais lui écrire. Elle te pardonnera. C'est à moi qu'elle ne pardonnera pas. »

Queenie acquiesça de la tête. Il avait raison, songea-t-elle. « J'essaie tout le temps, mais c'est difficile de savoir quoi dire. »

Queenie considérait la feuille de papier à lettres grise de poussière avec un désarroi croissant. Les jours avaient passé, mais elle ne trouvait toujours rien à dire. Elle décida d'attendre d'avoir de meilleures nouvelles à donner, en espérant qu'il y en aurait. Elle déchira la feuille.

Sa mère lui pardonnerait-elle ? Que dirait-elle si elle pouvait la voir maintenant, vivant dans des conditions chaque jour plus sordides, pendant que Morgan buvait le peu d'argent qui leur restait ?

Tout en grignotant un biscuit, elle écarta les rideaux pour regarder la rue et la lueur des réverbères. Elle entendit une clé dans la serrure et elle se retourna. Elle fut stupéfaite de voir Morgan qui arborait un large sourire. Non son habituel rictus, avec cet air penaud de quelqu'un qui veut s'excuser, mais un vrai sourire. D'une main il tenait son étui à saxophone et de l'autre il serrait une bouteille enveloppée dans du papier mouillé par la pluie. « Une surprise ! » lança-t-il. Il se débarrassa de son manteau trempé et le jeta sur une chaise, puis ôta le papier qui enveloppait la bouteille. « Du champagne !

— Pourquoi donc, Morgan ?

— Ah ! dit-il, tout joyeux. C'est ça la surprise. J'ai... du travail ! » Il prononça le mot avec une lenteur délibérée.

Queenie sentit le soulagement l'envahir. Elle se précipita à travers la pièce, saisit Morgan dans ses bras et le serra contre elle. « Quel travail ? demanda-t-elle. Où ça ? Combien on te paye ?

— Un instant, un instant. » Il versa le champagne dans deux verres à dents ébréchés, en tendit un à Queenie et trinqua avec elle. Il vida son verre d'une lampée et le remplit. « Cinq livres par semaine, annonça-t-il fièrement. Dans une boîte de jazz, Queenie !

— Comment s'appelle-t-elle ?

— Le club Paradis. C'est dans Soho, tout à côté de Greek Print.

— C'est mieux que chez Sirpo ? »

Morgan but une gorgée et réfléchit un instant. Une ombre passa sur son visage. « Non, répondit-il. Bois. »

C'était la première fois que Queenie buvait du champagne — et d'ailleurs toute autre forme d'alcool — et le goût lui en parut singulièrement déplaisant. A contrecœur, elle vida son verre que Morgan s'empressa de remplir.

Queenie s'assit sur le lit, son verre à la main. Elle se sentait soudain les jambes faibles. Elle avait entendu dire un jour que boire l'estomac vide était une erreur. Apparemment, c'était vrai. Elle essaya de mettre de l'ordre dans ses pensées, mais elle se sentait très lasse. « Crois-tu qu'il y ait un travail pour moi là-bas ? demanda-t-elle.

— Je ne veux pas en entendre parler, Queenie. Tu vas bien ?

— Bien sûr que je vais bien », répondit Queenie, mais elle mentait. En fait, elle se sentait malade, mais elle était trop fière pour l'avouer.

« Tout simplement, tu as l'air un peu fatiguée. Attends, je vais t'aider. » Morgan vint s'asseoir auprès d'elle sur le lit. « Allonge-toi », dit-il. Il lui prit les chevilles et lui souleva les jambes pour les étendre sur le lit. Queenie poussa un petit soupir de soulagement que Morgan apparemment — et délibérément — interpréta mal, car il dégrafa sa robe et l'entrouvrit. « Tu seras mieux comme ça », dit-il.

Il but encore une gorgée, puis reposa son verre sur le plancher.

Queenie sentit le poids de Morgan qui se pressait contre elle, mais elle n'arrivait pas à le repousser et soudain le visage de Morgan fut si près du sien qu'il était tout brouillé, puis elle sentit des lèvres sur les siennes, une langue qui fouillait sa bouche, des moustaches qui lui frottaient la joue. « Queenie, gémit-il. Queenie, je t'aime ! »

Elle essaya de le repousser, cherchant son souffle car il avait plaqué sa bouche contre la sienne et pesait de tout son poids contre la poitrine de Queenie, mais Morgan ne s'apercevait de rien. Il lui saisit la nuque d'une main, pendant que de l'autre il remontait sa chemise de nuit. Sans la lâcher, il se glissa plus bas et lui couvrit les seins de baisers humides, le souffle court.

« Tu en as autant envie que moi », murmura-t-il d'une voix rauque.

Elle secoua la tête, mais en vain. Elle poussa un gémissement de douleur et le mordit de toutes ses forces, stupéfaite elle-même de sa colère.

« Garce ! » cria Morgan en la giflant. Puis, comme s'il en avait assez de ces préliminaires, il plaqua une main sur la bouche de sa nièce, lui renversa la tête en arrière contre l'oreiller, déboutonna son pantalon, se souleva sur les coudes et, l'ouvrant avec ses doigts, il plongea brutalement en elle, s'enfonçant aussi profondément qu'il le pouvait. Queenie poussa un hurlement de douleur.

Elle lui martela le dos de ses poings fermés et essaya de lui donner des coups de pied, mais Morgan ne se laissait pas distraire et, tandis que Queenie sentait une douleur lancinante la déchirer, il poussa un gémissement de plaisir et s'effondra complètement sur elle.

« Mon Dieu, que je t'aime », fit-il d'une voix pâteuse. Puis il se laissa rouler sur le côté, prit une profonde inspiration comme s'il allait plonger sous l'eau, ferma les yeux et se mit à ronfler.

Queenie ne pouvait plus supporter de voir Morgan ni cette maudite chambre dans laquelle il les avait installés, elle ne pouvait pas supporter cela un instant de plus. Elle se leva, s'habilla en hâte sans se regarder dans la glace — car elle avait peur de ce qu'elle pourrait y voir — et descendit précipitamment dans la rue.

C'était à peine si elle sentait le froid. Elle marchait vite, sans même se soucier de la direction qu'elle prenait dès l'instant que cela l'éloignait de Morgan. Elle sentait la pluie qui lui trempait les cheveux, lui baignait le visage. Au bout d'un moment, elle regarda son reflet dans une vitrine, mais, à part le fait qu'elle était trempée, elle était toujours la même.

Elle se détourna et regarda de l'autre côté de la rue. Par les hautes fenêtres du Hyde Park Hotel, elle voyait des gens qui dansaient, des hommes en habit, les femmes en longues robes du soir, tourbillonnant à la lueur de dizaines de lustres. Elle entendait la musique au-dessus de la rumeur de la circulation et c'était comme si tout ce qu'elle désirait dans la vie était là, si près qu'elle pouvait presque le toucher, mais quand même hors d'atteinte.

Une longue voiture de sport s'arrêta brutalement au moment où le feu passait au rouge, projetant sur le trottoir une gerbe d'eau qui lui éclaboussa les jambes. Le chauffeur abaissa la vitre de sa portière et se pencha. « Oh ! dit-il, je suis vraiment désolé. Vous n'avez rien ? »

Elle le fixa. Il était en tenue de soirée : elle apercevait le nœud de cravate noir, l'écharpe de soie blanche sous le col relevé d'un imperméable. Il avait des cheveux blonds et longs, son visage était beau — pas d'une beauté conventionnelle comme un acteur de cinéma, mais intéressante. Ce qui toutefois frappa Queenie, ce ne fut pas son charme, mais la préoccupation qu'il manifestait.

« Je vais bien, merci, dit-elle.

— Vous devriez rentrer vous sécher », fit l'homme avec douceur ;

puis le feu passa au vert et Queenie entendit une voix de femme, avec l'accent précis et haut perché des Anglais de la haute société, dire du côté du passager : « Oh ! Avancez, Lucien, nous allons être en retard ! » L'homme lança à Queenie un sourire désarmant, comme pour s'excuser de la laisser là sous la pluie, embraya et traversa la rue jusqu'à l'entrée de l'hôtel. Le portier se précipita avec un parapluie pour ouvrir la portière et une jeune femme apparut dans la lumière.

Queenie éprouvait un étrange mélange de tristesse et de soulagement, comme si le fait qu'il l'avait remarquée était un signe annonciateur de temps meilleurs. Elle n'allait pas revenir en pleurant chez sa mère : de cela, elle était sûre une fois pour toutes. Elle allait regagner leur chambre, prendre une tasse de thé et se nettoyer. La perspective d'affronter Morgan ne la préoccupait plus. Elle allait devoir rester avec lui jusqu'à ce qu'elle pût partir comme elle l'entendait : ce serait difficile, peut-être pénible, mais nécessaire. Etant donné son sens de la culpabilité, il ne recommencerait sans doute pas, mais elle savait maintenant qu'elle ne devrait plus boire — et puis désormais, il n'aurait qu'à dormir par terre.

Au moins, se dit-elle en rentrant, le pire était arrivé. Maintenant elle ne devait plus rien à Morgan.

Là-dessus, une idée lui vint : il y avait une chose pire que d'être violée. Elle était peut-être enceinte.

« Alors ? tu ne travailles ici que depuis une semaine et déjà tu as des problèmes ? »

Solly Goldner poussa un soupir et vint s'asseoir auprès de Morgan à une petite table près de la piste de danse. Il alluma un cigare. Goldner était gros. Goldner était petit. Goldner était laid. Goldner était presque chauve, mais ce n'était rien de tout cela que la plupart des gens remarquaient la première fois qu'ils le rencontraient, car c'étaient ses yeux — des yeux méfiants, au regard intense et fixe — qui retenaient leur attention.

Dans sa Hongrie natale, Goldner avait survécu à la terreur rouge de Bela Kun, à la terreur blanche de l'amiral Horty, à la famine, aux émeutes antisémites et aux chaos financiers, tout cela avant d'avoir vingt et un ans. Depuis lors, il avait fait sa vie à Vienne, à Berlin et à Paris, réussissant toujours à avoir un pas d'avance sur ses créanciers — même si parfois il s'en était fallu de peu. A Paris, il avait monté une agence photographique internationale qui finit par attirer l'attention de la brigade des mœurs, mais lorsque les inspecteurs fascinés eurent fini de trier tous les cartons de photos pornographiques — que même eux trouvèrent impressionnantes —, Goldner était déjà sur un navire au milieu de la Manche, tirant gaiement sur son troisième cigare de la journée.

En Angleterre, Goldner avait repris son ancienne profession de patron de boîte de nuit, n'ayant aucune envie de faire la connaissance de la brigade des mœurs de Scotland Yard — pas en tout cas avant d'avoir amassé un capital suffisant pour en acheter les inspecteurs.

Comme la plupart des gens vraiment sans scrupule, Goldner était un sentimental et c'était pourquoi il avait accepté de venir s'asseoir pour écouter Morgan lui exposer ses problèmes.

« Mr. Goldner, dit Morgan en allumant une cigarette pour se calmer — geste que les yeux de Goldner eurent tôt fait de remarquer et d'analyser —, je ne voudrais pas que vous vous trompiez. Je n'ai aucune plainte à vous faire pour mon travail. J'ai un problème de famille, Mr. Goldner », expliqua Morgan.

Le regard de Goldner se tourna vers le bar pour s'assurer que les filles ne buvaient que du ginger ale. Il n'avait pas le temps pour les problèmes de famille. Il avait engagé Morgan parce que Morgan ne coûtait pas cher. L'idée lui vint que ce misérable saxophoniste à moitié moricaud allait peut-être essayer de lui emprunter de l'argent avec une triste histoire concernant sa famille. Goldner s'empressa de dissiper cet espoir, si jamais Morgan l'avait formé. « Une famille est comme une pierre au cou, dit Goldner en joignant ses mains tendues pour donner une idée du poids que c'était. L'autre jour, Bruno, le maître d'hôtel, est venu me trouver en larmes. Sa petite fille vient d'être hospitalisée. De gros frais. Je lui ai dit : " Bruno, qu'est-ce que ta petite fille a fait pour moi ? " »

Il tira une bouffée de son cigare, il agita dans la direction de Morgan le bout rougeoyant pour souligner ses propos. « Il faut que chacun s'occupe de soi, ajouta-t-il. Plus tôt les enfants apprennent ça, mieux cela vaut. »

Morgan s'épongea le front. « Oui, oui, acquiesça-t-il avec chaleur, c'est tout à fait mon avis. J'ai une jeune nièce qui veut se débrouiller toute seule. Elle cherche du travail.

— Une nièce ? Qu'est-ce qu'elle fait, cette nièce ?

— C'est une très belle jeune femme.

— Ce n'est pas nécessairement une profession.

— Elle sait chanter et un peu danser... mais surtout elle est très belle. Bien plus belle qu'aucune des filles qui sont ici.

— Mon cher, dit Goldner en soupirant, ce ne serait pas difficile. Et d'ailleurs ça n'a pas vraiment d'importance. Le temps que les clients arrivent ici, toutes les filles leur paraissent belles.

— Si vous la voyiez, Mr. Goldner, vous comprendriez qu'elle est spéciale. Vous la mettez sur cette scène, et je vous jure qu'ils casseront les portes pour entrer. Il y a de l'or à gagner avec cette fille.

— De l'or ? répéta Goldner en savourant le mot. Eh bien, ajouta-t-il, amène-la, elle ne peut pas être pire que Mavis. Mais attention, je ne promets rien. Est-ce qu'elle voudra se déshabiller ? »

Morgan parut choqué. « Complètement ?

— Sois pas idiot. On n'est pas à Berlin ni à Paris. Il faut juste qu'elle en enlève assez pour maintenir les clients éveillés et les faire boire.

— Elle se déshabillera si elle veut manger », assura Morgan, bien qu'il ne fût absolument pas certain que ce fût le cas.

« C'est ce qu'il y a d'ennuyeux avec la famille, mon garçon, conclut Goldner. Ça veut toujours manger. Trois fois par jour ! »

Queenie s'était assise sans un mot dans le taxi qui l'emmenait vers ce qu'elle appelait avec pompe son « audition ». Elle n'avait pas une idée très claire de ce qu'on attendait d'elle, mais, quoi que ce fût, elle était déterminée à réussir. Elle se sentait comme un marin en train de se noyer en mer, qui cherche désespérément la bouée représentant l'ultime et infime chance de s'en tirer.

« Allons, du courage ! » lui dit-il en lui tapotant le bras, mais elle se contenta de se blottir dans le coin du taxi en regardant les lumières par la vitre ruisselante de pluie.

Elle ferma les yeux. Les deux dernières semaines avaient été un tel cauchemar que c'était à peine si elle pouvait y penser sans en avoir la nausée — et ce n'était pas le moment, avec un si gros enjeu. Elle ne pleurait pas. Elle ne faisait pas la tête, elle refusait simplement de parler à Morgan ou même de reconnaître son existence. Il dormait sur le parquet et chaque jour la suppliait de lui pardonner. « Je te pardonnerai quand tu m'auras trouvé un travail », finit-elle par lui dire.

Le taxi s'engagea dans Greek Street, prit sèchement un virage et s'arrêta.

« Bonsoir, miss », lança le portier en soulevant sa casquette graisseuse, comme elle passait devant lui.

Elle lui rendit son sourire. A mille détails elle en était venue à s'apercevoir que les Anglais l'acceptaient comme une des leurs, alors qu'ils voyaient aussitôt en Morgan un demi-caste — ou en tout cas un « indigène ». C'étaient ses manières et son accent, plutôt que son aspect, qui le trahissaient dans un pays où les manières et l'accent étaient presque aussi importants que l'argent et l'apparence. Laissée à elle-même, elle pourrait facilement passer pour une Anglaise, à condition que personne ne lui posât trop de questions — et dès l'instant que Morgan n'était pas là pour jouer les trouble-fête.

Ils traversèrent un étroit couloir décoré de photographies de blondes maussades et trop maquillées. Une pancarte au-dessus des photos annonçait : « Les plus belles filles de Londres : Club Privé. » Une blonde harassée et délavée, qui de toute évidence ne faisait pas partie du lot, était accoudée au comptoir du vestiaire.

Elle les gratifia d'un sourire théâtral, révélant des dents gâtées et jaunies, puis, voyant que ce n'était que Morgan, elle laissa sa bouche reprendre son pli naturel mécontent et s'affala de nouveau, ses gros seins reposant sur le comptoir. « T'es en avance ? dit-elle à Morgan.

— Où est Solly ? demanda Morgan.

— Mr. Goldner est à l'intérieur. Il a dit qu'on ne le dérange pas.

— Il m'attend.

— Ah oui ? Il ne m'a rien dit.

— Je crois que c'est moi que Mr. Goldner attend », murmura doucement Queenie.

La femme la toisa avec attention. « Ah bon ! Je pense qu'il sera ravi de vous voir, ma petite. »

Le peu de confiance qu'avait Queenie disparut tandis qu'elle grimpait les marches raides et usées qui conduisaient à une minuscule estrade. Elle se prit les talons dans une fente et crut un moment qu'elle allait tomber, mais elle se ressaisit, n'ayant que trop conscience d'avoir fait une entrée peu gracieuse et au bord du désastre ; il est vrai que personne n'y faisait guère attention, sauf Morgan, constata-t-elle en regardant autour d'elle.

Ce qu'elle vit n'était guère encourageant. Goldner, son corps trapu sanglé dans un costume sombre, élégant — ou plutôt qui aurait été élégant sur n'importe qui d'autre — était assis à une petite table dans le fond, penché sur ses livres de comptes. Il n'avait pas l'air heureux.

Morgan était auprès de Goldner, tout à la fois plein d'appréhension et ridiculement content de lui, se dit Queenie — et aussi un peu embarrassé par le fait que Goldner était trop préoccupé pour accorder la moindre attention à Queenie. Seuls le barman et deux serveurs levantins l'avaient remarquée. Installée derrière le bar, ils échangeaient des commentaires à son propos, leurs mains s'agitant tandis qu'ils exprimaient leur admiration. Le fait qu'ils s'étaient interrompus dans leur travail finit par attirer l'attention de Goldner. Il leva le nez de ses papiers, jeta à ses employés un regard menaçant qui les amena à astiquer de nouveau leurs verres et se tourna vers Queenie.

« Qu'est-ce que je vous avais dit, Mr. Goldner ? » demanda Morgan.

Goldner fronça les lèvres et plissa les yeux. Il n'allait pas exprimer sa satisfaction. La satisfaction, ça coûtait de l'argent. C'était la première règle du commerce que de laisser l'autre vanter sa marchandise. La tâche de l'acheteur était de trouver des défauts. Goldner regarda Queenie, mais sans pouvoir trouver de défaut évident : à dire vrai, Morgan était même resté au-dessous de la vérité. Il l'examina plus attentivement. On n'aurait pas dit la nièce de Morgan : elle avait la peau pâle comme de l'ivoire. « Est-ce que tu sais chanter, ma petite ? » demanda-t-il.

Queenie acquiesça de la tête.

« Alors, chante. »

Queenie n'avait pas d'illusion sur sa voix, mais elle se redressa, ferma les yeux et se mit à chanter.

Chaque instant où je suis avec toi, je suis heureuse,
Chaque instant où je suis sans toi, j'ai le cafard...

Sans orchestre pour lui donner le rythme, ce petit refrain d'une opérette à la mode sonnait plat, même aux oreilles de Queenie. Sa voix semblait s'évanouir au milieu des poissons empaillés.

« Bien sûr, ce serait mieux avec un orchestre », dit vaillamment Morgan.

Le visage de Goldner demeurait impassible. « Tu danses, petite ? demanda-t-il. Essaie quelques pas. »

Sa voix gutturale était bienveillante, voire aimable, mais son ton las montrait avec clarté ce qu'il pensait des qualités de chanteuse de Queenie.

Elle s'arma de courage, lança une jambe en avant puis pivota et sentit un de ses talons se bloquer dans un interstice entre deux planches. Elle trébucha, retrouva son équilibre, releva la jambe et vit, à son horreur, sa chaussure droite filer à travers la salle pour venir atterrir aux pieds de Goldner.

Goldner ramassa la chaussure, sans s'occuper de Morgan qui essayait d'expliquer que Queenie était simplement nerveuse. Il se leva, traversa la piste de danse et rendit sa chaussure à Queenie. Bizarrement elle pensa au prince charmant rapportant à Cendrillon sa pantoufle perdue. Elle se mit à ricaner, réaction nerveuse à son désespoir, puis elle s'aperçut que Goldner la dévisageait avec étonnement et fut encore plus navrée de son échec.

« Ça n'est pas bon, n'est-ce pas ? » demanda Queenie d'une petite voix.

Goldner haussa les épaules. « On ne peut pas dire que tu sois une étoile de ballet, dit-il. Qui a besoin d'une étoile ici ? Déshabille-toi, petite.

— Me déshabiller ?

— S'il te plaît, dit Goldner avec courtoisie.

— Je croyais que j'aurais un costume.

— Bien sûr. Tu es engagée. Mais, tout d'abord, il faut que je voie de quoi tu as l'air.

— Il le faut absolument ?

— Si tu veux du travail. »

Elle voulait du travail. Elle jeta un coup d'œil à Morgan, toujours assis à la table, et qui hochait la tête pour l'encourager. Si elle voulait se débarrasser de lui, il lui faudrait bien faire le premier pas et, si le premier pas était se déshabiller, il faudrait qu'elle se déshabille. Elle pensa à ses sous-vêtements. Ils étaient propres, mais assurément pas séduisants. « Très bien, dit-elle. Faut-il que ce soit devant Morgan et les serveurs ? »

Goldner soupira. Il était toujours surpris de voir que les femmes faisaient des histoires à propos des détails les plus infimes. Il allait lui faire remarquer que, si elle était engagée, elle ôterait ses vêtements devant une salle pleine d'inconnus, puis il la regarda plus attentivement. Elle était bien plus jeune qu'il ne l'avait cru — dix-sept ans tout au plus, estima-t-il — et, au ton de sa voix, il devait y avoir un problème entre cette fille et Morgan. Goldner n'avait pas beaucoup réfléchi à leurs rapports.

Morgan, de toute évidence, était de sang mêlé, mais la fille pouvait être anglaise — encore qu'il y eût dans sa beauté quelque chose d'à la fois intrigant et mystérieux, un certain exotisme, et Goldner se disait que c'était de l'or en barre. Elle avait un visage exquis, si parfait que Goldner en eut soudain presque le vertige à l'idée de tout ce que cette fille pourrait rapporter — à condition, bien sûr, d'être en bonnes mains. Et débarrassée de Morgan qui ne pourrait que la gêner, en même temps qu'il serait un déplaisant rappel de ses origines.

Il fallait agir en douceur, décida-t-il. Montant sur la scène, il posa sur l'épaule de la jeune fille une grosse main moite. « Je comprends », dit-il, dans un murmure et il cria : « Sortez tous ! »

Il attendit un moment, puis se retourna. « Et toi aussi, Morgan. »

Morgan se leva, tout à la fois furieux et pas très sûr de lui. « Pourquoi donc ? Enfin, je suis son oncle. J'ai une responsabilité...

— La jeune personne, fit Goldner en haussant les épaules, n'a pas besoin de chaperon. Et elle a fait comprendre avec une parfaite clarté ce qu'elle souhaitait. »

Morgan hésita, se démonta et fit quelques pas vers la porte. « Je vais attendre dehors, lança-t-il, en essayant de préserver sa dignité.

— C'est cela, mon garçon », répondit Goldner d'un ton affable, enchanté de voir sur le visage de Queenie une expression de gratitude mêlée de respect. Il sourit en entendant la porte claquer. C'était étonnant à quel point les femmes réagissaient aux gestes de bonté même les plus infimes — plus étonnant encore qu'il n'y eût que si peu d'hommes à le comprendre ou à se donner la peine d'essayer.

« Maintenant, allons-y, dit-il avec douceur en regagnant sa table. Il n'y a plus que nous deux.

— Qu'est-ce qu'il faut que je fasse de mes vêtements ? » demanda-t-elle. Goldner croisa les jambes, révélant une superbe paire de chaussettes de soie mauve à côtes. « Eh bien, ma petite, passez-les-moi, je m'en occuperai. » Il avait l'attitude d'un homme qui s'apprête à voir dévoiler un monument ou quelque sculpture à la mémoire d'un héros municipal. Il avait une expression patiente, polie et un peu ennuyée, comme s'il avait hâte d'applaudir poliment et de rentrer chez lui avant la pluie.

« Voulez-vous que je me déshabille d'une façon particulière ?

— Faites-le simplement comme d'habitude, dit Goldner en tirant sur son cigare. Pas de fantaisie. Il faut apprendre à marcher avant de courir. »

Queenie acquiesça. Elle avait toujours été persuadée qu'un jour elle aurait sa chance, instant magique qui changerait sa vie, et c'était cette certitude qui l'avait amenée jusqu'en Angleterre. Elle n'avait jamais très bien su comment cela se passerait ni où cela la mènerait, et elle n'avait certes jamais imaginé que cela l'amènerait à se déshabiller sur la scène d'une boîte de nuit de Soho, mais ce pourrait bien être sa seule chance.

Elle défit la fermeture à glissière du dos de sa robe, se pencha en avant, et la tira par-dessus sa tête. Goldner demeurait impassible. Elle lui tendit la robe par-dessus la rampe de la scène. Goldner la plia avec soin et la posa sur ses genoux. « Maintenant, la combinaison, s'il vous plaît. » Queenie hésita. Elle n'éprouvait pas grande honte à être là devant Goldner en combinaison, mais l'étape suivante était difficile à franchir. Elle tira la combinaison au-dessus de sa tête par les épaulettes et ferma les yeux. Elle la tendit à Goldner et resta immobile, les bras croisés devant elle, consciente du fait qu'il n'allait pas manquer de remarquer que son soutien-gorge et sa culotte étaient en coton grossier. Queenie se sentit rougir et guetta une réaction sur le visage de Goldner. Rien. Il semblait ou bien ne pas être intéressé, ou bien ne pas être impressionné.

Queenie s'y connaissait très peu en strip-tease. Elle en avait vu quelques-uns dans les films, bien sûr, mais cela restait toujours dans les limites de la décence. Elle lança à Goldner ce qu'elle espérait être un sourire sexy, puis leva une jambe pour ôter avec lenteur son bas.

« Ce n'est pas nécessaire, dit-il. Tu as la place, je te montrerai ce qu'il faut faire. »

Un peu déçue, elle continua à se déshabiller. Elle eut quelques difficultés avec le soutien-gorge. Tournant le dos à Goldner, elle se débattit avec les crochets, mais une fois qu'elle l'eût ôté, elle s'aperçut qu'elle ne pouvait pas se tourner vers lui. Elle l'entendait tirer sur son cigare, mais l'idée d'être plantée devant lui, nue jusqu'à la ceinture, était plus qu'elle n'en pouvait supporter. Elle se décida enfin, ferma les yeux, croisa les bras devant elle et pivota très lentement.

« Continue », dit tranquillement Goldner.

Elle baissa les mains et commença à ôter sa culotte.

« Très, très charmant, fit Goldner d'un ton satisfait. Tu peux t'arrêter maintenant. »

Elle s'empressa de remonter sa culotte. Goldner en avait vu assez : il avait dû décider de ne pas l'engager avant même qu'elle eût fini de se déshabiller devant lui. Elle était scandalisée par l'injustice de la situation. Elle ouvrit les yeux. Il tenait ses vêtements bien pliés. « Ça y est ? demanda-t-elle.

— Ça y est. »

Elle posa les mains sur ses hanches, oubliant un instant qu'elle avait les seins nus. Elle s'en voulait — et elle en voulait à Goldner, assis là avec sa robe et ses dessous comme une grenouille sur un nénuphar —, elle était furieuse d'avoir manqué sa chance. Du moins voulait-elle savoir pourquoi. « Qu'est-ce que j'ai fait de mal ? » demanda-t-elle, surprise du ton ferme de sa voix.

Goldner parut surpris. « De mal ? Il n'y a rien de mal, j'en ai simplement vu assez.

— Est-ce que j'ai la place ?

— Bien sûr que oui. Je vais te dire un secret : il n'y a jamais eu de doute dans mon esprit.

— Alors pourquoi m'avez-vous fait me déshabiller ?

— C'est une épreuve, mon petit, un point c'est tout. Certaines jeunes femmes ont du mal à faire ce genre de chose. D'autres adorent ça.

— Je n'ai pas adoré.

— Je sais. C'est bien. Celles qui aiment ça, vois-tu, on a toujours des ennuis avec elles. Elles finissent par coucher avec les clients. » Il se leva, monta sur la scène et lui rendit ses vêtements. « Tu peux te rhabiller maintenant, Queenie. Tu es une brave fille. »

Elle serra ses vêtements contre sa poitrine, pouvant à peine croire en sa chance. « Alors, demanda-t-elle, j'ai vraiment du travail ?

— Absolument. Tu as un très joli corps, tu sais... et le visage est... remarquable ! Il y a toutes sortes de choses qu'il faut apprendre, bien sûr... Peu importe, je t'apprendrai.

— Il faudra que je me déshabille complètement ?

— Pas du tout. Tu auras un costume qui préservera à la lettre le degré légal de décence. Les Anglais sont prudes. Ils préfèrent l'illusion de la nudité à la réalité de la chose.

— Quand est-ce que je commence ?

— Viens me voir demain après-midi. » Il marqua un temps. « Inutile d'amener Morgan. »

Queenie acquiesça. L'avenir lui semblait déjà beaucoup plus brillant. Elle tourna le dos à Goldner et commença à se rhabiller. C'était bizarre, songea-t-elle, mais elle se sentait plus gênée de s'habiller devant un homme que d'ôter ses vêtements. Sur un côté de la scène, il y avait un paravent, elle se glissa derrière pour passer sa robe. Puis elle regarda pardessus. Goldner était là, à se frotter les mains comme un homme qui vient de trouver un shilling dans la rue. Elle rassembla son courage pour poser à Goldner la question qui la préoccupait le plus. « Combien est-ce qu'on me paye ? lança-t-elle hardiment.

— Sept livres par semaine », répondit-il.

Elle ne dit rien, incapable de parler. C'était une somme énorme : plus que même la meilleure dactylo pouvait espérer gagner. Elle n'en croyait pas ses oreilles.

Goldner hésita, attendant une réponse. « Bon, fit-il, alors dix livres. C'est ma meilleure offre. Il faudra que tu travailles pour y arriver. »

Elle le regarda, embarrassée qu'il eût mal interprété son silence. Puis elle sourit. « Merci », dit-elle.

Goldner eut un soupir de soulagement. A dix livres, c'était une occasion. Et il aimait bien la façon dont elle avait attendu pour voir s'il allait monter plus haut que sept. C'était une chose d'être belle, mais pour arriver au sommet une fille avait aussi besoin de cervelle. Les idiotes tombaient enceintes ou s'en allaient avec des hommes peu intéressants.

Il l'aida à enfiler son manteau. « Morgan doit attendre dehors, dit-il. Je pense qu'il va être content.

— Oui, fit-elle sans entrain.

— Tu vas lui annoncer la bonne nouvelle ? »

Queenie réfléchit un instant. « Si ça ne vous ennuie pas, je pense que je pourrais lui dire que c'était sept livres. »

Goldner lui tapota l'épaule. « Entendu », répliqua-t-il avec entrain.

Cette fille avait la tête sur les épaules, songea-t-il.

Donc elle irait loin.

« Sept livres par semaine ! dit Morgan. Tu aurais dû en demander quinze. Pourquoi ne m'as-tu pas consulté ? »

Queenie ne répondit pas. A vrai dire, c'était à peine si elle l'entendait. Le café de la Femme peinte, dans Greek Street, était bourré de gens qui prenaient un verre pendant l'entracte ; le bruit était assourdissant.

Queenie était rarement allée dans un pub, mais ce n'était pas, se dit-elle, une des institutions anglaises qui lui plaisaient le plus.

« Pourquoi ne m'as-tu pas parlé avant d'accepter ? » répéta-t-il.

Elle se demanda pourquoi Morgan était si énervé, puis elle comprit quelle était la vraie nature du problème : elle allait gagner plus que lui. Goldner lui avait même donné une semaine de salaire d'avance, ce que Queenie avait prudemment caché à Morgan.

« Il m'a offert ce travail. Je l'ai pris. Qu'y avait-il à discuter ?

— Tu n'aurais jamais eu cette place sans moi. Tu aurais dû me laisser parler à Goldner. »

Queenie buvait sa bière à petites gorgées. Morgan savait qu'il avait perdu la face devant Goldner. Il se doutait déjà qu'il avait perdu la face devant Quennie. « Je le sais, dit-elle calmement, espérant arriver à une trêve. Je t'en suis reconnaissante, Morgan.

— Je n'ai pas besoin de ta foutue reconnaissance, dit-il d'une voix rauque, l'alcool commençant comme toujours à rendre sa diction un peu pâteuse. Je croyais que nous allions être heureux ensemble, dit-il. C'est pour ça que nous sommes venus ici, tu le sais. Maintenant nous avons tous les deux du travail. Nous pourrons trouver un endroit agréable où habiter, nous débrouiller... Je t'aime toujours, Queenie. Tu le sais. Je regrette ce qui s'est passé. »

Queenie le savait fort bien. Morgan lui disait cent fois par jour qu'il l'aimait et encore plus souvent qu'il était navré. En Inde, il avait paru plus âgé, plus sage, plus évolué, voire séduisant, mais maintenant qu'elle savait qu'elle pouvait se débrouiller toute seule ici, il était devenu un personnage pathétique, un petit homme effrayé qui buvait trop et qui était prêt à se contenter des objectifs les plus modestes et très probablement les atteindre. Elle était venue en Angleterre pour avoir une chance de ne pas se noyer dans le petit monde étriqué des Anglo-Indiens, mais Morgan était venu ici pour elle. Il avait beau lui répéter sans cesse qu'il regrettait ce qu'il avait fait, il pouvait toujours penser quelque part au fond de son esprit, elle en était sûre, qu'il avait eu raison parce qu'elle l'avait privé de sa récompense.

« Je voudrais rentrer, dit-elle.

— On a le temps. Je vais juste prendre encore un verre. » Morgan se leva, retrouva un équilibre incertain et tourna la tête vers le bar comme si arriver là-bas était un exploit athlétique qui nécessitait toute sa concentration. « Dis donc, fit-il d'un ton détaché, peux-tu me passer une livre ? »

Queenie secoua la tête.

« Goldner ne t'a pas donné une petite avance ?

— Bien sûr que non. »

Il oscilla un moment d'un pied sur l'autre et Queenie eut l'impression qu'il allait perdre patience. Elle s'obligea à ne pas broncher. Elle n'avait pas peur d'être frappée, mais elle redoutait la gêne d'une scène en public. Et puis, à sa surprise, Morgan se rassit avec toute la dignité dont il était capable.

« Oh ! Queenie, dit-il tristement, tu es une sale menteuse. »

« Fais-moi confiance, mon petit. » Queenie se demandait si elle avait le choix. Ils étaient assis dans le bureau en sous-sol qu'avait Goldner dans sa boîte. L'unique petite fenêtre à barreaux donnait sur une cour et un escalier. Une enseigne aux couleurs vives annonçait « Club Paradis — Spectacle exotique — Club privé ».

Pendant les heures d'ouverture, un portier se tenait dehors pour expliquer qu'on pouvait devenir membre pour une cotisation annuelle de deux guinées. Les lois mystérieuses régissant la vente des boissons en Angleterre exigeaient ce petit subterfuge profitable. Un « club privé » pouvait servir de l'alcool à toute heure du jour ou de la nuit, le seul inconvénient de la loi étant que l'établissement était obligé aussi de servir à manger, ce que peu de clients réclamaient, mais ce qui obligeait Goldner à entretenir une équipe de cuisiniers. Il avait résolu ce problème en ajoutant un supplément pour le dîner à la note. On servait à chaque client une assiette de sandwiches au corned-beef, qu'ils l'eussent demandé ou non, et on leur comptait une guinée pour ce privilège.

Souvent un unique plateau de sandwiches circulait de table en table toute la nuit, puisque seuls les plus ignorants et les plus audacieux des clients acceptaient d'y toucher. Convenablement époussetés, ils pouvaient parfois resservir le lendemain soir.

« Qu'est-ce qu'il a de mal, mon nom ? interrogea-t-elle.

— Mon petit, il n'a rien de mal. Sur scène, toutefois, il manque de classe.

— On m'a toujours appelée Queenie.

— Oui, et ceux qui t'aiment voudront certainement continuer à t'appeler par ce nom, qui a un certain charme. Mais il te faut un nom de scène. Ce qu'il nous faut, c'est quelque chose qui souligne ta qualité... je dirais exotique. Queenie est trop banal, crois-moi. J'ai pensé que quelque chose d'un peu oriental conviendrait bien. »

Queenie se sentit blessée. « Oriental ? demanda-t-elle. Je suis anglaise !

— Moi aussi, dit-il. Je suis fier d'avoir un passeport britannique... C'est beaucoup mieux qu'aucun de ceux que j'ai eus précédemment. Je veux simplement dire que ton numéro pourrait avoir... un petit côté oriental.

— Je vous en prie, Mr. Goldner... Maman aurait horreur de cela. »

Goldner se carra dans son fauteuil et contempla le plafond, comme s'il y cherchait l'inspiration. « Ah ! Les mères, dit-il avec un grand soupir. Elle voudrait que tu réussisses ! Va-t-elle habiter l'Angleterre ? Non. Alors elle n'a pas besoin de savoir, n'est-ce pas ? Tu lui écris ?

— Ma foi, non...

— Tu dois lui écrire. Tu dois ! lui reprocha Goldner. Les mères s'inquiètent si elles n'ont pas de nouvelles de leur fille, elles s'inquiètent. Parfois elles font même des recherches, elles écrivent des lettres aux autorités... ce genre de choses. » Il posa une main sur son cœur. « Tu aimes ta mère, Queenie ?

— Bien sûr que oui.

— Alors il faut que tu me promettes de lui écrire. Les mères ne veulent que de bonnes nouvelles. Envoie-lui une carte postale, Queenie. Aujourd'hui. Des tas de cartes postales désormais. “ Je vais bien, je suis heureuse, j'espère que toi aussi, je t'aime ”, etc. Ce genre de choses... Ta mère habite l'Inde ?

— Oui, avoua-t-elle.

— Morgan est vraiment ton oncle ? Du côté de ta mère ou de ton père ?

— C'est le frère de ma mère.

— Je vois. Et ton père ? Lui aussi habite l'Inde ?

— Non. Il était irlandais. »

Elle marqua un temps. « Je ne sais pas où il est. »

Goldner alluma un cigare. Il se demandait si la mère de Queenie était très ou légèrement foncée mais, dès l'instant qu'elle restait en Inde, se dit-il, cela importait peu. Il tira sur son cigare tout en réfléchissant. « Il faut que tu comprennes, dit-il, la raison pour laquelle je t'ai engagée — et pour laquelle j'ai accepté de te donner un si généreux salaire pour une débutante —, c'est que tu as quelque chose de particulier. Tu ne ressembles pas à tout le monde. D'ailleurs pour te dire la vérité, j'ai déjà ton costume, tu vois. Des voiles, des trucs comme ça. Ce que je recherchais, c'était la fille pour le porter. Tu comprends ? »

Queenie comprenait. Elle acquiesça de la tête.

« Bon. Je vais te dire une chose à propos des Anglais, Queenie. Ils ne se font pas d'illusions romanesques sur leurs femmes. Ils aiment un peu de mystère. Alors on va te rendre mystérieuse. Pas *trop* mystérieuse, bien sûr ; ils n'aiment pas ce qui est profondément étranger non plus. Nous allons dire que tu es une Anglaise qui a appris à danser en Inde. Voilà. Comme ça, tu joues sur les deux tableaux. »

Queenie réfléchit un instant : elle commençait à se rendre compte que Goldner lui donnait une occasion de s'inventer un nouveau passé, un passé où Morgan n'avait pas de place. Et, à part Morgan lui-même, qui s'en irait le mettre en question ? Elle essayait d'imaginer comment une jeune Anglaise aurait appris à danser comme une musulmane, mais elle ne trouva rien.

« Je vois mal comment ça pourrait arriver, dit-elle d'un ton sombre.

— Comment donc ? N'importe quoi peut arriver. Dans un pays comme l'Inde ? Moi aussi, j'ai lu Kipling, tu sais. »

Queenie aussi avait lu Kipling, puisque c'était une lecture obligatoire à l'école, mais son Inde ne ressemblait pas beaucoup à celle de Kipling. « Calcutta n'est pas du tout comme *Le Livre de la jungle,* expliqua-t-elle. Ni comme *Kim.*

— Oublie Calcutta ! Quand les gens pensent à l'Inde, ils pensent aux mahārādjahs, aux chasses au tigre, aux joyaux, aux éléphants peints... pas à Calcutta.

— J'ai vu une fois un éléphant peint, deux d'ailleurs.

— Tu vois bien. Sois donc raisonnable. Personne ne saura la vérité ni ne posera de questions. Après tout, tu aurais très bien pu être élevée dans le palais d'un mahārādjah. Qui va dire le contraire ? Ton père pourrait fort bien être un colonel, un... comment les appelle-t-on déjà ?

— Un sahib ?

— Exactement.

— S'il était colonel, pourquoi est-ce que je danserais ici ? »

Goldner fut frappé par le bon sens de cette fille, mais cela n'ôta rien à sa détermination. « Tu t'es enfuie de chez toi, proposa-t-il. Mieux vaut laisser les détails... un peu flous. Tu as grandi dans le magnifique palais d'un mahārādjah...

— Lequel ?

— C'est une des choses que nous garderons dans le vague, lança Goldner avec impatience. Vivant dans la richesse et la splendeur, élevée dans deux mondes, connue de tous sous le nom de... sous quel nom étais-tu connue ?

— Je ne sais pas.

— Lakshmi ? »

Queenie éclata de rire.

« Difficile à prononcer, marmonna Goldner en chassant cette idée. Que dirais-tu de Rani ? ça n'est pas comme ça qu'on appelle les membres des familles royales indiennes ? »

Queenie réfléchit. « Une mahārāni est la femme du mahārādjah, je crois, expliqua-t-elle. Une princesse serait une mahārānji. Je pense qu'une princesse anglaise serait une mahārānji sahib, ou quelque chose comme ça... »

Goldner agita son cigare pour montrer le peu d'intérêt qu'il portait aux subtilités de l'étiquette indienne ou de l'hindoustani. « Rani ira très bien. Nous ne leur dirons pas ton nom de famille. Tu ne veux pas déshonner ton père et tout ça... c'est une touche délicate. »

Queenie dut faire un petit effort pour assimiler cette brusque ascension sociale. Tout ça lui paraissait peu plausible, mais, à part cela, la situation présentait certains avantages évidents. Elle aurait du mal à prétendre toute sa vie qu'elle n'était pas née en Inde ni à s'inventer une enfance dans un autre pays.

Elle éprouvait un sentiment de soulagement. Tout ce qu'elle avait à faire, c'était se confier aux mains de Goldner et elle n'était plus une Anglo-Indienne : tout était si simple que cela semblait presque un miracle. C'était une façon parfaitement acceptable de sortir de ce dilemme, à condition que personne n'aille chercher trop loin — et à condition que Morgan ne soit pas trop bavard, se dit-elle soudain, le cœur serré. Car elle comprit aussitôt qu'en aucune façon il n'y avait place pour lui dans cette histoire.

« Et Morgan ? demanda-t-elle. Il ne va pas aimer ça.

— Je m'occuperai de Morgan, s'il veut travailler, il fera ce qu'on lui dit. » Il y avait dans le ton de Goldner une menace voilée mais précise et Queenie se dit qu'il y avait un côté de son personnage qu'elle n'avait pas encore vu. Elle nota cela dans sa tête : Goldner était loin d'être aussi doux qu'il en avait l'air.

« En fait, laisse-moi m'occuper moi-même de Morgan. Je lui expliquerai que tout cela est autant son intérêt que le tien, ou que le mien. D'ailleurs, la famille, c'est la famille. Il devrait être content pour toi. »

Cela semblait peu probable à Queenie, mais elle assura qu'elle ne demandait qu'à laisser Goldner lui annoncer la nouvelle.

« Magnifique. » Goldner avait des gouttes de transpiration sur le front. « Il est bien ton plus proche parent vivant en Angleterre, n'est-ce pas ? »

Queenie retourna la question dans son esprit. Elle avait du mal à penser à Morgan dans ce contexte, mais c'était incontestablement vrai. Elle avait eu besoin de Morgan pour l'amener à Goldner ; elle avait maintenant besoin de Goldner pour lui faire franchir l'étape suivante, quelle qu'elle pût être. « Je pense que oui, dit-elle. Pourquoi ?

— J'aime bien en savoir le plus possible sur les gens qui travaillent pour moi, mon petit — surtout quand je suis sur le point d'investir pas mal d'argent dans leur carrière, comme je vais le faire pour la tienne... Quel âge as-tu, au fait ?

— Dix-neuf ans. »

Goldner eut un sourire navré. « Il ne faut jamais mentir à un associé, mon petit, et je tiens à ce que tu penses toujours à nous comme des associés.

— Enfin, j'ai presque dix-huit ans...

— Voilà qui est mieux, dit Goldner. La confiance... c'est ce qu'il y a de plus important dans les affaires, mon petit. » Il se tourna vers son bureau, tripota quelques papiers, puis tendit à Queenie un court document dactylographié. « De la paperasserie, soupira-t-il. Il y a tant de foutaises à propos des impôts, des timbres de pension, de permis de travail... Les gouvernements n'existent que pour rendre plus pénible la vie d'un homme d'affaires. Si tu veux bien signer en bas de la page... »

Queenie réfléchit un instant tandis que Goldner lui tendait son stylo en or, la plume déjà prête.

« Qu'est-ce que je signe ? interrogea-t-elle.

— Un reçu pour les dix livres que je t'ai avancées. Tu me donnes également le droit d'utiliser des photographies de toi pour annoncer le spectacle, pour la publicité et tout ça... Une simple formalité. Lis-le, lis-le, mon petit.

— Est-ce que je ne pourrais pas en parler à Morgan ?

— Si tu veux. » Cette suggestion semblait laisser Goldner de glace. Son ton se fit un peu plus froid. « Franchement, je crois que tu ferais mieux de suivre mon avis plutôt que le sien. Après tout, même si c'est ton oncle, tu ne lui appartiens pas, n'est-ce pas ?

— Non, je ne lui appartiens pas », répondit Queenie et, pour le prouver, aussi bien à Goldner qu'à elle-même, elle signa hardiment son nom.

Goldner retrouva aussitôt sa bonne humeur. « Si tu veux bien juste parapher les timbres en haut. Ici... et là... magnifique. J'en toucherai un mot à Morgan plus tard. Laisse-moi faire. Attends de voir ton costume ! »

Queenie songea soudain qu'on n'avait pas parlé jusque-là de ce qu'elle était censée faire sur scène. Goldner ne semblait pas s'en préoccuper, mais elle lui posa quand même la question. Elle n'avait aucune envie de se ridiculiser devant un public, même pour dix livres par semaine.

Il parut surpris. « Faire ? Mon petit, tu t'avanceras lentement sur la scène, tu te déshabilleras très lentement avec grâce, et puis tu te rhabilleras encore plus lentement. C'est tout.

— Je n'aurai pas à danser ?

— Pas de danse. Fais ce que je te dis. Rappelle-toi seulement de choisir un spectateur dans le public et de ne pas arrêter de le regarder.

— C'est plutôt restreint comme numéro.

— Pas sûr, mon petit, c'est *toi* qu'ils viendront voir, pas le numéro. Ils viendront voir la plus belle fille de Londres, Queenie. Et même si je sens que ça me coûtera probablement de l'argent tôt ou tard, je te le dis : ils ne seront pas déçus. »

8

Les deux couples étaient assis à une table près de la scène. En les voyant à travers la glace sans tain qui masquait la porte de son bureau, Goldner sortit pour les accueillir personnellement. Il savait reconnaître des dames lorsqu'il en voyait, ce qui, il en convenait, n'arrivait pas souvent.

Goldner se hâta vers eux, un sourire rayonnant sur son large visage, les bras tendus comme s'il allait leur donner la communion. Comme beaucoup d'hommes gros, il avait de petits pieds et, dans sa tenue de travail — veste de smoking, chemise blanche empesée et gilet —, on aurait dit un pingouin se hâtant d'aller saluer un groupe d'explorateurs au bord de sa banquise.

Lorsqu'il arriva à leur table, il transpirait si abondamment qu'il dut s'arrêter pour s'éponger le visage. Il s'inclina profondément devant les dames. Il leur baisa la main à chacune, s'affaira à allumer leurs cigarettes et seulement ensuite se retourna pour serrer la main du plus grand des deux hommes.

« Qu'est-ce qui vous amène ici, Lucien ? » demanda-t-il.

Le jeune homme éclata de rire. Il était grand — il dominait Goldner d'une bonne tête — et si beau que le seul défaut de son visage était une certaine autosatisfaction. Il y avait un soupçon de complaisance dans le dessin des lèvres, mais les yeux bleu foncé étaient intelligents, avec un regard ironique d'une intensité qui donnait à penser qu'il était un peu plus qu'un joli jeune homme gâté — un jeune homme en train d'arriver, peut-être. Il portait ses vêtements bien coupés avec une nonchalance qui évoquait l'artiste plutôt que le mondain.

« *La nostalgie de la boue, mon cher,* dit-il. Quoi d'autre ? » Son français était impeccable — de toute évidence, ce n'était pas une seconde langue — mais le contrôle qu'il avait sur ses gestes était purement britannique. « Ces dames voulaient voir les bas-fonds de Soho. Alors naturellement je les ai amenées ici. Je pense qu'elles vont être déçues. Y a-t-il la moindre chance pour qu'il y ait une descente de police ce soir ?

— Pas beaucoup, mon cher Lucien — compte tenu de ce que je leur paye.

— Dommage. Cela aurait donné un petit piquant à leur soirée. Puis-je vous présenter, mon cher Goldner ? Lady Cynthia Daintry, Miss Margo Feral — et Mr. Basil Goulandris. Je suis sûr que le nom de Mr. Goulandris vous est familier.

— Je pense bien ! » fit Goldner avec quelque chose qui frôlait la vénération. Il considéra la bouteille de champagne que le maître d'hôtel faisait tourner dans un seau à glace, la main artistement ouverte pour en dissimuler l'étiquette. Goldner fronça les sourcils. « Apportez une bouteille de champagne français, dit-il. Avec mes compliments. »

Lucien haussa un sourcil et gratifia Goldner d'un sourire ironique. Basil Goulandris, lui, ne broncha pas. Il avait l'habitude qu'on lui offre une bouteille de champagne partout où il allait. Il n'y avait pas un restaurant ni une boîte de Londres qui eût osé lui présenter une addition, pas plus qu'il ne payait ses cigarettes, ses fleurs, son alcool, ses repas, ses places de théâtre, ses voitures ou ses vêtements. Il était toujours accompagné d'une jolie femme, encore que sa compagne ce soir-là, Miss Feral, fût quelque peu éclipsée par Lady Cynthia, éblouissante comme un oiseau de paradis.

Goulandris était grand et trop fort, avec le teint et le caractère irritable d'un gros buveur. Il fixa un instant l'étui à cigares qui dépassait de la poche de Goldner jusqu'au moment où Goldner le prit dans sa veste pour le lui tendre.

Goulandris y préleva un cigare, le huma, en tailla le bout et attendit que Goldner le lui allumât. Il en tira deux bouffées, prit l'autre cigare, le fourra dans sa poche et rendit l'étui vide à Goldner. Sans le remercier. « Je me demande ce que nous foutons dans ce trou, dit-il. Il n'y a rien à raconter ici.

— Les dames voulaient voir Soho.

— C'est une perte de temps.

— Oh non ! dit Goldner, pas ce soir. J'ai une nouvelle artiste. Vous allez être étonnés, poursuivit-il. Vous n'avez jamais de votre vie vu une fille comme celle-là ! »

Goulandris bâilla. « Quel est le nom de cette merveille ?

— Rani. »

Goulandris eut un gros rire. « Il faut qu'elle soit quelque chose pour surmonter ça ! »

Lucien ôta de son épaule la main de Lady Cynthia, y posa un baiser, puis la serra entre ses doigts. Ce n'était pas tant un geste d'affection qu'une façon de l'empêcher de le toucher.

« Nous verrons bien », dit-il.

Queenie, tournée vers le rideau poussiéreux, retenait son souffle. Elle ne partageait pas l'enthousiasme de Goldner pour son costume, qui consistait essentiellement en une succession de couches de tulle couleur chair transparent, bordé d'un fil d'or. Elle arborait sur la tête une sorte de couronne vaguement orientale, à quoi étaient suspendus d'autres voiles de tulle qui lui recouvraient le visage.

Dans l'ensemble, pensa-t-elle, c'était comme si elle portait une tente. Même au bout d'une semaine, elle n'était toujours pas habituée à la façon dont le tissu lui grattait la peau. En dessous, elle portait un cache-sexe couleur chair et deux bijoux de verroterie collés à ses seins qui en recouvraient à peine les boutons. L'avertissement de Goldner résonnait encore à ses oreilles : elle devait évoluer lentement, ne rien faire d'extraordinaire et garder les yeux fixés sur le public. « Dix minutes, avait-il dit le premier soir. C'est tout ce que tu as et tout ce dont tu as besoin. » Et il ne s'était pas trompé.

Il avait fermement découragé toute tentative de sa part de se conduire comme une strip-teaseuse. « Ça, avait-il dit, on en a déjà et ça n'intéresse personne. Ce qu'il nous faut, c'est de la classe, tu comprends. »

Ce n'était pas une danseuse indienne qu'elle essayait d'imiter — les filles dodues et tourbillonnantes qui pratiquaient la danse du ventre orientale — mais plutôt la grâce stylisée des danseuses sacrées de Bali, dont Goldner lui avait retrouvé des photographies.

Maintenant qu'elle avait un but, la vie avec Morgan était plus facile — et puis, pour l'instant, leurs horaires étaient différents. Elle travaillait pendant la journée, répétant avec Goldner, pendant que Morgan dormait. Lorsqu'il rentrait, elle dormait depuis des heures, elle ne l'entendait parfois même pas s'installer sur le parquet en geignant. Ce que Goldner lui avait dit semblait avoir eu de l'effet : il était plein de rancœur, mais à cela près se conduisait fort bien. Elle percevait par moments un accent de triomphe dans sa voix ou bien il lui lançait un bref coup d'œil en dessous, comme s'il avait fait quelque chose de particulièrement astucieux dont il gardait le secret, un geste à ses dépens à elle — mais elle était trop occupée pour y prêter grande attention. Certaines nuits, il ne rentrait pas du tout et elle ne lui demandait pas où il était allé : elle était simplement soulagée d'avoir la chambre pour elle toute seule.

Le premier soir où elle fit son numéro, elle était presque paralysée de trac, mais il y avait si peu de gens dans la salle que ce n'était pas très différent, constata-t-elle, des moments passés chez elle à s'entraîner. Ce fut seulement lorsque le rideau retomba la première fois que Queenie se rendit compte qu'elle avait réussi. Elle s'était avancée là dans les lumières de la rampe, sans sourire ni tortiller des hanches, elle les avait obligés à la regarder, elle — elle leur avait donné l'impression, en fait, que c'était pour eux un privilège.

Toutefois, elle était prudente. Chaque soir elle s'attendait à voir le charme se rompre, à entendre quelqu'un éclater de rire, lancer une remarque grossière ou un coup de sifflet ; jusqu'à maintenant ce n'était jamais arrivé, mais ce soir, comme chaque soir, Queenie tremblait en attendant cet instant redouté.

Les rideaux s'écartèrent. L'orchestre attaqua un thème vaguement oriental. Queenie sentait que tout le monde dans la salle la dévisageait : c'était comme ça tous les soirs et cela la surprenait encore. Elle prit une profonde inspiration, sentant comme d'habitude les tremblements du trac dans ses genoux, puis, avec une lenteur délibérée, elle dégrafa le voile qui lui recouvrait le visage et le laissa glisser sur le plancher de la scène.

Elle restait immobile, ses immenses yeux sombres tournés vers le public. Queenie suivait le conseil de Goldner, s'efforçant de trouver un spectateur à regarder, comme elle le faisait toujours. Mais, dans le trou noir derrière les projecteurs, les visages dans le public n'étaient que des taches pâles.

La lumière changea légèrement et soudain elle aperçut un jeune homme assis à quelques mètres seulement d'elle, auprès de la scène. Il avait de longs cheveux blonds coiffés en arrière, les yeux bleu foncé grands ouverts d'étonnement et un beau nez droit. Il avait les lèvres sensuelles pour un homme : pas épaisses, mais parfaitement formées. Sous la lumière il avait la peau pâle, mais on devinait le teint d'un homme sain et qui vit beaucoup dehors. C'était, comprit-elle soudain, un visage qu'elle avait déjà vu, sous la pluie, le soir où Morgan l'avait assaillie.

Queenie le regarda, porta la main à son épaule et ôta le premier des voiles qui l'enveloppaient.

Ce serait pour lui qu'elle allait se déshabiller.

« Je t'ai déjà vue quelque part, fit Lady Cynthia. Basil, mon chou, est-ce que nous ne l'avons pas vue déjà ? »

Goulandris fixa la silhouette sur la scène et haussa les épaules. « C'est possible, reconnut-il. Il me semble aussi. En tout cas, elle a un beau visage, je me demande qui elle est. »

La fille vaudrait bien une nuit ou deux, songea-t-il. Il jeta un coup d'œil circulaire dans la salle pour voir s'il n'y avait personne d'important. Il ne vit rien. Il n'en fut pas surpris. « Allons au Quatre Cents ou au C. de P., dit-il.

— Oh oui ! renchérit Lady Cynthia, à part cette fille, tout cela est trop déprimant. Et pourquoi diable nous a-t-on servi cet abominable plateau de sandwiches ? »

Mais Lucien ne faisait pas attention. Il avait le regard fixé sur la scène, fixé sur celui de Queenie, tandis qu'elle ôtait son premier voile, le pliait avec des gestes lents et précis de collégienne et se penchait gracieusement pour le déposer sur le plancher. Pas un instant, le regard de la danseuse ne l'avait quitté.

« Dis donc, fit Lady Cynthia, elle te dévisage sans vergogne ! Tu la connais ? C'est quelqu'un que tu as photographié ? »

Lucien secoua la tête. Il tenait toujours les doigts de Lady Cynthia.

« Je ne peux pas m'empêcher de penser que je l'ai vue quelque part. Ecoute, cesse de me serrer les doigts, tu me fais mal. »

Lucien lui lâcha la main. Il n'avait même pas remarqué qu'il la tenait.

« Ça s'est bien passé », commenta Goldner. Il était assis en manches de chemise à compter la recette, une bouteille de cognac devant lui.

Queenie l'avait senti elle aussi, même si elle ne savait pas encore pourquoi. « J'ai juste fait ce que vous m'aviez dit », dit-elle.

Goldner leva les yeux de ses comptes. « Tu es une brave fille, Queenie.

— Chaque fois, je ne regardais qu'une personne dans le public. Qui était le jeune homme sur le devant, pour le premier spectacle ? »

Goldner hésita. « Quel jeune homme ? demanda-t-il.

— Le beau garçon assis auprès de la dame qui avait une si belle toilette.

— Lucien Chambrun, soupira Goldner. C'est lui que tu regardais, mon petit ? Tu aurais dû regarder Basil Goulandris. Enfin, tu ne pouvais pas savoir... C'est ma faute. Il faudra que je pense à te montrer quel spectateur regarder à chaque spectacle. »

Queenie allait demander pourquoi Lucien Chambrun n'était pas le spectateur qu'elle aurait dû regarder, mais elle vit Morgan planté sur le pas de la porte, les yeux sur sa montre et qui lui faisait signe de partir.

Goldner lui jeta un coup d'œil et se rembrunit. « Tu ferais mieux de rentrer », dit-il.

Pas la peine de mettre Morgan en colère, se dit Goldner — du moins pas tant qu'il avait encore besoin de lui...

« Qu'est-ce que tout ça veut dire ? » demanda Morgan le lendemain matin. Il poussa un journal sous le nez de Queenie.

La chronique s'intitulait : « Dans la lorgnette de Basil ». Il y avait une photo, assez flatteuse malgré le grain un peu fort, de l'homme corpulent et rougeaud qu'elle avait vu avec Lucien Chambrun. Elle lut rapidement l'article. Vers la fin il y avait un paragraphe caché par les doigts moites de Morgan.

« Ces jours-ci, ou plutôt ces nuits-ci, les gens à la mode vont, figurez-vous, à Soho. On a vu au club Paradis (vous n'en avez jamais entendu parler) la ravissante Lady Cynthia Daintry, fille du marquis d'Arlington et de sa seconde femme, ainsi que Miss Margot Feral, une " amie proche " de Dominick Vale, accompagnée par le photographe Lucien

Chambrun... Et qu'est-ce qui attire la " jeunesse dorée " dans ces sombres recoins de Greek Street ? La ravissante Rani, dont les danses exotiques et la remarquable beauté éclairent la soirée. Et qui est Rani, la fille aux yeux qui fait rêver et à l'avenir tapissé d'or ? Comme d'habitude, votre serviteur est le seul à connaître l'histoire. Mais je puis vous rapporter que son père est un *burra sahib du raj,* et que Rani a été élevée comme une princesse dans le palais d'un mahārājah. On raconte que le mahārājah voulait garder dans son harem cette belle rose d'Angleterre, qu'alors on l'a envoyée à Londres pour éviter un incident diplomatique. Si son père découvre jamais ce qu'elle fait ici, il y aura du grabuge ! C'est pourquoi son vrai nom reste un secret. »

D'abord, Queenie ne pouvait en croire ses yeux. Puis elle relut l'article en rougissant. C'était un signe — le premier signe — qu'elle allait y arriver, que les risques pris et le long itinéraire allaient payer, que l'avenir lui apporterait le genre de vie dont elle avait toujours rêvé. Elle aurait voulu pouvoir envoyer l'article à sa mère, mais, comme il avait pour base un mensonge total sur sa vraie personnalité, cela lui parut inutile et même peu charitable.

Elle n'était pas assez sotte pour s'imaginer qu'une seule mention dans une chronique ferait l'affaire ni que le succès arriverait du jour au lendemain, mais du moins était-elle sur la bonne voie. Un instant, Queenie fut tentée de serrer Morgan dans ses bras, de partager son triomphe avec lui, mais il la dévisageait sans joie. « Comment as-tu pu raconter de tels mensonges ? interrogea-t-il. Et sans même m'en parler ?

— Ça n'est qu'une histoire, Morgan, la publicité, ça ne fait pas de mal. D'ailleurs, c'est Mr. Goldner qui a raconté ça à ce nommé Goulandris, pas moi.

— Mr. Goldner par-ci, Mr. Goldner par-là, fit Morgan avec colère. Tu l'as entortillé autour de ton petit doigt, tout comme ce malheureux Pugh.

— Pas du tout ! » cria Queenie, furieuse de voir Morgan lui avoir gâché son moment de bonheur, mais Morgan parut se rendre compte qu'il était allé trop loin et marmonna des excuses. Queenie soupira. Morgan savait bien qu'il était à la traîne. Et sans doute lui avait-on dit qu'il garderait sa place tant qu'il resterait bouche cousue. On ne pouvait guère s'attendre à le voir heureux de la réussite de sa nièce dans ces circonstances, se dit-elle. Elle savait qu'il lui faudrait très bientôt trouver un endroit où elle habiterait sans Morgan, et que ce serait un moment pénible et difficile.

Elle apprit avec intérêt que Lucien Chambrun était photographe. Elle se demanda quel effet cela ferait d'avoir sa photo dans les journaux.

Elle décida que ce devait être très agréable.

Le lendemain soir il était de nouveau là. Une fois encore il était en tenue de soirée, mais cette fois il était seul. Il resta immobile durant tout le numéro de Queenie, sans même toucher à son champagne.

Goldner n'avait guère fait d'efforts pour fournir des loges à ses artistes. Une partie du sous-sol était cloisonnée avec des morceaux de contre-plaqué brut et des rideaux, pour former une série de petits réduits dont chacun abritait une chaise, une coiffeuse et un miroir. Entre les spectacles, Queenie avait l'habitude d'aller s'asseoir dans son recoin, vêtue d'un vieux peignoir en tissu éponge, car son costume avec ses couches successives de voiles ne se prêtait guère à la détente. Goldner l'avait avertie de ne jamais se mêler aux clients. Elle lisait des magazines de cinéma, elle faisait des essais de maquillage, elle se sentait très seule car les autres filles, qui lui enviaient son numéro de soliste, l'ignoraient.

On tira soudain le rideau de sa petite cellule. Un jeune homme scrofuleux en uniforme bleu lui tendit un énorme bouquet de roses avec une enveloppe épinglée à la cellophane. La feuille de papier dans l'enveloppe était si épaisse qu'elle avait bien dû coûter un shilling. Lorsqu'elle la déplia, elle trouva l'article de « Dans la lorgnette de Basil » arraché au journal. Quant au billet, tracé d'une grande écriture énergique, il disait simplement : « Pour Rani... un commencement ! » Ce n'était pas signé.

Queenie porta les fleurs à son visage pour les respirer. Personne ne lui en avait jamais envoyé et les pétales lisses et brillants lui semblaient la promesse d'une vie nouvelle et différente. Elle essaya d'imaginer combien elles avaient pu coûter, mais elle n'en avait aucune idée.

Elle n'avait rien pour mettre les fleurs, elle posa le bouquet sur la table à maquillage auprès de son pot de crème, pendant qu'elle se revêtait de ses voiles pour le prochain spectacle.

Elle se regarda dans le miroir tout piqué avant de poser le voile sur son visage. Elle serait toujours belle, décida-t-elle.

C'était juste une question de volonté.

Lorsqu'elle revint pour sa dernière apparition de la soirée, Queenie fut déçue de constater que Lucien Chambrun n'était plus là. La table où il était assis était vide et, tout en ôtant ses voiles, elle se surprit à tourner les yeux dans cette direction, comme si Chambrun se trouvait toujours là. Queenie regarda alentour et s'aperçut que la salle était pleine. Dans l'obscurité, par-delà la rampe, elle pouvait voir Goldner passer de table en table en se frottant les mains comme un homme à qui la fortune a enfin souri.

A la fin de son dernier numéro, le public l'applaudit chaleureusement : c'était le genre de gens qui avaient des manières, contrairement aux habitués de Goldner qui, ou bien sifflaient, ou bien criaient ou ronflaient selon le degré d'ébriété qu'ils avaient atteint.

Elle regarda entre les rideaux. Elle aperçut Morgan et le reste de l'orchestre. Il avait l'air maussade et furieux. Il avait désiré connaître lui-même le succès presque autant qu'il la désirait, elle. Il prit son saxophone et se mit à jouer, trop fort et un peu faux, soit par défi, soit parce qu'il était ivre.

Elle descendit par le petit escalier de fer rouillé qui menait au sous-sol, tira le rideau et se rendit compte qu'il manquait quelque chose. Un moment, elle ne trouvait pas ce que c'était, puis elle comprit : les fleurs avaient disparu en même temps que le billet. Elle ouvrit sans douceur le rideau de la loge voisine. Trois des filles étaient assises devant une longue coiffeuse en contre-plaqué. L'une d'elles portait un kimono taché. Les deux autres étaient nues, à part leur cache-sexe. La grande blonde prénommée Mavis était penchée, une cigarette collée au coin des lèvres, occupée à se couper les ongles des pieds. Elle ne leva même pas la tête.

« Qu'est-ce que tu veux encore ? demanda-t-elle.

— Qui a pris mes fleurs ?

— Vous entendez ça ? Elle veut savoir ce que sont devenues ses foutues fleurs. » Les deux autres filles haussèrent les épaules. « Tu nous accuses, nous, de voler tes fleurs, miss Rani de mes deux ? Casse-toi, conasse ! » dit-elle. Les autres se mirent à rire.

« Je ne partirai pas avant de savoir qui a pris mes fleurs.

— Je n'ai pas à supporter ça de toi ni de n'importe quelle autre moricaude. »

Le mot paralysa Queenie. Elle aurait voulu s'enfuir en courant, mais elle savait qu'elle devait rester là.

« Fille d'un officier anglais, je t'en ficherai ! Elevée comme une vraie princesse, mon cul ! Je sais tout sur toi, ma petite. Ton copain Morgan m'a raconté toute l'histoire. » Mavis ponctua sa phrase en faisant claquer sur sa peau l'élastique de son cache-sexe.

Queenie la regarda droit dans les yeux. Elle avait la gorge si sèche qu'un moment elle fut incapable de parler. « Je ne sais pas ce que tu veux dire.

— Ben, voyons ! fit Mavis avec un gros rire. Je vais te dire ce qui est arrivé à tes fleurs : ton cher Morgan les a foutues à la poubelle. Maintenant, taille-toi... miss Rani ! »

Mavis tourna le dos à Queenie et s'assit devant la coiffeuse. Queenie disparut derrière le rideau, laissant de l'autre côté les trois filles qui riaient. Elle resta un instant plantée dans le couloir, se sentant plus seule que jamais. Elle n'était pas choquée que Morgan eût couché avec Mavis, après tout, Queenie lui avait fait clairement comprendre qu'elle en tout cas ne coucherait pas avec lui — mais d'avoir dit à Mavis la vérité sur son compte était une trahison aussi basse que s'il l'avait violée, c'était la seule chose qu'elle n'avait jamais imaginé qu'il ferait et que jamais, elle le savait, elle ne lui pardonnerait.

Tremblante, elle ouvrit le rideau de sa loge. Dans la pénombre, une voix basse et calme dit : « Je vois que mes fleurs ne sont plus là. Est-ce un mauvais signe ? »

Queenie était trop abasourdie de trouver un étranger dans sa loge pour dire un mot, mais la voix lui sembla étrangement familière. Puis, tout en clignotant à travers ses larmes, elle vit que c'était Lucien Chambrun qui était assis sur sa chaise, les pieds sur sa coiffeuse, auprès d'un chapeau haut de forme et d'un seau à glace avec une bouteille de champagne et deux coupes.

Brusquement, elle oublia Morgan.

De près, elle trouva Chambrun encore plus beau garçon qu'il ne lui avait paru de la scène — ou dans la rue. Il s'empressa de reposer les pieds par terre et se leva en s'inclinant jusqu'à amener sa tête à la même hauteur que celle de Queenie, car il était beaucoup plus grand.

« Ah ! dit-il, vous êtes si belle que j'en ai oublié mon éducation. » Il se mit à rire comme si Queenie et lui partageaient une plaisanterie, puis il lui prit la main, la porta à ses lèvres et y posa un baiser. « Essayez de ne pas tenir votre main si raide, dit-il. Quand un homme vous prend la main, détendez vos muscles. La main ne doit pas être molle, vous comprenez, pas rigide non plus.

— Vous semblez savoir un tas de choses là-dessus. »

Queenie était stupéfaite de voir Chambrun si prodigue de conseils, mais intriguée malgré elle : c'était exactement le genre de choses qu'elle voulait apprendre.

« Je suis à moitié français. J'ai ça dans le sang. Les Anglais ne connaissent rien au baisemain. Ni à la cuisine. Ni aux femmes. »

Chambrun ouvrit la bouteille de champagne, emplit les deux coupes d'une main experte, en tendit une à Queenie et trinqua. « Pourquoi pleuriez-vous ? » demanda-t-il.

Elle faillit nier, mais changea d'avis. « Ce n'est rien, dit-elle.

— Une histoire d'amour malheureuse ? »

Inutile, pensa-t-elle, de lui dire la vérité. « Non, non. Pas du tout. C'est à vous que je dois cet article ?

— Je ne sais pas mentir. En tout cas à vous. Oui, c'est à moi.

— Basil Goulandris est un de vos amis ? Mr. Goldner était très impressionné.

— Le mot " ami " n'est pas ce qui convient pour parler de Basil. Personne n'est un ami de Basil — mais, bien sûr, tous les gens qui comptent le connaissent. Je lui ai rendu quelques services — maintenant, il me rend la pareille. J'imagine en outre qu'il a touché cinquante livres de Goldner. »

Queenie fut un peu déçue d'apprendre comment on obtenait une mention dans une chronique. Chambrun le remarqua. Il avait la sensibilité vive d'un homme qui aimait sincèrement les femmes. « Ne vous inquiétez pas, dit-il. Vous avez fait une forte impression sur Goulandris. Il est corrompu, mais il n'est pas totalement dénué d'intégrité.

— Pourquoi avez-vous fait ça pour moi ? »

Chambrun leva sa coupe pour lui faire comprendre qu'elle devait boire et la vida d'un trait. « Voilà une question plus difficile, dit-il. J'ai un certain instinct en ce qui vous concerne. D'ailleurs, je vais être tout à fait honnête ; j'aime les belles jeunes femmes. »

Queenie se mit à rire. Chambrun était d'une franchise désarmante. Elle avait du mal à estimer son âge. Assurément, il avait moins de trente ans, mais elle trouvait en lui une gaieté d'adolescent.

« Vous avez aimé mon numéro ? » interrogea-t-elle.

Chambrun éclata de rire. « Comment pourrais-je ne pas aimer vous regarder vous déshabiller ? » Puis son expression se fit plus sérieuse. Queenie remarqua un changement dans ses yeux, comme s'ils se fixaient sur elle avec un tout autre intérêt : avec une concentration de professionnel. Personne ne l'avait jamais regardée comme ça et l'intensité de son regard la prit au dépourvu.

« Le numéro ? N'y pensez plus. Vous avez de grandes possibilités, vous savez. Un visage comme le vôtre vaut... Dieu sait combien. Souriez. »

Elle sourit.

« Pas comme ça. Souriez comme si vous aviez une raison de le faire. »

Elle essaya encore.

« C'est mieux, dit-il, mais de toute évidence il n'était pas satisfait. Evidemment, le maquillage ne va pas. »

On aurait dit qu'il se parlait à lui-même, songea Queenie avec un peu d'agacement. Elle jeta un coup d'œil au miroir. Elle ne trouvait rien à redire à son maquillage.

Son regard se réchauffa lorsque de nouveau il lui sourit. « Pardonnez-moi, dit-il, en lui prenant la main, je pensais à la façon de vous photographier. Mais ce n'est pas pour ça que je suis venu.

— Alors, demanda-t-elle, pourquoi êtes-vous venu ?

— Parce qu'il le fallait. Il y a quelque chose dans votre visage qui me hantait. Comme si je l'avais déjà vu... Quand je vous ai aperçue sur scène la première fois, avec tous ces voiles ridicules, j'ai trouvé que vous étiez la plus belle femme que j'aie jamais vue. Depuis, je n'ai pas arrêté de penser à vous. C'est mauvais pour ma santé, pour mon travail. Alors, me voici. Voulez-vous venir souper avec moi ?

— Il est très tard...

— Quel rapport ? Vous avez faim ?

— Oui. Non. Je ne sais pas. » La plupart du temps, elle était affamée, à tel point que la tentation lui venait même parfois de manger les sandwiches de Goldner. Il était près de deux heures du matin, et il lui semblait peu probable qu'il y eût des restaurants ouverts — ce qui était bien dommage car, maintenant que Chambrun avait parlé de souper, elle mourait de faim.

« Je ne peux pas m'habiller à moins que vous ne sortiez », dit-elle.

Il ne faisait pas mine de partir. « Je vous ai déjà vue ôter vos vêtements. Deux fois, en fait, dit-il.

— C'est différent.

— Je vais tourner le dos et fermer les yeux, dit-il. Promis. Mais faites vite, j'ai faim aussi, Rani.

— Ce n'est pas mon nom.

— Ah ? Ça ne m'étonne pas. Quel est votre vrai nom ? »

Elle hésita. « Queenie Kelley. »

A son grand soulagement, il ne rit pas. « Moi, c'est Lucien Chambrun, dit-il en s'inclinant. Maintenant que nous nous sommes présentés... ayez la bonté de quitter ce costume. Je ne vais pas regarder et penser au dîner. »

Il se tourna vers le mur. Queenie hésita, puis commença à ôter ses voiles, les accrochant avec soin. Un instant, elle resta là presque nue, puis elle arracha prudemment les petits cercles de faux brillants qui lui masquaient les boutons de seins, opération qui était toujours un peu douloureuse si l'on ne prenait pas quelques précautions, car ils étaient maintenus par des rubans adhésifs.

Une canalisation au-dessus de sa tête tinta bruyamment et quelque part dans le sous-sol on entendit le rugissement d'une chasse d'eau. Elle éprouva une brusque irritation devant ce décor sordide et n'eut plus qu'une envie, c'était de le quitter. Elle enfila précipitamment ses dessous, passa ses bas, fit une rapide pirouette devant le miroir pour vérifier que les coutures étaient bien droites et entreprit de glisser sa robe par-dessus sa tête.

De l'autre côté du rideau, quelqu'un toussa. « Qu'est-ce que tu fabriques ? fit la voix impatiente de Morgan. Il est temps de rentrer. »

Elle l'entendit tirer le rideau, puis pousser un petit cri de surprise et de colère.

« Qu'est-ce que c'est que celui-là ? » demanda Morgan. Maintenant qu'elle le voyait, Queenie devinait qu'il avait bu.

Chambrun se retourna, ouvrit les yeux et sourit, comme si sa bonne humeur s'étendait même à Morgan. « Je n'ai pas eu le plaisir, dit-il avec prudence, tendant la main vers Morgan qui ne la serra pas.

— Qu'est-ce qu'il fiche ici ? » reprit Morgan. Il avait la voix pâteuse.

« C'est moi qui l'ai invité à entrer.

— Eh bien, invite-le à sortir ! »

Queenie le dévisagea, brusquement furieuse. « Jamais de la vie, cria-t-elle. Fiche le camp toi-même, mon vieux ! »

Jamais elle ne lui avait parlé aussi brutalement, mais le ton était celui de sa mère et l'accent anglo-indien. C'en fut assez pour secouer Morgan. Comme un homme dont le bluff ne marche pas, il recula aussitôt.

Chambrun posa son haut-de-forme sur sa tête, l'inclina un peu sur le côté et passa son écharpe autour de son cou. « Ravi de vous avoir rencontré », dit-il à Morgan, comme s'ils étaient devenus les meilleurs amis du monde.

Il décrocha le manteau de Queenie de la patère, le posa sur ses épaules d'un geste tout à la fois galant et possessif, et prit le seau à champagne. « Il faut que nous partions », dit-il et, sans s'arrêter pour une discussion ou d'autres explications, il prit Queenie par le bras et lui fit franchir le rideau en la poussant devant Morgan.

« Une seconde », cria ce dernier en les suivant dans le couloir d'un pas incertain d'ivrogne, mais Chambrun entraîna Queenie dans les escaliers comme s'il ne l'avait pas entendu, sa main la tenant solidement par le coude. Sans ralentir le pas, il ouvrit la porte de la cuisine, passa devant le cuisinier qui était en train de laver par terre et lui tendit la bouteille de champagne avec un billet d'une livre. « Si on vous demande, vous ne nous avez jamais vus, mon ami », dit-il.

Le cuisinier examina la bouteille de champagne et acquiesça. « La porte de service n'est pas fermée », murmura-t-il avec un clin d'œil.

Dans la rue, une voiture de sport longue et basse était garée. Chambrun ouvrit la portière du passager, vida le seau à glace dans le caniveau, vint prendre place auprès de Queenie et, sitôt le moteur en marche, démarra dans un grand rugissement de moteur. « Qui diable était-ce donc ? » demanda-t-il.

Queenie savait que c'était une question à laquelle il lui faudrait répondre tôt ou tard. Maintenant que le moment était venu, elle plongea. Plus tard, se dit-elle, elle pourrait toujours expliquer les choses à Chambrun, si des explications semblaient nécessaires. « C'est un ami de la famille, dit-elle.

— Votre tuteur ? Quelque chose comme ça ?

— Quelque chose comme ça, oui.

— Il avait l'air furieux, cet ami de la famille.

— Il boit. C'est une longue histoire. »

Chambrun hocha la tête. L'expérience lui avait enseigné que, quand une femme mentait visiblement, il était plus sage de ne pas aller plus avant. « En tout cas, ce n'est pas votre mari, dit-il.

— Vous aviez cru qu'il l'était ?

— Non, mais on ne sait jamais. Ecoutez, il n'y a aucun endroit convenable ouvert à cette heure de la nuit. Nous allons souper chez moi, d'accord ? »

Queenie hésita. Elle avait envie d'aller chez Chambrun : d'ailleurs il n'y avait nulle part où aller, à moins de rentrer pour retrouver Morgan.

Malgré tout, un prudent instinct lui dit de protester. « Je ne sais pas... fit-elle.

— Oh ! Voyons ! dit Chambrun. Il n'y a rien de mal à souper avec un homme dans son appartement. Pas de nos jours. Ça a dû déjà vous arriver.

— Bien sûr que oui ! » dit-elle avec indignation. Elle espérait qu'il ne devinerait pas qu'elle mentait.

Queenie était fascinée par l'appartement de Chambrun. Un coin du grand studio était de toute évidence l'endroit où il travaillait : un appareil de photo était posé sur un trépied, devant un rideau blanc et un miroir à trois faces. Le reste de la pièce était somptueusement meublé : des tapis persans sur le sol ; un nu en marbre grandeur nature servait de portemanteau ; les canapés disparaissaient sous un amoncellement de coussins, de couvertures de fourrure, de journaux, de livres, de magazines, de vêtements. Partout on sentait les traces d'une vie de célibataire confortable et au goût bien personnel.

L'intérêt que Chambrun portait aux femmes s'étalait généreusement : aux murs on voyait des agrandissements encadrés, tous des photographies de femmes, tantôt des portraits, tantôt des nus. L'un d'eux était celui d'une femme blonde, mince et élégante, allongée sur le dos dans une pose d'extase. Queenie reconnut le visage : c'était la jeune femme qui était avec Chambrun au club la première nuit où il était venu. C'était signé « Cynthia ». Et le nom était suivi d'une longue rangée de croix.

De toute évidence, il menait une vie mondaine intense. Sur la cheminée s'entassaient des invitations de toutes tailles. L'une d'elles, pour un dîner, s'ornait d'une jarretière. Un mot griffonné à l'encre violette zigzaguait à travers le carton : « Tu es un monstre, mais tu es pardonné si tu viens, alors ne sois pas en retard, je t'embrasse. »

C'était signé « Cynthia » si énergiquement que la plume avait laissé une grosse tache après le nom. Queenie nota que l'invitation était pour ce soir.

Au-dessus de la cheminée, étrangement peu à sa place dans ce décor, se trouvait une grande peinture à l'huile représentant une jeune femme somptueusement habillée, avec le cou de cygne, le profil classique et la taille étroite d'une beauté édouardienne. Le visage et les yeux ressemblaient à ceux de Chambrun ; même le sourire un peu sensuel était le même.

Juste en dessous était accrochée une petite photographie sépia d'un vieux monsieur barbu et bien en chair tenant un petit chien sur ses genoux et fumant un cigare. Le visage parut familier à Queenie et elle le regarda plus attentivement. On pouvait lire sur la photo : « A ma très chère Elsie, avec mon affection, Bertie. »

Avec un sursaut, Queenie se rendit compte que le visage lui était familier parce qu'elle l'avait vu toute sa vie sur des pièces de monnaie et des statues en Inde : car c'était à n'en pas douter celui de feu le roi Edouard VII.

Le bureau était jonché de papiers de toutes sortes. Un appareil de photo sur une pile de lettres servait de presse-papier. La lettre dactylographiée en haut de la pile portait le célèbre emblème du lion rugissant de la M.G.M. et les mots « Metro Goldwyn Mayer Studios ». Queenie commençait à peine à la lire lorsqu'elle fut interrompue par le retour de Chambrun qui d'un coup de pied ouvrit la porte de la cuisine et entra, portant un plateau d'argent.

« Vous trouvez quelque chose d'intéressant ? demanda-t-il avec entrain. Il n'y a pas grand-chose ici, mais c'est le mieux que j'aie pu faire en improvisant.

— Non, non, dit Queenie en rougissant, je ne regardais pas...

— Bien sûr que si. Et vous avez bien raison. Je lis toujours le courrier des autres. C'est beaucoup plus intéressant que celui qu'on reçoit. »

Queenie désigna le tableau au-dessus de la cheminée : « C'est votre mère ?

— Oui. C'était une grande beauté.

— Ce n'est pas une photo du roi ? »

Chambrun acquiesça. « C'est bien lui. Ma mère a été l'une des dernières maîtresses du roi. A la mort d'Edouard VII, ma mère a eu le cœur brisé. Elle est partie vivre en France un moment, elle est tombée amoureuse d'un peintre français, Léon Chambrun, — un assez bon peintre, d'ailleurs. »

Chambrun désigna le mur du fond auquel était accroché un grand tableau représentant un pique-nique dans une oliveraie. Une femme aux cheveux dorés tenait devant elle un petit garçon en costume marin.

« C'est moi, annonça Chambrun. Mon père préférait les sujets domestiques. C'était un ami de Picasso, mais il n'avait pas la fureur de Picasso — ni son génie, je suppose. C'était un très bon décorateur. Il a même fait des décors de films pour David Konig. Konig l'adorait. Comme tout le monde.

— David Konig ? interrogea Queenie. Ce n'est pas le metteur en scène ?

— Si, bien sûr. Vous connaissez son œuvre ?

— J'ai vu *Mariage royal*. Marla Negresco était épouvantable. »

Chambrun haussa les épaules. « Vous trouvez vraiment ? Elle était très belle, vous savez. Malheureusement, ce n'était pas le genre de beauté qui dure. *Mariage royal* aurait pu être très bien sans elle — mais le pauvre Konig n'avait pas le choix. Il était marié à cette dame, alors il a bien dû la faire tourner dans le film.

— Vous êtes dans le cinéma ? demanda Queenie.

— Un peu, dit-il avec un geste vague. J'aimerais en faire plus. Peut-être que ça viendra... Vous savez que vous avez des mains magnifiques ? »

Il lui prit la main droite et l'examina avec attention, l'approchant de son visage. Et puis il y déposa doucement un baiser, en s'asseyant auprès d'elle sur le divan. Il lui baisa le poignet, puis l'avant-bras, puis le coude.

C'étaient les premiers baisers agréables que Queenie avait jamais reçus et elle ne se débattit pas quand Chambrun finit par se pencher en avant pour l'embrasser doucement sur les lèvres.

« Ouvrez les yeux quand vous m'embrassez, murmura Chambrun. Quand une femme ferme les yeux, c'est toujours qu'elle retient quelque chose... qu'elle pense à quelqu'un d'autre.

— Je ne pense à personne d'autre.

— Bon. »

Depuis des années, Queenie se demandait ce que ce serait que d'aller au lit avec un homme. Elle ne pouvait croire que son unique expérience avec Morgan lui avait révélé ce que la chose était censée être. Elle sentait les bras de Lucien autour d'elle, ses lèvres sur les siennes, et elle décida que c'était bien agréable, si agréable en fait qu'elle espérait presque qu'il allait s'en tenir là. Sans doute devrait-elle opposer un peu de résistance — n'était-ce pas ce qu'on attendait d'elle ? — mais elle n'en éprouvait aucune envie.

« Vous allez rester la nuit ? » demanda-t-il dans un murmure. Et, tout en l'embrassant, elle s'entendit répondre : « Oui, oui, je vais rester », heureuse que toute la nuit s'étendît devant elle, toute prête à le laisser faire ce qu'il voulait.

« Je crois que nous serions plus confortables au lit sans nos vêtements, vous ne pensez pas ? » demanda-t-il doucement.

Lucien se redressa et ôta sa cravate. Il la regarda en plissant les yeux. « Vous n'avez pas fait ce genre de chose souvent, n'est-ce pas ? demanda-t-il, l'air amusé.

— Je ne suis pas vierge, si c'est ce que vous voulez dire », répliqua-t-elle avec audace.

Il se pencha et l'embrassa avec douceur sur le front. « La porte de la chambre est là, sur la droite. Allez vous mettre à l'aise et je vous rejoins dans un moment. »

Queenie le regarda, stupéfaite qu'il eût deviné facilement qu'elle ne voulait pas entrer dans la chambre et se déshabiller devant lui.

Il lui tendit son sac à main. « La salle de bains est là, dit-il. Vous ne pouvez pas la manquer. »

Elle prit son sac et passa dans la chambre, en se demandant pourquoi il pensait qu'elle en avait besoin. Avant de se glisser dans le lit, elle plia ses vêtements avec soin, puis éteignit la lumière.

Elle avait beaucoup de choses à apprendre sur l'amour, se dit-elle.

Elle espérait que ce serait aussi agréable que tout le monde le disait.

Ce l'était.

Queenie regardait Lucien dormir dans la lumière grise de l'aube qui filtrait par les rideaux à demi tirés. Elle-même n'avait pas sommeil, elle n'arrivait même pas à penser à dormir, en fait.

Elle n'éprouvait ni honte ni remords. Quoi qu'elle eût attendu de l'amour, ce n'était pas ce profond sentiment de contentement et de plaisir que lui donnait son propre corps.

C'était Lucien qui l'avait aidée à faire cette découverte. Avec douceur et sans la forcer : bien au contraire, il n'avait cessé de la caresser et de lui murmurer des encouragements jusqu'au moment où elle l'avait attiré en elle. Puis il avait guidé ses gestes, jusqu'à ce qu'elle fût prise dans le rythme de son propre plaisir.

Et elle avait gardé les yeux ouverts.

Maintenant elle le regardait, allongé auprès d'elle, et pour la première fois l'idée venait à Queenie qu'à leur façon les hommes étaient beaux. Il ouvrit les yeux. « Tu devrais dormir, dit-il.

— Je ne suis pas fatiguée. »

Lucien s'étira paresseusement, l'embrassa et passa un bras autour d'elle pour l'attirer tout contre lui. Il se tâta la barbe et soupira. « Il va falloir que je te raccompagne », dit-il. Une lueur d'inquiétude passa sur son visage. « Il ne va pas y avoir d'explications ? de problèmes ? »

Queenie réfléchit à contrecœur, peu soucieuse de retrouver les exigences de la vie quotidienne. « Je ne veux pas rentrer », dit-elle.

Il haussa un sourcil. « Tu habites avec ton... ton tuteur ? Le monsieur brun avec la moustache ?

— Oui. C'est une longue histoire...

— J'ai tout le temps du monde pour l'entendre. »

Queenie était soudain éveillée, comme si on lui avait jeté de l'eau glacée au visage. Que pouvait-elle lui dire ? Que comprendrait-il ? Elle ne savait pas grand-chose de lui mais, à la façon dont il vivait, il était de toute évidence à l'aise dans le monde et entretenait des relations familières même avec des gens comme David Konig. Elle avait le sentiment d'avoir un pied sur le premier barreau d'une échelle. Elle voulait monter plus haut. Surtout, elle ne voulait pas qu'on lui retirât l'échelle.

« Il était censé me surveiller quand je suis venue ici.

— Ah ! Tu es arrivée d'Inde ? »

Elle hocha la tête. Elle essaya de penser à un moyen de faire entrer Morgan dans l'histoire publiée par Basil Goulandris et décida que moins elle en dirait, mieux cela vaudrait. « Au début, il s'est très bien conduit, chuchota-t-elle en se blottissant contre Lucien. Et puis il a commencé à changer... »

Lucien la caressa doucement. « Je crois que je vois, murmura-t-il. Est-ce qu'il a... »

Elle se décida pour une demi-vérité. « Il a essayé.

— Allons, allons », fit Lucien. Au grand soulagement de Queenie, la curiosité de Lucien à propos de son passé était limitée. « Il n'y a pas de quoi avoir peur maintenant. » La sonnerie du téléphone retentit auprès du lit. « La barbe ! » dit-il en décrochant. Il écouta un moment et Queenie vit son expression changer : il paraissait coupable et gêné. « Je croyais que c'était ce soir... Bien sûr que je suis désolé, chérie... Bien sûr, je me rends compte qu'être désolé n'avance à rien... Non, non, Dieu sait que je regrette, mais déjeuner est hors de question malheureusement... j'ai un travail urgent à remettre... pour ce soir, je ne sais pas... Oh ! Ecoute, il n'y a pas de quoi en faire une crise de nerfs... Allô ? »

Il reposa le combiné. « Elle a raccroché.

— Oh ! Mon Dieu, c'est ma faute.

— Pas du tout. C'est la mienne.

— Qui était-ce ? » demanda Queenie, se rendant compte au moment même où elle posait la question qu'elle allait peut-être trop loin. Mais à son grand soulagement, Lucien ne parut pas contrarié.

« Cynthia Daintry. Folle de rage. J'étais censé dîner chez elle hier soir.

— C'est la dame blonde avec qui tu étais au club ? Celle avec tous les bijoux ?

— Exactement.

— Elle est très jolie. Elle doit te pardonner ?

— Peut-être. Très probablement. Je pense que cela dépendra pourtant de mon comportement futur.

— Je vais m'habiller, murmura-t-elle en espérant qu'il allait dire non.

— Et retourner auprès de ce Morgan ? Pas question. Tu vas rester.

— Et Cynthia ? »

Lucien sauta à bas du lit et passa sa robe de chambre. « A dire vrai, j'en ai assez des crises de jalousie de Cynthia. »

Il regarda par la fenêtre, trop heureux de trouver un autre sujet de conversation. « La lumière est bonne, dit-il. Ce serait une honte de ne pas en profiter. Nous allons prendre quelques photos. Passe une chemise, un peignoir, n'importe quoi... Tu trouveras une brosse à dents dans l'armoire de la salle de bains. Et une brosse à cheveux. Mais fais vite. J'ai horreur de gâcher une bonne lumière. »

Elle obéit. Il n'y avait pas qu'une seule brosse à dents dans l'armoire, mais toute une boîte, des brosses neuves dans leur emballage de cellophane. Tout en se brossant les dents, elle se demanda si Cynthia n'avait pas de bonnes raisons d'être jalouse avant même la veille au soir.

Lorsqu'elle revint, Lucien préparait son appareil. Il la regarda et hocha la tête d'un air satisfait. « Cet après-midi, nous irons faire quelques courses, dit-il. Ensuite, je veux te faire rencontrer un de mes amis.

— Qui ça ?

— Un nommé Dominick Vale. Je crois qu'il pourrait beaucoup pour toi. Mets-toi devant ce rideau blanc, veux-tu... là... Tu as beaucoup d'affaires chez toi ?

— Je n'appellerais pas ça " chez moi " », dit Queenie, consciente soudain du fait que ce serait une erreur de laisser Lucien découvrir que Morgan et elle partageaient une unique chambre ou même de le laisser la voir. « C'est un tout petit appartement, expliqua-t-elle. J'ai juste deux valises là-bas, c'est tout. Pourquoi ?

— Parce que, si tu ne rentres pas chez toi, il va falloir prendre tes affaires. Ou bien partir de zéro.

— Je préférerais partir de zéro.

— C'est toujours la meilleure solution », dit-il gravement.

Puis il commença à actionner le déclencheur de son appareil, allant et venant tout en changeant d'angle et d'ouverture. « Tu souris maintenant ! lui cria-t-il. Exactement comme je te l'avais demandé dans ta loge. »

C'était parce qu'elle avait une raison de sourire, se dit Queenie. Il allait la laisser rester !

« Mr. Vale vous attend ?

— Dites-lui que c'est moi. Et que c'est important.

— Très bien, monsieur. »

L'homme en tenue de laquais fit un petit salut. Malgré la perruque poudrée, la culotte de soie et les escarpins, il avait l'air d'un lutteur. Tandis qu'il chuchotait quelque chose dans le téléphone ivoire bizarrement posé sur une table à jeu incrustée du XVIIIe, le combiné paraissait presque dans son énorme patte comme si c'était un jouet.

« Il vous dit de monter, Mr. Chambrun. Vous connaissez le chemin. »

Queenie regardait autour d'elle avec admiration. Durant des années, Morgan lui avait parlé de ses rêves à propos du café de Paris. Elle en connaissait l'histoire pour avoir passé d'innombrables soirées étouffantes à écouter Morgan dans la véranda.

Dans ce magnifique hôtel particulier de style géorgien, tout ce que Londres comptait de gens riches ou célèbres se retrouvait le soir pour danser sous des lustres qui jadis avaient appartenu à Son Altesse royale le duc d'York, pour dîner dans la célèbre salle des glaces et pour regarder un spectacle qui rivalisait avec ceux de Paris. Le prince de Galles venait chaque soir quand il était à Londres ; le mahārādjah de Baroda y avait sa table, tout comme les mahārādjahs de Cachemire et de Jaïpour ou comme l'Aga Khan.

L'essentiel de ce qu'on écrivait sur Vale relevait de la conjoncture puisqu'il était maladivement secret quant à ses origines. On le disait tantôt le fils naturel d'une personne de sang royal, tantôt le fils d'un marchand de tapis arménien. Il ne niait aucune de ces rumeurs et beaucoup le soupçonnaient de les avoir inspirées.

Même les riches le redoutaient — il était connu pour avoir un caractère violent, on chuchotait qu'il avait toujours un pistolet sur lui, on disait qu'il était prêt à tout pour anéantir un homme — ou une femme — qui se mettait sur son chemin. Comme un requin, il nageait dans les eaux sombres de la haute société, happant de temps en temps une victime.

« Quel plaisir inattendu », fit doucement Vale en se levant de derrière son bureau pour serrer la main de Lucien et baiser celle de Queenie. Il était extrêmement grand, avec la poitrine et les épaules d'un haltérophile, mais il s'habillait avec une élégance qui donnait à son corps puissant quelque chose de bizarrement sinistre. Plus sinistres encore étaient ses épais sourcils noirs qui se rejoignaient au milieu de son front, lui donnant un air perpétuellement soucieux. Les yeux pâles sous les célèbres sourcils avaient toute la chaleur d'une paire d'huîtres sur leurs coquilles. Le ton lugubre qu'avait toujours Vale, s'alliant à l'élégance sévère de sa tenue, évoquait pour Queenie un croque-mort plutôt qu'un propriétaire de boîte de nuit.

« Nous ne vous dérangeons pas, Dominick ? demanda Lucien.

— Pas du tout, répondit courtoisement Vale. J'étais seul. »

Queenie ne put s'empêcher de remarquer qu'il y avait deux verres sur le bureau, tous deux encore presque pleins, avec des cubes de glace qui n'avaient pas fondu. Derrière Vale, une porte était entrouverte, comme si quelqu'un était sorti précipitamment en négligeant de la fermer. Vale jeta un coup d'œil à un briquet en or incrusté de diamants, posé sur le bureau. Il le ramassa comme s'il se demandait quoi en faire. Il l'actionna à plusieurs reprises. Il s'éclaircit bruyamment la gorge. La porte se referma doucement, poussée par une main invisible.

Il reposa le briquet sur le bureau, le contempla un moment comme s'il ne l'avait jamais vu. Queenie le regardait aussi : c'était le genre d'objet qu'il était difficile de ne pas regarder, et elle vit que les diamants formaient les initiales « R. B. ». Elle se dit que la personne qui se trouvait avec Vale avait laissé là le briquet.

« Je voulais vous faire rencontrer une de mes amies, dit Lucien. Queenie Kelley. »

Vale inclina gravement la tête vers Queenie, en reniflant bruyamment car il semblait souffrir d'un catarrhe chronique. « Enchanté », dit-il. Queenie ne trouvait pas qu'il avait l'air le moins du monde enchanté : il avait au contraire l'air d'un homme interrompu au milieu de quelque chose de plus important. Il lança un regard furtif à la porte derrière lui, comme pour s'assurer qu'elle était bien fermée. « Miss Kelley cherche un emploi ? demanda-t-il.

— J'ai un travail », dit-elle. Il lui fallut un certain courage pour parler : il y avait chez Vale quelque chose qui lui donnait la chair de poule.

« Queenie travaille chez Goldner », dit Lucien.

Vale haussa un sourcil. « Vous êtes la célèbre Rani ? Qui a tant impressionné Basil Goulandris ? » Il la contempla avec un peu plus d'intérêt qu'auparavant. « Je dois dire qu'il ne vous a pas rendu justice. »

Il se renversa en arrière et se tourna vers Lucien, comme s'il en avait dit suffisamment d'elle. « Elle a des possibilités, reconnut-il comme à regret.

— Des possibilités ? Elle est parfaite !

— Quelqu'un de parfait n'existe pas. Malheureusement. Elle approche toutefois la perfection de plus près que les précédentes jeunes personnes que vous m'avez amenées. »

Queenie lança à Lucien un regard surpris. L'idée ne lui était pas venue que Lucien avait pour habitude d'amener des filles à Vale.

Vale eut un léger sourire, sans doute, se dit-elle, parce qu'il avait cherché à gêner Lucien et il y était arrivé. Cela fait, il s'empressa de réparer. « Peut-être devrais-je expliquer, reprit-il, que Lucien joue un peu les dénicheurs de talents pour moi. Rien d'officiel, vous comprenez, Miss Kelley. Nous sommes de vieux amis. J'ai ici une clientèle riche, célèbre et qui s'ennuie. Elle réclame de la nouveauté. Travailler ici c'est être vu par tout ce qui compte.

— Ça peut mener à de grandes choses, renchérit Lucien.

— Qui le sait ? » dit Vale en se levant pour signifier qu'il était temps pour eux de prendre congé. Queenie remarqua qu'il ne lui demanda pas à réfléchir. L'idée qu'elle pourrait ne pas vouloir travailler ici de toute évidence ne lui venait pas.

Il ne leur ouvrit pas la porte. Il se contenta de presser un bouton sur son bureau et les battants s'écartèrent. Comme elle se refermait derrière eux, Queenie entendit Vale renifler bruyamment ; puis une belle voix âpre et théâtrale qu'elle ne connaissait pas demanda : « Ils sont partis ? »

Elle se demanda qui était là que Vale s'était donné tant de mal pour cacher.

Queenie était assise dans la voiture, entourée de cartons portant les noms de quelques-unes des plus luxueuses boutiques de Bond Street, des noms qui étaient bien connus même en Inde. Elle était toujours irritée contre Lucien et soupçonnait que sa générosité n'était qu'une façon de s'excuser.

« Tu aurais pu me dire que c'était une sorte d'audition, fit-elle.

— De temps en temps, je donne un tuyau à Dominick sur quelqu'un qui pourrait convenir pour sa boîte. C'est si terrible que ça ? Je rends juste service à un ami.

— Qu'a-t-il fait pour toi ? »

Lucien freina brutalement, se rangea le long du trottoir et se retourna vers elle. « Puisque tu me le demandes, il me paye une commission. Il faut bien vivre.

— Je vois. »

Il remit la voiture en marche.

« Si Mr. Vale veut de moi... commença-t-elle.

— Il voudra de toi.

— ... Qu'est-ce que je fais de Mr. Goldner ?

— Tu lui donnes deux semaines de préavis, le plus gentiment possible. »

Queenie regrettait de ne pas avoir été plus prudente en signant le reçu de sa première semaine de paye. Avec le recul, cela lui semblait un document bien épais pour quelque chose d'aussi simple. Elle se demanda si cela valait la peine d'interroger Lucien là-dessus, quand sur ces entrefaites il arrêta la voiture car une autre boutique avait attiré son attention.

L'idée ne vint pas à Queenie de lui demander s'il pouvait se permettre toutes ces folies. Lucien semblait totalement indifférent au prix des choses. Son extravagance déclencha chez elle une petite sonnette d'alarme car, si Queenie ne demandait qu'à apprendre tout ce qu'elle pouvait de la vie, elle se reconnaissait une certaine prudence instinctive à propos de l'argent, avant même d'en avoir.

« Schiaparelli ? dit Lucien en haussant un sourcil d'un air surpris. Tu es sûre que tu ne préfères pas le Chanel ? »

Elle secoua la tête. Elle savait exactement ce qu'elle voulait et était bien décidée à l'avoir. Grisée de plaisir, elle prit Lucien dans ses bras et l'embrassa au beau milieu de cette vieille parfumerie, au grand scandale de la vendeuse, en provoquant une gêne certaine chez Lucien.

« Dois-je comprendre que je suis pardonné ? » demanda-t-il.

Elle l'embrassa de nouveau. « Tu es pardonné.

— On me fait confiance ?

— On te fait confiance.

— Alors tu peux me faire confiance pour te ramener à la maison, dit-il. Nous avons juste le temps de déballer tout ça, de faire l'amour et d'arriver chez Goldner pour ton premier spectacle, avec peut-être quelques minutes pour manger un morceau et regarder les photographies. »

C'était la première fois qu'il avait laissé entendre que son appartement était sa maison à elle.

C'était presque assez pour lui faire oublier que dans quelques heures il lui faudrait de nouveau affronter Morgan.

« Il est parti, dit Goldner.

— Vous l'avez vidé ?

— Je l'en ai menacé — je suis même allé plus loin, ça ne me gêne pas de le dire. D'après nos conventions, il ne devait pas raconter n'importe quoi sur toi, alors j'ai pris la liberté de le lui rappeler avec une certaine fermeté. Simple avertissement. Il devrait pouvoir rejouer du saxophone d'ici une semaine ou deux. Peut-être plus tôt.

— Où est-il ? demanda-t-elle.

— C'est bien la question. Il semble que j'ai fait une erreur de jugement. Il est parti avec Mavis, ce qui n'est pas une grande perte — mais avant de s'en aller il a pris cent livres dans la caisse. Cela en plus de ce que je lui avais déjà donné. Il doit être loin maintenant, j'imagine...

— En Inde ?

— Avec Mavis, ça m'étonnerait.

— Vous avez prévenu la police ?

— Pas encore.

— Je vous en prie, ne le faites pas.

— C'est mon devoir.

— Pour me faire plaisir... »

Goldner soupira. « Le sens de la famille ! Je le respecte. Je le comprends. Je le partage même. Mais c'est toujours une erreur. Tu es bien mieux lotie sans lui, crois-moi. Enfin, pour toi, je ne porterai pas plainte. Tu me rembourseras les cent livres sur ton salaire — disons deux livres par semaine ? — et j'oublierai mes devoirs de citoyen.

— Ça me semble un peu dur, dit Queenie.

— Dur ? Je ne trouve pas. Si je ne préviens pas la police, je ne peux pas faire jouer l'assurance. Cent livres, c'est beaucoup d'argent. »

Queenie faillit pleurer à l'idée de perdre cent livres, mais elle savait qu'elle devait au moins cela à Morgan. Puis elle pensa à ce que Goldner venait de dire et se rendit compte qu'il avait laissé glisser une surprenante information. « A propos d'argent, reprit-elle doucement, est-ce que vous ne venez pas de dire que vous lui en aviez donné ? Indépendamment de ce qu'il a volé ? »

Goldner sourit. Il se tamponna le front avec un mouchoir.

« Oh ! Mon Dieu, soupira-t-il. C'est un lapsus de ma part. Mais je pense que tôt ou tard tu aurais fini par le savoir, mon petit. Je lui ai racheté sa part de ton contrat.

— Quel contrat ?

— Mais, mon petit... le contrat que j'ai signé avec Morgan à ton nom. Tu es mineure, tu comprends. En qualité de plus proche parent, ton oncle avait qualité à signer pour toi. Au mieux de tes intérêts, tu peux en être sûre.

— C'est ridicule, dit Queenie, furieuse.

— Pas du tout. Tu as même signé ton accord là-dessus, avec un premier versement de dix livres, que tu as accepté. Tout cela est parfaitement légal. Ça tiendra devant n'importe quel tribunal d'Angleterre. Il faut apprendre à voir le bon côté des choses, reprit Goldner. J'ai un intérêt dans ta carrière. Tu peux compter sur moi pour te pousser.

— Quel intérêt ? demanda Queenie, décidée à savoir même le pire.

— Cinquante pour cent, fit modestement Goldner. J'avais vingt-cinq pour cent, et Morgan aussi. Le pauvre diable avait besoin d'argent liquide, alors je lui ai racheté sa part. Ça ne l'avancera pas à grand-chose, à mon avis. Mavis est une sacrée petite dépensière.

— Alors vous gardez la moitié de ce que je gagne ?

— Tout juste. Mais pas de ton salaire ici, bien sûr, ça c'est à toi, mon petit. Mais il faut voir grand. Qui sait ? Toutes sortes de bonnes choses peuvent t'arriver. Le cinéma, le théâtre, la publicité... A mon avis, les occasions abondent. Pour nous deux », fit-il en ouvrant grands les bras pour souligner l'ampleur de leurs ambitions.

Elle n'était pas impressionnée. Tout le monde parlait de son brillant avenir, on voulait y participer, mais elle continuait à gagner dix livres par semaine. Elle savait quand elle était vaincue — elle se doutait que le document de Goldner avait été rédigé avec soin et qu'elle ne pouvait pas s'y opposer — mais du moins était-elle décidée à remporter une petite victoire. « Pendant combien de temps suis-je censée être... votre esclave ? » demanda-t-elle, surprise par la brutalité de son propre ton.

Goldner fut surpris aussi. Il s'attendait à une crise de nerfs et à des larmes. La résolution de Queenie et sa colère froide lui donnèrent à penser que des ennuis s'annonçaient.

« Ne vois pas les choses comme ça, mon petit, dit-il. C'est une association, pas de l'esclavage. A vingt et un ans, tu seras libre. Ça nous donne trois ou quatre ans pour apprendre à nous connaître. D'ici là, qui sait ? Tu seras peut-être si reconnaissante au vieux Solly de ce qu'il a fait pour toi que tu voudras renouveler... »

Elle savait à quoi s'en tenir et c'était une pilule difficile à avaler. Mais elle n'avait pas le choix. Elle était en tout cas sûre d'une chose, jamais il ne serait pour elle ce « vieux Solly ».

« Puisque nous sommes associés, Mr. Goldner, nous devrions partager la responsabilité de l'argent volé par Morgan ? Ce n'est que justice. »

Goldner haussa un sourcil. Il regretta d'avoir employé le mot « associé ». « Je ne vois pas ce qu'il y a de juste là-dedans, mon petit », dit-il.

Queenie se dirigea vers la porte et regarda par le judas le public qui commençait à se rassembler : pas une mauvaise salle, se dit-elle, pour le premier spectacle. « Tout cela m'a donné la migraine, dit-elle.

— Prends une aspirine, mon petit, fit Goldner avec générosité en fouillant dans le tiroir de son bureau. Quand tu seras en scène, ça ira très bien.

— Je ne crois pas que j'en sois capable, Mr. Goldner. Pas avec le mal de tête que j'ai. »

Goldner resta assis là un moment, tenant le comprimé blanc dans la paume de sa main comme une hostie. « Tu ne peux pas décevoir ton public, mon petit.

— Mais si.

— Si tu n'y vas pas, tu ne seras pas payée.

— Je m'en fiche. »

Il la regarda attentivement et remarqua pour la première fois qu'elle portait des chaussures neuves — des chaussures neuves et chères, à en juger par leur éclat. Il se versa un verre d'eau et prit lui-même l'aspirine. Il se demanda qui lui avait acheté des chaussures. Il espérait que ce n'était pas un avocat. Il aurait dû se douter que Queenie ne tarderait pas à avoir un homme dans sa vie. C'était inévitable, mais il n'avait pas pensé que cela arriverait si vite...

L'aspirine lui provoqua un rot léger. « Tu as peut-être raison, concéda-t-il. En gage d'amitié, je suis prêt à couper en deux les cent livres que Morgan m'a volées. »

Queenie ne dit rien. Elle ferma les yeux, comme si elle souffrait.

« Ou même à oublier toute l'affaire, poursuivit Goldner. Après tout, qu'est-ce que cent livres entre deux associés ?

— Je ferais mieux d'aller me changer », dit-elle.

Elle fut ravie d'entendre Goldner soupirer de soulagement en refermant la porte derrière elle. En descendant au sous-sol, elle s'arrêta devant le téléphone. Il y avait une limite à la pression qu'elle pouvait exercer sur Goldner dès l'instant où elle voulait travailler — mais il y avait au moins une personne qui pourrait augmenter considérablement cette pression s'il le voulait.

Elle glissa deux pièces dans la fente, composa le numéro du café de Paris et demanda Dominick Vale.

Il ne fallut pas plus de vingt-quatre heures à Goldner pour découvrir que Queenie vivait avec Lucien Chambrun. Il n'en était pas mécontent. Lucien, se dit Goldner, était un homme raisonnable : ses services pourraient toujours être utiles pour maintenir Queenie au pas.

Il réfléchissait à sa bonne fortune tout en comptant la recette de la nuit, faisant claquer un élastique autour de chaque liasse de billets. On frappa à la porte. Il s'empressa de fourrer l'argent dans ses poches et se leva pour aller ouvrir.

L'œil qui l'accueillit lorsqu'il regarda par le judas était gris pâle et totalement dénué d'expression. Goldner se mit sur la pointe des pieds pour voir mieux et aperçut une cravate blanche et l'éclat d'un bouton de chemise en diamant. Un cambrioleur, Goldner le savait, n'arborait pas de tenue de soirée ni de boutons de chemise en diamant. Il ouvrit la porte et regretta un instant que ce n'eût pas été un voleur. Dominick Vale était planté là, une cape du soir drapée autour de ses larges épaules, tenant dans sa main gauche ses gants et un haut-de-forme. A la main droite il tenait une canne à pommeau d'or à l'épaisseur suspecte. Cela semblait assez massif pour être une arme et Goldner se dit que ce devait en être une.

« Tiens, mais c'est Mr. Vale, dit Goldner, feignant un ravissement qu'il était loin d'éprouver. A quoi dois-je cet honneur ?

— Vous avez de la chance, Goldner.

— Si vous le dites, Mr. Vale.

— Je le dis. Pensez-y. Vous avez deux jambes pour marcher. Vous êtes propriétaire d'une charmante petite boîte qui n'a pas brûlé — c'est effrayant la facilité avec laquelle un incendie éclate dans ces vieux immeubles. Vous n'avez pas d'ennuis avec la police. J'appelle ça de la chance. Pas vous ?

— Je n'ai rien à craindre.

— Oh ! Allons donc, Goldner. Tout le monde a quelque chose à craindre. Vous, certainement.

— Et qu'est-ce que ça pourrait être ?

— Moi. »

Goldner reconnut la vérité de ce propos en haussant les épaules. Il se demandait ce que voulait Vale. Il décida qu'il le saurait bien assez tôt. « Je suis un homme raisonnable, dit-il.

— Bien sûr que vous l'êtes, moi aussi. Je veux Miss Kelley.

— Ah ! Mais elle est sous contrat avec moi, vous savez.

— Je sais. La jeune personne m'a raconté toute la triste histoire. »

Goldner se rassit. Une fois de plus il avait sous-estimé Queenie. Il ouvrit son tiroir et y prit le contrat.

« Disons que je déchire ce document, avec ses signatures. Il vous faudra alors en rédiger un nouveau. La fille n'est pas stupide. Obtiendriez-vous d'aussi bons termes que ceux-là ? Franchement, j'en doute. Elle est mineure. Avec Morgan disparu, qui signerait pour elle ? Il vous faudrait trouver sa mère, Mr. Vale, et qui sait où cela nous mènerait ? Pourquoi jeter un document parfaitement valable ? »

Vale renifla. Il prit une petite boîte en or dans la poche de son gilet blanc et glissa une pastille de menthe dans sa bouche. « Continuez, dit-il. J'écoute.

— Après tout, elle attirera plus l'attention dans votre établissement que chez moi. Je n'ai pas d'objection à mettre en vitrine mon investissement. On a une association. »

Vale inspecta ses ongles. Il en parut satisfait. Il hocha la tête. « Soixante-quarante, dit-il, de votre moitié.

— Cinquante-cinquante.

— Goldner, je cherchais un homme pour m'assister dans mes autres affaires. J'ai des intérêts dans d'autres boîtes, vous savez — des endroits qui ne sont pas du tout comme le C. de P. Certains d'entre eux — il se reprit —, beaucoup d'entre eux, avec lesquels je ne voudrais pas voir mon nom lié directement. L'homme qu'il me faudrait pourrait faire une très bonne affaire.

— Je suppose que l'homme qu'il vous faudrait serait quelqu'un qui soit déjà dans le métier, avec un établissement à lui ? Quelqu'un qui n'ait pas de lien visible avec vous ? Quelqu'un de discret ?

— Quelque chose comme ça.

— D'accord pour soixante-quarante », fit Goldner avec entrain. Grâce à Queenie, il avait enfin un pied dans les grosses affaires.

9

Au bout d'un mois, Queenie s'était habituée à goûter pour la première fois à la vraie célébrité. Cela ne compensait pas pour elle la découverte que Vale, au lieu de déchirer le contrat avec Goldner, en était simplement devenu cosignataire. Elle était bien payée maintenant — cent livres par semaine, c'était plus qu'elle n'en avait jamais rêvé —, même si Goldner en gardait la moitié. Mais c'était inutile de se mettre en colère à propos de quelque chose contre quoi elle ne pouvait rien, comme Lucien ne cessait de le lui faire remarquer. Elle devait être patiente. Son heure viendrait.

La patience n'était pas une des vertus de Queenie mais, n'ayant pas le choix, elle s'y contraignit en se disant que les choses, après tout, n'allaient pas si mal : elle avait un amant, de l'argent et elle devenait rapidement la coqueluche de Londres. Sa nouvelle loge, fort élégante, au même étage que le bureau de Vale, était emplie de fleurs. Elles déferlaient toutes les heures, avec des cartes portant les noms de célébrités, de mahārādjahs, de milliardaires, de pairs du royaume et de l'aristrocratie d'une demi-douzaine de défuntes monarchies européennes.

Toutefois, cela ne tournait pas la tête de Queenie. Les hommes qui envoyaient des fleurs, des cartes et du champagne voulaient coucher avec elle, mais elle n'avait aucun désir de coucher avec eux. Dès l'instant où elle le ferait, elle ne deviendrait qu'une jolie fille de plus sur la place de Londres. Et puis elle était heureuse avec Lucien.

Pour la première fois de sa vie, elle vivait dans un état constant d'excitation sexuelle. Elle ne pouvait penser à rien d'autre et les moments (qui étaient rares) où Lucien et elle n'étaient pas en train de faire l'amour ou à tout le moins de se toucher, de s'embrasser, lui semblaient totalement gâchés.

Il était facile de s'habituer aux bons côtés de la vie, mais Queenie ne tarda pas à découvrir que cela ne faisait qu'aiguiser son désir d'en avoir davantage. Lucien était généreux et elle avait enfin de l'argent à elle, mais elle éprouvait encore une pointe d'envie lorsqu'elle voyait une femme dans un somptueux manteau de fourrure ou qui arborait de magnifiques bijoux. Tous les soirs, elle jouait pour les riches. Elle brûlait d'en faire partie. Sa beauté était son passeport : c'était tout ce qu'elle avait et, espérait-elle, tout ce dont elle avait besoin et, à travers les yeux de Lucien et ses photographies, elle se mit à l'étudier sérieusement, tout comme un banquier. Elle en vint aussi à comprendre le caractère de Lucien, car lui aussi était un perfectionniste dans sa profession. Il se plaisait à prétendre qu'il vivait la vie oisive d'un play-boy et, pour l'œil inattentif, c'était ce qu'il faisait ; dès l'instant où il se mettait au travail, il pouvait continuer pendant des heures d'affilée, cherchant l'image qu'il désirait. Il était le chouchou des directeurs de magazines et ses tarifs étaient les plus élevés de Londres, car on disait qu'il pouvait faire apparaître la beauté même chez les femmes qui en étaient le plus dénuées.

Mais c'était le cinéma qui le fascinait, avec les extraordinaires possibilités qu'il offrait de rendre le mouvement, la rapidité, la vie : les producteurs, hélas, étaient encore plus attachés que les directeurs de magazines à la photographie conventionnelle.

Jour et nuit, il photographiait Queenie, décidé qu'il était à saisir la qualité mouvante de sa beauté, à en découvrir les secrets, à obtenir l'image qui serait celle de Queenie maintenant et pour toujours — mais il n'était jamais satisfait.

Le haut front bombé, les yeux immenses, les lèvres pleines et sombres, entrouvertes comme pour attendre le baiser d'un amant, Lucien avait capturé tout cela dans une photographie où tout était flou sauf les yeux qui semblait vous dévisager avec une intensité troublante. Pour un magazine de mode, il avait photographié Queenie dans un étang, le visage levé, les lèvres entrouvertes, les yeux brillants, parmi les nénuphars, comme si elle était l'un d'eux. Elle avait froid, les eaux marécageuses la terrifiaient, mais rien de tout cela ne se voyait au cliché. Elle était en train de devenir une professionnelle.

Depuis quelques jours, Lucien faisait un choix parmi ses photographies, sélectionnant celles qui se rapprochaient le plus de l'idéal qu'il avait à l'esprit, les glissait dans une enveloppe et la portait au bureau de poste de King's Road. D'une grande écriture qui couvrait toute l'enveloppe, il écrivait :

Mr. David Konig
Studios M.G.M.
Culver City
Los Angeles, Californie, U.S.A.
Par avion
PERSONNELLE

Jusqu'à maintenant, il n'y avait pas eu de réponse.

Goldner lui tendit la lettre. L'enveloppe bleu fané, froissée et maculée par le long voyage portait des timbres indiens. Elle lui avait été adressée aux bons soins de Goldner, car cela avait semblé à Queenie la méthode la plus sûre pour recevoir du courrier quand elle avait commencé à envoyer des cartes postales à sa mère. Elles étaient toujours très simples : « Je t'aime, je travaille, je suis désolée » — mais, à mesure que les semaines passaient, elle en vint à croire qu'elle n'aurait jamais de réponse, que sa mère avait décidé de ne pas lui pardonner.

La lettre prouvait enfin qu'elle s'était trompée. Il n'était pas question du vol ni de ses conséquences, pas de plaintes non plus, pas trace de rancœur ni de colère. Sa mère écrivait comme si Queenie et Morgan s'étaient rendus en Angleterre dans des conditions parfaitement respectables, elle s'enquérait de la santé de Peggy D'Souza et elle envoyait ses affections. C'était comme si elle avait réussi à chasser de son esprit — ou bien était-ce, Queenie se posait la question, parce que tout simplement elle ne pouvait pas supporter de vivre avec ?

Inutile, elle s'en rendit compte, de parler de la vérité à sa mère si celle-ci était décidée à la rejeter. Un jour peut-être elle pourrait tout lui expliquer, se rattraper d'une façon ou d'une autre. En attendant, il ne semblait y avoir aucune raison de ne pas laisser sa mère au moins participer à son succès, quoi qu'elle pût en penser. Elle décida de lui envoyer des coupures de presse la concernant. Sa mère pourrait au moins avoir le plaisir de savoir que sa Queenie était en train de devenir célèbre. Pourtant, cette lettre la troubla. Elle la fourra dans la poche de son peignoir — un cadeau de Lucien.

Ce n'était pas sa seule préoccupation du moment. Après leur deuxième nuit ensemble, Lucien lui avait demandé, avec une nonchalance feinte, si elle avait pris des « précautions ». Elle savait bien que des « précautions » étaient nécessaires, mais elle n'avait pas une idée très nette de ce en quoi elles consistaient et supposait que c'était l'affaire de l'homme.

Elle secoua la tête. « Tu n'as pas... enfin, tu...

— Bien sûr que non. Pourquoi voudrais-tu que je...

— Je vois. Alors c'est moi qui ferais mieux de faire attention, je crois. »

Chaque jour elle se disait qu'elle devrait prendre rendez-vous avec le Dr Drymond que lui avait recommandé Lucien, et chaque jour elle remettait. Elle savait que l'absence de règles était le premier signe de la grossesse, mais elle espérait qu'il pouvait y avoir d'autres raisons.

Les soirs où Lucien travaillait, Queenie était très seule et elle regrettait souvent de ne pas avoir quelqu'un à qui parler. Vale n'était qu'une présence invisible. Parfois, elle entendait un reniflement dans le couloir, qui signifiait qu'il allait à son bureau ou qu'il en revenait, ou bien une faible odeur de menthe indiquait son récent passage. S'il avait une vie privée, il la cachait avec soin. Il semblait vivre dans l'immeuble, mais où se trouvaient ses appartements — et ce qu'il faisait là-bas — était un des nombreux mystères de l'hôtel particulier où se trouvait le café de Paris.

« Excusez-moi », fit une voix basse, bien timbrée, sonore. Il lui sembla qu'elle l'avait déjà entendue mais elle n'arrivait pas à se rappeler où. Ce n'était pas une voix qu'on pouvait oublier, et pourtant elle était incapable de mettre un visage sur ses intonations.

Elle se tourna pour voir qui était entré dans sa loge sans frapper et se trouva dévisager un jeune homme bien vêtu qui se tenait sur le seuil avec sa braguette ouverte et son sexe à la main.

Elle était trop stupéfaite pour dire un mot. Bien qu'elle en eût entendu parler, elle n'avait aucune expérience des pervers. Le jeune homme toutefois ne lui semblait pas particulièrement menaçant, ni même vraiment pervers. Ses yeux avaient le regard légèrement brouillé des hommes qui sont plus ivres qu'ils ne le croient, mais cela ne l'enlaidissait pas pour autant. Le visage était énergique, carré et très masculin, à l'exception du nez petit et étrangement efféminé.

« J'ai dû me tromper de porte, expliqua l'homme en s'attardant sur chaque syllabe. J'ai cru que c'étaient les toilettes.

— Eh bien, comme vous voyez, ce n'est pas là.

— Tout à fait exact. D'abord, il y a trop de fleurs. Oh ! Au fait, pardonnez-moi... » Il repoussa son sexe dans son pantalon et s'escrima maladroitement sur les boutons, réussissant après deux tentatives à les passer dans les bonnes boutonnières. « Je vous dois des excuses, dit-il. Je ne voulais pas vous choquer.

— Vous ne m'avez pas choquée. Ce n'est rien que je n'aie déjà vu. »

Il se mit à rire. Même son rire semblait théâtral, comme s'il l'avait appris pour un rôle. « Vous permettez que je m'asseye ? » demanda-t-il, et il le fit sans lui laisser le temps de répondre, se laissant tomber lourdement dans le fauteuil auprès de la coiffeuse avec un soupir de soulagement. « Il va falloir que je trouve bientôt les toilettes, mais ça fait rudement du bien de se poser un peu. »

Il avait un accent victorien si parfaitement démodé qu'un moment Queenie fut presque persuadé qu'il était un personnage affligé de la goutte sorti d'un roman de Dickens ; puis il cligna de l'œil pour dissiper l'illusion et, passant sans effort à un parfait accent faubourien, reprit : « Dites donc, vous n'êtes pas mal du tout, vous ! » Puis il reprit sur un ton normal : « Vous devez être la célèbre Rani ?

— Ce n'est pas mon vrai nom. »

Quel qu'il fût, décida-t-elle, il était charmant.

« Oh ! Bien sûr que non, mon trésor. Mon vrai nom n'est pas Richard Beaumont non plus.

— Le grand Richard Beaumont ? » Le Beaumont dont elle avait entendu parler : il était la coqueluche de Londres, un acteur qui était tout à la fois une idole et un tragédien dans la grande tradition. Même Lucien, qui le connaissait bien, citait son nom avec respect. Tous les journaux ne parlaient que de son prochain spectacle, *Roméo et Juliette ;* on racontait aussi dans les rubriques de potins qu'on le voyait en compagnie de Cynthia Daintry. Il la regarda avec un renouveau d'intérêt. Lucien n'avait guère parlé de Cynthia, mais Queenie avait le désir bien naturel d'en savoir plus sur la femme qu'elle avait remplacée. Elle se dit que cela ne pourrait pas lui faire de mal de flirter un peu avec Beaumont.

« Oui, dit-il d'un ton grave. Le célèbre Richard Beaumont en personne. Sauf que mon vrai nom à moi, c'est Sydney Lumley. Alors, vous voyez, nous avons quelque chose en commun. Il n'y a pas beaucoup de gens qui soient nés avec des noms qui font bien sur une affiche. Je ne pensais pas non plus qu'en naissant vous vous appeliez " Rani " ou bien la " fille aux yeux pleins de promesse ". »

Elle rougit. La formule semblait la poursuivre. L'établissement de Vale était trop élégant pour qu'il y eût une affiche à l'extérieur, mais dans les journaux, il l'annonçait comme la « fille aux yeux pleins de promesse ».

« Oh ! A votre place, je ne m'inquiéterais pas, ma chérie, dit Beaumont en la regardant. Le sexe, ça fait vendre des billets, même pour *Hamlet.* Mettez une jolie fille dans le rôle d'Ophélie et vous doublez la recette : c'est bien connu. Au fait, quel est votre vrai nom ?

— Queenie.

— C'est bien mieux que Sydney. Quand même, ça n'est pas un nom à mettre sous les projecteurs, j'en conviens. Je dois avouer que je mourais d'envie de vous rencontrer.

— C'est vrai ?

— Absolument. Cynthia Daintry a failli me rendre fou en parlant de vous, ma chère. Elle ne pouvait pas croire que quelqu'un ait pu tourner la tête de Lucien aussi vite, vous savez. A vous regarder, je vois très bien comment c'est possible. Au fait, comment va Lucien ? On ne le voit plus.

— Il est en pleine forme.

— Magnifique. On comprend pourquoi. Vous êtes souvent seule ici le soir ?

— Quand Lucien n'est pas là, oui...

— C'est pareil pour moi. Je me dis quelquefois que ma loge c'est mon chez moi. Vous n'auriez pas quelque chose à boire, pas hasard ?

— Malheureusement non. Mais je peux sonner. »

Un air d'appréhension vint un instant assombrir le visage de Beaumont. « Non, non, dit-il, ne faites pas ça. » Elle était fascinée de voir que ses expressions, comme sa voix, avaient quelque chose d'outré. Lorsqu'il souriait, il en faisait un véritable numéro d'acteur comme s'il tenait à ce que son visage exprimât exactement l'émotion qu'il voulait représenter. Elle se demanda s'il s'entraînait devant une glace. « Vous savez, reprit-il, je vous ai vue danser.

— Et qu'avez-vous pensé ? demanda-t-elle.

— C'est rudement adroit, si vous voulez mon avis professionnel. Vous ne savez pas danser — moi non plus, d'ailleurs —, alors vous prenez des attitudes. Avez-vous jamais songé à jouer la comédie ?

— Ma foi, oui — mais pas sur scène.

— Au cinéma ? Le cinéma, c'est facile. Très ennuyeux, contrairement au théâtre, mais ça paye. Vous vous débrouilleriez sans doute bien à Hollywood. Tous ces messieurs là-bas comprennent la valeur de la beauté. » Beaumont s'attarda sur le mot « messieurs » avec une ironie et un mépris évidents.

« Braverman, Mayer, Cohn, Konig... Je suis allé là-bas tourner deux ou trois films, vous savez. Braverman m'a trouvé trop bel homme et Mayer trop laid. Bien sûr, personne ne s'intéressait à savoir si je savais jouer ou pas, sauf Konig, mais il traversait une mauvaise passe : trois fours de suite et un mauvais mariage... Je ne peux pas vous dire à quel point j'ai été content de retrouver la scène.

— J'aimerais vous voir jouer.

— Ma chère, mais vous venez de me voir jouer. »

Elle se mit à rire. Il avait raison, bien sûr. Richard Beaumont était visiblement un de ses rôles. Elle se demanda quel était l'homme véritable derrière le personnage soigneusement modelé et si jamais il le révélait. Mais, quelle que fût la vérité, elle l'aimait bien : il était la première personne à lui avoir parlé comme un professionnel à un autre.

« Ecoutez, poursuivit-il, je m'attendais que votre numéro soit le classique et assommant échantillon de séduction, une tranche de beauté bien glacée pour les riches et, au lieu de cela, j'ai été plutôt ému. Tiens, me suis-je dit, cette fille a de la présence ; elle est beaucoup trop bien pour tous ces gens constipés. Je vous avais mal jugée. »

Beaumont fouilla dans sa poche et en tira un briquet. Il joua avec quelques instants, comme si c'était quelque chose de plus qu'un objet coûteux : un talisman, peut-être, ou le souvenir d'une relation chère. Queenie s'aperçut qu'elle l'avait déjà vu entre les mains de Vale lorsqu'elle l'avait rencontré pour la première fois et tout d'un coup elle reconnut la voix. C'était Beaumont qui était caché dans la pièce du fond.

« Vous venez souvent ici ? » demanda-t-elle, sa curiosité en éveil.

Beaumont ouvrit le briquet incrusté de diamants et alluma sa cigarette. Il jeta un coup d'œil à sa montre et se leva. « Très rarement. C'est la première fois depuis une éternité. »

Elle observa ses yeux. Si bon acteur qu'il fût, il ne mentait pas très bien, conclut-elle.

Bien que Vale fût rarement visible, il avait l'habitude de surgir de temps en temps de nulle part, sans bruit et sans crier gare. S'il y avait quelque chose qui lui déplaisait, il ne disait jamais rien. Mais, à en juger par la terreur qu'il inspirait au personnel, le châtiment devait tomber plus tard, longtemps sans doute après que le coupable avait oublié. Il apparut ainsi le soir de sa rencontre avec Beaumont. Elle attendait toute seule que vînt son tour d'entrer en scène lorsqu'il se matérialisa dans l'ombre. Il portait sa tenue de travail habituelle : veste de smoking, nœud papillon noir et escarpins vernis.

« Bonne salle, ce soir », dit-il.

Elle acquiesça.

« Bien sûr, ce n'est pas ça qui rapporte, poursuivit-il.

— Quoi donc, alors ? fit-elle, curieuse.

— C'est le jeu, dans les étages. Ce qu'il faut, c'est d'abord les chauffer avec un peu de champagne, de caviar et un bon spectacle.

— Vous voulez dire que c'est mon travail de les mettre dans l'ambiance ?

— Exactement. » Il consulta sa montre, un disque d'or avec un bracelet fait de petites écailles d'or qui se chevauchaient, comme celles d'un serpent. Queenie la regarda. C'était exactement comme celle de Beaumont, remarqua-t-elle.

« Quelle jolie montre », dit-elle.

Vale y jeta un coup d'œil comme s'il ne l'avait jamais vue. Il eut un petit sourire un peu forcé : c'était la première fois qu'il manifestait du plaisir à la voir. « Ce n'est pas un modèle courant, n'est-ce pas ? demanda-t-il. Je l'ai fait faire pour moi chez Cartier, à Paris. Le vieil artisan qui l'a dessinée est mort aujourd'hui. Elle est la seule de son espèce : il n'en a jamais fait d'autre. »

Elle allait lui dire qu'elle avait vu sa jumelle la veille au soir, mais elle se reprit aussitôt. Quelle que fût la relation entre les deux hommes, Vale était de toute évidence décidé à la garder secrète et il ne fallait pas beaucoup d'imagination pour deviner qu'il n'aimerait pas apprendre qu'elle était au courant.

« Il va falloir vous mettre en scène d'autres numéros et vous trouver un nouveau costume, dit Vale, avant que les gens en aient assez. Je vais en parler à Lucien, reprit-il. Il aura peut-être des idées. Il est ici ce soir ?

— Il travaille. Il viendra plus tard.

— Vous l'avez tout à fait transformé, vous savez. Il ne manquait pas une soirée. Et, maintenant, voilà qu'il travaille, pour changer. Quand il est plongé dans quelque chose, il ne peut plus s'en détacher. Et, bien sûr, il est amoureux de son sujet. » L'expression de Vale donnait à penser qu'il considérait l'amour comme quelque chose d'un peu vulgaire. « Il veut sans doute vous garder pour lui, reprit-il. Ne le laissez pas faire. Dites-lui de vous sortir un peu. La princesse Tania Ouspenskaïa donne une soirée dimanche. Je suis sûr que Lucien est invité et, s'il ne l'est pas, ça n'a pas d'importance.

— Qui est la princesse Tania Ouspenskaïa ? »

Queenie avait prononcé le nom avec une certaine difficulté. Elle espérait qu'elle ne s'était pas trompée.

« La grande dame du milieu artistique. A mon avis, tout à fait ce qu'il vous faut pour vos débuts dans le monde. Au fait, c'est une grande amie du père de Cynthia. Bizarrement, il adore le théâtre. J'imagine que c'est pour ça que Cynthia est décidée à devenir comédienne...

— Elle est bonne ?

— Cynthia ? fit Vale d'un air songeur. Elle n'est pas mal, reconnut-il. En réalité, elle a un bon talent d'amateur, comme tant d'actrices anglaises. Bien sûr, son physique aide. Non pas qu'elle soit aussi belle que vous, mais elle est jolie comme une porcelaine. Elle a une demi-sœur qui était extraordinaire, mais elle s'en est allée épouser un riche balourd en Inde. Comment s'appelait-elle, déjà ? » Il ferma les yeux un instant. « Penelope, dit-il. Penelope Daventry. Vous ne l'avez jamais rencontrée en Inde ? »

Queenie se sentit prise d'une sueur froide. Elle se demanda si Vale la taquinait, mais son visage ne montrait rien. « Vous n'avez pas l'air bien, dit-il. Vous devriez faire attention à ne pas prendre froid. Malade, vous ne me servez à rien. »

Il écarta le rideau pour regarder la salle.

« Il est temps pour vous d'aller fasciner les riches oisifs. »

« Sortir ? demanda Lucien, en s'essuyant les mains à la serviette de la chambre noire. Bien sûr que nous pouvons sortir. Seulement, dimanche, je comptais faire des photos de toi pour l'édition française de *Vogue*...

— J'aimerais mieux sortir. » Elle sourit à Lucien, mais son ton était ferme. A son grand étonnement, Lucien céda aussitôt. Elle en prit note pour l'avenir.

« Tu pensais à quelque chose de précis ? » interrogea-t-il.

Queenie s'était donné le mal d'examiner la pile d'invitations posées sur la cheminée. « Il paraît que Tania Ouspenskaïa donne une soirée dimanche », dit-elle en faisant de son mieux pour prendre un air détaché.

« Mon Dieu ! fit Lucien avec une grimace. Ça va être dément. Des centaines de gens. Et toujours les mêmes, en plus.

— Ce ne seront pas les mêmes pour moi.

— Non, dit-il. En effet. C'est une bonne occasion pour toi de porter ta robe de Molyneux...

— L'invitation dit " sans cérémonie ".

— Tu as regardé mon courrier... Bah, pourquoi pas, Dieu sait que ça m'est égal. Pour ta gouverne, ce que Tania appelle " sans cérémonie ", c'est quand on ne porte pas de tiare. »

Queenie éclata de rire. « Qui est-ce ?

— C'était une grande beauté... C'est une vieille femme maintenant, mais immensément riche et chic. Elle connaît la terre entière. Elle est née princesse mais son mari était négociant en fourrures avant la révolution russe, ce qui ne l'empêchait pas de s'occuper aussi de pétrole, de banque et de Dieu sait quoi d'autre... Il a été découpé en morceaux par l'hélice d'un canot à moteur à Cannes pendant qu'il se baignait. Ensuite elle a été la maîtresse de Lord Fleet, le magnat de la presse. Fleet l'aurait épousée, seulement il est devenu fou. Il a quand même laissé une fortune à Tania pendant qu'il pouvait encore signer des chèques.

— Tu en sais des choses sur les gens, chéri », dit Queenie.

Elle savait qu'elle le flattait, mais c'était vrai. Lucien était une mine de potins. En tant que photographe de jolies femmes — ou de femmes qui voulaient paraître jolies — il avait ses entrées partout. « Est-ce que Richard Beaumont sera là ?

— Beaumont ? Peut-être. Elle collectionne les gens de talent comme des trophées de chasse. Tu l'as rencontré ?

— Il vient parfois au club.

— Ah oui ? Je n'aurais pas cru que c'était son genre. Ça doit être l'influence de Cynthia.

— Ce n'est pas un ami de Vale ?

— Oh ! Je ne pense pas. Vale est bien trop voyant pour Beaumont. C'est un génie sur scène, mais à la ville c'est un arriviste résolu. C'est pourquoi Cynthia est parfaite pour lui : elle est la fille d'un pair.

— En tout cas, dit Queenie, elle n'a pas perdu de temps. » Elle était surprise pour une fois de savoir quelque chose que Lucien ignorait.

« Elle sait reconnaître une étoile qui monte quand elle en voit une. » Il y avait un soupçon d'amertume dans le ton de Lucien. Queenie se dit qu'il était sans doute déçu d'avoir été remplacé si vite dans les affections de Cynthia. Elle se demandait s'il ne regrettait pas un peu d'avoir rejeté la fille d'un pair. Elle allongea les jambes, sachant bien qu'elles étaient beaucoup mieux que celles de Cynthia.

Elle était la plus belle de la soirée. Lucien la poussait dans la foule si vite que c'était à peine si elle remarquait les visages devant elle. Jamais elle n'avait vu autant de gens s'embrasser — encore que personne, bien sûr, ne l'embrassât, elle —, jamais non plus elle n'avait entendu le mot « chéri » utilisé si fréquemment. Timide et mal à l'aise, elle restait plantée sans rien dire auprès de Lucien, pendant qu'il la présentait à tant de gens que leurs noms se brouillaient dans sa tête.

Son mutisme créa bien malgré elle une sensation. Avec ses longs cheveux noirs, ses immenses yeux sombres et sa beauté parfaite, elle semblait tout à la fois mystérieuse et hautaine à tout le monde, sauf à Tania Ouspenskaïa qui reconnut ce dont souffrait Queenie : elle avait le trac.

Enorme, les cheveux blancs, avec encore sur son visage des traces de sa beauté d'antan, vêtue d'une robe de soie noire à volants, elle prit le poignet de Queenie dans sa main couverte de joyaux et l'attira sur un petit canapé, loin de la foule. Elle s'y laissa tomber avec un soupir de soulagement, aplatissant les coussins sous son poids et tapotant l'espace réduit auprès d'elle pour indiquer que Queenie devrait s'asseoir. Elle alluma une cigarette, chaussa un lorgnon cerclé d'or et considéra attentivement Queenie.

« Vous êtes amoureuse de Lucien ?

— Eh bien...

— Non, non, ne le niez pas. Et ne me dites pas de m'occuper de mes affaires. A mon âge, les affaires des autres sont bien plus intéressantes que les miennes. Lucien est un ange, il a beaucoup de talent, il est donc parfaitement naturel que vous soyez amoureuse de lui. Mais, avec un visage comme le vôtre, vous pourrez choisir, alors, pour l'amour du ciel, ne l'épousez pas. Suivez mon conseil : faites un mariage d'argent... Ah ! Voilà quelqu'un que vous devriez connaître. »

D'un geste impérieux, elle fit signe d'approcher à un jeune homme de petite taille et aux cheveux bruns.

« Avez-vous rencontré Miss... euh... Rani ? » demanda la princesse.

Cantor l'examina à travers ses lunettes teintées à monture d'or et dit : « Ma foi non. » Queenie devina qu'il était américain : le premier qu'elle eût jamais rencontré. A chaque main il portait une grosse bague en or ; il avait une chaîne en or au poignet droit et une montre en or au poignet gauche. Bref, il étincelait comme une vitrine de bijoutier. Malgré sa petite taille, il donnait une impression d'extraordinaire force et d'une grande puissance — non seulement physique, mais la puissance d'un homme qui a l'habitude d'arriver où il veut.

« Je vous présente Myron Cantor, dit la princesse Ouspenskaïa. C'est un agent. Américain. Rani danse au café de Paris.

— Vraiment ? Je ne vous ai pas vue, Rani, mais je vais noter d'y aller. Je suis arrivé seulement hier, par le *Mauretania*, et j'ai encore l'estomac comme si j'étais en mer. Quelle traversée ! Je suis venu avec Barney Balaban. Il avait encore des nausées quand nous sommes arrivés au Claridge. »

Il s'arrêta, peut-être pour reprendre haleine car il parlait très vite, comme s'il voulait en dire le plus possible avant d'être interrompu. « Vous savez, vous êtes une fille superbe, Rani. Si votre numéro est bon, je pourrais vous faire engager n'importe où à New York. Tenez, je pourrais probablement vous trouver un engagement même si votre numéro est mauvais. Combien est-ce qu'ils vous payent là-bas ? »

Queenie hésita. On lui avait enseigné à ne pas parler d'argent ; et elle répugnait à en discuter avec un étranger, et devant la princesse.

« Allons, dit Cantor, ne soyez pas timide quand il s'agit d'argent ! Qu'est-ce que vous diriez de cinquante mille dollars par an ? »

Queenie le regarda avec des yeux ronds. « Dix mille livres par an, expliqua la princesse, toujours serviable.

— Ça me paraît beaucoup d'argent, Mr. Cantor, dit Queenie avec intérêt.

— Je peux vous avoir cinquante sans mal, mon petit. Et je passerai au café de Paris pour voir votre numéro. J'amènerai Barney s'il n'a plus la nausée.

— Qui est Barney ?

— Barney ? Un producteur de cinéma. » Il alluma une cigarette et contempla Queenie à travers la fumée. « Je vois que vous êtes une petite futée, alors je vais être franc avec vous. Vous avez entendu parler de David Konig ? »

Elle acquiesça.

« Il cherche une fille. J'ai dans l'idée que je pourrais vous vendre. Rendez-vous demain après-midi au Claridge, à quatre heures. On bavardera un peu plus longuement. En tête à tête, mon chou. »

Avant qu'elle ait eu le temps de répondre, Lucien apparut. De toute évidence, voir Queenie en grande conversation avec Myron Cantor ne lui plaisait pas.

« Bonjour, Myron, dit-il sans chaleur. Vous vous connaissez ? » demanda-t-il en se tournant vers Queenie.

Cantor hocha la tête. « On bavardait. C'est une de vos amies ?

— Oui. Si vous voulez. »

Myron Cantor sourit. Il fit à Lucien un petit clin d'œil complice comme pour montrer qu'il n'était pas le genre d'homme à piquer la petite amie d'un autre. « Appelez-moi au Claridge, Lucien, dit-il, reconnaissant avec tact les droits de propriétaire de Lucien sur Queenie. Nous pourrions peut-être discuter affaires. Tiens, j'ai vu votre ami Konig à Los Angeles.

— Ah oui ? dit Lucien d'un ton crispé.

— Il cherche des talents nouveaux. Mais après les deux derniers films qu'il a tournés, je crois qu'il est lessivé. » Cantor fit un clin d'œil à Queenie, puis se retourna vers Lucien. « Vous avez là une fille formidable. Ne la lâchez pas. Et, Rani, n'oubliez pas ce que nous avons dit. Je vous reverrai. » Cantor s'inclina devant la princesse et disparut dans la foule.

« Tu n'as pas l'air de l'aimer, dit Queenie. Tu le connais depuis longtemps ? »

Lucien haussa les épaules. « Nous nous sommes rencontrés à Paris brièvement il y a quelques années.

— Je l'ai trouvé très intéressant. Il m'a dit que je pourrais gagner cinquante mille dollars en Amérique. Tu crois que c'est vrai ?

— Si c'était vrai, Cantor te piquerait tout. Est-ce qu'il t'a demandé de venir le voir au Claridge ?

— Oui.

— Si tu y allais, il te poursuivrait à travers son appartement. Il est connu pour ça.

— Personnellement, dit la princesse, je le trouve plutôt sympathique. Un jeune homme si plein d'énergie. Il me rappelle feu mon mari... »

La princesse se leva, opération qui nécessita l'aide de Lucien. « Il faut que je circule un peu », gémit-elle. Elle s'appuya sur le bras de Queenie. « Vous aussi, ma chérie. » Elle se pencha vers elle. « Si jamais vous avez besoin de parler à une amie, venez. Sans cérémonie, ajouta la princesse en français, sans même demander si Queenie parlait cette langue.

— Entendu, dit Queenie en embrassant la vieille femme.

— Surtout si vous avez des ennuis, dit la princesse, son visage soudain s'assombrissant.

— Quels ennuis ? demanda Lucien. Elle a moi.

— Tous les hommes sont pareils, observa la princesse. S'ils aiment une femme, ils s'imaginent que c'est tout ce dont elle a besoin. »

Lucien éclata de rire et lui baisa la main.

Elle braqua son lorgnon sur Queenie. « Quand vous aurez des problèmes avec ce garçon, venez me trouver. Quant à l'amour... quand vous aurez mon âge, vous vous rendrez compte que ça n'est qu'une source d'ennuis. Les nuits d'insomnie, les drames, les mensonges... que de complications ! » Elle fit un clin d'œil à Queenie. « Mais comme ça vous manque. »

Elle s'éloigna vers ses autres invités, puis s'arrêta et se tourna pour foudroyer Lucien du regard. « Lucien, lança-t-elle, attention. Ne gardez pas celle-ci en cage. Les oiseaux en cage s'envolent dès que quelqu'un ouvre la porte. »

De bonne heure le lendemain matin, alors que Queenie dormait encore, Lucien se rendit au bureau de poste de Haymarket, qui était ouvert vingt-quatre heures sur vingt-quatre, et rédigea un câble qu'il tendit à l'employé ensommeillé. Il disait : « DAVID KONIG METRO CULVER CITY, CALIFORNIE ; U.S.A. STOP. AVEZ-VOUS VU LES PHOTOS ENVOYÉES ? STOP. BALABAN EN VILLE AVEC CANTOR. STOP. ILS VONT PEUT-ÊTRE LUI SIGNER UN CONTRAT STOP. VENEZ TOUT DE SUITE. STOP. CHAMBRUN. »

Lucien réfléchit un moment. Il se demandait si le câble n'était pas trop péremptoire : Konig n'était pas homme à se laisser bousculer. Et puis il décida que le ton était sans doute juste ce qu'il fallait.

Konig viendrait. Lucien le sentait. Et alors il ferait de Queenie une star. Lucien la dirigerait, ils deviendraient tous deux riches et célèbres : il n'avait pas le moindre doute là-dessus.

Bien sûr, elle était très jeune : ce détail parfois le préoccupait. Elle était impressionnable, une proie facile pour des hommes comme Cantor. Il l'avait échappé belle, se dit-il. Il faudrait s'assurer qu'à l'avenir des gens comme ça ne puissent pas l'approcher...

Queenie n'aimait pas qu'on lui dise ce qu'elle devait faire — elle ne l'acceptait même pas de Lucien —, mais elle était assez raisonnable pour savoir quand il fallait céder. Elle éprouvait quelque remords à l'idée que Cantor avait passé l'après-midi seul à son hôtel à l'attendre ; il était inutile de provoquer Lucien, se dit-elle, et d'ailleurs, elle avait un autre problème plus urgent à résoudre.

Ce n'était pas une chose dont elle pouvait parler avec Lucien : elle ne savait même pas comment commencer. Elle avait besoin d'une amie, alors, avec quelque appréhension, elle rassembla son courage pour aller rendre visite à la princesse Ouspenskaïa, en éprouvant un peu de remords à l'idée qu'elle n'avait pas dit à Lucien où elle allait.

La grande maison d'Eaton Place ressemblait plus à une ambassade qu'à une maison particulière. « Vous admirez mes tableaux, mon enfant », dit la princesse. Elle était allongée sur un divan dans un coin de la pièce, drapée dans un châle afghan en laine qu'elle semblait encore tricoter, car elle tenait des aiguilles entre ses doigts surchargés de bagues et elle avait le nez chaussé de deux paires de lunettes, l'une par-dessus l'autre.

« Du thé, madame ? demanda le maître d'hôtel en se dandinant d'un pied sur l'autre.

— Bien sûr, du thé. Qu'est-ce que vous croyez ? Asseyez-vous auprès de moi, ma chère... Voyons, quel genre d'ennui avez-vous ? »

Sans laisser à Queenie le temps de répondre, le maître d'hôtel arriva avec un plateau à thé, toussa et disparut. La princesse servit Queenie, puis se versa son thé d'une théière séparée. Ce qui permit à Queenie de remarquer que le « thé » de la princesse était incolore et dégageait une forte odeur de gin.

« Qu'est-ce qui vous fait croire que j'ai des ennuis ? demanda-t-elle.

— Vous êtes jeune. Vous êtes ravissante. Un beau jeune homme est amoureux de vous. Pour quelle autre raison rendriez-vous visite à une vieille femme comme moi au milieu de l'après-midi ? Ne me dites pas que Lucien ne s'intéresse déjà plus à vous ? »

Queenie resta un moment silencieuse, assise sur son fauteuil comme une collégienne, les genoux serrés. « Je crois que je suis enceinte », annonça-t-elle.

La vieille femme la dévisagea à travers ses deux paires de lunettes. « Ça, c'est un problème. Je ne pense pas que Lucien sera ravi. On ne décèle pas chez lui l'instinct paternel.

— L'enfant n'est peut-être pas de lui. »

La princesse prit cette nouvelle avec calme. « C'est encore un plus grave problème. Bien sûr, vous savez que les hommes ne peuvent pas toujours savoir... La femme dit " Regarde, il a ta bouche " ou n'importe quoi de ce genre, et ils le croient. Ou, en tout cas, ils choisissent de le croire... Aucun des enfants de Glazounov ne ressemble à l'autre... pas plus qu'ils ne ressemblent à leur pauvre père... »

Queenie ne doutait pas que ce fût vrai en général et dans la famille Glazounov en particulier, mais son cas à elle était plus délicat. Si c'était l'enfant de Morgan — une date lui en donnait la certitude —, il y avait toujours le risque qu'il fût de peau sombre ; elle était donc décidée à ne pas le garder.

« Je ne veux pas d'enfant, déclara-t-elle.

— Vous ne sauriez croire combien peu de femmes en veulent. Qu'est-ce qui vous fait penser que je peux vous aider ?

— Je ne connais personne d'autre. Pas vraiment. Et je me sens si stupide.

— Le problème n'est pas là. Allez maintenant. Je vais vous trouver le nom de quelqu'un de sérieux. Vous pouvez m'embrasser sur la joue.

— Vous avez été très bonne.

— Pas du tout. J'adore me mêler de la vie des autres, mon enfant. C'est beaucoup plus intéressant que le tricot. Vous aurez de mes nouvelles demain ou après-demain. »

« Téléphone, Miss Rani. » Le chasseur, un nain rabougri en livrée — Vale avait un penchant pour le grotesque — lui désigna une chaise à porteurs capitonnée qui servait de cabine téléphonique. Elle le congédia d'un geste et referma la petite porte. Elle n'avait aucune envie de partager ce que la princesse Ouspenskaïa avait à lui dire avec un des serviteurs de Vale, et surtout pas avec le nain qu'elle méprisait, le soupçonnant de l'espionner par le trou de serrure de la porte de sa loge, qu'elle avait fini par boucher avec du coton.

« Princesse ? » dit-elle. Mais la voix était si familière, si inattendue, que Queenie faillit lâcher le combiné. « Allô ? Allô ? Queenie, j'ai besoin de toi. »

Queenie était au bord de la panique dans le dédale de rues qui entouraient Sheperd's Market. Les indications de Morgan avaient été précipitées et en partie incohérentes. Elle regardait les numéros des immeubles délabrés qui semblaient tomber en ruine depuis le XVIIIe siècle et qui, sans doute, l'étaient déjà à l'époque.

Auprès de chaque porte, il y avait une rangée de boutons de sonnettes ternies, la plupart à côté d'une carte ou d'un bout de papier taché sur lesquels on pouvait lire des inscriptions comme « Doreen donne des leçons de français, sonnez trois coups » ou bien « Maureen enseigne la discipline, 3e à gauche ».

Queenie trouva enfin le numéro qu'elle cherchait, une des sonnettes était marquée « Mavis 4e étage » sans aucune précision sur la spécialité de Mavis si jamais elle en avait. Elle poussa la porte et s'engagea dans l'étroit escalier. Sur le palier du quatrième étage, Queenie trouva une porte qui n'était pas fermée à clé et qu'elle ouvrit.

La pièce était si petite qu'elle était presque entièrement occupée par le lit. Un rideau fait de vieux draps était tendu d'un côté, suspendu à une corde à linge. « Morgan ? » chuchota Queenie.

Le rideau bougea et Morgan apparut, titubant un peu. « Bonjour, Queenie, dit-il. Oh ! Que j'ai été idiot. »

Là-dessus, il éclata en sanglots.

Queenie aussi avait envie de pleurer, mais elle se maîtrisa. Morgan qu'elle avait toujours vu si impeccable, même quand les choses n'allaient pas bien, avait l'air d'un clochard. Il avait la moustache en broussaille et mal taillée, les yeux rouges, il n'était pas rasé et semblait avoir dormi dans ses vêtements qui étaient tachés, froissés et décousus.

« Qu'est-ce qui s'est passé ? » demanda-t-elle.

Morgan fouilla dans ses poches, trouva une cigarette et l'alluma. Il aspira goulûment la fumée, les yeux fermés, comme s'il espérait ainsi se réchauffer. « Mavis a filé, annonça-t-il. Avec tout mon argent.

— Quand as-tu mangé pour la dernière fois ?

— J'ai pris une boîte de sardines aujourd'hui. Ou bien peut-être hier. Je ne me souviens pas. »

Morgan s'approcha d'un pas traînant de la table de chevet et y prit une bouteille de gin. Il l'examina avec attention. Il en restait un fond. Il le versa dans une timbale douteuse, puis revint vers Queenie.

Il brandit la timbale avec un geste large, renversant ainsi du gin sur sa main. Il virait à la sensibilité larmoyante.

« Je vais te prêter de l'argent, Morgan. »

Au mot « argent », son humeur changea aussitôt et il se mit en colère, ce qui la surprit. Elle avait oublié ce que c'était que d'affronter un homme ivre. « Me prêter ? Tu devrais me *donner* de l'argent, ma petite ! Sans moi, tu serais toujours assise sur ton cul à Calcutta.

— Alors je te le donnerai. Ça te permettra de rentrer en Inde.

— Allons donc. Je ne pourrais même pas m'embarquer. On doit m'attendre avec des menottes.

— Goldner ne portera pas plainte, Morgan.

— Ah ! Vraiment, c'est ce qu'il t'a dit ? Il est quand même allé à la police.

— Il m'avait promis de ne pas le faire. Je le lui avais demandé.

— Eh bien, dit-il, si ce n'est pas lui c'est quelqu'un d'autre. On raconte dans tout Londres que les flics me recherchent. C'est pour ça que Mavis a décampé. Non, tu vas me trouver deux cents livres, venir avec moi et nous filerons en France : ils ne surveillent jamais les bateaux sur la Manche et ils ne rechercheront pas un couple marié.

— C'est ridicule. Il n'est pas question que je parte. Pourquoi veux-tu que je le fasse ? Tu as décidé de mon avenir sans même m'en parler. »

Morgan ferma les yeux. Sa colère s'était calmée, comme s'il avait soudain perdu l'énergie de l'entretenir. « J'ai fait ça pour toi, dit-il doucement. J'avais peur de te perdre. »

Horrifiée, Queenie comprit qu'il disait sans doute la vérité. « Mais tu ne m'as jamais eue, Morgan », dit-elle.

Il reposa violemment la timbale et se tourna vers elle, sa colère revenant plus forte cette fois. « Tu es à moi, Queenie, lança-t-il. Tu l'as toujours été. »

Elle se tourna vers la porte mais sentit sa main qui empoignait son manteau.

« Tu me le dois. Trouve l'argent. Vite ! Nous allons partir demain. »

Elle se dégagea, mais, tout ivre qu'il était, Morgan se révéla trop rapide pour elle. Il la saisit par la taille et la poussa contre le lit. Il glissa une jambe derrière la sienne et la poussa en arrière.

« Lâche-moi, Morgan ! »

Elle resta pétrifiée à l'idée qu'elle allait peut-être se faire rosser, ou violer, ou même tuer sur ce lit crasseux, avec l'odeur du mauvais parfum de Mavis dans les narines. Ce n'était pas seulement la peur qui la pétrifiait, mais l'horreur d'être entraînée de nouveau dans le monde sordide et misérable de l'échec dont elle venait si récemment de s'échapper. Elle ne trouva qu'une chose pour l'arrêter. « Morgan, cria-t-elle, je suis enceinte ! »

Il s'arrêta un instant, surpris, mais ne la lâcha pas. « Tu es quoi ?

— Je vais avoir un bébé. Je crois que c'est ton enfant.

— Tu veux dire le nôtre. Raison de plus pour filer en France. Tu peux trouver du travail à Paris. Et moi, je me débrouillerai aussi... »

Queenie profita de ce répit. Elle lui échappa et courut vers la porte. Mais, à son horreur, elle se sentit perdre l'équilibre tandis que Morgan la rattrapait. « Queenie, cria-t-il, je t'aime ! »

Elle aperçut son visage, déformé par la passion et par la haine, qui la regardait cependant que sa main cherchait à tâtons la boucle de sa ceinture. Plongeant désespérément de côté, elle empoigna le pique-feu, elle en sentit le poids dans sa main et l'abattit vers lui de toutes ses forces.

Il y eut un bruit comme celui d'un fruit mûr tombant sur le sol, un bruit tout à la fois solide et liquide. Les yeux de Morgan roulèrent dans leurs orbites si bien qu'elle n'en voyait plus que les blancs. Un mince filet d'écume rose apparut à la commissure de ses lèvres, il tomba lourdement à genoux, puis roula sur le côté. Il émit un son comme elle n'en avait jamais entendu : une sorte de râle grave et étouffé, lent et infiniment triste, comme si son dernier souffle quittait à regret son corps. Puis il s'immobilisa.

Vale contempla le corps avec un dégoût mal dissimulé, comme si Morgan s'était rendu coupable d'une inqualifiable grossièreté en mourant. « Vous avez très bien fait de me téléphoner », dit-il.

Elle se sentait trop malade pour dire un mot. Elle avait passé une heure allongée sur le sol en proie à la souffrance et à la peur, sachant qu'elle avait besoin d'aide, mais craignant plus que tout que Lucien ne la vît dans cet état. Elle avait senti au profond de son cœur une douleur déchirante qui l'avait fait hurler ; elle sentait ce qui lui arrivait et la honte qu'elle en éprouvait l'emportait presque sur l'horreur de la mort de Morgan. Il n'y avait rien que Lucien pouvait faire pour elle : elle le savait. Vale était la seule personne susceptible de l'aider.

Il parcourut la pièce du regard, comme si le spectacle de Morgan ne l'intéressait plus. « D'où est venu tout ce sang ? Vous l'avez poignardé après l'avoir assommé ?

— Je crois que j'ai fait une fausse couche. »

Queenie, pelotonnée dans un coin, était enveloppée dans l'imperméable de Morgan. Le simple effort de descendre jusqu'à la cabine téléphonique dans le hall en bas avait épuisé ses dernières réserves de courage.

Vale prit une pastille de menthe et la mâchonna d'un air songeur. « Quelle horreur, dit-il avec une certaine satisfaction. Quelle vie intéressante vous semblez avoir menée pour quelqu'un d'aussi jeune.

— Je ne voulais pas le tuer.

— Peu importe que vous l'ayez voulu ou non. Vous l'avez fait. Est-ce que quelqu'un savait que vous veniez ici ?

— Non.

— Très bien. Alors, la seule chose à faire c'est de mettre un peu d'ordre et de se débarrasser de votre oncle.

— Et la police ?

— La police ? Vous voulez être jugée pour meurtre, Queenie ? »

Elle secoua la tête.

« Mon chauffeur et moi pouvons nous occuper de Morgan, dit-il en touchant le cadavre du bout de son escarpin verni. En attendant, notre ami Goldner peut se charger de vous. Il arrive.

— Il vient ici ?

— Goldner est un homme pratique, ma chère. Une histoire comme ça ne va pas le choquer. Il vous ramènera chez Lucien en trouvant bien quelque histoire. Vous vous êtes sentie mal au club, il vous a emmenée chez le docteur... Moins il y aura de gens qui connaîtront cette histoire, mieux cela vaudra. Surtout Lucien. » Vale sifflota un instant. « Je dois protéger l'investissement que j'ai fait sur vous. Ne l'oubliez pas, ma petite. Ce qui est fait est fait. Votre ami va tout simplement devoir disparaître, voilà tout.

— Comment ? »

Les yeux étrangement opaques de Vale clignèrent brièvement. Il la gratifia d'un pâle sourire. « Moins vous en saurez, mieux vous vous en porterez. »

Queenie se dit qu'il y avait du vrai là-dedans. Elle se demanda quelle était la part de vérité dans les propos de Vale. Elle ne doutait pas qu'il utiliserait tout cela contre elle d'une façon ou d'une autre, mais il était trop tard pour s'en inquiéter maintenant. Elle avait besoin d'aide. S'il n'était pas le bon Samaritain, elle devrait s'en contenter.

Il porta à ses lèvres un doigt ganté et fronça les sourcils. « J'entends Goldner arriver, à moins que ce ne soit quelqu'un d'autre... je me demande... »

Vale fouilla dans sa poche. Sa main droite, gantée de daim gris, était apparue tenant un pistolet automatique à crosse nickelée. « Passez derrière le rideau », siffla-t-il.

Elle le regarda, planté là dans sa tenue de soirée, le petit pistolet à la main, et elle se leva. Elle se demanda si elle se débarrasserait jamais de lui maintenant.

Malgré le froid, Goldner était en nage. « C'est moi que tu aurais dû appeler », dit-il à Queenie.

Vale sourit : cela lui découvrit les dents de façon singulièrement désagréable, un peu comme un requin émergeant à la surface. « Eh bien, dit-il, c'est moi qu'elle a appelé. Et elle a eu bien raison. Ecoutez, mon vieux, vous ne voulez pas plus de scandale que moi. Ramenez la petite chez Lucien.

— Elle a besoin d'un médecin. »

L'antipathie de Goldner pour Vale était évidente et, même dans son état, Queenie s'en rendait compte.

Vale remit le pistolet dans sa poche. « Emmenez-la chez Drymond, dit-il. Il me doit un service, le bon docteur. Dites-lui que vous venez toucher de ma part.

— J'aime pas ça.

— Ne vous conduisez pas comme une vieille femme. Nous sommes associés maintenant. Il n'y a pas de meilleur moyen de préserver une association que de partager un coupable secret. Pourquoi ne vous rendez-vous pas utile ? Ramassez ses affaires et emmenez-la chez Drymond. Inventez une histoire pour Lucien. Laissez Braddock et moi nous charger du plus dur. »

Vale appela le chauffeur et désigna le corps sur le plancher. Queenie remarqua que c'était le même homme qui normalement gardait l'entrée du club mais, au lieu de sa livrée habituelle, il portait maintenant un uniforme noir et une casquette de chauffeur décorée d'une rosette noire.

Il était si grand qu'il semblait occuper tout l'encadrement de la porte. Lui non plus ne manifesta aucune surprise en voyant le cadavre de Morgan. Il se pencha et remit Morgan sur le dos avec un bruit sourd. Il regarda le visage du mort et sifflota. « Joli travail, dit-il avec admiration.

— Braddock, nous pouvons nous dispenser de vos commentaires professionnels. Cette jeune dame était en état de légitime défense.

— Très bien, monsieur », grommela-t-il.

Queenie tourna la tête pour regarder le corps.

« Ce qu'il a le plus voulu, toute sa vie, c'était de vivre en Angleterre, murmura-t-elle.

— Eh bien, au moins il sera enterré ici ! » fit Vale d'un ton guilleret.

Queenie entendit une sonnerie : elle semblait venir des profondeurs de sa tête.

Elle se sentait à regret au bord de se réveiller : quelque part au fond de son esprit, des images de cauchemar tournoyaient sans trêve. Elle se rappelait le visage doux et lisse du Dr Drymond qui la regardait, puis la piqûre d'une aiguille… Chaque sonnerie la faisait souffrir comme si un bout de verre lui lacérait le cerveau, jusqu'au moment où elle ne put plus le supporter.

Queenie essaya de rouler sur le côté, mais une nouvelle souffrance la déchira, cette fois à l'aine. Elle éprouvait un besoin urgent de faire cesser ce bruit. Elle parvint à se glisser assez loin sur le côté pour décrocher le combiné et le coincer contre son oreille. Une voix qu'elle ne connaissait pas dit : « Allô ? » à deux reprises.

Queenie essaya de répondre, mais elle avait la gorge si sèche qu'elle était incapable d'articuler un son. Elle hoqueta, puis essaya de dire « Désolée ». Ce fut à peine si elle eut l'impression d'entendre une voix humaine.

« Je suis bien à Flaxman 51-65 ? demanda l'homme.

— Oui. Je... J'ai... Malade, murmura Queenie.

— Qu'est-ce que vous avez dit ? » La voix à l'autre bout du fil avait les intonations graves et calmes d'un homme qui avait rarement besoin d'élever le ton. « Allô, qu'est-ce que vous avez dit ? répéta-t-il.

— Laissez-moi tranquille.

— Je suis chez Mr. Chambrun ? »

Queenie entendit la porte s'ouvrir. Une infirmière passa la tête et dit : « Oh ! Mon Dieu, nous ne sommes pas censée parler au téléphone. Le docteur veut que nous nous reposions.

— Mais... Ça... sonnait.

— Je vais débrancher. »

L'infirmière s'approcha du lit et prit le combiné de la main de Queenie.

« Ici la résidence de Mr. Lucien Chambrun, dit l'infirmière d'un ton sec.

— Qu'est-il arrivé à l'autre dame... celle qui voulait qu'on la laisse tranquille ?

— La jeune dame se repose.

— Ecoutez, voulez-vous transmettre un message à Mr. Chambrun. Pouvez-vous faire cela ?

— Certainement.

— Dites-lui de m'appeler au Claridge. Dites-lui que Mr. David Konig a téléphoné.

— Cohen ? »

La voix était patiente, comme si l'homme avait l'habitude d'être mal compris, bien qu'il ne fût nullement disposé à laisser passer l'erreur. « Konig », répéta-t-il. Il épela son nom lentement, lettre par lettre.

« Avec un K comme dans *king ?* demanda l'infirmière.

— Exactement, fit David Konig avec un petit rire satisfait. Comme dans... *king.* »

Troisième Partie

Diane

10

« Mon cher garçon, tout le monde a des problèmes domestiques. Inutile de vous excuser.

— Une opération mineure. Rien de grave. Elle sera sur pied dans quelques jours. Vous verrez vous-même : elle est tout ce que je vous ai promis.

— J'espère bien. Mon Dieu, quel horrible climat ! J'avais oublié ce que c'est que l'Angleterre. Qu'est-ce qui se joue au théâtre ces temps-ci ?

— Pas grand-chose de valable. La seule vraie sensation c'est Dickie Beaumont en Roméo. Tout le monde en parle. Beaumont joue Roméo avec une extraordinaire passion sexuelle : pas du tout l'adolescent éperdu d'amour.

— Comme c'est intéressant ! Shakespeare est fascinant. Pourquoi payer pour faire écrire une nouvelle histoire quand on peut en utiliser une vieille qui ne coûte rien ? Le sexe et la culture : un mélange irrésistible. Qui est le meilleur bottier de Londres, à votre avis ? Lobb ou Peal ?

— Les deux sont bons. Barney Balaban va chez Peal.

— Si Peal fait des chaussures pour Barney, j'irai chez Lobb. Je ne veux pas voir mes formes sur la même étagère que les siennes. »

Lucien jeta un coup d'œil à la masse de bagages Vuitton qui occupait un coin du grand living-room. Il aperçut entre autres deux grandes malles cabine ; on aurait dit qu'il y avait des chaussures partout, chacune avec des embauchoirs aux initiales de Konig et protégées par des sacs de voyage en tricot.

On entendit une discrète sonnerie de téléphone. « Excusez-moi », dit son hôte, puis il se lança dans une longue conversation téléphonique, fermant les yeux de fatigue ou peut-être simplement pour se concentrer.

« Ici David Konig », dit-il. Il parlait d'une voix basse, musicale, et qui sans effort était charmante et persuasive. « Mon très cher ! comme c'est aimable à vous... Quel plaisir inattendu... » L'accent était décidément étranger, même si l'homme parlait couramment anglais. La voix était vibrante d'une sincérité qui ne reflétait absolument pas l'expression de Konig au téléphone.

« Naturellement vous êtes la personne à Londres que j'ai envie de voir, poursuivit-il. En fait, j'allais vous appeler quand vous avez téléphoné. »

Konig écouta un moment. Lucien avait oublié à quel point il ressemblait à un prince ou à un cardinal de la Renaissance : il avait un visage tout à la fois voluptueux, rusé et énergique. « Je n'aurais pas songé une seconde à venir vous trouver, vous, pour une pareille aventure, poursuivit-il. Franchement, je ne pensais pas que ça vous intéresserait ni que vous aviez ce genre de capitaux à votre disposition... »

Konig fit un clin d'œil à Lucien, le combiné collé à son oreille droite. « Mais bien sûr, reprit-il, la voix pleine de remords. Je ne voulais pas vous vexer. Le problème c'est que j'en ai déjà discuté... avec Victor Rothschild. Je l'ai rencontré sur le bateau... Si je peux le faire attendre... Je pourrais essayer. Mon cher, sinon pourquoi avoir des amis ? Pour dîner ? Avec le plus grand plaisir. Et mes hommages à votre charmante épouse...

— Vous avez vraiment parlé de vos projets à Rothschild ? » demanda Lucien.

Konig raccrocha l'appareil avec un soupir. « Il était sur le bateau, répondit-il sans se compromettre. Je n'arrive pas à me rappeler le nom de la femme de ce type. Il faut que je le trouve avant le dîner.

— Je ne vois toujours pas pourquoi ce ne serait pas aussi facile de commencer avec un seul film.

— Personne ne veut investir dans seulement un film, Lucien. Les gens veulent un programme ambitieux : six grands films, un studio, l'occasion d'entrer de plain-pied dans un grand projet. Il leur faut une star aussi. La réponse de l'Angleterre à Garbo, à Dietrich ou à Crawford. Avec le visage qui convient, aucun problème pour trouver de l'argent. Les hommes s'intéressent plus aux jolies filles qu'aux bilans : même les banquiers.

— Je vous assure, David... celle-ci a un visage qui vaut des millions. C'est incroyable comme elle est photogénique.

— Elle sait jouer ?

— Est-ce que ça a de l'importance ? »

Konig réfléchit un moment. « Non. En fait, il vaut mieux qu'une femme ne sache pas jouer. Elle a moins à oublier.

— Il n'y a personne dans ce pays qui sache comment on fait une star, dit Lucien avec tact. Vous avez le champ libre.

— Faire une star, c'est un art, pas une affaire. Très peu de gens savent le faire. Il faut commencer avec rien, comme un sculpteur avec un bloc d'argile. Ça a été mon erreur avec Marla : elle était déjà connue, du moins en Europe centrale.

— Le divorce est prononcé ? C'est définitif ?

— Rien dans le mariage n'est définitif, sauf la mort », fit Konig avec un sourire amer. Il resta un moment silencieux. « Dès l'instant où vous laissez une star devenir plus importante que vous, ajouta-t-il, c'est fini. Regardez Mauritz Stiller et Garbo, ou Sternberg et Dietrich ; bien sûr, Stiller et Sternberg ont tous deux commis la même erreur.

— Laquelle ? »

Il sourit. « Ils sont tombés amoureux de leur vedette. Un metteur en scène ne devrait jamais tomber amoureux de sa vedette. Ça ne pardonne pas. »

« C'est un homme d'un certain âge.

— De quel âge ?

— Plus vieux que moi, par exemple. Mais très distingué.

— Je me sens si laide ! »

Ce n'était pas tant que Queenie se sentait laide mais qu'elle paraissait subtilement différente — même à ses propres yeux.

Son visage n'était plus seulement beau : c'était celui d'une femme.

« Ne sois pas stupide, Queenie, fit Lucien. Tu es plus belle que jamais. »

Elle lui donna un bref baiser : il le méritait bien. Il lui avait témoigné une affection sans défaillance durant sa maladie. Elle se doutait — car ce n'était pas le genre de chose que Lucien aimait discuter — qu'il ne regrettait pas tellement qu'elle eût perdu l'enfant, dont il n'avait jamais mis en doute la paternité —, mais tout de même elle avait jugé préférable de garder pour elle le verdict du Dr Drymond, qui lui avait assuré qu'elle ne pourrait plus jamais en avoir. Etant donné les circonstances, le diagnostic de Drymond était un soulagement. La grossesse n'était pas une expérience qu'elle avait envie de renouveler.

Elle ajusta le décolleté de la robe du soir en soie rose que Lucien lui avait offerte — bien qu'il détestât cette couleur — et elle le suivit dans l'ascenseur. Lucien, superbe dans son smoking, pressa un bouton et la cabine s'éleva dans un ronronnement discret. Lucien fit coulisser la grille et frappa à la porte. Un judas s'écarta et la porte s'ouvrit pour révéler Braddock, en livrée et perruque poudrée, qui s'inclinait devant eux. Queenie en le voyant éprouva un moment d'affolement, mais il gardait un visage impassible. Derrière lui, dans une grande salle lambrissée de bois clair et éclairée par des lustres, on distinguait une demi-douzaine de tables de jeu.

« Rien ne va plus », lança un des croupiers en souriant à une Américaine d'un certain âge, aux cheveux bleus et dont les poignets, les doigts et le cou étaient recouverts d'une couche si épaisse de diamants qu'on aurait dit un reptile avec des écailles fabuleuses. « Vingt et un », annonça le croupier.

Il ratissa un gros tas de jetons en adressant à la joueuse un bref sourire navré, puis poussa une pile encore plus haute en direction de l'homme assis en face d'elle. La femme leva les yeux de la table et ses yeux gris et froids se fixèrent sur Queenie.

« Donnez-moi pour dix mille dollars de plaques, dit la femme.

— Qui est-ce ? murmura Queenie.

— Mrs. Sigsbee Wolff. De Los Angeles. Son mari possède la moitié de la ville. L'homme qui vient de gagner, c'est Konig. Ah ! Il nous a vus. »

Konig se leva, laissant en pourboire deux jetons dans la caisse du croupier, et se dirigea vers eux. Il n'est pas vieux du tout, se dit Queenie, mais il semblait marcher avec une lente dignité, comme un personnage dans une procession. Elle l'imaginait vêtu d'une robe et portant une crosse d'évêque. Il était un peu voûté, aussi Queenie ne remarqua-t-elle sa haute taille que lorsqu'il fut à quelques pas d'eux. Son visage lui évoquait celui d'un lion vieillissant et bienveillant : il avait une crinière de cheveux roux qui commençaient à grisonner, un nez fort et de hautes pommettes, presque orientales.

« Ravissante, dit Konig en baisant la main de Queenie. Asseyons-nous et bavardons. »

Passant devant la table de roulette, il les emmena dans le salon voisin, s'arrêtant au passage pour gratifier Mrs. Wolff d'un petit baiser sur la joue, auquel elle répondit d'un petit geste de la main, ce qui fit tinter les uns contre les autres ses bracelets comme des ossements desséchés. Il resta un moment planté devant la cheminée pour se réchauffer ; sans qu'il eût donné aucun ordre, deux laquais apparurent pour disposer des fauteuils en demi-cercle, pendant qu'un serveur dressait une table basse et déposait dessus un plateau d'argent avec une bouteille de champagne dans un seau à glace, une coupe en argent emplie de caviar, des toasts enveloppés dans une serviette empesée et un vase avec une unique rose rouge.

Konig prit la bouteille de champagne et l'examina avec soin, en la tenant si près de son visage que Queenie crut qu'il allait l'embrasser. Il fit un signe de tête au serveur qui ouvrit la bouteille et remplit les coupes. Konig goûta le champagne, avança encore plus sa lèvre inférieure et vida sa coupe. « Est-ce que vous vous intéressez aux vins, jeune personne ? » demanda-t-il tandis que Queenie buvait à petites gorgées.

Quelque chose dans les façons de Konig l'avertit de ne pas prétendre des connaissances qu'elle ne possédait pas. « Je n'y connais pas grand-chose, dit-elle. Jusqu'à maintenant je n'ai bu que du champagne.

— Excellent début. On ne saurait développer trop jeune des goûts de luxe. Si vous attendez de pouvoir vous les permettre, il est trop tard pour les apprécier. C'est agréable de s'y connaître un peu en vins mais, bien sûr, il ne faut pas exagérer. Rien n'est plus ennuyeux qu'un raseur qui s'y connaît en vins... »

Derrière les gros verres de ses lunettes, les yeux noisette la surveillaient avec une lueur malicieuse. Elle ne doutait pas qu'il la mettait à l'épreuve.

« Vous n'êtes pas née en Angleterre », dit-il. Ce n'était pas une question. Il avait l'oreille sensible aux moindres intonations du langage, tout comme il avait l'œil pour jauger les femmes.

Elle réfléchit rapidement et décida de dire la vérité. « Non. Je suis née en Inde.

— Comme c'est merveilleux ! Etant enfant, j'adorais Kipling. *Kim,* mon Dieu, quel livre ! Je le lisais en hongrois, bien sûr. Quand je l'ai relu en anglais, voilà quelques années, cela ne m'a pas paru la même chose. J'ai toujours cru qu'en vieillissant je deviendrais très sage. Que les gens viendraient me demander mon avis et que je saurais tout. Et me voici à cinquante ans : personne ne vient rien me demander et je ne sais rien du tout. »

Konig se servit de caviar. Queenie le regardait, fascinée : elle n'avait jamais vu personne manger du caviar comme si c'était un mets ordinaire. « Jouer me donne faim, dit-il.

— Moi aussi, dit Lucien, c'est la peur de perdre. »

Konig considéra cette remarque, puis secoua la tête. « Je ne crois pas que ce soit ça », dit-il.

Konig regardait Queenie par-dessus sa coupe. Il plissa les yeux. « Le front pourrait être admirable, dit-il à Lucien. Un vrai front de la Renaissance. Une madone d'Andrea del Sarto.

— Le front est très beau. Tout le visage, d'ailleurs... » Un moment, Queenie éprouva un certain agacement à s'entendre discuter comme un objet en vitrine ou comme un animal de concours. Konig s'en aperçut et lui adressa un petit sourire d'excuse.

« Il faudra voir, dit-il. Faire des bouts d'essai. On ne peut rien dire sans bouts d'essai. Les photographies ne veulent rien dire. Le film, c'est différent. » Il se tourna vers elle comme s'il voulait s'assurer qu'elle ne restait pas en dehors de la conversation. Il tendit la main et effleura avec douceur la joue de Queenie. « Vous avez une magnifique ossature.

— Attendez de voir comme elle est photogénique », dit Lucien, mais Konig ne l'écoutait pas. Son attention était fixée sur Queenie et un moment elle crut qu'il était dans une sorte de transe. Il avait des doigts remarquablement fins pour un homme. Elle le sentait qui suivait de l'index la ligne de sa joue, puis il hocha la tête, sa lèvre inférieure en avant. « Alors, vous voudriez être une star ? demanda-t-il doucement.

— Oui, répondit-elle avec fermeté.

— Ce n'est pas vraiment ce qu'on croit. Comme tout le reste. Quand même, il y a pire. Bien sûr, la beauté seule ne suffit pas.

— Qui va faire le bout d'essai ? » demanda Lucien, avec une trace d'angoisse dans la voix.

Konig eut un sourire félin. « Vilmos Szabothy est à Paris. Si je le lui demandais, il viendrait. Il ne le ferait pour personne d'autre. Mais, pour moi, si. »

Lucien se pencha en avant. Il était tout rouge. « Je veux faire moi-même le bout d'essai de Queenie, dit-il d'une voix forte.

— Szabothy est bon, dit Konig en souriant.

— Je suis meilleur. D'ailleurs, Queenie ne tournera pas de bout d'essai sans moi. »

Elle le considéra avec un mélange de stupeur et de colère, mais Lucien ne regardait que Konig et ne s'en aperçut pas. Konig, impassible, le remarqua aussitôt. Son visage n'exprimait rien, mais son regard restait braqué sur elle.

Elle était si furieuse qu'elle en restait muette. Comme Morgan, Lucien avec son égoïsme gâchait sa chance — et la faisait passer en même temps pour une enfant ou pour une idiote, car elle ne pouvait guère se disputer avec lui devant Konig. Il y eut un moment de silence ; puis Konig lui fit un clin d'œil et elle comprit que cela, aussi, c'était une sorte d'épreuve. « Très bien, dit-il en braquant son cigare sur Lucien, ce n'est peut-être pas une si mauvaise idée. Les photos étaient bonnes — très bonnes même. Je vais vous dire ce que nous allons faire : Szabothy va lui faire tourner un bout d'essai, et vous aussi. Ensuite nous verrons lequel est le meilleur. » Il se tourna vers Queenie. « Vous êtes d'accord, ma chère enfant ?

— Je ferai ce que *vous* voulez, dit-elle d'un ton ferme, en lançant à Lucien un regard noir.

— Magnifique. Alors, voilà qui est réglé. Maintenant, si vous voulez bien me pardonner, il faut que je retourne à la table. J'ai promis à Mrs. Wolff un petit baccara avant la fin de la soirée. »

Konig offrit son bras à Queenie — un geste de courtoisie qu'elle avait vu au cinéma, jamais dans la vie réelle. En espérant qu'elle réagissait comme il convenait, elle passa son bras sous le sien et se dirigea vers la porte avec lui, Lucien leur emboîtant le pas.

Konig s'arrêta, se pencha vers Queenie et, au moment où ils entraient dans la grande salle, si bien qu'ils s'encadraient sur le seuil entre deux candélabres : « Quand vous arrivez dans une pièce, faites toujours une entrée. Arrêtez-vous un instant. Gardez la tête haute, comme ça. » Il leva le menton avec un petit sourire, pour montrer ce qu'il voulait dire. « Voyez-vous, il y a un art à tout, même pour entrer dans une pièce. Vous aimez Lucien ? »

Elle acquiesça sans beaucoup d'enthousiasme.

« C'est un brave garçon, dit Konig sans se compromettre. Bien sûr, lui aussi a beaucoup à apprendre. Il ne faut pas lui en vouloir, vous savez, de ce qu'il vient de dire.

— Qu'est-ce qui vous fait croire que je lui en veux ?

— Je connais les femmes. En dernière analyse, elles sont la seule chose qui vaille la peine d'être connue. Lucien est un homme jeune. Il a sa carrière devant lui. Jusqu'à maintenant il vous a aidée : peut-être qu'un jour c'est vous qui devrez l'aider. C'est comme ça que ça doit être. »

Konig s'approcha de la table de roulette, toujours bras dessus, bras dessous avec Queenie, et regarda le tapis. « Quel âge avez-vous ? demanda-t-il.

— Dix-huit ans. »

Il haussa un sourcil.

« Dix-sept.

— Toutes les femmes mentent sur leur âge. Quand elles sont jeunes, elles se vieillissent ; après vingt-cinq ans, elles se rajeunissent. Je ne sais pas ce qu'elles font après quarante ans, car je n'ai jamais rencontré une femme qui avoue avoir quarante ans... »

Konig posa une pile de jetons sur la table sans les compter. Le croupier tendit son râteau et les poussa sur le dix-sept, les comptant tout en les entassant sur le numéro dix-sept. « Mille livres, Mr. Konig ? »

Konig haussa les épaules. « Si vous le dites.

— Le dix-sept est sorti deux fois depuis un quart d'heure, dit Mrs. Wolff. Il ne sortira pas une troisième.

— J'aime bien le risque, ma chère.

— David, vous pouvez dire adieu à vos mille livres.

— Rien ne va plus ! » lança le croupier et il fit tourner la roue. Queenie éprouvait malgré elle un frisson d'excitation et de peur. Ce n'était pas son argent, et ce n'était pas elle qui jouait, mais elle avait le sentiment que, d'une certaine façon, l'enjeu était bien plus important qu'il n'y paraissait.

La roue tournait toujours. Konig gardait une expression impassible. Queenie ferma les yeux. Elle entendit un dernier cliquetis. « Dix-sept, annonça le croupier.

— *Mazel tov*, David, dit Mrs. Wolff. Vous feriez bien de ne pas lâcher cette fille.

— Je crois bien que vous avez raison », lui dit Konig en baisant la main de Queenie.

« Ne vous en faites pas, lui dit Konig, la moitié de ce qu'on raconte sur Szabothy est fausse.

— Quelle moitié ?

— La moitié agréable, pour être franc, mais il sait ce qu'il fait. C'est là l'important. De toute façon, tous les metteurs en scène sont fous, sauf moi.

— C'est vrai qu'il déteste les femmes ?

— Mais non, mais non, il déteste tout le monde ! Il est de la vieille école. Il exige l'obéissance : à Hollywood, on l'a surnommé le “ Porc ”. Vous verrez, il aboie plus qu'il ne mord. »

Ils étaient assis sur des fauteuils de toile dans un coin sombre de l'énorme plateau des studios d'Elstree, dans les environs de Londres, que Konig avait empruntés pour ses bouts d'essai. Konig consultait le catalogue d'une vente de livres rares chez Sotheby, en le tenant tout près de ses yeux et en marquant les articles qui l'intéressaient avec un porte-mine en or.

« Une première édition du *Voyage au bout de la nuit* de Céline... c'est un livre qui a eu une grande influence sur moi quand j'étais jeune homme à Paris. Est-ce que je devrais faire une enchère de cent livres dessus, qu'en pensez-vous ?

— Ça me semble beaucoup d'argent pour un vieux livre. »

Il la regarda par-dessus la monture de ses grosses lunettes. « Vous avez tout à fait raison. Ça me paraît en effet beaucoup d'argent pour un livre. » Il traça un trait sur le Céline. « Il faudra que je vous demande plus souvent votre avis... Ah ! Le voilà. »

Queenie leva les yeux. Un moment, elle se demanda si elle devait rire ou avoir peur. Szabothy était planté sous la lumière du plateau, foudroyant Konig du regard comme s'il était déterminé à se montrer à la hauteur de sa légende. Dans ses bottes de cavalerie étincelantes, il avait plus d'un mètre quatre-vingts. Il portait une culotte de cheval et un manteau de cuir noir qui serrait si étroitement sa taille de guêpe que le moindre mouvement le faisait craquer comme un arbre dans le vent. Une longue écharpe blanche d'aviateur était nonchalamment nouée autour de son cou.

Son visage semblait conçu pour inspirer la terreur. C'était un visage carré, puissant, qui avait la couleur et la texture du ciment en train de sécher, les joues couturées de cicatrices de duels. Il avait un bourrelet de graisse sur la nuque, comme un général prussien, et il portait un monocle. Un bracelet d'or étincelait à la lumière. Il le portait par-dessus son gant.

« Excusez-moi, murmura Konig. La montagne doit aller à Mahomet. » Il se leva, souriant, les bras tendus comme s'il donnait une bénédiction pontificale. Il s'approcha de Szabothy qui n'avait pas bougé. Il le serra dans ses bras. « *Servus,* mon ami », dit-il.

Szabothy ne lui rendit pas son salut. Il tourna son monocle vers Queenie. « Qu'est-ce que c'est ? demanda-t-il d'un ton dégoûté.

— Miss Kelley. Elle va tourner un bout d'essai pour vous. »

Szabothy fit la grimace. « Les yeux vont, mais le profil est épouvantable. » Il tendit sa cravache et tira sur le corsage du costume de Queenie, révélant un peu plus de sa gorge. « Les seins, comme ci, comme ça. J'ai vu mieux. Nous pourrions avoir Sigrid Berg, vous savez. Pourquoi s'embarrasser d'un bout d'essai ?

— Parce que j'en veux un, Vilmos. Je crois qu'elle pourrait être bien pour nous.

— Jamais de la vie.

— Avec tout le respect et l'admiration que je vous porte... je ne suis pas d'accord. »

Szabothy haussa les épaules. Il se balança un moment sur ses talons, craquant comme un navire dont toutes les voiles sont déployées. « C'est votre argent, Konig », dit-il enfin.

Elle comprit d'instinct qu'il ferait tout son possible pour la faire échouer.

On l'avait habillée d'une robe du soir blanche très décolletée, choisie par Konig dans la garde-robe du studio. On lui avait relevé les cheveux en une coiffure savante. Quand Konig la vit, il la renvoya pour qu'on la coiffât plus simplement. Lorsqu'elle réapparut une heure plus tard sur le plateau, Szabothy et Konig interrompirent leur conversation juste le temps de la renvoyer pour qu'on la recoiffât comme avant.

Le maquilleur, qui l'avait maquillée plus d'une douzaine de fois, eut un haussement d'épaules compatissant tout en lui poudrant les épaules pour dissimuler le brillant de la transpiration. « C'est toujours comme ça, murmura-t-il. Ils ne savent jamais ce qu'ils veulent... Konig a fait faire un bout d'essai hier à Margot Feral et nous sommes restés ici jusqu'à minuit.

— Konig a fait faire un bout d'essai à Margot Feral ? demanda Queenie en essayant de ne pas avoir l'air surpris.

— Et à Cynthia Daintry, dit le maquilleur. Une si belle peau d'Anglaise... »

Elle était furieuse mais elle se maîtrisa. L'idée ne lui était pas venue que Konig, qui paraissait si sympathique, misait sur tant de tableaux à la fois. Elle n'avait aucun mal à deviner qu'il s'était montré tout aussi sympathique envers les autres candidates. Elle s'était laissée aller à faire confiance à Konig. Elle s'en voulait maintenant d'avoir été si stupide et elle était si furieuse qu'elle ne s'aperçut même pas que Szabothy était auprès d'elle, en train de plier sa cravache.

« Nous sommes prêts quand vous voudrez », dit-il.

Elle n'allait pas se laisser marcher sur les pieds par Szabothy, décida-t-elle. Après tout, qu'avait-elle à perdre ? « Je suis prête depuis des heures.

— Vous aviez quelque chose de mieux à faire, peut-être ? Le travail d'une comédienne, c'est d'attendre. Et vous n'êtes même pas encore une comédienne. » Szabothy l'examina avec attention. « La beauté, dit-il, en crachant le mot comme si c'était une insulte. Vous croyez qu'il n'y a que ça ? La beauté n'est rien. Bon, allons-y. Je vais vous demander de faire quelque chose de très simple. Vous allez vous approcher de cette chaise derrière vous. Vous resterez à côté. Quand je dirai “moteur ” vous avancerez jusqu’aux marques, vous vous tournerez vers moi, vous sourirez et vous tendrez les bras comme si j’étais l’homme que vous aimez. C’est bien compris ? »

Queenie regarda la croix sur le plancher, deux bandes de chatterton blanc et hocha la tête.

Szabothy la foudroya du regard. « Vous croyez que vous comprenez ? Vous ne comprenez encore rien du tout. » Il tourna les talons et revint vers la caméra. « Lumières ! » cria-t-il.

De tous côtés, les projecteurs du studio s’allumèrent, faisant aussitôt monter la température. « Moteur ! » Le préposé au clap frappa ensemble ses deux bouts de bois, puis s’éloigna en courant pour sortir du champ, mais sans doute pas assez vite pour Szabothy qui lui lança un regard noir. « On tourne ! » hurla-t-il en braquant sa cravache vers Queenie.

Cela ne lui avait pas semblé difficile quand Szabothy lui avait expliqué ; en fait, cela paraissait risiblement facile. Mais maintenant, avec les projecteurs qui l’éblouissaient de toutes les directions et la caméra braquée sur elle, son objectif rond aussi noir et menaçant que le canon d’un fusil, elle se sentit soudain gauche et stupide.

Chaque pas semblait lui prendre une éternité. Elle avait l’impression que ses pieds pesaient cent kilos chacun. Les marques semblaient à des kilomètres et elle commençait à se demander si elle y arriverait jamais lorsqu’elle entendit Szabothy crier : « Coupez ! Bon sang, vous avez manqué vos marques ! »

Queenie regarda derrière elle et vit à sa stupéfaction qu’elle était à un bon mètre de la croix de chatterton. Elle sentit son estomac se serrer : ce n’allait pas être aussi facile qu’il y paraissait.

Cette fois, se jura-t-elle, elle allait y arriver. Elle se dirigea vers la marque, décidée à y parvenir comme une professionnelle. En avançant vers la caméra, elle la voyait qui brillait sur le sol, le ruban blanc reflétant la lueur des projecteurs. Elle y était presque quand Szabothy cria : « Coupez ! »

Elle le regarda. Il la gratifia d’un sourire mauvais.

« Vous regardez le plancher, dit-il. Est-ce que par hasard vous auriez peur de marcher sur une crotte de chien ?

— Je cherchais la marque, dit-elle, d’un ton crispé.

— Ah ! Vous croyez que le public veut vous voir regarder vos pieds ? Votre amant vient d’entrer dans la pièce. Et vous regardez où ? Le plancher ! Vous n’êtes pas une vierge effarouchée, non ? »

Queenie se sentit rougir. De l’ombre elle entendit des rires.

« Vous rougirez quand je vous dirai de rougir. Pas avant. Une femme qui attend son amant n’est pas une vierge. Elle éprouve de l’excitation, du plaisir, de l’impatience. Lorsqu’elle lève les yeux et qu’elle le voit, son visage s’éclaire. Vous comprenez ça ? »

Elle acquiesça.

« Vous ne comprenez rien du tout. Allez, faites-le ! Regardez-moi ! Imaginez que je suis qui vous voulez. Allez, nous n'avons pas toute la journée. »

Elle revint à la chaise, s'approcha de Szabothy et sourit en ouvrant les bras. « Faites de petits pas, bon Dieu, vous ne jouez pas au hockey, vous êtes une dame. Vous savez ce que c'est qu'une dame ? Allez, on recommence ! »

Les prises commençaient à passer pour Queenie dans une brume. Elle n'avait aucune idée de l'heure qu'il était. Encore et encore elle rejouait la même petite scène absurde. Elle savait qu'elle le faisait de mieux en mieux, nourrie par une haine croissante pour Szabothy dont elle trouvait le mépris glacé encore plus insupportable que les moments où il perdait patience. Puis elle cessa de penser à Szabothy et répéta aveuglément la scène encore une fois, sachant que c'était désespéré — si désespéré en fait qu'elle éclata en sanglots quand ce fut terminé, s'attendant à un autre éclat de sa part.

« Ça n'était pas mal », entendit-elle Konig murmurer tandis que les lampes à arc s'éteignaient. Et, de derrière la caméra, elle entendit Szabothy, la voix rauque d'épuisement, marmonner : « C'était de la merde... Si c'est le mieux que nous pouvons faire, tirez-moi celle-là ! »

Dans l'obscurité de la petite salle de projection, Konig, Lucien et Szabothy regardaient les rushes. Konig était assis dans un fauteuil de cuir profond, fumant un cigare, toujours avec son chapeau et son manteau. Par moments il semblait dormir, mais son attitude détendue était trompeuse : ici, il était dans son élément, les yeux derrière les grosses lunettes fixaient intensément l'écran tandis qu'il tirait sur son cigare à petites bouffées.

« Repassez la dernière », lança Konig au projectionniste.

Ils regardaient en silence, Szabothy fixant l'écran comme un homme qui affronte un peloton d'exécution — ou peut-être qui en commande un.

« Encore. »

Par trois fois, ils regardèrent la dernière prise. Konig pressa un bouton auprès de lui et les lumières s'allumèrent. « Vous êtes un génie, dit-il à Szabothy.

— Oui. Mais c'est quand même de la merde.

— Non, non, pas tout à fait. Vous avez réussi à tirer quelque chose d'elle. Les premières prises étaient épouvantables, je vous l'accorde — mais, dans la dernière, on commence à croire que c'est une jeune femme amoureuse...

— Peut-être. Mais elle est affreuse. » Szabothy bâilla. « C'est une perte de temps. Sur un coup de fil de moi, nous pourrions avoir Sigrid Berg ici demain. »

Konig resta immobile quelques secondes, il semblait plongé dans ses pensées. Il évitait le regard de Lucien.

« Vous m'aviez promis que je pourrais la diriger pour un bout d'essai, dit Lucien.

— Ah oui ? fit Konig en haussant les épaules.

— Parfaitement.

— Devant témoins ?

— Devant Queenie. »

Il y eut un silence pendant lequel Konig resta songeur. Puis il se tourna vers Lucien en hochant la tête. « Très bien, Lucien, alors faites-lui faire un bout d'essai.

— David, dit Szabothy avec mépris, vous êtes un sentimental.

— Jamais ! » protesta Konig. Mais il se demanda si ce n'était pas vrai. Sans savoir pourquoi, il avait envie de voir cette fille réussir.

A six heures du matin, Queenie était dans la cabine de maquillage du studio.

Autrefois, quand elle pensait au cinéma, elle s'imaginait que les actrices menaient une vie d'un luxe inimaginable, mais dormir tard n'était apparemment pas un de ces luxes-là.

Comme c'était Lucien qui devait la diriger, il était déterminé à surveiller chaque détail. Si Szabothy s'intéressait à la façon dont elle se déplaçait, Lucien se préoccupait de l'image qu'on pouvait obtenir d'elle. Il veillait aussi jusqu'à la maniaquerie sur le costume de Queenie. Peu importait que ce ne fût pas confortable pour elle : il fit découdre les coutures à la costumière et les fit recoudre pour qu'il n'y eût pas de faux plis si bien que la robe de soie de Juliette allait à Queenie comme une seconde peau. « Monsieur, protesta la costumière, elle ne pourra pas bouger. Au premier pas qu'elle fera, les coutures vont craquer.

— Eh bien, dit Lucien en haussant les épaules, vous les recoudrez après chaque prise. Ecoute, chuchota-t-il à Queenie, en se penchant tout contre son oreille, leurs deux visages se reflétant dans le miroir de la cabine, le sien tendu et préoccupé, celui de Queenie maquillé comme une poupée si bien qu'elle se reconnaisait à peine, quand je m'approche pour un gros plan, ne regarde pas l'objectif de la caméra. Regarde par-delà l'appareil, au loin.

— Pourquoi ? Szabothy m'a dit de regarder la caméra.

— Pourquoi ? Pourquoi ? Fais-moi confiance, Queenie ! Ne pense plus à Szabothy. C'est un salaud, mais Konig est deux fois plus perfectionniste que Szabothy. Seulement lui, il ne le montre pas. Et puis, je te l'ai dit, la dernière prise n'était pas mal. Konig était impressionné. S'il ne l'avait pas été, nous ne serions pas ici aujourd'hui, crois-moi.

— J'aurais bien voulu la voir. Au moins, je saurais ce que j'ai fait de mal.

— Tu verras les miennes. Dis-moi, qu'est-il advenu de ton tuteur, comment s'appelle-t-il déjà ? »

Queenie le dévisagea, brusquement inquiète. Elle se sentait la gorge sèche. Vale avait-il parlé à Lucien ? se demanda-t-elle. Elle le regarda mais ne trouva rien dans son expression, sinon un peu de curiosité, et elle comprit que sa brusque réaction d'affolement ne pouvait qu'éveiller ses soupçons. « Morgan ? fit-elle en essayant de prendre un ton naturel, voire indifférent. Je crois qu'il est parti à l'étranger, après ce qui s'est passé chez Goldner. Pourquoi ?

— Comme ça », dit Lucien, mais de toute évidence il avait une raison pour la questionner. Là-dessus, on frappa à la porte et une voix dit : « Mr. Konig vous attend. »

Lucien et le maquilleur la guidèrent jusque sous le feu des projecteurs. « Fais ce que je dis et ne t'inquiète pas », lança Lucien en se dirigeant vers la caméra.

Encore et encore, elle courut vers lui, s'arrêtant sur la marque et regardant par-dessus l'épaule de Lucien, mais il n'était jamais satisfait. Elle entendit Szabothy rire, puis de nouveau le claquement des planchettes du clap. Elle avait l'esprit vide et elle repartit jouer sa scène pour ce qui devait être maintenant la vingtième fois, mais cela faisait longtemps qu'elle avait perdu le compte.

Et puis, brusquement, dans un chuchotement, Lucien, invisible derrière l'éclat des projecteurs, lui dit : « Regarde, Queenie, voilà Morgan ! » et elle se tourna désemparée vers la caméra, les lèvres entrouvertes, les yeux grands ouverts de surprise et d'horreur. « Coupez ! cria-t-il. Tirez-la ! »

Elle le regarda, furieuse. Il ne savait pas pour Morgan, elle en était sûre, mais il avait deviné que la mention de son nom suffirait à produire chez elle une réaction de surprise et de peur, bien qu'il en eût sous-estimé l'effet. « Tu m'as joué un tour, dit-elle, la voix tremblante. Si jamais tu refais ça, je te tuerai. »

Lucien la prit dans ses bras. Elle sentit contre ses seins le métal froid du viseur qu'il portait autour du cou. « Je n'aurai plus jamais à le faire, Queenie. »

Queenie était assise au fond de la salle de projection, regardant l'écran avec stupeur.

Impossible de croire que le visage qu'on voyait là-bas était le sien. Le visage qui maintenant emplissait l'écran, avec les yeux sombres et lumineux agrandis d'étonnement et les lèvres entrouvertes, ce visage était plus que beau : il semblait presque irréel et d'une perfection inhumaine. Les défauts qu'elle se découvrait quand elle se regardait dans la glace, ou bien le maquilleur, ou bien les éclairages de Lucien les avaient effacés, ou bien on en avait fait des qualités. Ses yeux semblaient fixés sur on ne sait quel point invisible de désir ou de crainte.

Devant elle, les trois hommes étaient assis sans rien dire.

Ils repassèrent plusieurs fois le bout d'essai. Konig tirait sur son cigare. Lucien sifflotait entre ses dents. Szabothy faisait craquer ses jointures. Ils le passèrent encore une fois. Personne ne disait rien.

Konig ralluma le plafonnier. Il se leva, rajusta son manteau sur ses épaules et remonta à pas lents la travée, s'appuyant sur sa canne comme s'il était épuisé. Szabothy et Lucien ne le suivirent pas. Il y avait quelque chose sur le visage de Konig qui montrait clairement qu'il n'avait pas envie de compagnie.

Lorsqu'il arriva auprès de Queenie, il s'arrêta. « J'ai quelque chose pour vous », dit-il comme s'il venait de s'en souvenir. Il plongea la main dans sa poche de manteau et en tira un petit paquet enveloppé de papier brun qu'il lui tendit. Il regarda le plafond. « Bien sûr, il faudra changer votre nom. Nous en discuterons demain au déjeuner. »

Queenie ne savait trop que dire, mais peu importait, car Konig continua à remonter l'allée et franchit la porte sans s'arrêter jusqu'à sa limousine qui l'attendait. Elle ouvrit le paquet.

C'était l'édition originale du *Voyage au bout de la nuit* de Céline. Le livre était accompagné d'une carte sur laquelle Konig avait griffonné ses initiales.

11

La table était dressée pour deux dans la véranda ensoleillée de la suite que Konig occupait au Claridge lorsque Queenie arriva à une heure. Lucien l'avait précédée et était déjà en grande conversation avec Szabothy et un trio d'hommes d'Europe centrale volubiles et à l'œil triste, qui se levèrent d'un bond lorsqu'elle entra dans la pièce, en s'inclinant, en souriant et en émettant des sons approbateurs ou, peut-être, des salutations, puisqu'ils ne semblaient pas savoir beaucoup d'anglais. Konig se leva aussi, lui baisa la main et présenta Queenie aux hommes d'Europe centrale dont les noms lui parurent imprononçables encore qu'à leurs accents et à la façon dont ils parlaient à Konig, elle devinait qu'ils étaient hongrois. D'un geste de la main il fit surgir un serveur portant un plateau d'argent avec des flûtes de champagne. « Un toast, dit-il, à Queenie.

— A Kveeny ! » murmurèrent les Hongrois, l'air extasié. Un silence s'ensuivit, durant lequel chacun d'eux s'approcha avec un large sourire pour faire tinter sa coupe contre la sienne, puis contre celle de Konig.

« Ils travaillent sur un scénario, expliqua Konig.

— Est-ce qu'ils parlent anglais ?

— Pourquoi voulez-vous qu'ils parlent anglais ? Nous trouverons quelqu'un qui sache l'anglais pour travailler avec eux. Une histoire, c'est une histoire. Venez, allons déjeuner.

— Et Lucien ?

— Il travaille. Il peut déjeuner avec eux. D'ailleurs, Szabothy et lui doivent apprendre à s'entendre. Le metteur en scène et l'opérateur se détestent toujours, c'est normal — mais l'un ne doit pas saboter le travail de l'autre.

— C'est Lucien qui va tourner le film ? »

Konig haussa les épaules. « Puisque vous faites un lot tous les deux, pourquoi pas ? D'ailleurs, il est meilleur opérateur pour vous que

Szabothy. Un opérateur peut être amoureux de la vedette. Le metteur en scène, non. Lucien sait comment vous faire paraître belle. Szabothy vous fera jouer. Et moi, je ferai de vous une star. » Il ne mentionna pas ce qu'*elle* était censée faire.

Konig s'asseyait, Konig sourit de plaisir en voyant la table. Il y avait des viandes froides, des saucisses de toutes sortes, de l'oie fumée, des pâtés, plus de sortes de pain qu'elle n'en avait jamais vu, des radis, des poivrons, différents jambons et un poulet rôti.

« Je dois vous dire, fit Konig sur un ton d'excuse, que j'ai des goûts plutôt simples. Pour vous, j'ai commandé un consommé, une sole grillée et des fraises des bois : je les ai fait venir de Paris ce matin. C'est un repas plus convenable pour une star. » C'était la première fois qu'on l'appelait une « star ». Elle savait que c'était prématuré, mais elle savoura quand même cet instant. « Vous mangez comme ça tous les jours ?

— Oui. Ce n'est pas que je mange tant que ça, vous comprenez, encore que, Dieu merci, j'aie un bon appétit — mais quand on a été aussi pauvre que moi, la vue de toute cette nourriture est réconfortante. L'argent, on peut vous le prendre. Les diamants et l'or, on peut vous les voler. Les femmes vous quittent souvent. Mais un estomac plein est bien à vous.

— Vous étiez très pauvre ?

— Très. Parfois, il n'y avait pas assez à manger — en fait, souvent — et ma mère cachait un peu de sa part pour me la donner plus tard. Pauvre femme ! Elle m'aimait comme seule une mère le peut : de façon désintéressée, totale et sans rien vouloir en retour. Elle est morte avant que j'aie eu assez de succès pour lui donner une vie confortable. »

Konig but tristement une gorgée de champagne, apparemment plongé dans une brève dépression. « Je pense à elle dix minutes chaque jour », dit-il avec simplicité.

Elle se demanda si ces dix minutes étaient prévues à la même heure tous les jours, mais décida de ne pas poser la question. « Ma mère était un peu comme ça.

— Etait ? Elle est morte ? demanda Konig d'un ton inquiet.

— Non, non, c'est simplement que je ne l'ai pas vue depuis longtemps.

— Vous étiez pauvre, vous aussi ?

— Pas autant que vous, mais assez pauvre, je crois.

— Alors, nous avons quelque chose en commun. Je suis content. Je n'ai jamais fait confiance aux gens qui sont nés avec de l'argent. Je préfère les nouveaux riches : l'argent ne les ennuie pas encore.

— Je n'ai pour ainsi dire pas d'argent.

— Vous en aurez, ça, je peux vous le promettre. »

Elle regarda son assiette, tout en méditant cette phrase. Elle se disait qu'elle devrait justement lui parler d'argent, mais ce n'était pas facile de savoir comment. « Est-ce que je ne devrais pas avoir un agent ? interrogea-t-elle.

— Vous n'avez pas besoin d'agent. Je ne dis pas ça pour vous rouler, mais parce que c'est vrai. Vous êtes sous contrat avec Dominick Vale et un certain Salomon Goldner. Si je pouvais, je vous rachèterais à eux, mais ils n'en ont pas envie. Il va donc falloir que je négocie avec eux, et vous pouvez être sûre qu'ils demanderont le prix le plus élevé possible.

— Ils prennent la moitié.

— Je sais. Ça n'a rien d'extraordinaire.

— Vale et Goldner ne vont pas faire de moi une star », dit-elle.

Konig la dévisagea à travers ses grosses lunettes. « Vous êtes plus futée que je ne croyais. Laissez-moi m'occuper de Vale et de Goldner. »

Queenie était persuadée que Konig saurait s'y prendre. D'un autre côté, elle n'avait pas la possibilité de lui dire qu'elle avait peur de Vale, ni pourquoi. « Ce ne sera pas facile de s'arranger avec Vale, dit-elle.

— Laissez-moi faire. En attendant, je vais vous payer dix mille livres par an pour la première année. Nous allons signer un contrat de trois ans. Si nous tournons un film, la deuxième année, votre cachet sera de quinze mille et la troisième année de vingt... Vous n'avez pas l'air ravie. »

En fait, Queenie calculait dans sa tête que Vale et Goldner en prendraient la moitié. Konig la regarda et, comme s'il avait lu ses pensées, il reprit : « Soyez patiente. Après tout, pourquoi prendre beaucoup d'argent maintenant, quand vous êtes obligée de partager cinquante-cinquante avec Vale et Goldner ? Attendez un peu. Commencez par vous débarrasser d'eux. »

Queenie acquiesça, impressionnée. L'idée ne lui était pas venue. Konig semblait avoir réponse à tout. « Comme vous voudrez », murmura-t-elle en baissant modestement les yeux.

Konig leva sa flûte de champagne. « A notre mutuelle réussite. » Puis il la regarda avec l'air d'un hibou sagace, auquel il ressemblait un peu de face avec ses lunettes rondes et son visage aux joues un peu pendantes. « Vous êtes en train de vous dire : il est charmant, mais est-ce que je peux lui faire confiance ? Non ! Ecoutez-moi ; je ne roule pas les comédiens ni les comédiennes tant qu'ils ne sont pas devenus très célèbres. Et à ce stade-là ils ont des avocats, des agents, ils peuvent se défendre. Je suis comme Robin des bois. Je ne vole que les riches.

— Est-ce que vous donnez aux pauvres ?

— Ah non ! Je ne vais pas jusque-là. »

Konig but une gorgée de café puis commanda un cognac. « Ah ! Et votre nom...

— Quel nom ?

— Les deux. Pour commencer, Rani ne va pas.

— C'était une idée de Goldner parce que je suis née en Inde.

— N'y pensez plus, dit-il. Les Américains ont horreur des colonies anglaises.

— Mon vrai nom est Queeny Kelley. Pourquoi ne pas se servir de celui-là ?

— Ça a une consonance irlandaise. Les Anglais ont horreur des Irlandais.

— Le nom de jeune fille de ma mère était Jones, si ça peut servir. »

Konig fit la grimace. « Ils détestent les Gallois aussi. »

Ils restèrent un moment silencieux puis le téléphone sonna. Konig fit un sourire d'excuse et décrocha. « De Californie ? Mr. Fairbanks ? Je vais le prendre. » Il écouta avec attention, une main sur son autre oreille. « Douglas, mon garçon, quel temps fait-il là-bas ? Vous prenez votre petit déjeuner au bord de la piscine ? Non, ici, il pleut, bien entendu. »

Il écouta quelques instants devant Queenie ébahie. L'idée de téléphoner de Californie à Londres la stupéfiait.

« Ce sont les salades d'avocats qui me manquent, poursuivait Konig. Et vous aussi, mon cher... La distribution ? Je n'y pas encore pensé... J'en ai discuté brièvement avec C. B. avant mon départ, mais rien de définitif... Mon cher garçon, je préférerais être avec les Artistes associés, cela va de soi. Mais est-ce que Charlie serait d'accord ? »

Konig ferma les yeux. Avec un téléphone à la main, il semblait se concentrer si fortement que Queenie n'était même pas sûre qu'il se rendait compte qu'elle était toujours là. « Alors touchez-en un mot à Chaplin. Et à Sam. Une vedette ? Mais j'ai une vedette. Mes affections à Mary. Dites-lui que ses réceptions me manquent. Non, non, je reviendrai, vous verrez. Je battrai ces salauds à leur propre jeu ! » conclut-il avec une férocité qui étonna Queenie.

Pour la première fois, elle comprit combien les affaires de Konig étaient vastes et compliquées. Dominick Vale était bien plus puissant que Goldner, mais Konig vivait dans un monde qui les dépassait tous les deux. Elle ne connaissait pas grand-chose à l'industrie du cinéma ; elle savait pourtant qui étaient Douglas Fairbanks, Mary Pickford et Charlie Chaplin et Konig semblait être leur ami et traiter avec eux sur un pied d'égalité.

Konig raccrocha. Il se servit une nouvelle tasse de café. « Saviez-vous que Fairbanks est un Juif hongrois ? Bien sûr, Douglas n'aime pas qu'on le lui rappelle. Ah ! Qui pourrait le lui reprocher ? Au cinéma, tout ce qui semble réel est faux et naturellement ce qui semble le plus faux est parfois réel. Fairbanks et moi devions faire un film ensemble voilà quelques années. Comment ça s'appelait-il ? *Au plus noir de la nuit*, je crois... »

Konig regarda Queenie puis reposa sa tasse et claqua des mains comme s'il s'applaudissait lui-même. « Diane ! annonça-t-il triomphant. Ça n'est pas un mauvais prénom.

— Diane ?

— Mais oui... mais oui... vous savez, la déesse de la chasse...
— Diane Kelley, ça fait bizarre.
— Bien sûr que oui. Diane Kelley est hors de question. Il faut que ce soit Diane autre chose... » Il parcourut la pièce des yeux, mais rien ne semblait l'inspirer. Il regarda ses manchettes, fronça les lèvres en remarquant ses boutons de manchettes et dit : « Saphir ?
— Je vous demande pardon ?
— La pierre. Comme mes boutons. Diane Saphir, ça n'est pas mal du tout, ça a assez de classe. » Konig regarda Queenie un moment, comme s'il essayait de voir si le nom lui convenait. Puis il eut un soupir de regret et écrasa son cigare. « Non, dit-il tristement, ça n'ira pas.
— Et Emeraude ? J'ai toujours voulu avoir des émeraudes.
— Les diamants sont un bien meilleur placement, ma chérie. N'achetez jamais de pierres de couleur. Elles ne conservent pas leur valeur. Non, Diane Emeraude ne me paraît pas bien non plus. »

Elle ne put s'empêcher de remarquer qu'il l'avait appelée « chérie » — sans doute une habitude de théâtre.

« Quelquefois, ça aide de lire de la poésie », dit Konig — et Queenie se revit soudain dans la salle de classe étouffante, avec la poussière qui soufflait par les fenêtres ouvertes et Mr. Pugh qui la contemplait du tableau noir, car dans les yeux de Konig elle avait surpris un instant la même expression de désir.

« La vallée d'Avalon, récita-t-elle, qui ne connaît ni la pluie, ni la grêle, ni la neige...
— " Avalon " ? fit Konig, étonné. J'y suis allé une fois sur le yacht de Jesse Lashy. C'est à Catalina. Une journée bien déplaisante. Une des filles à bord a tenté de se suicider en croquant une coupe de champagne.
— C'est de Tennyson, dit Queenie, assez fière d'elle.
— Un bien médiocre poète. »

Konig ferma les yeux comme pour mieux réfléchir, les rouvrit, se leva, s'approcha de la fenêtre et revint vers la table. Il se pencha pour prendre la main de Queenie. Il y posa un baiser. « Allons pour " Diane Avalon " ! Espérons que le reste sera aussi facile. » Il l'escorta jusqu'à la porte et la lui ouvrit. Le téléphone ne cessait de sonner. Un domestique en livrée attendait patiemment, tenant un plateau d'argent sur lequel s'entassaient lettres, câbles et messages téléphoniques. Deux hommes en complet sombre, avec des porte-documents, patientaient sur le canapé, l'air nerveux et mal à l'aise. « Des banquiers, chuchota Konig. Il y a tant à faire... Avez-vous assez de toilettes ?
— Ma foi, je ne sais pas...
— Une femme n'a jamais assez de toilettes. Une vedette de cinéma en a besoin encore davantage. Allez en acheter. » Il fouilla dans sa poche et en tira une grosse liasse de billets de cinq livres qu'il lui fourra

dans la main sans même la regarder. Puis, sans lui laisser le temps de dire un mot, il poursuivit son chemin, les bras tendus, pour accueillir les banquiers.

Konig était comme un magicien, songea-t-elle : d'un coup de sa baguette magique il faisait jaillir pour elle un avenir nouveau et glorieux... un avenir si différent qu'il effacerait le passé...

Elle était pleine d'impatience.

Queenie n'était jamais montée dans une Rolls Royce et elle faisait de son mieux pour ne pas le montrer. Konig — qui à n'en pas douter n'utilisait jamais d'autre voiture — était assis devant, auprès du chauffeur. L'invitation pour l'accompagner au théâtre lui était parvenue à la dernière minute, si bien que Queenie avait dû s'habiller en hâte. Elle portait une longue robe du soir rose, des gants blancs, des chaussures roses et un manteau blanc, coupé en forme de cape, avec un bord doré choisi par Lucien. Elle espérait que cela serait assez pour Konig. Elle regrettait de ne pas posséder de manteau de fourrure ni quelques bijoux. Elle ne put s'empêcher de remarquer que le pardessus de Konig était doublé de vison avec un col en astrakan.

« *Roméo et Juliette*, c'est la preuve que rien ne vaut une bonne histoire. Un garçon et une fille se rencontrent et tombent amoureux. Leurs familles ne sont pas d'accord. Qu'est-ce que vous voulez de plus ? Evidemment, avec Beaumont à la distribution, la pièce est sur Roméo. Margot Feral n'est pas de la même classe que lui. Dans un film, ce serait le contraire.

— Vous pensez le faire ? demanda Queenie.

— J'y ai pensé. Pourquoi cuisiner un gâteau nouveau quand il y en a un parfait qui vous attend sur l'étagère ? Pour un film, il faudrait mettre l'accent ailleurs. Une fille tombe amoureuse, grandit trop vite et elle en meurt... Oh ! Pourquoi pas ?... » Konig garda un silence songeur. La voiture s'arrêta majestueusement devant le théâtre, attirant l'attention de quelques douzaines de spectateurs qui s'abritaient de la pluie. Le portier se précipita, déployant un parapluie, en apercevant la Rolls Royce. Il le maintint au-dessus de la tête de Queenie tandis qu'elle descendait sur le trottoir.

Un murmure d'admiration monta de la foule. Il s'accentua lorsque Queenie fut rejointe par Lucien et par Konig, qui la suivaient, laissant galamment le portier la protéger de son parapluie. « Qui est-ce ? » cria une voix de femme dans la foule.

Juste au moment où elle faisait son entrée dans le hall, Queenie entendit une voix faubourienne répondre d'un ton teinté de mépris « Fais pas attention... c'est personne ! » Pas pour longtemps, se dit Queenie.

Beaumont en scène fut une véritable révélation pour Queenie. Son Roméo avait une telle vitalité que, lorsqu'ils vinrent le rejoindre dans sa loge, il était trempé de sueur et tremblait d'épuisement comme un coureur olympique. Il accueillit Queenie aimablement, mais sans enthousiasme. Envers Konig, il manifesta une prudence méfiante qui frisait l'hostilité.

Konig n'y prêta pas attention. Le torrent de son enthousiasme emportait tout. Il discourut savamment sur les autres *Roméo* qu'il avait vus, à la scène et à l'écran, la comparaison tournant toujours à l'avantage de Beaumont. Ce dernier écoutait, mais gardait un air maussade. Il se versa à boire mais n'offrit rien à Konig. Il vida son verre et s'en versa un autre. « Vous êtes trop aimable », dit-il, comme si les flatteries de Konig le laissaient indifférent.

Konig, nullement démonté, haussa les épaules. « Mais non, plutôt pas assez aimable. Vous avez été magnifique. Je me disais : si seulement on pouvait filmer ça. A Hollywood, vous savez, les gens vous répondraient que c'est impossible. Trop théâtral. Ils vous diraient que le public ne veut plus de classiques...

— Je crois qu'ils ont raison.

— Ils ont tort. Ils croient que le public est stupide. Ce n'est pas mon avis. »

Beaumont s'essuya le visage avec un morceau de coton, ôtant son maquillage d'un mouvement circulaire très précis. « Vous savez, dit-il tranquillement, je suis allé là-bas. J'ai détesté chaque minute que j'y ai passé. Barney Balaban était ici il y a une quinzaine de jours avec un horrible petit homme du nom de Cantor. Je n'arrivais pas à lui faire quitter ma loge. Il a bien dû rester là une heure à me dire combien il avait aimé ma façon de jouer : et pourtant je ne sais ce qu'il a dû en voir, je l'ai aperçu au troisième rang qui ronflait tout son saoul.

« Bien sûr, je suis un comédien, pas une otarie savante. Je suis allé une fois à Hollywood et ils ne savaient pas quoi faire de moi. Je n'ai pas envie d'y retourner. Certainement pas maintenant. »

Konig leva un doigt comme un maître d'école. « Tout d'abord, oubliez Hollywood. C'est ici que je m'en vais faire des films. » Il brandit un second doigt. « Deuxièmement... je ne suis pas un idiot, comme Balaban. Vous êtes un artiste. C'est vous qui aurez le dernier mot sur ce que vous faites. »

Beaumont considéra les doigts de Konig, puis secoua la tête. « Je ne dirai pas que ce n'est pas une idée tentante, Konig, mais la vérité est que j'ai d'autres projets.

— Mon cher, je suis sûr que ça peut s'arranger. Dites-moi simplement de quoi il s'agit. »

Beaumont s'éclaircit la voix. « J'ai promis de jouer une pièce avec Cynthia Daintry, vous voyez. »

Konig poussa un grand soupir. Son expression était compatissante, comme s'il savait ce que c'était que de faire des promesses aux femmes, — ce qui sans doute était le cas, songea Queenie. « Eh bien, lança-t-il, au lieu d'une pièce vous n'avez qu'à faire un film avec elle. »

Queenie eut soudain l'impression d'une trahison, de façon si aiguë qu'elle faillit s'en mordre la langue. Elle avait fait confiance à Konig et voilà maintenant qu'il la lâchait rien que pour avoir Beaumont.

Beaumont serra son peignoir autour de lui et se leva. « Je suis navré de dire non, mais il le faut. Il se trouve malheureusement que quelqu'un a déjà accepté de me commanditer pour cette pièce.

— Qui est-ce ? On peut toujours se tirer d'une obligation comme celle-là. »

Beaumont secoua la tête. « Pas dans ce cas, dit-il d'un ton ferme. Je ne peux pas vous en parler. » Malgré sa colère, Queenie perçut un accent de crainte dans la voix de Beaumont comme s'il en avait déjà dit plus qu'il ne le voulait. Il prit sa montre dans la poche de son peignoir et y jeta un coup d'œil. Cela ne fit apparemment qu'augmenter sa nervosité. « Il faut que je m'habille », dit-il brusquement.

Après avoir pris congé de Beaumont, Konig s'arrêta un moment dans le petit couloir des coulisses. « Je dois vieillir, dit-il. Je croyais que je l'avais. J'en étais sûr. »

Il lança un coup d'œil à Queenie. « Vous ne pensez pas qu'il avait envie d'accepter ?

— Je n'en ai aucune idée. » Elle ne faisait aucun effort pour dissimuler l'amertume qu'elle ressentait : Konig était tout prêt à l'écarter sans plus y réfléchir quand cela convenait à son propos.

Il haussa un sourcil. « Vous êtes en colère.

— Non, pas du tout. »

Il la regarda d'un air sévère. « Ne me mentez pas », dit-il. Il poussa la porte de l'entrée des artistes et sortit dans la ruelle sans la faire passer la première, un petit manque de courtoisie qu'elle reconnut aussitôt comme la marque de son irritation.

« Lucien, lança-t-il, tâchez donc de trouver cette foutue voiture. » Il considéra Queenie avec agacement par-dessus la monture de ses lunettes, tandis que Lucien s'éloignait docilement pour chercher le chauffeur. « Il faut que vous compreniez : j'ai besoin de Beaumont. » Il s'avança vers la Rolls qui venait de s'arrêter devant lui. « D'un autre côté, reprit-il en s'installant devant sans prendre la peine de lui ouvrir la portière, je ne sais pas pourquoi je me donnerais le mal de vous expliquer mes mobiles. Au Claridge d'abord », dit-il au chauffeur.

Queenie se sentait soulagée et incroyablement stupide. Elle fixait la nuque de Konig — ou plutôt son chapeau, car il avait enfoncé son feutre noir sur sa tête. « Je crois que je peux deviner », dit-elle pour faire un geste d'apaisement.

Konig pour toute réaction souffla une bouffée de fumée de cigare.

« Je crois que c'est Dominick Vale.

— C'est idiot, fit Lucien. Vale ne s'intéresse pas le moins du monde au théâtre. Et c'est à peine s'il connaît Beaumont. Ce sont des relations, voilà tout.

— Pas du tout, Lucien. Ils sont... amis.

— Allons donc. Ils n'ont rien en commun. »

Elle allait lui dire qu'il avait tort là-dessus aussi, quand Konig finit par se retourner. « Qu'est-ce qui vous fait penser que c'est Vale ? demanda-t-il.

— Un instinct. »

Elle n'avait pas envie d'expliquer à Konig le lien étroit qui existait entre les deux hommes — surtout devant Lucien.

« La vie m'a enseigné bien des choses, dit Konig. L'une d'elles, c'est que l'instinct féminin n'existe pas. C'est simplement une façon pour une femme de ne pas vous dire comment elle a découvert quelque chose. Vous prétendez que Vale est proche de Beaumont ? Proche comment ?

— Très proche. Et on voyait bien que Beaumont avait peur d'en parler. Ça se comprend. La plupart des gens ont peur de Vale.

— Comme c'est intéressant. Il ne m'a pas frappé comme quelqu'un de particulièrement redoutable — mais il est vrai que j'ai travaillé avec des gens comme Marty Vanderman et comme Louie Mayer, alors peut-être que je n'ai pas remarqué. Et vous, vous avez peur de lui ? »

Queenie ravala la vérité. « Non, mais je n'ai aucune raison d'avoir peur. » Elle regrettait que ce ne fût pas le cas et se reprocha d'avoir abordé ce sujet avec quelqu'un d'aussi malin que Konig.

« C'est peut-être que Beaumont a des raisons d'avoir peur de lui, hein ? » Il se mit à glousser, ravi de sa conclusion puis se retourna face au pare-brise tandis que la voiture s'arrêtait devant l'hôtel. Il descendit, ôta son chapeau. « Prenez soin de Diane, Lucien, elle va devenir un bien précieux. »

Lucien prit la main de la jeune femme en souriant. « Diane ! J'arrive pas à m'y habituer. Pour moi, elle est toujours Queenie.

— Oh non ! Lucien, fit Konig en souriant. Elle a dépassé Queenie. Vous verrez. Vous vous ferez au changement. Plus vite que vous ne pensez. »

Konig avait raison, songea-t-elle. Il faudrait bien que Lucien s'y habitue.

Queenie contemplait la première page de l'*Evening Standard.*

LA FILLE AU VISAGE
QUI VAUT UN MILLION DE LIVRES.
KONIG ANNONCE :
« J'AI UNE ÉCURIE D'ACTEURS ANGLAIS. »

Ils étaient assis dans la voiture et elle lut tout haut l'article à Lucien.

> Ceci est l'interview exclusive que m'a accordée le célèbre cinéaste David Konig (avait écrit Basil Goulandris) il m'a révélé son Grand Secret. La version cinématographique du *Roméo et Juliette* de Shakespeare aura pour vedettes Richard Beaumont et une belle débutante, Diane Avalon.
>
> Interviewé dans sa suite au Claridge, Konig a confié à notre reporter du *Standard :* « Elle a un visage qui vaut des millions. Les studios de Hollywood la réclament à n'importe quel prix, mais j'ai dit non. Je veux faire des films anglais avec des vedettes anglaises. »
>
> Pour en revenir à *Roméo et Juliette*, Konig est actuellement en négociations avec George Bernard Shaw pour qu'il écrive l'adaptation. Picasso a été contacté pour concevoir le décor, et les costumes seront créés par Léon Bakst, des Ballets Russes. « Stravinsky veut faire la musique, a révélé Konig, mais je suis en pourparlers avec Benjamin Britten et William Walton, car je préfère un compositeur britannique... »

Lucien eut un grognement écœuré. « C'est typique de Konig. Il est prêt à annoncer n'importe quoi pour avoir les manchettes des journaux. Il n'a même pas parlé à Picasso, je le sais ! »

Queenie ne répondit pas et regarda sa photographie. Elle avait été prise par Lucien. A cet instant même, se dit-elle des millions de gens — 5 234 897, s'il fallait en croire le chiffre qui figurait sous le titre du *Standard* — la regardaient sans doute avec envie. Elle avait hâte de l'envoyer à sa mère.

« Bonsoir, miss Avalon ! » Le portier planté devant l'entrée du Claridge ôta son haut de forme d'un geste large. Il fit signe au chasseur d'ouvrir la porte pour que Diane n'eût même pas une seconde à attendre avant d'entrer dans le hall. « Bonsoir, miss Avalon, dit le chasseur en s'inclinant.

— Bonsoir, miss Avalon », murmura le laquais en livrée, avec ses bas de soie et sa perruque poudrée, en les escortant jusqu'à l'ascenseur.

« Bonsoir, mademoiselle Avalon », dit en français le maître d'hôtel en ouvrant la porte de la suite de Konig. Il la débarrassa de son manteau de fourrure — Konig avait emprunté pour elle un manteau de vison à la garde-robe du studio, en prétextant que sans cela on n'était pas une vraie star.

« Bonsoir, chérie ! » fit Konig. Il la serra contre lui, l'embrassa sur les deux joues et lui offrit son bras. Puis, comme s'il venait de se rappeler un détail oublié, il fit un signe de tête à Lucien.

Queenie savait que Lucien avait horreur des dîners de Konig : il les trouvait assommants, guindés et interminables et elle devait reconnaître que dans une certaine mesure il avait raison. Ce que Lucien leur reprochait réellement, c'était qu'il savait qu'on ne l'invitait qu'à cause d'elle. Konig la plaçait toujours à sa droite, auprès de son invité d'honneur, alors que Lucien était relégué en bout de table avec les banquiers de moindre importance et leurs épouses sans grâce.

Konig la fit circuler dans la pièce. En passant avec elle d'un invité à l'autre, il lui chuchotait ses instructions :

« Dites à Mrs. Pomfrett combien vous aimez sa broche... Soyez particulièrement aimable avec Lord Woodlake. Il possède trois quotidiens... Si ce fasciste pompeux de Gorse vous parle de politique, essayez d'avoir l'air intéressé...

— J'ai lu dans les journaux que vous aviez réussi à persuader Dickie Beaumont.

— A le persuader ? Pas exactement. Mais, grâce à vous, j'ai trouvé la personne qui pouvait le persuader...

— Vale ? Il vous a aidé ?

— Aidé ? Je crois que oui. Comme la plupart des gens, il avait son prix... tiens, au fait, Beaumont et Cynthia viennent ce soir. »

S'il y avait quelqu'un que Queenie n'avait pas envie de rencontrer, c'était Cynthia : elle redoutait une scène qui la rendrait ridicule.

Ce ne fut qu'après le dîner que Queenie se trouva dans l'obligation de parler à Cynthia.

« Venez vous asseoir à côté de moi », lui dit la princesse Ouspenskaïa, du ton autoritaire qui lui était habituel. Queenie obéit et se trouva coincée sur le canapé entre la princesse et Cynthia Daintry. « Ah ! fit la princesse, que Dieu me protège des femmes de banquiers et de politiciens. Vous connaissez Cynthia, ma chérie ? »

Elle ne pouvait nier, songea Queenie, qu'elle était plus belle que Cynthia — et pourtant Cynthia l'effrayait. Ce n'était pas simplement qu'elle fût la demi-sœur de Penelope Daventry, encore que cela fût difficile à oublier, mais c'était la crainte que Cynthia, comme Mrs. Daventry, ne risquât de la remettre « à sa place » d'un mot, d'un regard méprisant, d'un rire cinglant. Queenie savait qu'elle était capable de se défendre contre presque tout, mais pas contre le ridicule. Et elle soupçonnait Cynthia d'avoir l'esprit vif. Cynthia toutefois n'était pas d'humeur à en faire étalage aux dépens de Queenie. « Je suis si ravie de vous rencontrer enfin, ma chérie. Vous êtes bien plus belle que je ne croyais, ajouta-t-elle. Le rose vous va bien. Lucien a vraiment eu le coup de foudre quand il vous a vue dans cette horrible petite boîte. J'étais furieuse contre lui. Il ne vous quittait pas des yeux. Enfin, au fond, c'était pour le mieux... »

Queenie sentait avec soulagement que Cynthia était prête à l'accepter sur un pied d'égalité. De près, il y avait quelque chose chez elle de trop brillant et de trop fragile : on aurait dit un luxueux objet de cristal susceptible de se briser au moindre contact. Elle avait la peau si pâle qu'elle en était presque transparente et il y avait quelque chose dans ses yeux bleu porcelaine qui donnait à penser qu'elle était toujours au bord de l'hystérie.

« Mon Dieu, que j'ai horreur de ce genre de soirée », dit-elle en faisant signe au serveur de remplir son verre de cognac. L'idée vint à Queenie qu'elle était peut-être un peu ivre. « Pas vous ? »

Queenie réfléchit un moment et décida qu'elle ne les détestait pas du tout. « En fait, dit-elle, je les aime plutôt bien.

— Vous en avez de la chance ! Qu'avez-vous fait pour que Lucien vienne ? C'est ce que j'aimerais savoir. Il fallait toujours que je remue ciel et terre pour l'amener à un dîner.

— Je crois que c'est à Konig qu'en revient le mérite, pas à moi. Lucien n'a pas l'impression de pouvoir lui dire non.

— Apparemment, tout le monde en est là. Il semble que nous allons tous travailler pour lui. Une grande et heureuse famille. Dites-moi, est-ce que toutes ces histoires qu'on raconte sur votre enfance à la cour d'un mahārādjah sont vraies ? »

Queenie fut tentée d'avouer qu'elles n'étaient pas vraies, mais elle se ravisa et acquiesça de la tête.

« Vous en avez de la chance, fit Cynthia. Mon enfance à moi a été incroyablement ennuyeuse : rien que des nurses, des poneys et le pensionnat. J'ai eu envie de m'enfuir avec des gitans, mais je n'en avais pas le courage, alors j'ai fait du théâtre. Malheureusement, au lieu que Papa en soit furieux, il en a été ravi. J'avais complètement oublié le fait que lui-même a la passion du théâtre, alors comme marque de rébellion, ça a plutôt fait long feu. Je crois que c'est pour ça que je me suis mise avec Lucien : ça, au moins, ça l'a énervé.

— Vous étiez très amoureuse de lui ? » Queenie était stupéfaite de la façon dont Cynthia parlait si ouvertement de sa propre vie et avec une parfaite étrangère. C'était à croire qu'elle ne pouvait parler que d'elle.

« Oh oui ! J'en étais littéralement folle. C'est qu'il est divin au lit, bien sûr... comme vous le savez. Mais je ne crois pas qu'il était amoureux de moi — et, bien sûr, quand les choses sont unilatérales, ça tourne toujours mal très vite, vous ne trouvez pas, chérie ? Quand vous avez surgi, j'étais si folle de rage que je vous aurais tuée — mais bien sûr je ne faisais que m'accrocher à quelque chose qui était déjà fini.

— Toute cette conversation sur l'amour me donne l'impression d'être encore plus vieille que je ne suis, dit la princesse. Quand vous aurez mon âge, vous verrez que la nourriture, c'est plus important ! N'est-ce pas que Konig est un hôte merveilleux ? C'est si rare qu'on trouve du vraiment bon caviar... Evidemment, il est juif. Pour ma part, je n'ai jamais compris l'antisémitisme. C'était une des idées les plus stupides de ce pauvre tsar. Les Juifs étaient exactement ce qui manquait le plus aux Russes... Ah ! Voilà les hommes qui reviennent, enfin. »

Cynthia reposa son verre. « Il faudra que nous bavardions de nouveau, bientôt, ma chérie », dit-elle à Queenie, puis elle se leva, d'un pas d'abord un peu incertain, et traversa en courant la pièce pour se jeter au cou de Richard Beaumont dans un élan d'affection qui parut le gêner plus que cela ne lui plût.

« J'espère qu'elle ne va pas recommencer la même erreur, dit la princesse en suivant la scène à travers son face-à-main. Encore que ce soit sans doute inévitable... Les gens font toujours et toujours les mêmes erreurs. »

Queenie se demandait combien la princesse en savait sur Beaumont. « Pourquoi est-ce une erreur ? interrogea-t-elle, sachant qu'elle guettait une réponse qui viendrait confirmer ses soupçons.

— Parce qu'il est anglais. Il a du talent, de la séduction, du charme — et il ne connaît rien aux femmes. Elle est belle, elle a un père riche qui adore le théâtre et elle est passionnément amoureuse de lui : elle doit paraître très séduisante pour Beaumont, mais le pauvre ne se doute absolument pas de ce qui l'attend. Etre l'objet de la grande passion de quelqu'un, ce n'est pas un sort enviable. »

A l'autre bout de la pièce, elle voyait Konig qui lui faisait de grands signes. « Allez, allez, dit la princesse. Konig veut vous montrer. Vous n'allez pas trouver de l'argent pour lui en restant assise avec une vieille femme comme moi.

— C'est plus intéressant d'être assise avec vous.

— Bien sûr que oui, ma chérie, mais ce n'est pas pour ça que vous êtes ici. »

Elle pencha la tête de côté, montrant par là que Queenie devait l'embrasser sur la joue.

La pièce commençait à s'emplir de nouveaux invités, qui avaient été conviés pour après le dîner. Konig, elle l'avait déjà découvert, avait horreur d'aller se coucher et il était prêt à pratiquement n'importe quoi pour reculer le moment de se retrouver seul dans sa suite. Au lieu de laisser ses dîners se terminer vers onze heures, il invitait en général un second groupe, des gens qui avaient dîné ailleurs, ou qui sortaient du théâtre, des acteurs, des hommes politiques qui arrivaient d'une séance de nuit à la Chambre des communes, des artistes et des écrivains. Quand ils s'en allaient, Konig s'installait pour jouer au poker ou au chemin de fer jusqu'à l'aube, avec les riches insomniaques qu'il pouvait persuader de rester.

Elle traversa la pièce, un homme se retourna sur son passage et elle se trouva nez à nez avec Dominick Vale. Il n'avait pas l'air content.

« Vous vous êtes mêlée de mes affaires, dit-il doucement.

— Je ne sais pas ce que vous voulez dire.

— Je crois que si. Etait-ce pour m'espionner que vous rôdiez dans les coulisses ?

— Bien sûr que non.

— Alors comment expliquez-vous le fait que Konig ait débarqué dans mon bureau avec l'idée que Dickie Beaumont ne veut pas faire un geste sans me consulter ?

— Ça semble être vrai. Il fait le film. David dit que vous mettez de l'argent dans sa société.

— Oh ! C'est David maintenant, alors ? En fait, je conseille Beaumont de temps en temps. Pour des questions d'affaires. Ce n'est pas une chose que l'on fait en général. Ce n'est pas une chose que je tiens à ce qu'on sache. C'est bien compris ?

— Bien sûr.

— J'en suis ravi. Nous avons tous nos petits secrets. »

Et Vale lui adressa un sourire acide. « Le vôtre, dirai-je, est plus délicat que bien d'autres. »

Konig lui faisait de grands gestes d'impatience, mais elle resta un moment pétrifiée, paralysée de peur, à regarder le large dos de Vale qui s'éloignait. La seule route vers la sécurité, c'était d'aller de l'avant, elle le savait.

Il lui faudrait connaître une telle réussite, une telle célébrité, être si sûre d'elle que Vale n'oserait même pas la menacer. Rassemblant tout son courage, elle fit à Konig un sourire éblouissant et s'approcha de lui pour passer son bras sous le sien.

12

Comme Konig était à court de capitaux, on avait décidé de commencer par les dernières scènes de son *Roméo et Juliette,* en laissant pour plus tard les scènes de foule plus coûteuses, procédé qui n'avait rien d'extraordinaire au cinéma mais qui permettait difficilement à Queenie de bien comprendre ce qu'elle faisait et pourquoi. Elle supposait qu'un metteur en scène plus compréhensif aurait pu lui expliquer les choses, mais ce n'était pas le style de Szabothy. Il exigeait une docilité totale.

Elle avait horreur de se faire houspiller et plus encore d'être traitée comme une idiote. Pire encore, elle se sentait trahie. Konig, une fois qu'il avait mis les choses en route, avait disparu. Il passait ses journées avec des financiers et des banquiers ; son esprit se préoccupait déjà du prochain film et, au-delà, de ses plans ambitieux pour ce que la presse appelait « Hollywood-sur-Tamise ».

Sans Konig pour le superviser, Szabothy consacra sur Queenie son attention sans merci. Un jour mémorable, elle fit trente-sept prises d'une scène d'une minute sans le satisfaire. Le plus exaspérant, c'était qu'elle savait qu'elle s'améliorait — malgré Szabothy, et non à cause lui.

Chaque jour elle souffrait, incapable de décider ce qu'elle devait faire pour se protéger. Elle n'osait pas se plaindre à Konig de Szabothy, car elle se demandait si au fond Konig n'était pas en train de lui imposer une sorte d'épreuve, s'il ne cherchait pas à voir si elle pouvait « tenir le coup » et que se plaindre lui paraîtrait peu professionnel.

Le premier jour de la troisième semaine de tournage, elle était assise tristement, à masser ses pieds douloureux et sachant que sa carrière s'en allait à vau-l'eau à cause de Szabothy — mais ce ne fut que lorsqu'elle entendit la voix du metteur en scène venir des profondeurs du plateau qu'elle se rendit compte à quel point elle était près de renoncer.

« Nous attendons tous que vous veniez, miss Queenie, cria-t-il. Ça n'est pas si difficile. Un enfant saurait le faire. »

Queenie se mordit la lèvre. Ce n'était qu'un petit sujet d'agacement que Szabothy l'appelât « miss Queenie » au lieu de Diane, sauf que, comme lui le faisait, la plupart des membres de l'équipe l'imitaient.

« J'ai l'air aussi triste que je peux.

— Triste ? Vous n'avez aucun air. Vous êtes une jolie frimousse, voilà tout. Faites ce que je vous dis. Et, miss Queenie, ne regardez pas Chambrun quand je vous parle. Ce n'est pas lui qui dirige ce film. C'est moi. »

Elle maudit en silence l'absence de Konig. Avec lassitude elle reprit la scène, sachant que, quoi qu'elle fît, cela ne satisferait pas et ce fut avec un sentiment amer de triomphe qu'elle l'entendit crier « Coupez ! » avant qu'elle en fût à la moitié.

Il s'approcha d'elle, son manteau de cuir claquant méchamment, et se planta devant elle sans un mot. Un moment elle eut peur, mais elle comprit d'instinct que la seule façon de battre Szabothy, c'était de le provoquer.

Szabothy braquait sa cravache sur elle si bien que le bout lui en effleurait presque le visage.

« Espèce de vache stupide », siffla-t-il. Elle se demandait s'il allait oser s'en servir, puis elle décida qu'il n'y avait qu'une façon de le savoir. Elle empoigna le bout de la cravache, la lui arracha de la main et la lança aussi loin qu'elle put.

Le silence s'abattit sur le plateau, rompu seulement par le bruit de la cravache atterrissant dans le décor. Elle observa le visage de Szabothy. De sa couleur argileuse habituelle, il passa au cramoisi, puis devint blanc. Les muscles de ses joues se crispèrent comme s'il était en train de mâcher sa langue. Puis il se redressa de toute sa hauteur, ôta son gant gauche et, avec un claquement qui retentit d'un bout à l'autre du plateau, il la gifla à toute volée. « *Mist stück !* cria-t-il. *Was fällt vir ein !* »

Elle sentait ses joues en feu ; elle savait que Szabothy était battu.

« Je vous mets dehors ! » siffla-t-il, mais il y avait de la peur dans son regard. Un metteur en scène pouvait crier après une comédienne, l'insulter, la ridiculiser. Mais on n'en avait jamais vu un frapper une comédienne, même à Hollywood.

Szabothy remit son gant et, l'espace d'un instant, elle crut qu'il allait la gifler de nouveau. Elle aperçut Lucien qui semblait prêt à se jeter sur Szabothy ; puis une voix grave jaillit de l'obscurité tout au fond du plateau.

Konig avança sous la lumière des projecteurs. « Arrêtez ! Pas de bagarre, je vous prie », dit-il d'un ton calme.

Son feutre gris était posé de côté sur son front. Il s'appuyait sur sa canne, son manteau jeté sur ses épaules comme une cape de magicien. Il se baissa pour ramasser la cravache et la rendit à Szabothy. Il le regarda d'un air las, en secouant la tête, puis il soupira. « Il paraît que vous n'êtes pas content des rushes, dit-il d'un ton calme.

— C'est ce que je peux faire de mieux avec ce que j'ai. Il vous faut une nouvelle vedette.

— Vraiment ? Je comprends qu'ils ne vous satisfassent pas. Un perfectionniste n'est jamais content de son travail. Mais je crains qu'il n'y ait un problème plus grave.

— Quoi donc ?

— Moi, je ne suis pas content d'eux. Je suis navré de le dire : je crois que ce qu'il nous faut, ce n'est pas une nouvelle vedette, mais un nouveau metteur en scène.

— Il n'y a personne d'aussi bon que moi, Konig. C'est un fait.

— C'est un fait, Vilmos, je le reconnais. Toutefois vous ne tirez pas le meilleur de Diane. Ça aussi, c'est un fait. Je m'en excuse, ça a été mon erreur. Pour dire les choses carrément, vous êtes congédié. »

Szabothy considéra Konig un moment, puis haussa les épaules. Il savait reconnaître la voix de l'autorité quand il l'entendait.

« Très bien, dit-il avec calme. Je vais finir ma journée de tournage, ensuite il faudra me remplacer. Mais vous faites une erreur.

— Peut-être. Sans doute. Mais vous n'avez pas besoin de rester, Vilmos. Pour vous dire la vérité, votre remplaçant est déjà ici, prêt à se mettre au travail. »

Szabothy devint tout rouge. « Vous avez déjà engagé quelqu'un, lança-t-il, indigné, l'œil étincelant de rage. Qui est-ce ? Quel minable trou du cul de metteur en scène avez-vous caché, Konig ? Dites-le-moi que je puisse lui cracher dessus !

— C'est moi », dit simplement Konig.

Il y eut un long silence. Szabothy soupira, baudruche qui se dégonfle. « Vous vous êtes arrêté trop longtemps. » Son ton soudain était devenu doux, presque compatissant, comme s'il était sincèrement préoccupé. « En tout cas, vous ne pouvez pas financer, produire *et* diriger, David. Personne ne le peut. Voilà trop d'années maintenant que vous êtes derrière un bureau, dans les conseils d'administration, siégeant avec les banquiers. Vous avez oublié ce que c'est que tout ça, mon ami. »

Szabothy désigna les projecteurs, les lampes à arc qui se refroidissaient avec des craquements, la caméra sur son chariot, le plancher où s'entrecroisaient tant de câbles électriques que seul un machiniste expérimenté pouvait traverser le plateau sans tomber. A la lueur de l'unique lumière de répétition, au milieu du plateau, Queenie se tenait immobile, les mains serrées, alors que tout autour d'elle dans la pénombre une centaine de personnes au moins — machinos, accessoiristes, coiffeurs, perchmen, preneurs de son, techniciens — attendaient les ordres qui allaient leur faire reprendre le travail, comme une petite armée momentanément privée de son chef.

« Ça va vous tuer, dit Szabothy. Ne faites pas ça, David.

— Je n'ai pas peur de diriger mon propre film, Vilmos. Je ne suis pas si vieux.

— Ce n'était pas à ça que je pensais. » Szabothy regarda Queenie, puis secoua tristement la tête. « Vous êtes trop vieux pour ça, mon ami. »

Konig pâlit. « *Servus*, Vilmos », dit-il brusquement, avec pour la première fois une trace de colère dans sa voix.

Szabothy haussa les épaules. Il ôta le bandeau rouge noué autour de sa tête. « Je vais chercher mon chapeau.

— Pas la peine. Je l'ai déjà posé dans votre voiture. »

Konig s'avança et s'arrêta auprès du fauteuil de Szabothy. Un assistant enleva le dossier de toile et le remplaça par un autre sur lequel on avait marqué au pochoir DAVID KONIG.

Un autre assistant tendit à Konig un exemplaire du script et un viseur au bout d'un cordon noir qu'il passa respectueusement autour du cou de Konig.

Celui-ci soupira, alluma un cigare, puis prit le mégaphone et d'une voix douce, amplifiée par le porte-voix, cria : « Lumières ! Maquilleuse pour miss Avalon ! Remettons-nous au travail. »

Il tira sur son cigare. « Je vous dois des excuses », dit-il à Queenie. Il ne lui laissa pas le temps de les accepter. « Szabothy était un mauvais choix. Ces choses-là arrivent dans ce foutu métier. » Il ferma les yeux. « Allons, fit-il. C'est le soir, il est tard, vous avez froid, vous êtes seule, effrayée, vous attendez des nouvelles de l'homme que vous aimez — qui vous aime ! Vous entendez un bruit à la porte. Tout votre corps réagit.

— Mais qu'est-ce que je fais ?

— Peu importe ce que vous faites, répondit Konig avec patience. C'est ce que vous *sentez* qui compte. Si vous sentez que je vous parle, vous ferez automatiquement ce qu'il faut. Soyez vous-même ! Cela vous est-il jamais arrivé d'avoir peur, de vous sentir seule ?

— Oui, dit-elle d'une petite voix.

— Alors, ayez peur, sentez-vous seule, maintenant.

Un cadrage serré, dit-il en s'asseyant dans son fauteuil, les mains pliées sur sa canne. Moteur », lança-t-il.

Elle entendit le clap et soudain ce fut comme si elle comprenait ce qu'il voulait, elle le sentait, et elle se précipita vers la porte, les bras tendus, comme si derrière il y avait tout ce qu'elle voulait de la vie : la célébrité, la richesse, la réussite, la sécurité. Elle entendit Konig dire, avec un accent de satisfaction dans la voix : « Coupez. La prise est bonne. Tirez-la. »

Des quatre coins du plateau, elle entendit jaillir des applaudissements, d'abord discrets, puis fracassants. Elle savait qu'ils s'adressaient en partie à Konig : parce qu'après des années comme producteur, il était revenu à son point de départ ; l'équipe venait d'être témoin d'un retour qui allait passer dans la légende : tous ces gens venaient de voir une scène dirigée par un homme qui avait tourné son premier film avant la Grande Guerre, un des pionniers. Mais Queenie savait aussi qu'une partie des applaudissements s'adressait à elle.

Konig se leva, se joignit aux applaudissements. Il s'avança sous le feu des projecteurs, lui prit la main et y posa un baiser. Il la regarda en souriant.

« Merci, Diane, dit-il simplement. Vous m'avez prouvé que j'avais raison. »

Queenie avait son fauteuil à elle maintenant. Sur le dossier on pouvait lire DIANE AVALON. Et, au-dessus, une étoile.

Elle était pelotonnée là, glacée et engourdie de fatigue, un manteau jeté sur les épaules. Auprès d'elle, sur le fauteuil de Konig, un exemplaire du *Daily Express.* Elle s'en empara et se prit à regarder une photo de David Konig avec cette légende : « DAVID KONIG LANCE LES FILMS KING. »

Elle tourna la page. « L'imprésario David Konig, lisait-on, a annoncé aujourd'hui le lancement d'une compagnie cinématographique entièrement britannique avec un capital de plus d'un million de livres. C'est Mr. Konig en personne qui dirige le premier film de la société, *Roméo et Juliette,* avec pour vedettes Richard Beaumont et la belle nouvelle débutante Diane Avalon. De futurs films auront pour vadettes Lady Cynthia Daintry et Margot Feral ; parmi ces projets figure notamment une version épique de *Guerre et Paix.* Au conseil d'administration de la société des films King on trouve le marquis d'Arlington (président honoraire), Mr. Dominick Vale et Mr. Salomon Goldner. Voir les pages financières pour de plus amples détails. »

Queenie passa à la page financière, où la même histoire était répétée avec de plus abondants détails, dont beaucoup lui étaient incompréhensibles.

L'objet de toute cette publicité se tenait dans un coin obscur du plateau, en grande conversation avec le chef menuisier qui se plaignait que ses hommes étaient épuisés. Elle vit Konig implorer, supplier, cajoler, charmer et, lorsqu'il en eut terminé, le menuisier-chef fumait un des gros cigares de Konig et ses hommes avaient repris leurs marteaux.

Le goût de Konig pour le grandiose était remarquable. Lorsqu'il vit le décor pour la scène du bal, il se contenta de secouer la tête en disant : « Faites-le plus grand. »

Le lendemain, on lui montra un décor deux fois plus grand. Il y jeta un coup d'œil navré. « Encore plus grand », dit-il puis il se replongea dans son catalogue de livres rares.

Les menuisiers trimèrent toute la nuit et le matin Konig se tourna simplement vers le directeur artistique épuisé et lui dit : « Merci, mon garçon. Mais quand je dis grand, je veux dire grand. »

Une fois de plus on le reconstruisit et l'on obtint le plus grand décor de l'histoire de la production cinématographique anglaise.

Konig ne regardait pas au prix. Lorsqu'il vit les costumes de Queenie, il ne fut pas content. « Il y a quelque chose qui ne va pas, observa-t-il. Elle n'a pas l'air assez heureuse. » Il inspecta les toilettes qu'elle portait, examina sa coiffure, considéra son maquillage. Puis ses yeux s'éclairèrent derrière ses verres épais. « Le collier ! dit-il. Ce foutu collier est en toc.

— Bien sûr que oui, Mr. Konig, protesta le décorateur. Mais sur la pellicule, il a l'air vrai.

— Peut-être. Mais il ne donne pas l'impression d'être vrai. Aucune femme ne peut se sentir vraiment heureuse avec de faux bijoux, mon ami. »

Moins d'une heure plus tard, un homme arrivait de chez Cartier, en jaquette et pantalon rayé, portant une petite serviette noire qu'il ouvrit avec une clé pour révéler un collier de diamants sans prix niché dans un écrin de velours noir. « Il est assuré pour cent mille livres, dit-il nerveusement.

— Ne m'ennuyez pas avec des détails. » Konig plaça le collier autour du cou de Diane et le ferma d'une main experte. « Voilà qui est mieux », dit-il.

Elle fut surprise de constater qu'il avait raison. La scène, comme elle avait appris à le dire, « se jouait toute seule » et jamais elle n'avait paru aussi belle.

Konig avait toujours raison, songea Queenie, comme il s'approchait pour venir s'asseoir lourdement auprès d'elle. Il avait l'air épuisé, mais c'est vrai qu'il avait toujours cet air-là. « J'ai lu plein d'articles sur vous, dit-elle.

— Ah oui ? Ça fait une belle histoire, n'est-ce pas ? C'est même en partie vrai.

— A lire, c'est très impressionnant. Qu'est-ce que tout ça veut dire ?

— La vérité est moins impressionnante, dit Konig en haussant les épaules. Je suis loin d'avoir assez d'argent pour les projets que j'ai. Mais le reste viendra. L'important, c'est de terminer ce maudit film. Une fois qu'on a trouvé des gens pour mettre de l'argent, ce n'est pas bien difficile d'en trouver davantage mais il faut leur montrer que quelque chose se passe, sinon ils s'énervent.

— Pourquoi donc avez-vous besoin de Goldner ?

— Je l'ai persuadé de mettre quelques capitaux. C'est un homme utile à avoir au conseil d'administration, me semble-t-il. Il a beaucoup de bon sens — et d'ailleurs, il nous faut un Juif. Personne en Angleterre ne se fierait à un conseil d'administration où il n'y aurait pas au moins un nom juif. Allons, bientôt, il va falloir vous montrer un peu. Je vais en toucher un mot à Basil. Je l'ai engagé, vous savez.

— Me montrer ? Comment ça ?

— Il faut qu'on vous voie à des soirées, au théâtre, à des premières. Ce que vous faites ici devant les caméras, c'est important — mais ça n'est que la moitié du travail. Et les soirées ?

— Lucien et moi nous rentrons. Nous sommes tous les deux fatigués après dix ou douze heures passées ici. Et heureux d'aller au lit, ajouta-t-elle, se rendant compte au moment où elle les prononçait qu'elle avait mal choisi ses mots.

— *Mazel tov,* dit Konig, avec une nuance d'envie. Mais malheureusement, ça ne suffira pas ! Pour commencer, les vedettes ne sont jamais fatiguées. Le public s'attend à vous trouver belle et heureuse vingt-quatre heures sur vingt-quatre. Et il a le droit d'attendre ça, Diane. C'est lui qui achète les billets, vous comprenez. Je vais dire à Basil de vous préparer un programme de mondanités.

— Il vaudrait mieux que j'en parle à Lucien. »

Konig haussa les épaules. « Oh ! Inutile de le déranger », dit-il d'un ton désinvolte en posant sa main sur celle de la jeune femme.

« Il se fiche pas mal de ce que coûtent les choses, fit Basil Goulandris avec admiration. Lorsqu'il m'a engagé, nous avons parlé un peu de mes frais. Savez-vous ce qu'il m'a dit ? " Je ne m'inquiéterai que s'ils sont trop bas " ! Bien sûr, ce n'est pas son argent qu'il dépense, mais quand même...

— Mais ce qu'il dépense, demanda Queenie en regardant le nouveau bureau de Goulandris qui ressemblait à une galerie d'art, c'est l'argent de qui ? »

Il lui fit un clin d'œil. « Celui de Vale. Celui de votre copain Goldner. Celui d'Arlington. Il dépenserait le mien s'il pouvait me décider à acheter quelques actions, ou bien le vôtre. L'essentiel vient des banques et d'une compagnie d'assurances. Konig arriverait à faire sortir de l'argent d'un coffre vide, dès l'instant où il l'aurait décidé.

— En tout cas, vous avez l'air de vivre bien. »

Goulandris inspecta son nouveau domaine avec une satisfaction non dissimulée. « Pas si mal, merci. Je vais vous dire une chose que j'ai apprise. Inutile de chercher à économiser quand on travaille pour un homme qui méprise les économies... Vous-même, si je puis me permettre, vous ne vous en tirez pas mal non plus.

— Je suppose... Je n'ai pas eu le temps d'y réfléchir beaucoup. J'ai toujours cru que, quand j'aurais les moyens de le faire, je me lancerais dans une débauche d'achats, mais ou bien je suis trop occupée, ou bien trop fatiguée.

— La rançon de la gloire, ma chère. Ma foi, je me suis donné du mal pour vous rendre célèbre, alors c'est à moi que vous pouvez le reprocher. Au fait, reprit Goulandris, comment va Lucien ?

— Bien. » Ce n'était pas tout à fait vrai. Lucien, en fait, était passablement irritable. Konig la gardait tard le soir, pour « la montrer » comme il disait, pendant que Lucien travaillait au studio, coincé avec la monteuse.

« Tant mieux. Je ne me posais la question que parce que l'aspect publicitaire de la chose pourrait l'agacer.

— Pourquoi serait-il agacé ? »

Goulandris lui tendit un dossier de coupures de presse. Peter Pindar, dans le *Daily Mail*, avait publié une photo de Diane dont la légende disait : « Les têtes tournaient l'autre soir à la vue de la ravissante Diane Avalon, lorsqu'elle est arrivée à la brillante soirée donnée par Emerald Cunard pour les adieux de Mrs. Sigsbee Wolff, qui repart demain pour la Californie. Miss Avalon, tout en rose, est arrivée au bras de Mr. Konig. On raconte que sa tête à lui tourne aussi, et ce n'est pas étonnant... »

« Je vois ce que vous voulez dire, fit-elle en lui rendant la coupure. C'est vous que je dois remercier de cela ?

— Pas du tout. Mes collègues — je veux dire mes anciens collègues — tirent eux-mêmes leurs conclusions. Pas de romance, pas d'article. C'est la règle du jeu. Bien sûr, un scandale est encore mieux, mais ce n'est pas cela que nous voulons, n'est-ce pas ? Ah ! Voici le grand homme en personne, en retard comme d'habitude. »

La porte s'ouvrit et Konig entra. Il baisa la main de Diane, fit un petit signe à Goulandris et s'assit avec un soulagement évident dans un fauteuil de cuir.

« Avant que j'oublie, dit-il à Diane, il vous faut des toilettes neuves. On vous a photographiée au moins deux fois dans cette robe de Molyneux. Ça ne va pas. Une vedette ne devrait pas porter deux fois de suite la même robe. »

Comme d'habitude, songea-t-elle, il avait un pas d'avance sur elle. Elle se demanda si c'était Konig qui avait lancé ces rumeurs ou bien donné aux journalistes leur « angle » ? Elle voyait bien, en regardant les photographies, que la force des sentiments qu'elle-même éprouvait pour Konig, si ambigus fussent-ils, était tout simplement trop évidente pour échapper aux regards.

Ce qu'étaient ces sentiments, elle avait du mal à le définir avec certitude et elle n'avait pas envie d'y songer trop. Konig la fascinait, avec l'étonnante faculté qu'il avait d'obtenir ce qu'il voulait, et il la fascinait aussi par son charme.

« Pour l'instant, David, tout cela est très bien, fit Goulandris en brandissant son dossier de coupures de presse, mais les journaux vont vouloir en savoir plus sur Queenie. Sur son enfance, etc.

— Tout d'abord, désormais c'est Diane. Combien de fois faudra-t-il que je le dise ? Ces " Queenie ", il faut que ça cesse. » Il la regarda d'un air sévère. « Et pour vous aussi. Aussi longtemps que vous vous considérez comme Queenie, tout le monde en fera autant. Quant à l'enfance... nous avons tout ce qu'il nous faut. Les parents anglais en Inde, la cour du mahārādja, tout cela est parfait.

— Quel mahārādjah ? Les gens vont le demander. »

Konig la regarda.

Elle songea à mentir, mais décida que c'était trop risqué. Si elle citait un mahārādjah et s'il niait l'histoire, cela entraînerait des problèmes et des ennuis sans fin. « Je préférerais ne pas le dire. »

Konig alluma un cigare. Il n'insista pas. « Il me semble évident que Diane ne veut pas embarrasser ses parents... et voilà. Un peu de mystère ne fait pas de mal, Basil.

— Pas tant qu'il n'y a pas de surprise déplaisante. »

Konig reconnut le bien-fondé de cette remarque. « Y a-t-il des surprises déplaisantes à attendre, chérie ? demanda-t-il.

— Non », déclara-t-elle en mentant. Il était facile de voir que Konig ne la croyait pas, mais lui aussi avait ses secrets en ce domaine, comme elle l'avait découvert en l'écoutant. Lorsqu'un journaliste lui avait demandé un jour s'il n'avait pas quelque chose à cacher, Konig avait répondu, sans doute sincèrement : « Pas quelque chose, mon cher : tout ! »

Elle se dit que Konig reconnaissait sans doute en elle une âme sœur. Il s'était inventé lui-même et s'employait maintenant à la réinventer elle. Il ne s'intéressait absolument pas à ce qu'elle avait été ni à ce qu'elle avait fait avant de le connaître. Il préférait partir de zéro ou du moins d'aussi près de zéro que possible.

« Trop de détails, c'est toujours dangereux, dit-il.

— On demande aussi ce que sont maintenant vos projets, reprit Goulandris.

— Dites que je viens d'acheter *Divorce à l'amiable.*

— Pour combien ?

— Cinquante mille livres.

— C'est beaucoup d'argent pour une pièce.

— Ça le serait, si c'était vrai. Mais qui va le nier ? Pas l'auteur, pauvre diable. Ça fera monter ses prix pour la prochaine. »

Goulandris se mit à rire. « Ça n'est pas une mauvaise pièce, Cynthia Daintry voulait ce rôle, vous savez.

— Je sais, mais il convient mieux à Diane. Prenez-nous des billets pour demain soir, Basil. Il vaudrait mieux que Diane le voie. »

Il ne lui demanda pas si elle était libre. Elle ne put s'empêcher de remarquer ses façons de propriétaire, mais elle ne s'en formalisa pas. Il fallait dire que, depuis qu'elle laissait Konig diriger sa vie pour elle, elle n'avait pas à se plaindre du travail qu'il faisait.

« Vous allez le mettre en scène ? » demanda-t-elle en adressant à Konig un sourire tout à la fois complice et séduisant.

D'ordinaire il avait horreur des questions directes, mais la plupart du temps il les acceptait d'elle. « Peut-être, dit-il. Vous aimeriez ? »

Elle acquiesça de la tête. C'était vrai aussi : Konig savait la diriger. Tout ce qu'elle voulait, c'était éviter surtout un autre Szabothy.

« Nous verrons, dit-il. Il ferma les yeux un moment. » Pourquoi n'y a-t-il pas de bons sujets ? demanda-t-il, comme si Goulandris en était responsable.

— J'ai lu une jolie petite histoire l'autre jour, dit Goulandris. Il s'agit d'une femme qui tue son mari au cours d'un safari.

— De Hemingway ? Je l'ai lue. J'ai eu la même idée. On pourrait changer l'histoire pour la rendre plus anglaise.

— Ce serait bon pour Beaumont. Il ronge son frein.

— Qu'il le ronge. On lui trouvera quelque chose. »

Goulandris n'était pas homme à se laisser arrêter. « Ce n'est pas le problème, David, il veut faire un film avec Cynthia. Il le lui a promis, vous savez. C'est vous qui le lui avez promis aussi.

— Je vous en prie, cessez de me rappeler mes promesses. Rien n'est plus fatigant. »

Konig se leva et arpenta la pièce. « J'aime bien l'idée de faire un film dans les colonies. Ça n'est pas cher de tourner là-bas. C'est patriotique. Rien de tel qu'un peu de patriotisme pour trouver des capitaux. Et puis Cynthia serait peut-être très bonne dans le rôle de la femme. Elle est blonde, elle a les yeux bleus, c'est la parfaite petite garce anglaise gâtée...

— Je ne crois pas qu'elle soit ça du tout, protesta Queenie.

— D'accord, mais elle en a l'air. Beaumont pourrait jouer le mari, à condition d'étoffer le rôle. Ou le chasseur blanc ?

— Le chasseur blanc, dit Queenie, c'est le rôle romantique ?

— Bravo ! Vous commencez à comprendre le cinéma. Nous pouvons trouver une grande vedette américaine pour jouer le mari. C'est ma façon de trouver une distribution aux Etats-Unis. Mais Beaumont voudra-t-il aller en Afrique ? Franchement, je ne l'imagine pas ravi à l'idée de passer deux ou trois mois dans la brousse...

— Nairobi, ça n'est guère la brousse, David, dit Goulandris.

— Je pourrais en toucher un mot à Cynthia, proposa Queenie. Elle arriverait peut-être à le persuader.

— Excellente idée. Faites ça ! Je devrais vous prendre comme assistante. Mais ce serait du gâchis. Il n'est pas l'heure de déjeuner ? Je meurs de faim. »

Goulandris regarda sa montre. « Midi et demi.

— Basil, retenez une table au gril du Ritz. Nous pourrons montrer un peu Diane. N'oubliez pas de m'écrire le nom du maître d'hôtel pour que je m'en souvienne. Il n'y a qu'un problème.

— Pour le Ritz ?

— Non, non, pour l'Afrique. Qui va diriger ce film ? Quoi que vous disiez de Nairobi, je ne m'en vais pas aller là-bas moi-même. C'est un travail pour un jeune homme plein d'énergie. J'aimerais trouver quelqu'un de neuf. »

Queenie sentit la main de Konig qui descendait avec douceur le long de son dos. Il ne semblait pas se rendre compte de ce qu'il faisait. Il semblait perdu dans ses pensées, comme s'il passait en revue tous les metteurs en scène qu'il connaissait, mais elle savait que Konig n'était pas le genre d'homme à faire quoi que ce fût par hasard ou par accident. La sensation n'avait rien de désagréable : c'était un geste intime et complice. Elle savait qu'elle n'avait qu'à bouger ou se pencher en avant et que Konig retirerait sa main. Elle ne broncha pas.

« Bien sûr, il y a une possibilité... » Konig appuya un peu plus fort sa main, comme un homme en train de calmer un cheval. « Je pensais donner à Lucien une chance de mettre en scène un film. »

Goulandris parut surpris. « Ça n'est pas un peu risqué ?

— Les risques ne me déplaisent pas. Ce garçon veut faire de la mise en scène. Il est jeune, en bonne santé, le climat et les problèmes que ça pose ne le gêneront pas. D'ailleurs, nous pourrons procéder par étapes. Il pourrait aller en Afrique pour les repérages et tourner un peu de couleur locale. Ça nous donnerait une idée de ce qu'il pourrait faire. »

Il se tourna vers Queenie avec un sourire bienveillant. Mais, derrière ses lunettes, le regard était dur. Il la mettait à l'épreuve. Si elle protestait, Lucien perdrait sa chance de mettre en scène et Konig, très probablement, tournerait son attention vers une autre femme : il n'était pas homme à jouer trop longtemps une main perdante. Si elle acceptait, il l'aurait pour lui tout seul durant plusieurs mois. C'était habilement pensé. « Qu'est-ce que vous en penseriez, Diane ? » demanda-t-il, ses longs doigts fins suivant la ligne de son épine dorsale.

« Je crois qu'il sauterait sur cette chance. C'est ce qu'il a toujours voulu.

— Et vous ? Qu'en dites-vous ? Vous seriez tous les deux séparés pour quelque temps. Je ne peux pas me passer de vous. Nous avons de la publicité à faire. Et un nouveau film à commencer. C'est beaucoup demander, je sais... c'est un gros sacrifice. Ça vous ennuierait beaucoup ? »

Elle leva les yeux vers Konig. « David, dit-elle, je ne me dresserais jamais sur son chemin. » Jamais elle ne l'avait appelé David. « Après tout, ce ne sera pas éternel. »

Konig la regarda, puis hocha la tête. Il avait entendu ce qu'il voulait entendre. « Il vous manquera, cela va sans dire, mais vous serez très occupée, et lui aussi. Je m'occuperai de vous... »

Il cessa de lui caresser le dos. « Allons déjeuner. » Il lui prit la main avec une petite pression des doigts. « J'ai l'impression d'avoir pris la bonne décision, dit-il avec entrain, tout en l'enlaçant par la taille et en l'entraînant vers la porte.

Mais elle savait que c'était tout autant elle que Konig qui avait pris la décision.

« Tu vas faire couler mon maquillage. » Plantée devant la glace de la salle de bains, elle se contemplait avec application.

Lucien se noua une serviette autour de la taille et fit semblant d'avoir voulu plaisanter. « Où vas-tu ? demanda-t-il.

— Déjeuner avec des journalistes américains. La voiture de David passe me prendre à une heure.

— Queenie... Pourquoi ne pas annuler ? On va aller au lit. Ou bien tu peux simplement arriver en retard. Les gens s'attendent à voir une star être en retard... En tout cas, les journalistes américains. »

Elle n'était jamais en retard. Des fragments de l'enseignement de sa mère restaient sacrés pour elle, et avant tout la politesse, la propreté et la ponctualité.

« Je ne peux pas », dit-elle d'un ton ferme en achevant de se maquiller les lèvres d'un geste qui était en même temps une fin de non-recevoir.

Il ne s'avoua pas vaincu. « Il y a quelques mois, tu n'aurais pas dit non. »

Elle examina ses sourcils avec attention. « Il y a quelques mois, je n'étais pas une vedette de cinéma. Ecoute, Lucien, je ne dis pas que je n'ai pas envie de coucher avec toi. Je ne dis pas que je n'aime pas coucher avec toi, je dis simplement que je ne peux pas coucher avec toi *maintenant*.

— Je ne comprends plus ce que tu veux, Queenie. »

Elle s'arrêta, soupira et le regarda dans la glace. « Entre autres choses, je ne veux pas qu'on me croie toujours disponible. »

Elle se pencha comme si elle allait se toucher les orteils et passa son soutien-gorge. C'était un geste qu'elle faisait naturellement, mais elle se rendait bien compte que, du point de vue de Lucien, c'était une attitude pleine d'incitations érotiques, peut-être parce que quand elle se penchait ainsi en avant, ses seins, très menus, semblaient plus gros qu'ils ne l'étaient, fermes, bien en équilibre et parfaitement dessinés.

Il resta un moment planté là à la regarder. A part son soutien-gorge, elle était nue. « Ah ! Queenie, soupira-t-il, qu'est-il advenu de nous ? »

Mais Queenie était furieuse contre lui. Comme Morgan, Lucien était incapable de dissimuler le fait qu'il prenait mal sa réussite : il la voulait pour lui. Elle passa sa petite culotte en faisant claquer l'élastique. « Diane », dit-elle en le reprenant avec fermeté.

Une semaine plus tard, ils étaient assis côte à côte dans la limousine blanche.

Pour une fois, il ne pleuvait pas, la grosse voiture avançait avec lenteur dans les encombrements, elle tourna sur Leicester Square, progressa lentement vers le cinéma Odéon. Toute la place était encombrée de voitures, de gens en tenue de soirée, de foule de badauds derrière des barrières, de policiers à pied et de policiers à cheval, la rangée de limousines conduites par des chauffeurs avançant progressivement pour décharger leurs occupants devant la marquise étincelante toute bordée de fleurs.

Une énorme affiche au-dessus de la marquise montrait son visage, haut de quinze mètres, les yeux gigantesques à la lueur des projecteurs, mais quand même bien reconnaissables, les lèvres, larges d'un mètre, légèrement entrouvertes comme si elle attendait un baiser.

Un portier en livrée chamarrée vint ouvrir la portière. « Bonne chance, chérie », murmura Lucien, mais ce fut à peine si elle l'entendit car, au moment où elle mettait le pied sur le trottoir où David Konig l'attendait en habit, une rangée de musiciens en costume médiéval levèrent leurs trompettes et entamèrent une fanfare. La lumière était si éblouissante qu'elle ne voyait rien. Partout des éclairs de magnésium éclataient, certains à quelques centimètres seulement de son visage.

Elle sourit quand même, aperçut la chevelure argentée de Konig et se dirigea dans cette direction.

Elle entendit une voix dans la foule crier : « Qui est-ce ? »

Une autre voix, aussi claire et distincte qu'une cloche dans le silence qui suivit les accents de la fanfare répondit : « Espèce d'idiot... c'est Diane Avalon, bien sûr ! »

Comme Konig la prenait par le bras pour l'entraîner dans le hall, une salve d'applaudissements éclata.

Queenie Kelley était enfin bien derrière elle.

13

« Je n'ai jamais vu des critiques pareilles, dit Konig en polissant les verres de ses lunettes avec une fine pochette de soie. Le *Daily Express* dit : " L'industrie cinématographique britannique enfin majeure ! " De moi, on dit : " Chapeau, David Konig ! " C'est agréable. De vous, Diane, il dit : " La lumineuse performance de Diane Avalon la fait atteindre d'un bond les plus hauts sommets du vedettariat ! " Pas mal. D'ici à midi les téléphones vont se mettre à sonner des quatre coins du monde. Basil, vous feriez mieux de prévenir les secrétaires.

— J'ai pris la liberté d'engager deux stantardistes supplémentaires pour aller prendre les messages.

— Bien ! Bon réflexe. Et ça témoigne d'un certain optimisme aussi. J'aime ça. Diane, ma chérie, venez vous asseoir auprès de moi pour lire la presse qui chante votre triomphe. Ça n'est pas tous les jours que tous les journaux du pays auront quelque chose d'aussi aimable à dire sur vous : alors venez en profiter. Mon Dieu, je me sens rajeuni de vingt ans !

— Et vous avez l'air plus jeune, renchérit Diane. A cette heure matinale je n'arrive pas à croire que ça soit possible.

— Vous êtes trop bonne. »

Il lui baisa la main tandis qu'elle venait s'asseoir auprès de lui sur le canapé. Il ne la lâcha pas. « Je me suis bien amusée. Je ne me suis jamais autant amusée de ma vie ! » C'était vrai. Le public avait changé tout, absolument tout. C'était *elle* que le public applaudissait, et pas Juliette. En regardant le film, en sentant les spectateurs réagir, c'était comme si elle s'était vu pour la première fois.

« On dirait que vous avez gagné votre pari », dit-elle à Konig.

Celui-ci la regarda et se mit à rire. Il se pencha plus près d'elle, les lèvres contre son oreille. « Je vais vous dire un secret, chuchota-t-il. Les journaux ont tort. On ne peut pas battre Hollywood d'ici. On peut tout juste les effrayer un peu. En fin de compte il faut rentrer battre ces salopards à leur propre jeu. Mais c'est déjà un début et nous ferions mieux de commencer à prévoir de nouveaux films pour vous. Mais, tout d'abord, il y a autre chose qu'il va falloir faire. Pas ici.

— Quoi d'autre ?

— Nous partons pour New York, Diane. Pour une première encore plus grandiose qu'ici. Vous n'êtes jamais allée en Amérique ?

— En Amérique ? Jamais. C'est à peine si je suis habituée à être en Angleterre.

— Vous allez sans doute détester. C'est la réaction de la plupart des gens intelligents. Mais dans notre métier, ma chérie, c'est là où nous devons tous aller, tôt ou tard. Cinq jours en mer nous donneront l'occasion de bavarder. Vous verrez... C'est très agréable.

— La seule fois où je me suis trouvée sur un bateau, j'ai détesté.

— Vous aviez le mal de mer ?

— Non, dit-elle en inventant. J'étais furieuse et j'avais peur. Nous partons tous ? »

Konig haussa un sourcil. « Tous ? Vous et moi — et Basil, bien sûr.

— Lucien ne va pas aimer ça, vous savez ?

— Est-ce que vous, ça vous gêne ? »

Elle réfléchit un moment avant de répondre. C'était vrai que ça la gênait — peut-être pas autant qu'elle le devrait, mais quand même un peu. « Je ne veux pas qu'il soit en colère contre moi.

— Il ne le sera pas. Je le lui ai déjà dit. Ce soir je lui ai annoncé la nouvelle pour l'Afrique. Il est ravi. Il ne voulait pas vous laisser ici. Il craignait que vous ne vous sentiez seule et je lui ai dit que je vous emmènerais avec moi en Amérique pour une tournée publicitaire, que ça vous changerait les idées en son absence. Je lui ai expliqué que Basil et moi nous nous occuperions de vous... Alors vous voyez ? Tout va bien. Avez-vous parlé à Cynthia ?

— Oui.

— Et alors ?

— Elle va en toucher un mot à Beaumont. Elle pense qu'il va en faire toute une histoire, mais qu'il ira.

— Qu'est-ce que vous lui avez dit ?

— Que tant qu'il sera à Londres, jamais elle n'arrivera à lui faire aborder la question du mariage.

— Très vrai, fit Konig en riant. C'est surprenant à quel point un petit voyage change les choses. »

Elle comprit à l'entendre que ce n'était pas à Cynthia et à Beaumont qu'il pensait.

« L'Afrique ! s'exclama Lucien, la voix vibrante d'excitation. Mon Dieu, quelle belle occasion ! Et sais-tu ce que Konig m'a dit aussi ?

« Lucien, m'a-t-il dit, prenez votre temps, n'économisez pas la pellicule... » Je m'en vais commencer mes préparatifs immédiatement. Konig m'a déjà trouvé un assistant pour m'accompagner et s'occuper des détails. Un nommé Kraus. J'y ai déjà réfléchi. A mon avis, le Kenya est peut-être trop doux, trop gâché par la civilisation... Si je ne trouve pas ce que je cherche là-bas, je descendrai peut-être au Congo, ou peut-être en Ouganda. »

Elle ôta sa robe. Elle regrettait que Lucien ne fût pas un peu plus excité par son triomphe à elle que par la perspective de son voyage en Afrique. Elle était fatiguée, mais en même temps si heureuse qu'elle en avait des picotements d'excitation dans tout le corps. Elle jeta la robe par terre, s'étira langoureusement et vint l'embrasser.

Mais, bien qu'il eût passé ses bras autour d'elle et qu'il lui rendît son baiser, Lucien ne semblait pas faire grande attention à elle. Il avait l'esprit en Afrique et ne pensait qu'à l'occasion qui lui était enfin accordée de mettre en scène un film. C'était à peine s'il avait remarqué qu'elle était excitée. « Ça a été une longue journée, dit-il, tu dois être épuisée aussi. » Et là-dessus Lucien s'allongea sur le lit et ferma les yeux.

Diane resta éveillée une heure entière. Elle n'en voulait pas à Lucien, en fait elle ne lui en voulait pas du tout, mais elle avait le sentiment qu'une partie de sa vie — celle que récemment encore elle avait cru être la plus importante — était en train de lui échapper. Konig leur avait offert à tous les deux la chance de réussir et tous deux l'avaient saisie, même si cela risquait de signifier qu'ils allaient se perdre.

Elle décida de faire l'amour avec Lucien le matin — mais, quand le matin arriva, elle fut réveillée par un coup de téléphone de Konig qui lui demandait de se préparer « immédiatement » pour une conférence de presse, puis Basil Goulandris l'appela pour discuter toute une série de déjeuners et de dîners. Lorsqu'elle en eut fini avec le téléphone, Lucien était déjà en train de se raser car il avait un rendez-vous à la Royal Geographical Society pour demander l'avis de spécialistes de l'Afrique. Il devait ensuite se rendre aux laboratoires de Technicolor où l'on préparait sa pellicule dans des boîtes spécialement scellées pour la protéger de la chaleur et de l'humidité. Sa journée s'annonçait aussi occupée que celle de Diane.

Un matin, deux grandes enveloppes arrivèrent à l'appartement, apportées par un coursier. Celle de Lucien contenait pour cinq mille dollars de chèques de voyage, une liasse de billets de train et de bateau et tout un tas de documents. Celle de Queenie contenait un aller et retour en première classe pour New York à bord du *Mauretania* ainsi qu'un passeport britannique au nom de « Diane Avalon ».

Elle se demanda comment Konig avait réussi ce coup-là. Comme lieu de naissance, on avait mis Calcutta. Ses parents étaient décrits comme « sujets britanniques ». Si seulement sa mère savait, songea Queenie, qu'elle avait enfin échappé à la honte d'être une Anglo-Indienne, du moins sur le papier. Quelle ironie du sort que David Konig pût pour Diane arranger d'un trait de plume ce qui avait été le rêve de générations entières d'Anglo-Indiens.

Lucien, pendant ce temps, examinait aussi ses papiers et elle était un peu déçue qu'il parût la quitter avec si peu de regret et d'émotion. Il l'aimait — ça, elle le savait — mais comme la plupart des hommes il n'avait aucun mal à faire passer sa carrière d'abord ni à l'oublier quand il était occupé. Au fond, était-elle elle-même si différente ?

D'un geste impulsif, elle se jeta à son cou pour l'embrasser, l'arrachant à ses papiers pour l'entraîner vers le lit.

C'était comme si elle disait adieu, pas seulement à Lucien, mais à une partie de sa vie. Elle regretta un moment de ne pas pouvoir avoir les deux — le brillant avenir que Konig lui offrait *et* Lucien — mais elle savait déjà que c'était impossible.

« Le premier soir, nous allons dîner à la table du commandant. Après cela, ce sera un peu moins formel, j'espère. » Konig parcourut la liste des passagers de première classe, puis éternua. « Il y a trop de ces foutues fleurs », déplora-t-il.

Depuis une heure au moins la femme n'avait cessé de les disposer dans des vases, et elle s'affairait maintenant à défaire la malle de Diane. Dans la suite voisine, le valet de chambre de Konig dépliait sa tenue de soirée. Le commissaire de bord avait fait envoyer du champagne et du caviar. Le commandant leur avait fait parvenir une invitation à dîner à sa table ainsi qu'une autre bouteille de champagne.

« Tiens, murmura-t-il, il y a un de vos vieux amis. Mr. Salomon Goldner. »

Diane lutta contre un bref instant de panique. « Qu'est-ce qu'il peut bien aller faire à New York ?

— Il a acheté quelques salles de cinéma. Il a l'ambition de devenir un grand exploitant — et même peut-être un distributeur. Je l'y encourage. Une association avec un distributeur anglais ayant un intérêt sur les films King, si petit soit-il, serait utile à l'avenir. Si ça ne vous ennuie pas, nous dînerons avec lui — peut-être demain. Je ne pense pas que nous le trouvions, lui, à la table du commandant. »

Konig jeta un coup d'œil a une corbeille de fruits. Il se leva, ôta la carte, griffonna son nom avec deux lignes sur un bout de papier et sonna le valet de chambre. « Veuillez porter ceci à la cabine de Mr. Goldner, ordonna-t-il.

— A part vous, Basil et Goldner, je ne connais pas une âme à bord.

— Ah ! Mais vous, ils vous connaissent. C'est l'avantage d'être une star. »

Konig jeta un coup d'œil par le hublot. « La nuit vient. Nous sommes maintenant au large du Havre. Je m'en vais prendre mon bain et me changer. Voulez-vous que je ferme à clé la porte entre nos suites ?

— Ça ne me semble pas nécessaire.

— En effet. Si vous avez besoin de moi, frappez. »

Konig se leva, ajusta ses pas au mouvement du navire et s'arrêta. Il prit une petite boîte en bois. « Une erreur, dit-il. C'est un cadeau des distributeurs américains. Vous avez vu la boîte de cigares ; alors je pense que je vais trouver un flacon de parfum pour vous dans ma salle de bains.

— Je le prendrai plus tard. »

Il acquiesça et referma sans bruit la porte derrière lui, en emportant les cigares. Diane sonna pour que la femme de chambre vînt lui préparer son bain : elle avait déjà appris que ce n'était pas une chose qu'on était censé faire soi-même quand on voyageait en première.

Diane était habituée à être remarquée, mais pas encore à l'être par les riches. Elle éprouvait un réel plaisir à être reconnue. Elle se demanda si cela passerait avec le temps. Elle en douta.

Elle se dirigea vers la table du commandant en faisant semblant d'ignorer les rumeurs qui s'élevaient sur son passage. Le commandant se leva pour l'accueillir, tandis qu'un serveur lui avançait sa chaise. Elle posa son sac du soir sur la table et échangea quelques mots avec le commandant qui lui promit une mer d'huile pour la traversée comme s'il avait personnellement arrangé la chose avec Dieu.

Konig avait délibérément calculé leur entrée pour les faire arriver avec quelques minutes de retard, mais une place encore restait vide à la table, juste en face d'elle. Diane se retourna pour remercier le serveur qui venait de déposer devant elle un peu de caviar et remarqua que les hommes de la table esquissaient tous le geste de se lever, de s'incliner et de se redresser, tout cela avec plus ou moins de difficulté. Seul le commandant se crut obligé de se mettre debout.

Diane se tourna pour sourire au nouvel arrivant, aperçut un peu de vert et d'argent et se trouva nez à nez avec Penelope Daventry.

Diane connut un moment d'affolement. Dans les yeux de Mrs. Daventry, des yeux d'un vert étonnant comme ceux d'un chat, les pupilles parurent se rétrécir lorsqu'elle regarda Diane jusqu'à n'être plus que deux points noirs menaçants.

Diane eut un petit sursaut et renversa sa coupe de champagne. Elle se sentit rougir et, au même moment, ses épaules nues frissonnèrent comme si une brise glacée était venue l'effleurer. Encore mal remise de son émotion, tandis que les serveurs s'affairaient pour essuyer le champagne qu'elle avait renversé, Diane regarda machinalement le poignet de Mrs. Daventry et, à son horreur, y vit le bracelet familier dont les émeraudes étaient exactement de la couleur des yeux de sa propriétaire et dont les diamants étincelaient du même éclat que quand Morgan l'avait déposé sur son lit, il y avait de cela une éternité. Elle le contempla avec des yeux ronds.

« C'est une belle pièce, n'est-ce pas ? dit Mrs. Daventry de sa voix grave et un peu rauque.

— Je n'ai pas pu m'empêcher de l'admirer. »

Diane éprouvait une sorte de désespoir à l'idée que Mrs. Daventry jouait avec elle comme un chat avec une souris, mais elle ne voyait aucun moyen de s'échapper.

« Il est dans la famille depuis des années. En fait il a été volé un jour et nous avons dû le racheter. Je me sentais vraiment nue sans ce bijou », conclut Mrs. Daventry en riant. Diane ne parvint guère à esquisser mieux qu'un sourire crispé : elle avait mal à la tête et sa bouche était desséchée par la peur. « Vous devez connaître ma demi-sœur, Cynthia Daintry ?

— Je la connais très bien.

— Il paraît qu'elle est partie pour l'Afrique avec Richard Beaumont. Elle en a de la chance. Mon père m'a dit que vous étiez née en Inde, miss Avalon ?

— Oui. »

Diane fixa son assiette en attendant que Mrs. Daventry lâche sa bombe et elle commençait à souhaiter qu'elle le fît vite pour en être débarrassée.

« Oh ! Je suis si heureuse. J'habite moi-même là-bas. Comme nous connaissons à peu près les mêmes gens, je suis sûre que nous avons un tas d'amis communs. J'espère que nous aurons l'occasion de bavarder durant la traversée. »

Diane gardait les yeux toujours fixés sur son assiette.

« J'espère bien... mais je ne me rappelle pas grand-chose de l'Inde. Voilà longtemps, longtemps, que j'en suis partie.

— Ah ! dit Mrs. Daventry, les souvenirs d'enfance sont les meilleurs, n'est-ce pas ? A propos de diamants, c'est un très beau collier que vous avez là.

— Je vous remercie », répondit Diane, maîtrisant l'envie d'avouer qu'il n'était pas à elle.

Mrs. Daventry tendit le bras et lui tapota la main. Le gros bracelet étincelait à la lueur des bougies. « Vous avez une grande carrière devant vous, je peux vous le dire. Je vous envie. Etre belle et en même temps avoir un grand talent, c'est une combinaison rare. Je ne peux pas vous dire quel plaisir ça a été d'apprendre que vous étiez à bord. Quand j'ai vu le film, je me suis dit : il y a quelque chose de spécial chez cette fille, on dirait presque que je la connais. Et maintenant, voilà qui est fait. Mais il ne faut pas que je vous monopolise, ma chère. »

Elle gratifia Diane d'un autre sourire et se tourna pour s'adresser à son voisin, un Sud-Américain qui admirait ses épaules et son décolleté depuis cinq minutes avec une telle concentration que Diane était surprise qu'il fût parvenu à trouver sa bouche avec sa cuiller.

Diane, qui buvait rarement plus de quelques gorgées, vida sa coupe de champagne et en demanda une autre.

Il lui en fallut trois pour s'arrêter de trembler.

Elle était allongée sur son lit, incapable de dormir. Chaque fois qu'elle fermait les yeux, elle avait des visions de cauchemar.

Lorsqu'elle les ouvrait, c'était pire encore. Elle se répétait inlassablement toute la conversation avec Mrs. Daventry, y cherchant des sous-entendus. Mrs. Daventry était assez malicieuse pour jouer avec elle, Diane le savait — et elle savait que l'autre avait cinq jours pour le faire. Tôt ou tard, elle ne manquerait pas de reconnaître Queenie chez Diane, si ce n'était déjà fait.

Un moment, elle pensa à Morgan. Il avait été la seule personne à qui elle pouvait parler de cette face de sa vie. Penser à Morgan la mit encore plus mal à l'aise.

La nausée provoquée par le champagne, aggravée par le mouvement du bateau, lui crispait l'estomac. Le commandant apparemment s'était montré optimiste, car le *Mauretania* tanguait et roulait dans une grosse mer. Diane se leva, se dirigea d'un pas incertain vers la porte de la salle de bains, glissa et se cogna le genou contre une table, renversant un vase de fleurs. L'eau vint éclabousser ses pieds nus. Elle essaya de se relever, mais ses pieds glissèrent sur le parquet mouillé tandis que le navire frissonnait, hésitait sur les vagues, puis se redressait lentement, envoyant un autre vase de fleurs se fracasser par terre.

Elle avait fui le salon tout de suite après le dîner, en prétextant une migraine. Plus tôt elle échapperait au regard de Mrs. Daventry, mieux cela vaudrait, s'était-elle dit, mais maintenant cela semblait une erreur.

Diane hésitait à sonner la femme de chambre à cette heure de la nuit, puis elle songea qu'elle était maintenant une vedette et que ce n'était pas son travail. Sa main chercha le bouton de sonnette ; elle ne l'avait pas encore trouvé qu'elle entendit frapper à la porte. Croyant que c'était la femme de chambre qui venait voir si elle n'avait besoin de rien, Diane cria : « Entrez. »

Ce fut la porte de communication entre les deux suites qui s'ouvrit et non celle de la coursive ; et, dans le rectangle de lumière un peu tamisée, elle aperçut la silhouette de David Konig et l'entendit dire : « Mon Dieu, vous allez bien ?

— Je suis tombée, gémit-elle.

— Laissez-moi vous aider à vous relever. J'ai entendu du bruit et j'ai pensé que vous étiez encore debout, expliqua-t-il. Je me suis dit que j'allais voir si vous n'aviez besoin de rien... et vous donner votre parfum. »

Il repassa la porte avec un admirable équilibre et revint quelques instants plus tard avec une grande bouteille de Schiaparelli et deux comprimés. Il versa à Diane un verre d'Evian. « Prenez ça », ordonna-t-il.

Elle les avala docilement.

« Je croyais que vous n'aviez jamais le mal de mer ?

— J'ai bu trop de champagne.

— Les somnifères vous feront du bien. Le sommeil est parfois le meilleur remède.

— Je n'ai jamais pris de somnifères.

— Vous avez de la chance. J'en prends souvent — surtout depuis mon divorce.

— Vous ne pouvez pas dormir ?

— Je dors... disons mal. Quand on est seul, on a du mal à dormir. Qu'est-ce qui vous a fait peur au dîner ?

— Qu'est-ce qui vous a fait penser que j'avais peur ?

— Je connais ces choses-là. Je ne pense pas que ç'ait pu être aucun des hommes... Ah ! C'est Mrs. Daventry, la femme aux dents acérées et au corps de marathonienne du sexe ? C'est elle qui vous a fait peur ?

— Peut-être. Je crois qu'elle a dû me rappeler quelqu'un d'autre. Je ne l'ai jamais vue. »

Konig hocha la tête. Il ne la croyait pas mais, d'un autre côté, il était trop poli pour exprimer son incrédulité.

« Vous avez froid, dit-il en changeant de conversation. Et le parquet est tout mouillé.

— J'ai renversé des fleurs.

— Venez dans ma cabine vous sécher les pieds. Je vais faire venir quelqu'un pour nettoyer tout cela. »

Il la fit entrer dans sa chambre. Elle s'assit sur le lit pendant que Konig allait chercher une serviette. Son pyjama de soie jaune pâle avec les initiales D. K. brodées en bleu sur la poche de poitrine était déployé sur le lit ; repassé avec soin. Konig revint avec la serviette et la tendit à Diane. « Ça va ? demanda-t-il.

— Non.

— Toujours malade ? Vous voulez que j'aille chercher un docteur ?

— Je ne suis pas malade. J'ai peur.

— Ce n'est pas facile d'être une vedette à votre âge. Et être belle n'est pas toujours facile non plus. Tout ça est arrivé très vite, n'est-ce pas ? Et il y a des choses — je ne vous demande rien, sachez-le — que vous regrettez d'avoir faites ? »

Elle hocha la tête. Elle sanglotait maintenant.

« Ça arrive à tout le monde. Ce n'est pas si terrible. Vous fermez une partie de votre vie et vous passez à la suivante. C'est la seule façon. Regarder en arrière, éprouver des remords... tout cela est une perte de temps. »

Plus que tout, elle avait envie d'être consolée. Elle passa les bras autour de Konig et se blottit contre lui. « Là, là, fit-il en l'entourant de ses bras. Pleurez un peu, ça ne peut pas faire de mal.

— Je déteste pleurer.

— Il y a des moments où c'est la seule chose raisonnable à faire. »

Le navire dévala soudain une lame comme s'il allait plonger jusqu'au fond de l'océan et Konig, ses lunettes de travers, tomba sur le lit avec une telle violence qu'il poussa un grognement de surprise, suivi d'un autre lorsque Diane vint tomber sur lui à son tour.

Il se redressa pour s'asseoir, ôta son veston et dénoua sa cravate. Il éprouvait un certain mal à atteindre ses chaussures. Diane tendit un bras et les lui ôta. Sans veston, Konig avait la taille sensiblement moins fine et même le faible effort qu'il avait fourni pour se déshabiller semblait l'avoir essoufflé. Diane se pressa contre lui, savourant la chaleur d'un contact humain, et elle sentit quelque chose de froid et de dur contre son ventre.

« Ma montre, dit Konig. C'est ridicule. »

Il se leva, fléchissant les jambes au gré des mouvements du navire, prit son pyjama et se retira pudiquement dans la salle de bains, en se cramponnant à la rampe pour ne pas tomber. Il revint quelques instants plus tard, arborant le pyjama jaune, les cheveux soigneusement brossés, et revint s'allonger auprès d'elle. Il tourna son regard de myope vers la table de nuit, choisit deux comprimés parmi un assortiment de flacons qui glissaient sur la surface polie et les avala avec une gorgée d'Evian.

Diane se blottit contre lui et le reprit dans ses bras. Ils restèrent allongés ainsi un moment, Konig sur le dos, Diane pressée contre lui, tandis que le navire roulait et tanguait. Konig avait les yeux ouverts, mais il semblait sommeiller, malgré le bruit des divers objets qui glissaient et se heurtaient, les gémissements du navire et le fracas de temps en temps des verres brisés.

Plus par gratitude que par désir, mais avec une certaine curiosité, elle passa la main sur la poitrine de Konig. Elle fut surprise de la trouver aussi poilue. Il n'était pas à proprement parler gras, mais à n'en pas douter plus enveloppé qu'il ne l'aurait fallu pour sa bonne santé. Elle fit glisser sa main plus bas, déboutonna son pyjama. Elle jouait avec lui, le taquinant pour voir quelle allait être sa réaction.

Il poussa un grand soupir. « Vous êtes très mignonne. Mais ça ne sert à rien.

— Qu'est-ce qui ne sert à rien ? »

Nouveau soupir. « Pour être franc, ma chère enfant, depuis mon divorce... je ne sais pas comment vous dire ça... ça me fait honte...

— Je ne serais pas choquée, je ne suis pas une enfant.

— Mais si. Une très ravissante enfant... La vérité est que, depuis que Marla et moi avons rompu... je suis tout à fait impuissant. »

Konig avait le regard perdu devant lui, fixant la petite veilleuse bleue. Son visage exprimait un stoïcisme résigné qui était tout à la fois séduisant et, étant donné les circonstances, quelque peu ridicule.

Diane appuya son menton sur la poitrine de Konig. « Complètement ? » Elle comprit un instant trop tard que la curiosité qui perçait dans sa voix lui semblerait peut-être de l'impolitesse, ou peut-être de l'insensibilité. « Oh ! Je suis désolée, s'empressa-t-elle d'ajouter.

— Mais non, dit-il. Allonge-toi tranquillement. Je vais te caresser le dos. Tu vas t'endormir.

— Je ne peux rien faire ?

— Si tu insistes, mais ça ne servira à rien. »

Elle se retourna. Lucien lui avait enseigné ce qu'aimaient les hommes et, si elle éprouvait encore quelque scrupule à le faire, cela ne lui inspirait plus aucune répugnance.

« Mon Dieu, murmura-t-il, comme s'il priait. Je crois que je sens quelque chose ! »

Elle en fut heureuse pour lui, et plus heureuse encore lorsqu'elle put s'arrêter. Elle roula sur le côté, encore étourdie par le champagne et les comprimés, et s'endormit avec reconnaissance.

Le matin, la mer s'était calmée. Diane s'éveilla pour sentir la douce vibration des turbines — et pour entendre le ronflement de Konig, car il dormait sur le dos, la bouche grande ouverte et la tête appuyée sur les oreillers. Elle se leva, se dirigea vers la salle de bains, se démaquilla et passa un des peignoirs de soie de Konig.

Diane ouvrit la porte qui donnait sur sa suite le plus discrètement possible, mais le bruit éveilla Konig, qui s'étira avec majesté et ouvrit un œil.

« Quelle heure est-il ? demanda-t-il.

— Huit heures.

— Si tôt ?

— J'ai l'habitude de me lever de bonne heure.

— Pas moi. Viens t'asseoir ici. Nous allons commander le petit déjeuner. »

Docilement elle s'assit sur la couchette auprès de lui. Ses sous-vêtements, remarqua-t-elle, étaient roulés en boule auprès des oreillers. Elle décida de ne pas réfléchir à la façon dont ils étaient arrivés là.

« Je ne m'excuse pas pour hier soir, dit Konig en lui tenant la main. C'était merveilleux. Je vais te dire une chose : j'ai été attiré par toi depuis la première fois.

— Je sais.

— Oui, j'imagine. Les femmes savent toujours ces choses-là. »

Konig soupira. Il fouilla parmi sa collection de flacons, choisit deux gros comprimés rouges et les fit passer avec une gorgée d'eau. « Des comprimés pour me réveiller, expliqua-t-il. Dans une demi-heure, je serai prêt à tout. Enfin, à presque tout... Tu n'as pas l'air heureuse. »

Elle haussa les épaules. Konig avait le don inquiétant de deviner ce qu'elle pensait ou éprouvait.

« Tu penses à Lucien, je suppose ?

— Eh bien... oui », avoua-t-elle à regret.

Il posa sa main sur celle de la jeune femme. « Vois-tu, hier soir, tu étais épuisée, tu avais peur, tu étais un peu ivre. Ce qui s'est passé entre nous... il n'y a pas de quoi en faire un plat. Même Lucien comprendrait que cela pourrait arriver une fois, surtout pendant une traversée... Alors, si nous disons, eh bien, c'est arrivé une fois et désormais ça n'arrivera plus, il n'y a aucun mal de fait. Tu comprends ?

— Je comprends.

— Le problème est que je voudrais que ça continue. Ce ne serait pas facile à expliquer à Lucien.

— Non. Ce ne serait pas facile.

— Je te veux pour moi, Diane. Je ne suis plus un jeune homme, je sais, mais je peux t'offrir certaines... compensations.

— Tu n'es pas si vieux, David », dit Diane, encore qu'avec sa peau grise et sa barbe argentée qui commençait à pousser, Konig lui parût très vieux. Elle savait ce qu'on lui offrait. Konig ferait d'elle une star — il le ferait peut-être de toute façon, parce que c'était son intérêt — mais, si elle quittait Lucien pour lui, il ferait beaucoup plus. Il l'entraînerait dans son monde à lui, au milieu des gens riches et puissants, et il lui ferait une place là. Elle n'aurait plus à avoir peur de personne — même pas de Mrs. Daventry.

Elle se pencha et l'embrassa. « Je vais y penser. »

Mais tous deux savaient qu'elle avait déjà pris sa décision.

« A votre santé ! fit Solly Goldner en levant son verre et en goûtant son vin. Pas mauvais.

— Pas mauvais ? Il est excellent. Inutile de commander les vins les plus chers sur un bateau. La mer est mauvaise pour le vin. »

Goldner n'avait pas changé depuis l'époque où Diane dansait pour lui au club Paradis mais, à certains signes indéfinissables, on voyait en lui les signes de la prospérité. Ses joues rebondies avaient un éclat nouveau et sa veste de smoking était neuve. Il portait à la boutonnière une orchidée lavande choisie avec soin, elle en était sûre, pour être assortie à ses chaussettes et à sa pochette. Konig le traitait avec sa politesse habituelle, mais pas en égal.

« Diane et moi avons été ravis de vous trouver à bord », dit Konig en examinant sa truite fumée comme un chirurgien : il avait horreur de s'étrangler avec les arêtes.

Diane chipotait ce qu'il y avait dans son assiette. Elle ne partageait pas le ravissement de Konig. « On dirait que vous êtes en pleine forme, Mr. Goldner, dit-elle.

— Nous avons prospéré ensemble, Queenie ! » Il lui lança un regard complice. « Je devrais dire " Diane " », bien sûr.

C'était vrai, songea-t-elle. Une fois de plus, elle éprouva cette vieille rancœur à l'idée qu'on se servait d'elle, mais elle n'y pouvait rien.

« Je suis sûre que nous allons continuer, dit-elle en adressant à Goldner un sourire enchanteur.

— Moi aussi », assura-t-il en lui rendant son sourire.

Konig avait suivi cet échange avec intérêt. « Franchement, dit-il, je dois reconnaître que la loyauté de Diane ne manque jamais de me laisser pantois. La plupart des vedettes ont hâte de laisser tomber les gens qui les ont aidées à leurs débuts — surtout quand il y a entre eux une histoire de contrat discutable et qui leur coûte de l'argent.

— Il n'y a rien de discutable dans ce contrat », dit Goldner d'un ton ferme.

Konig haussa les épaules.

« Je vous en prie, n'insultez pas mon intelligence. » Il examina le foie gras qu'on lui présentait sur un plateau d'argent. « Il est d'un bon rose. Au Claridge il était gris, comme la saleté qui sort des boîtes... Vous avez profité d'elle, Goldner. Vous et ce nommé Jones. Qu'est-ce qu'il est devenu, au fait ? On se serait attendu à le voir sortir des bois aux premiers signes de la réussite de Diane ?

— Il est parti pour l'étranger, dit Goldner. Je ne sais pas où il est. Et je n'ai pas envie de savoir. »

Diane lui lança un bref coup d'œil. Par bonheur la curiosité de Konig était limitée — ou peut-être la limitait-il délibérément.

« Qu'est-ce qui vous amène à New York ? demanda-t-il en changeant de sujet, au grand soulagement de Diane.

— Loew's a plusieurs cinémas en Angleterre qui perdent de l'argent. On pourrait les racheter à un prix très avantageux. Mais il y a autre chose, David, dont je voudrais vous parler. En confidence. »

Konig surveillait les serveurs qui apportaient un rôti de bœuf sur un grand chariot d'argent. « Et qu'est-ce donc ? »

Goldner regarda Diane.

« Ne vous inquiétez pas. Diane est non seulement belle, elle sait aussi garder un secret.

— Ça, c'est vrai. » Goldner goûta son pudding, puis le repoussa sur le côté de son assiette avec sa fourchette. « Soit dit entre nous, reprit-il, Vale est en discussion avec des gens de la City pour mettre la main sur les films King. »

Konig ne manifesta aucune surprise. « Il vous a parlé à vous aussi ?

— Oui.

— Et qu'avez-vous dit ?

— J'ai écouté. »

Konig hocha la tête.

« En trouvant le financement qu'il faut, reprit Goldner, Vale pourrait y arriver. Vous n'avez pas assez d'actions pour le battre tout seul.

— Exact. C'est toujours le danger d'utiliser l'argent des autres. Pourquoi ne l'avez-vous pas suivi, Goldner ?

— Je n'ai pas dit que je ne le ferais pas. Mais je ne l'aime pas. C'est un homme dangereux. Il finirait par me pousser dehors. »

Goldner regarda Diane. « Vous êtes sûr que nous faisons bien de discuter de tout cela devant Diane ?

— Il est temps qu'elle apprenne comment les choses se passent. Je n'ai pas de secret pour elle. Enfin, pas beaucoup. » Il poussa un soupir. « C'est toujours si assommant d'avoir des associés. Tant que je ne commence pas à montrer des bénéfices substantiels, reprit-il avec une violence inattendue, ils me tiennent par les couilles ! Ce n'est pas le meilleur moment pour moi de combattre Vale.

— Il le sait. C'est une canaille, dit Goldner. Une canaille qui connaît un tas de gens importants.

— Qui tous ont peur de lui. Enfin, je vous suis reconnaissant de m'avoir raconté tout cela, mais vous avez peut-être choisi le camp du perdant. »

Goldner se pencha en avant et baissa encore le ton. « Vale a ses faiblesses. Il possède de nombreuses affaires douteuses... des boîtes qui servent de couverture pour le jeu, la prostitution et tout cela. Malheureusement, ce genre de choses est difficile à prouver. Il est trop habile pour qu'on puisse remonter jusqu'à lui. Bien sûr, si l'on y regarde d'assez près, chacun a quelque chose à cacher, n'est-ce pas ? Un scandale financier, des petites filles... » Il toussota. « Avec Vale, il ne s'agit pas de petites filles, mais vous savez ce que je veux dire.

— Je sais exactement ce que vous voulez dire. Vous ne me proposez tout de même pas de le faire chanter ? »

Goldner choisit un cognac sur le plateau que lui présentait le sommelier. « C'est un bien vilain mot, fit-il d'un ton de reproche. J'essaie seulement d'être serviable. »

Konig prit une fine, la huma et soupira. « Est-ce que ça marcherait ? Voilà la question. » Il se tourna vers Diane. « Qu'est-ce que tu en penses, chérie ? » demanda-t-il.

Etait-ce la façon dont on faisait des affaires ? se demanda-t-elle en essayant de trouver que répondre. L'idée de faire chanter Vale apparemment ne le choquait pas, mais elle savait mieux que Konig combien ce serait dangereux d'essayer. Vale riposterait — et elle savait trop bien à qui il s'attaquerait en premier !

Konig lui trouverait-il encore le moindre intérêt s'il apprenait la mort de Morgan ? A cela, elle pouvait aussi deviner la réponse.

Elle lança un regard noir à Goldner qui aurait pu s'abstenir d'aborder ce sujet. « Non, dit-elle d'un ton catégorique, ça ne marcherait pas, David. On ne peut pas effrayer Vale. Il faudrait soit l'acheter, soit trouver quelque chose qui le détruise.

— La vérité sort de la bouche des enfants, dit Konig, radieux. Je vais y réfléchir, Goldner. Je n'aime pas prendre ce genre de risque. Avec un homme comme Vale, il y a toujours quelqu'un qui a suffisamment à craindre de lui pour prendre le risque. »

Il adressa à Goldner un sourire entendu. « Il s'agit simplement de trouver la personne qu'il faut. » Il leva son verre de cognac. « Quelqu'un qui a beaucoup à perdre. »

Diane et Goldner échangèrent un regard. Ils savaient tous les deux, songea-t-elle, qui avait le plus à perdre si Vale, traqué, se montrait méchant.

Elle se demanda si Konig savait aussi.

Konig était assis dans le salon de Diane, les pieds sur un tabouret. Il avait ôté ses chaussures et sa cravate noire et fumait un cigare. « Viens t'asseoir près de moi. As-tu réfléchi à ce dont nous avons discuté ce matin ? » De toute évidence, il ne pensait plus à Vale.

« Un peu. Mais je ne suis pas très bonne pour prendre des décisions à long terme.

— Alors oublie le long terme. Procédons par étapes. » Il passa un bras autour de ses épaules et lui fit lever le menton. Puis il l'embrassa avec douceur. « Tu passeras de nouveau la nuit avec moi ? »

Elle acquiesça de la tête. Cette décision-là, elle l'avait déjà prise.

Elle le suivit dans sa cabine. Même là, remarqua-t-elle, malgré le luxe des premières classes, le lit avait été fait avec ses draps bleu pâle marqués de ses initiales. Diane se demandait si tous les riches vivaient ainsi. Elle s'étira, savourant la douceur fraîche des draps de Konig, et décida que ça n'était pas une façon désagréable de vivre.

L'ÉTOILE DE DIANE SE LÈVE !
LE GRAND RETOUR DE KONIG !
Roméo et Juliette, recette record au Roxy !

« *Variety* nous adore », dit Konig. Ils s'étaient installés à l'hôtel Saint-Régis comme s'il était chez lui : à vrai dire, dans tous les palaces, il était chez lui.

Konig sourit à Diane. « Chérie, je suis ravi pour toi. J'ai été producteur trop longtemps, je me suis trop longtemps plaint du moi des metteurs en scène, et voilà que je m'en retrouve un. J'avais oublié ce que c'était que de mettre en scène. Mais en tant que producteur... », Konig se leva et la prit dans ses bras, « ... mes félicitations. Tu as pris New York d'assaut. » Il marqua un temps. « Et pas seulement New York. Ce soir, nous dînons avec Sigsbee Wolff.

— Fichtre ! » dit Goulandris. Diane ne l'avait jamais vu aussi impressionné. Elle se demanda pourquoi.

Puis elle se rendit compte qu'il n'était pas tant impressionné qu'*effrayé*.

Même au 21, Diane attira l'attention.

« L'homme avec le téléphone sur sa table, c'est Walter Winchell, lui murmura Konig.

— Il a l'air d'une crapule.

— C'est une crapule. Souris-lui. »

Elle sourit. Winchell parlait au téléphone, ses yeux glauques, étrangement dénués de vie, remuaient sans cesse comme s'il avait peur de manquer quelque chose. Il vit le sourire de Diane, lui fit un signe de la main et poursuivit sa conversation.

Konig fit asseoir Diane, leva les mains comme s'il était enchanté de voir Winchell et fit signe pour indiquer qu'il lui parlerait plus tard, puis s'assit et commanda un Martini dry.

« En Amérique, dit-il, je fais comme les Américains. La cuisine étant ce qu'elle est, mieux vaut s'engourdir les papilles gustatives avec un cocktail avant le dîner. La seule chose à manger ici ce sont les hamburgers. Tiens, voici Wolff. »

Konig se leva. Sur le seuil de la salle, un grand chauffeur noir apparut, poussant un fauteuil roulant devant lui. Le personnage qui l'occupait semblait si vieux que Diane ne parvint pas à estimer son âge. Peut-être était-ce un homme de soixante-dix ans en mauvaise santé, peut-être en avait-il quatre-vingt-dix ou cent : pas moyen de savoir. A partir de la taille, il était impeccablement habillé d'un veston bleu marine, avec une chemise blanche et un nœud papillon à pois. Mais vers le bas, il avait les jambes enveloppées d'une couverture de cachemire bleu marine d'où n'émergeaient que ses pieds chaussés de bottines noires à l'ancienne. Même les semelles étaient astiquées — sans doute parce qu'il ne marchait jamais. Le visage de Wolff était sans couleur, il avait les lèvres bleues et ses mains noueuses, marquées de taches de vieillesse, tremblaient. Il avait dans chaque oreille un appareil pour sourd. Mais ses yeux brillaient d'un éclat suffisant pour dissiper l'idée que Wolff était le faible vieillard qu'il paraissait au premier abord.

On le poussa jusqu'à la table. Il congédia le chauffeur. Son entrée avait causé presque autant d'agitation que celle de Diane.

« Vous êtes plus belle encore qu'à l'écran », dit Wolff à Diane en tendant le bras pour lui baiser la main. Ses doigts, remarqua-t-elle, étaient désagréablement froids. Il avait la voix basse et râpeuse. « Vous me faites regretter de ne plus être jeune, coassa-t-il. Bien sûr, tout me fait regretter de ne plus être jeune... »

On lui apporta un Martini. Il le goûta et le renvoya. On lui en servit un autre. Il hocha la tête d'un air satisfait. « Ils avaient meilleur goût quand on utilisait du gin de contrebande.

— Sigsbee a fait une fortune durant la prohibition, expliqua Konig. Joseph Kennedy était un des associés de Sigsbee. Un jour Sigsbee et Kennedy ont acheté la R.K.O. ensemble.

— Au début, fit le vieil homme, Jo était un concurrent. Mais il est malin. On a conclu un accord. Les types malins savent toujours conclure un accord. » Il émit un ricanement qui devait lui tenir lieu de rire. « Votre ami David, miss Avalon... c'est un garçon malin aussi. Je ne traite qu'avec des gens malins.

— Sigsbee et moi avons essayé voilà quelques années de prendre le contrôle des Studios Empire. » Konig fit un sourire à Wolff, qui lui répondit par un hochement de tête et parut incapable de cesser de dodeliner du chef pendant une période qui se prolongea de façon embarrassante.

« Et qu'est-ce qui s'est passé ?

— Nous avons perdu. Ils ont fait donner la grosse artillerie. La Banque d'Amérique, la banque Morgan. Un de nos adversaires a persuadé le F.B.I. d'organiser une fuite qui a permis à la commission des opérations en bourse de prendre connaissance de certains documents concernant Sigsbee...

— Tout ça était de la foutaise ! Je n'ai rien fait de plus mal qu'un tas d'autres.

— Bien sûr que non, Sigsbee. Je le sais. Tout le monde le sait. Aujourd'hui, nous avons l'occasion d'essayer de nouveau. Si ça vous intéresse toujours...

— Ça m'intéresse, marmonna Wolff d'un ton irritable. Sinon, je ne serais pas ici.

— Vous avez toujours aimé le cinéma, Mr. Wolff ? » demanda poliment Diane.

Wolff émit un son qu'on aurait eu du mal à identifier comme une parole humaine. Elle secoua la tête pour indiquer qu'elle n'avait pas compris et se pencha plus près. Wolff de ses doigts comme des serres empoigna le devant de sa robe et l'attira encore plus près de lui. « Je me fous pas mal du cinéma maintenant, ma petite, dit-il avec lenteur. Je veux simplement liquider les salauds qui m'ont baisé la dernière fois.

— Ça mérite un toast », dit Konig en claquant des doigts pour faire venir le maître d'hôtel.

La plus grande partie de ce que Konig et Wolff avaient à se dire passa par-dessus la tête de Diane, encore qu'elle commençât à comprendre les affaires mieux qu'aucun des deux hommes ne s'en doutait. Elle en comprenait assez pour deviner que Wolff considérait Konig comme son protégé. Par Goulandris elle avait appris que Wolff était extrêmement riche. Il était arrivé à Los Angeles avec les pionniers du cinéma et les terrains qu'il avait achetés pour une bouchée de pain abritaient aujourd'hui des bureaux, des immeubles ; des puits de pétrole, et des supermarchés, mais Wolff continuait à s'intéresser au cinéma, sa dernière passion. Il voulait posséder un studio.

Tout cela, elle le savait. En les écoutant, elle comprit que l'aventure anglaise de Konig n'était qu'un tremplin à partir duquel il espérait préparer son retour sur une plus grande échelle.

Wolff mangeait peu. Elle devina que c'était moins son appétit qui était en cause que sa possibilité de manier un couteau et une fourchette. Il dissimulait le fait que ses mains tremblaient en commandant essentiellement des purées.

« Comment vont les affaires d'Empire ? demanda Konig.

— Mal. Marty Braverman est un schmock. Vous le savez bien.

— C'est un schmock qui a réussi à conserver son studio, Sigsbee.

— Je n'ai pas dit que ce n'était pas un coriace. Il l'est. Mais quand il s'agit de faire tourner ce foutu studio, c'est un schmock. Deux millions de dollars pour *Messaline,* bon sang ! Avec Ina Blaze en vedette et un script sur lequel on ne voudrait même pas pisser. Et vous savez pourquoi ?

— Je sais pourquoi.

— Il se tape Ina Blaze. Un coup à deux millions de dollars ! Et il a fait venir son neveu — un petit trou du cul de New York — pour s'occuper de la comptabilité : si bien qu'il vole la société comme dans un bois. Marty est mûr, Konig, croyez-moi.

— Je vous crois.

— Vous avez raison. Ça n'est pas Winchell là-bas, qui vous fait des signes ? Vous feriez mieux d'aller lui parler. Cet enfant de salaud est un faiseur d'histoires. Donnez-lui quelque chose qu'il puisse publier sur Diane et dites-lui de ne pas mentionner mon nom dans sa chronique.

— Il le fera ? »

Wolff ricana. « Il le fera, Konig ! J'en ai plus à raconter sur Winchell qu'il n'en a sur moi, et il le sait. Dites-lui de me téléphoner au

Plazza, je lui donnerai des détails croustillants sur Marty Braverman. »

Konig se leva, sourit à Diane et se dirigea vers la table de Winchell.

« Vous vous tapez Konig ? » demanda Wolff. Il avait commandé une part de gâteau au fromage qu'il engloutissait avec un plaisir évident.

La question la prit au dépourvu. « Je ne sais pas pourquoi vous pensez ça.

— Parce que j'ai encore des yeux, voilà. Le reste est peut-être un petit peu déteint, mais je peux encore voir, bébé.

— Je ne crois pas que ça vous regarde.

— Vous vous trompez là-dessus aussi. Tout ce qui concerne Konig me regarde. Ne vous méprenez pas. Je n'ai rien contre le fait que Konig vous saute. Il a de la chance. Je voudrais bien pouvoir encore le faire. »

Elle acquiesça prudemment de la tête, en espérant que Konig allait vite revenir.

« Konig croit que vous pourriez être une grande vedette, vous savez ça ?

— Je sais.

— Et vous, vous croyez que vous pourriez être une grande vedette ? Il a besoin d'une star.

— Je l'espère. »

Wolff éclata de rire. Il souffla, haleta, ses yeux pleuraient. Il avait l'air ravi. « Vous l'espérez, mon petit ? Il faut le croire ! Vous voulez être une star, il faut être une tueuse. Est-ce que vous êtes une tueuse ? »

Elle le regarda droit dans les yeux, sans même se donner la peine de cacher son antipathie. « Je peux l'être », dit-elle d'un ton neutre.

Il la considéra un moment, puis hocha la tête. « Je vous crois, mon petit. Mais vous avez besoin de Konig, jeune personne, ne l'oubliez pas. Et rappelez-vous encore une chose : j'ai besoin de lui aussi. Alors soyez gentille avec lui, vous comprenez ?

— Je prendrai soin de ne pas rendre David malheureux.

— Voilà qui est bien ! » s'exclama Wolff.

Konig regagna la table au moment où le chauffeur arrivait pour ramener Wolff à sa voiture. Ç'avait été une longue soirée pour un homme de son âge, expliqua-t-il à Diane en lui donnant un baiser froid et sec.

« Mais j'en ai apprécié chaque instant », grommela Wolff. Il fit signe au chauffeur de pousser son fauteuil. La foule s'écarta devant lui, avec respect, et un instant plus tard il avait disparu.

Diane s'attendait un peu à sentir une odeur de soufre dans le sillage du fauteuil roulant, mais rien ne signalait le passage de Wolff, sauf une légère marque laissée par ses pneus sur la moquette.

Diane regardait les lumières de New York de la fenêtre du salon de Konig au Saint-Régis. Konig, debout près de la cheminée, lisait ses câbles et ses messages. « Qu'est-ce que tu as pensé de Wolff ?

— J'ai pensé que c'était l'homme le plus horrible que j'aie jamais rencontré.

— Hum, fit Konig, sans paraître surpris ni choqué. Il donne souvent cette impression à la première rencontre.

— Et puis on s'y fait ?

— Pas nécessairement. Pour ma part, j'aime bien ce vieux gredin. Mais c'est comme la cuisine hongroise... ça n'est pas au goût de tout le monde.

— Tu as vraiment besoin de lui ?

— Pour rester en Angleterre, non. Pour ce que je veux faire, oui. En Californie, je suis un étranger. Wolff aussi, alors nous sommes des alliés naturels... Ecoute, je te suis reconnaissant. Tu as charmé le vieux. Ça n'est pas facile à faire. » Il ouvrit une enveloppe et fronça les sourcils. « Un câble de Lucien, dit-il. Il est au Congo.

— Il va bien ? » Elle essaya de poser la question du ton le plus détaché possible.

« Il en a l'air. " DESCENDONS LE CONGO STOP PRISES DE VUES MAGNIFIQUES STOP PRIÈRE EXPÉDIER SUPPLÉMENT PELLICULE À LÉOPOLDVILLE STOP ET AU MOINS CINQ MILLE LIVRES STOP BATEAUX ET PORTEURS COÛTEUX STOP SUIS EN BONNE SANTÉ STOP MEILLEURS SENTIMENTS CHAMBRUN. "

— Pas un mot de moi. Il pourrait au moins dire que je lui manque.

— Pourquoi ne lui manquerais-tu pas ? La question est : est-ce que *lui* te manque ? »

Elle le regarda droit dans les yeux. « Franchement oui, reconnut-elle. Parfois. »

Konig déchira le câble, se versa un cognac et ôta ses lunettes. « Bon, dit-il. Si tu m'avais dit non pour me faire plaisir, j'aurais su que tu mentais. Tu l'aimes ?

— Je ne sais pas.

— Et moi ?

— Je ne sais pas non plus, David. Pas encore.

— Je ne parle pas de grande passion, tu sais. Ça, c'est pour le cinéma. L'affection, l'envie d'une présence, le respect... avec le temps, ça devient de l'amour.

— L'affection, le besoin d'une présence et le respect... tout cela, je l'ai. »

Konig parut satisfait. Il plongea une main dans sa poche et en tira une petite boîte de cuir rouge. « Tu m'as rendu très heureux. Après tout, une star doit avoir des diamants. Alors je suis allé chez Cartier acheter cela. »

Il tendit l'écrin à Diane. Elle l'ouvrit. A l'intérieur, il y avait un collier de diamants. Elle le contempla.

Il était beaucoup plus gros que celui de Mrs. Daventry.

Ils firent l'amour ce soir-là mais, malgré le collier, Diane n'éprouvait aucune passion sexuelle. Elle essaya, en vain. Elle ne pensait pas que ce fût la faute de Konig. C'était un amant expérimenté et plein d'égards, pourtant cela ne changeait rien. Elle fut surprise de constater à quel point elle était déçue.

Elle s'éveilla tôt le matin, passa dans le salon et resta nue devant la grande glace. Elle passa le collier. Il brillait d'un éclat froid sur sa peau. Par la fenêtre elle regarda les rues tout en bas.

Il y avait certains sacrifices — des adaptations, comme dirait Konig — qu'il fallait faire, elle le comprenait. Lucien lui manquait sexuellement, comme elle croyait qu'un drogué devait manquer de drogue.

Elle ôta le collier et prit les journaux du matin qu'on leur avait apportés. Elle aperçut la signature de Winchell et regarda sa chronique. Elle vit son nom.

« Le célèbre cinéaste David Konig rayonnait en entrant au 21. Et pourquoi pas ? Il avait à son bras la plus belle fille de l'assistance : Diane Avalon, la star britannique. A la façon dont elle le regardait, voilà une fille qui aime bien son papa gâteau. N'est-ce pas que c'est merveilleux, l'amour ? »

Plus bas, elle vit un autre nom familier : « On raconte que la vie privée du patron des studios Empire, Marty Braverman, fait jaser dans La Mecque du cinéma — et parmi les principaux actionnaires d'Empire. Les spectateurs ont boudé *Messaline*, le grand peplum de Marty, mais il a annoncé son intention de tourner encore deux films avec Ina Blaze... Peut-être Marty devrait-il relire ce qui est arrivé à Néron... »

Nulle part on ne mentionnait le nom de Sigsbee Wolff.

14

Diane traversa le salon d'attente du bureau où Konig s'était installé dans Grafton Street. Les deux secrétaires se levèrent. « Oh ! Miss Avalon, dirent-elles en chœur, comme vous êtes belle ! »

Diane leur sourit. Konig lui avait expliqué l'importance du contact humain. Elle demanda des nouvelles de la mère de Miss Bigelow et du chat de Miss Murgrave.

Miss Bigelow, une femme rondouillarde et maternelle d'une cinquantaine d'années, était la secrétaire particulière de Konig. Elle veillait sur lui comme un chien de garde.

« Comment se sent-il ? » demanda-t-elle. Dans la vie de Miss Bigelow, il n'y avait pas d'autre « il ».

« Il a l'air beaucoup mieux aujourd'hui. Il était si fatigué hier, le pauvre. Oh ! Vous savez, ils ne le laissent pas tranquille… »

Diane eut un hochement de tête compatissant. Elle savait que pour l'instant « ils » étaient des banquiers et des comptables, les adversaires naturels de Konig.

« A-t-on fini à l'hôtel les travaux pour aménager votre vestiaire ? » demanda Miss Bigelow. Dès leur retour en Angleterre, Konig avait déploré le fait que Diane vivait (« campait » comme il disait) dans l'appartement de Lucien. C'était malcommode, déclara-t-il, et peu convenable pour son nouvel état. Il insista pour que Diane vînt s'installer dans une suite au Claridge où elle serait très bien protégée par une armée de domestiques et de portiers, et où elle aurait tout le confort des services d'un hôtel et d'une femme de chambre. Presque sans effort, sans même se souvenir d'avoir pris une décision quelconque, Diane se trouva occuper la suite jouxtant celle de Konig.

Konig, qui n'était jamais satisfait de rien, si luxueuses que fussent les installations, avait fait rebâtir son vestiaire qui ne lui semblait pas assez somptueux pour une star. Il exigea que les travaux fussent terminés en deux jours, et il l'obtint — mais quand tout fut fini, Diane eut la surprise de constater qu'une porte ornée d'un miroir reliait directement leurs deux appartements, parfait exemple de la façon détournée qu'avait Konig d'obtenir ce qu'il voulait. Elle répondit donc à Miss Bigelow que les travaux étaient terminés.

« Je suis sûre qu'il va être libre dans un instant, dit Miss Bigelow. Mais nous sommes toujours si occupés. Et nous avons eu une matinée très difficile. »

Miss Bigelow aimait parler d'elle et de Konig comme s'ils ne formaient qu'une seule et même personne. « Nous avons eu Mr. Wolff au téléphone de Californie pendant une éternité, reprit-elle. Et les comptables étaient ici, à poser toutes sortes de questions sur le film africain... Mr. Chambrun apparemment dépense une fortune là-bas.

— Y a-t-il eu beaucoup de courrier venant de Mr. Chambrun ?

— Non, non, pas beaucoup. Rien que les câbles habituels.

— Il n'a envoyé aucun message pour moi, par hasard ?

— Aucun, miss Avalon », fit Miss Bigelow en secouant la tête. Miss Bigelow désapprouvait la curiosité de Diane envers Lucien. Pour elle, Diane appartenait maintenant à David Konig. « Il paraît que Mr. Beaumont et Lady Cynthia vont se marier avant de partir pour l'Afrique ? » interrogea Miss Bigelow. Elle avait une soif inextinguible de potins romanesques et lui fournir des informations dans ce sens était la meilleure façon de s'en faire une alliée.

« C'est exact, Miss Bigelow. » C'était non seulement exact mais cela gênait aussi Diane, qui en savait plus sur le fiancé que la future épouse. Lorsqu'elle découvrit que Beaumont n'avait fait aucun projet de voyage de noces, elle suggéra à Konig que ce serait un joli geste que de les envoyer en Afrique à ses frais quelques semaines avant le début du tournage. Konig était toujours séduit par les grands gestes et il se mit aussitôt au travail.

« Elle a de la chance, dit Miss Bigelow. Mr. Beaumont est un si bel homme. Et un si parfait gentleman, pour un acteur. Vous savez quel cadeau Mr. Vale leur a fait ? »

Diane ne le savait pas.

« Une ravissante petite maison. Juste à côté de la sienne. Je sais que les gens disent qu'il a mauvaise réputation, mais je dois reconnaître que c'est un cadeau princier, vous ne trouvez pas ? »

En effet. Diane songea à la porte que Konig avait si habilement réussi à faire aménager pour relier leurs appartements. Elle se demanda si Vale avait eu le même genre d'idée.

Miss Bigelow leva la tête. « Le voilà », murmura-t-elle, comme si elle annonçait la Résurrection.

Il y avait une demi-douzaine de personnes dans la pièce, toutes avec le visage tendu d'hommes dont la patience a été douloureusement mise à l'épreuve. David, trouva-t-elle, avait l'air épuisé. Il était blême et, lorsqu'il alluma un cigare, ses doigts tremblaient. Elle se demanda combien il en avait déjà fumé. « Je parlais justement à sir Conop Guthrie et à ses associés de nos projets », dit-il en lançant à Diane un regard complice.

Sir Conop portait un monocle, un col blanc haut et raide, une fleur à la boutonnière et une chaîne de montre en or avec un insigne maçonnique. Son visage semblait sculpté dans du savon bon marché.

Konig eut un large sourire. « Je suppose que vous avez vu *Motifs de divorce ?* demanda-t-il. Non ? Mais il faut y aller ! Je vais vous envoyer à tous des places — et pour vos femmes aussi, bien sûr. Miss Avalon se prépare à en tourner la version cinématographique : c'est l'histoire d'une femme très belle dont le mari croit qu'elle est infidèle alors qu'elle ne l'est pas... Je ne vais pas vous gâcher la pièce en vous racontant l'intrigue. Mais vous n'avez qu'à regarder Miss Avalon pour savoir que rien que dans ce pays nous récupérerons notre mise. Le reste du monde, ce sera du pur bénéfice.

— Cela coûtera cher de faire le film ? interrogea sir Conop.

— Ce que ça coûtera ? demanda Konig en haussant les épaules. Ça coûte la même chose de faire un mauvais film qu'un bon. Le principal est d'avoir Miss Avalon. Dès l'instant où j'ai vu la pièce, j'ai su que c'était pour elle. N'est-ce pas, chérie ? »

Elle comprit que c'était à elle de parler et lui adressa un tendre sourire. « C'est un rôle comme on en trouve une fois dans une vie », dit-elle. Elle tendit la main et la posa sur l'épaule de sir Conop. « Il faudra venir me voir pendant le tournage.

— Excellente idée, fit Konig d'un ton sentencieux. Vous devriez, messieurs, venir au studio voir où passe l'argent. Vous serez mes invités à déjeuner, bien sûr. »

Un petit homme fluet dans un coin s'éclaircit la gorge nerveusement. « C'est très aimable, dit-il, mais je me pose encore sérieusement la question de savoir s'il faut continuer. Nous avons déjà investi une fortune sans rien voir des résultats. Et voilà maintenant que vous nous demandez de nouveaux capitaux. Au rythme auquel ce Vale est en train d'acheter des actions, vous n'aurez bientôt plus le contrôle de votre propre société. »

Diane le dévisagea. Elle clignotait comme si elle allait pleurer. Elle prit dans sa poche un mouchoir de dentelle et se tamponna les yeux. Elle lui lança un regard où vibrait un appel si passionné, si désemparé qu'il aurait fait l'admiration d'un mendiant de Calcutta. L'homme rougit. « Bien sûr, je sais que c'est une activité où il y a des risques, balbutia-t-il.

— Qui ne risque rien n'a rien », déclara sir Conop. Ses associés hochèrent la tête, comme s'ils étaient pénétrés par l'originalité de sa pensée.

Konig prit un air grave. Il s'approcha de la fenêtre et regarda dans la rue. « Je ne veux pas que vous pensiez que je ne suis pas reconnaissant, dit-il d'un ton attristé. J'ai de nombreuses charges et celle qui pèse le plus lourd sur moi, c'est votre générosité. Mais votre confiance avant tout compte pour moi, messieurs, pas votre argent. Je me demande parfois : suis-je bien l'homme qu'il faut pour ce film ? Ne serais-je pas trop vieux ? Je gaspille l'argent... c'est vrai. C'est un métier où on gaspille de l'argent. Ecoutez : la meilleure chose que vous pourriez faire, ce serait de mettre les films King en faillite. Vous obtiendrez cinq pour cent de vos créances ou quelque chose comme ça. C'est regrettable, mais ce sont des choses qui arrivent. J'irai vivre dans le midi de la France, peut-être que j'écrirai un livre. Je ferai pousser des choses. Des olives, peut-être. Ou du raisin, pour faire mon vin. Pourquoi pas ? Je suis né dans une ferme. C'est un service que vous me rendriez.

— Mon cher ami, fit sir Conop, il ne faut pas y penser.

— Mais j'y pense constamment. Ce ne serait pas une vie si déplaisante. Peut-être mes amis — mes *vrais* amis, comme vous, sir Conop — viendraient-ils me rendre visite de temps en temps pour partager un repas frugal, boire un verre de mon vin... Miss Avalon me manquerait, bien sûr, mais je ne saurais faire obstacle à sa carrière. Je pourrais vendre son contrat à Mayer ou à Selznick au moins pour un quart de million de livres... »

Il marqua un temps pour les laisser réfléchir à ce chiffre. « Bien sûr, ce n'est pas grand-chose. Après *Motifs de divorce,* je vais la faire tourner dans un superbe film historique. Peut-être *Cyrano,* avec une grande vedette américaine... peut-être Douglas Fairbanks, s'il n'est pas trop vieux. Bien sûr, mon rêve est de tourner *Anna Karina* avec Diane. Quelle Anna elle ferait : imaginez ce visage, entouré de fourrures, les yeux, quand elle regarde par la fenêtre de sa calèche... Sensationnelle ! »

C'était la première fois que Diane entendait parler de ce programme ambitieux et elle l'écouta avec quelques réserves.

« Bien sûr tout cela est du passé maintenant, dit Konig, avec un rien d'amertume dans le ton. C'est dommage. Miss Avalon ira en Amérique gagner de l'argent pour la M.G.M. Moi, je me retirerai... Allons, ce n'est pas la première fois que j'aurai échoué.

— Vous n'avez pas échoué », répondit Diane.

Konig la prit par les épaules. « Vous vous trompez, ma chérie, dit-il. Demandez à ces messieurs. »

Sir Conop s'éclaircit la voix. « Peut-être allons-nous un peu vite, suggéra-t-il. Comme vous le dites, ce n'est pas un métier ordinaire. Nous pourrions revoir le problème dans six mois... cela vous laisserait-il assez de temps, Mr. Konig ?

— Le temps n'est pas un problème, dit Konig en haussant les épaules.

— Non, bien sûr... Est-ce que deux cent mille livres permettraient à l'affaire de continuer à tourner ? A condition que nous puissions les trouver ?

— Si vous réussissiez à en trouver cinq cent mille, nous aurions de meilleures chances.

— Trois cent cinquante, dit sir Conop d'un ton ferme. Mais nous voulons que vous dirigiez les opérations. Plus d'ennuis avec Vale. » Ses associés hochèrent gravement la tête.

« C'est entendu, messieurs, dit Konig qui savait reconnaître quand c'était une dernière offre. Vous m'avez persuadé. »

Konig descendit lentement les marches qui menaient à la cour, comme un vieil homme. Avec Diane auprès de lui, un bras passé sous le sien, il avait l'air d'un invalide, impression que renforçait encore la canne sur laquelle il prenait appui.

« Est-ce que tu n'aurais pas dû les inviter à déjeuner ? »

Il secoua la tête. « Non, non. Le moment où ils m'ont proposé l'argent, c'était le moment de se serrer la main et de se dire adieu. Au déjeuner, on serait revenus là-dessus. Ils auraient pu changer d'avis. »

La Rolls apparut. Konig s'affala contre la banquette.

« Tu as été merveilleuse avec sir Conop, dit-il. Nous devrions être associés, toi et moi.

— Nous le sommes presque », répliqua-t-elle en lui prenant la main.

Il resta silencieux. Elle savait que le mariage était une des rares craintes qu'avouait Konig. Il y avait échoué une fois et l'échec l'avait profondément marqué.

Elle essuya la buée sur la vitre et regarda dans la rue. « Qu'est-ce que tu vas faire pour Vale ? » demanda-t-elle.

Konig fit la grimace, comme s'il avait mordu dans un citron.

« Ça n'est pas un homme facile à manier, ton ami Vale. Il a fait une histoire épouvantable quand j'ai parlé d'envoyer Dickie Beaumont et Cynthia en Afrique en voyage de noces avant le début du tournage. J'ai mentionné en passant que l'idée venait de toi. Ça l'a rendu encore plus furieux.

— Très furieux ? demanda-t-elle en essayant de ne pas paraître aussi inquiète qu'elle l'était.

— Fou furieux. Nous avons eu une scène très désagréable... C'est un gangster... Tu frissonnes », dit-il. Il frappa à la vitre qui les séparait du chauffeur. « Montez le chauffage, cria-t-il. Et dépêchez-vous, bon sang ! Il est une heure passée. »

Il regarda de nouveau son dossier. « Encore un câble de Lucien... Ce garçon a tourné assez de pellicule pour faire le tour du globe. As-tu eu de ses nouvelles ?

— Pas un mot.

— Il est jeune, soupira Konig, il est occupé, il pense à sa carrière... et bien sûr les communications sont mauvaises. Moi, bien sûr, j'ai des nouvelles de Kraus. Les essais du Kenya et du Congo sont magnifiques. Je t'en ferai une projection. Mais voilà maintenant que Lucien veut aller au Soudan : apparemment les indigènes sont encore tout à fait intacts là-bas, encore que je ne comprenne pas pourquoi on doit considérer l'absence de civilisation comme bénéfique.

— Le Soudan... ça m'a l'air loin.

— Ça l'est, dit Konig avec une certaine satisfaction. C'est très loin. »

Malgré le froid, Goldner transpirait abondamment. Elle le voyait à peine, mais il ne cessait de se tamponner le front avec un mouchoir de soie. Dans le bar du Fusilier, il régnait une obscurité presque impénétrable et c'était pour cela qu'il l'avait proposé comme lieu de rendez-vous.

« J'ai autant à perdre que vous, commença Goldner.

— Je pense bien, acquiesça-t-elle. Vous étiez là. C'est vous qui m'avez emmenée chez le docteur dans votre voiture. Si Vale me fait des histoires, il vous en fera à vous aussi. »

Goldner eut un regard suppliant d'épagneul. « Ce n'était qu'un geste de charité de ma part. Je vous ai aidée dans un moment où vous en aviez grand besoin. D'ailleurs, je doute que personne m'ait vu arriver ou repartir.

— On ne sait jamais. Tout ce que je dis, c'est que, si j'ai un problème, vous en avez un aussi. Vous avez gagné beaucoup d'argent jusqu'à maintenant grâce à moi. Vous allez en gagner beaucoup plus. Il faut arrêter Vale.

— J'entends le même refrain de votre ami Konig. Je remarque qu'il ne veut pas se salir les mains.

— Vous comprenez bien que moins il en sait là-dessus, mieux cela vaudra ? Pour nous tous. Le moindre scandale, et il retournera en Amérique ou en France pour tourner des films là-bas. Vous devez bien pouvoir faire quelque chose.

— Je ne vois pas quoi. Je ne suis pas un gangster comme Vale. Ni comme Sigsbee Wolff. Je ne peux pas le liquider, comme disent les Américains...

— Vous pourriez le menacer. Sa vie privée devrait le rendre vulnérable, tout de même ?

— Vale est discret. Et, à part ça, il ne faut pas oublier qu'en Angleterre personne ne prend l'homosexualité au sérieux. Enfin, il y a des homosexuels au gouvernement ! Tant qu'ils ne se font pas prendre, personne n'y prête attention. »

Diane posa une main gantée de noir sur celle de Goldner. « Et si Vale se faisait prendre ? demanda-t-elle doucement. Un scandale pareil, ce serait la fin pour lui, non ? Personne ne voudrait faire affaire avec lui. »

Goldner avala son scotch d'une gorgée. « C'est risqué, dit-il. Et difficile.

— Considérez cela comme un placement. Et si vous aviez un accord de distribution avec les films King ?

— C'est tentant, mais je ne pense pas que Konig me le proposerait, vous ne croyez pas ?

— Il pourrait si c'était moi qui le lui demandais.

— Oui, fit Goldner d'un ton songeur. Sans doute que oui. Eh bien, je vais faire de mon mieux.

— Je l'espère, fit Diane. Pour nous deux. » Elle se leva, chaussa une paire de lunettes noires, rabattit sa voilette un peu plus bas et sortit dans le vent glacé. Ce fut à peine si elle s'en aperçut.

A Léopoldville, il faisait presque trente degrés de plus qu'à Londres. La chaleur faisait monter des nuages de vapeur de la surface presque visqueuse du Congo jusqu'au moment où toute la ville se trouvait enveloppée dans une brume épaisse brûlante et malodorante, comme dans une gigantesque blanchisserie.

Lucien était assis sur la terrasse de l'hôtel Albert, son déjeuner se desséchant dans l'assiette devant lui sous une nuée de mouches. Il but une gorgée de bière : elle était tiède. Il claqua des doigts à l'adresse d'un des boys qui paraissaient insolemment sur la terrasse.

« Encore une bière, dit-il en français. Bien glacée cette fois.

— Pas de glace, répondit le boy en haussant les épaules. L'électricité est en panne. »

Lucien hocha la tête sans surprise. A Léopoldville, tout était toujours en panne. C'était la chaleur, l'humidité, les indigènes léthargiques et maussades, ou peut-être simplement la morne immensité du Congo lui-même.

Presque tous ceux qui visitaient le Congo détestaient le pays. Lui l'aimait. Ici, en Afrique, comme tant d'Européens avant lui, il s'était redécouvert. Il était transformé. Parfois, durant les longues nuits, comme il prêtait l'oreille aux rumeurs de la jungle, il regrettait de ne pas pouvoir partager cette transformation avec Queenie. Il lui en avait parlé dans ses lettres, mais elle n'avait pas répondu.

Lucien entendit claquer la portière d'un taxi. Un instant plus tard, Kraus apparut sur les marches de la terrasse, vêtu comme d'habitude d'un costume de gros lainage gris, avec un col et une cravate. Kraus portait un panama à la main. Kraus était énergique, efficace, infatigable et d'un calme sans défaut. Lucien l'avait détesté au premier abord.

Le temps et la camaraderie forcée créée par le voyage avaient émoussé l'antipathie initiale de Lucien envers son compagnon. Kraus n'avait pas d'illusions romantiques sur l'Afrique ni sur rien d'autre. Son travail était d'arranger les choses, si improbables, difficiles ou absurdes qu'elles fussent. Il était le parfait assistant de production.

Konig avait fait venir Kraus d'Europe quelques années auparavant, pour des raisons connues de lui seul, avait découvert ses talents et lui avait trouvé du travail. Kraus aujourd'hui adorait son bienfaiteur.

Il posa son chapeau sur la table et claqua des doigts à l'intention du boy.

« Nettoie ça, dit-il en désignant les assiettes qui restaient sur la table. Tout de suite ! »

Comme si Kraus venait de le ressusciter, le boy s'empressa de débarrasser et d'essuyer la nappe avec un large sourire.

« Il faut les tenir, dit Kraus, ils n'ont aucun sens de la discipline. »

Lucien haussa les épaules. C'était précisément ce qu'il aimait chez les indigènes. « Pas de nouvelles ? demanda-t-il.

— Mr. Konig a câblé. Nous devons aller au Soudan.

— Au Soudan ? Mais c'est à quinze cents kilomètres d'ici. Pour quoi faire ? »

Kraus haussa les épaules. « Il a été très précis. Il dit que les indigènes là-bas sont intacts.

— Quel est le moyen le plus rapide de s'y rendre ?

— Il n'y a pas de moyen rapide. Nous allons prendre le train pour Kikiwisha où nous passerons la nuit. Le lendemain nous traverserons la province de Kasaï jusqu'à Bukadu, puis nous gagnerons Kibombo, nous nous arrêterons deux ou trois jours à Ruanda en essayant de trouver un moyen de transport pour Kampala. Ensuite, ça devient plus dur.

— Comment ça ?

— On ne peut pas dire. Il se peut que nous devions passer quelque temps à Juba : personne ne semble savoir quels sont les horaires de train là-bas.

— Qu'y a-t-il à Juba ?

— Rien. C'est à mille kilomètres de Khartoum, et il n'y a rien d'un bout à l'autre de la ligne de chemin de fer que du sable. Je ne peux m'empêcher de penser que ç'aurait été plus facile de tourner ce film en Californie.

— Nous n'aurions pas eu les indigènes, Kraus. Pas d'autre message ? »

Kraus tira de sa poche un bout de papier. « Rien que le câble de Mr. Konig. Il a bien aimé les essais.

— Rien de Miss Kelley ?

— Pardon ?

— De Miss Avalon ?

— Malheureusement non.

— Vous avez envoyé mon câble ?

— Bien sûr », répondit Kraus. Kraus se demandait ce qui se passerait quand Lucien apprendrait, comme ce serait sûrement le cas, que ses câbles aussi bien que ses lettres à Queenie n'avaient jamais été envoyés. Nul doute que cela ferait du vilain, mais Kraus prenait ses ordres de Konig et ne faisait que ce qu'on lui avait dit de faire. Les instructions de Konig avaient été claires.

Kraus avait la conscience tranquille.

Muni de nouveaux capitaux, Konig s'était lancé dans son film suivant. Diane pensait que son rythme aurait tué un homme plus jeune : cela la tuait presque, elle. Il avait deux metteurs en scène qui travaillaient sur *Motifs de divorce*, et lui-même arrivait, en général tard le soir, pour diriger les scènes les plus importantes dans lesquelles elle figurait. Il avait quatre films en train simultanément, y compris le film africain. Il n'interrompait pas pour autant sa ronde de dîners — rien ne devait gêner sa vie mondaine, puisque c'était là la clé de son financement — mais, une fois le dernier invité parti, il se mettait au travail avec ses scénaristes, dictant des pages de changements, réduisant les scénarios, arpentant le salon en tirant sur son cigare, jusqu'à ce que l'air fût bleu de fumée.

Bien que sa propre vie fût soumise aux plans de Konig, elle le voyait rarement. Une voiture du studio venait la prendre le matin au Claridge pendant qu'il faisait encore nuit et elle rentrait rarement avant une heure avancée de la soirée, juste à temps pour faire une apparition à la fin du dîner de Konig.

Presque tous les soirs, elle dormait bien avant qu'il ne vînt se coucher avec un gémissement de fatigue. Elle s'amusait parfois à imaginer combien leur vie ensemble était différente de ce que les invités de Konig sans nul doute s'imaginaient. Et parfois elle s'endormait en rêvant au corps dur et musclé de Lucien allongé auprès d'elle.

Elle savait que ce n'était pas raisonnable d'éprouver de la colère contre lui — après tout, c'était elle qui avait choisi Konig — mais elle ne pouvait s'empêcher d'être étonnée et blessée par le fait qu'il l'avait apparemment laissée tomber dès l'instant où il avait quitté l'Angleterre. Cela la tracassait. Si elle pouvait commettre une erreur pareille, alors comment pourrait-elle jamais se fier à son instinct ?

Une nuit, elle s'éveilla au moment où Konig se glissait dans le lit. Il poussa un soupir, se cala contre les oreillers, se versa un verre d'eau glacée de la carafe posée sur la table de chevet et prit un comprimé. « Tu rentres bien tard ce soir, dit-elle en bâillant.

— Je ne voulais pas te réveiller.

— Tu as pris un somnifère ?

— Oui. Non que ça m'avance à grand-chose. Tu sais, j'en ai assez de vivre comme ça, dans un hôtel. J'ai pensé à trouver un appartement, reprit-il. Mais je n'aime pas beaucoup cette idée : on a des voisins. A Londres, une maison est bien plus agréable. Qu'est-ce que tu en dirais ?

— Je ne sais pas si ça me plairait, David », dit-elle.

Il haussa un sourcil et prit un grain de raisin dans une coupe. « Tu n'aimes pas les maisons ?

— Si, j'aime les maisons. La question n'est pas là.

— Où est-elle exactement ?

— J'ai la suite voisine de la tienne ici au Claridge. Les gens peuvent se douter que nous avons... des liens, mais ils ne savent pas vraiment. Si nous nous installons ensemble dans une maison, il n'y aura plus aucun doute dans l'esprit de personne, n'est-ce pas ?

— Aucun », dit-il. Il marqua un temps. « Tu crois que ça serait mieux si nous étions mariés ?

— Je ne pense pas que je le ferais si nous n'étions pas mariés.

— Et si je te demandais de m'épouser, qu'est-ce que tu dirais ?

— Je ne sais pas. Tu ne m'as pas posé la question. »

Elle voulait entendre une demande directe, sachant combien Konig avait l'habitude de prendre des voies détournées.

« Je te le demande maintenant.

— Je ne pense pas pouvoir t'épouser de façon que nous puissions nous installer dans une maison, David. Il y a quand même plus que cela dans le mariage ?

— Oh oui ! dit-il avec un soupir. Je sais tout ça. Et si je te disais que je t'aime ? Je ne suis pas très bon pour ce genre de choses, tu sais, mais c'est vrai. Et si je te disais que j'ai besoin de toi ? Je ne vais pas te demander si tu m'aimes mais, si tu as le moindre doute, c'est le moment d'en parler, je t'en prie. Pas plus tard. Es-tu toujours amoureuse de Lucien ?

— Je ne suis pas sûre de l'avoir jamais été. Et lui n'est certainement pas amoureux de moi.

— Bon. Alors, dans ce cas, veux-tu m'épouser ? »

Elle répondit oui, comme elle avait toujours su qu'elle le ferait.

« Je crois malheureusement qu'il faudra que ce soit un mariage discret. Pas de presse, pas de publicité. Si Marla l'apprend, elle prendra le premier bateau pour venir faire une scène... Ça ne t'ennuie pas ?

— Ça ne m'ennuie pas », assura Diane.

Konig se pencha pour l'embrasser. « Maintenant, je vais te dire la vérité, expliqua-t-il. J'ai déjà acheté la maison et je l'ai mise à ton nom. C'est une affaire. Elle appartenait à l'ambassadeur d'Espagne, alors elle n'est pas chère.

— Tu savais que je dirais oui ? dit-elle en riant.

— Disons que... j'étais prêt à le parier. »

Il prit dans la poche de sa robe de chambre en soie une petite boîte en cuir rouge. « J'ai même acheté l'alliance. » Il ouvrit l'écrin et passa l'anneau à son doigt. Il allait parfaitement. C'était le genre de détail pour lequel on pouvait compter sur David, songea-t-elle.

Il ferma les yeux un moment, puis secoua la tête. « Bon sang, dit-il, j'ai pris mon comprimé pour me réveiller au lieu de mon somnifère... Pas étonnant que je n'arrive pas à dormir ! »

Elle sentit les mains de David sur ses seins, son souffle sur ses joues. Elle le prit dans ses bras. Bien qu'il se brossât les dents avec soin, elle sentait encore la légère odeur de cigare sur ses lèvres. Elle essaya de ne pas y penser et de songer à l'avenir. En tant que Mrs. David Konig, elle serait à l'abri, riche et toujours protégée par le pouvoir et la fortune de Konig.

Devant Caxton Hall, journalistes et photographes s'entassaient sur trois rangs. Même Konig n'avait pas réussi à garder le mariage complètement secret, même s'il avait réussi à le faire assez longtemps pour empêcher Marla de venir. Diane se cramponnait à son bras tandis que les éclairs de magnésium jaillissaient.

« Où allez-vous en voyage de noces ? cria un reporter.

— C'est un secret, dit Konig. Nous aimerions un peu de paix et de calme.

— Qu'avez-vous offert à Diane comme cadeau de mariage ?

— J'ai suivi la tradition, répondit Konig. Quelque chose d'ancien, quelque chose d'emprunté, quelque chose de nouveau, ça n'est pas ça ?

— C'était quoi ?

— J'ai offert à Mrs. Konig une nature morte de Van Gogh : *Gants bleus avec des fleurs.* Et un bracelet en diamants. Et un manteau de vison.

— Ça fait quelque chose d'ancien et quelque chose de nouveau, dit le journaliste. Qu'est-ce qui est emprunté ?

— L'argent pour le payer, bien sûr ! » cria Konig en montant dans la Rolls.

Leur lune de miel était organisée par Konig à son rythme effréné habituel. A peine étaient-ils installés dans leur suite au Ritz, à Paris, avec des fleurs, le champagne et le caviar offerts par la direction, qu'il était au téléphone. Lubitsch était en ville ? Il devait venir dîner aussi ! Et Jean Renoir, bien sûr, s'il était libre, et Tania Ouspenskaïa ? Lorsque la voiture vint les chercher, Konig avait réservé une table pour douze chez Maxim's.

Même lorsqu'ils arrivèrent à l'hôtel du Cap à Antibes, Konig semblait incapable de se détendre. Il lui fallait de la compagnie — et celle de sa femme, si jeune et si belle fût-elle, ne lui suffisait pas... Cocteau vint dîner avec eux et fit d'elle un dessin sur une serviette. Winston Churchill, qui fut aussi leur invité à l'hôtel de Paris à Monte-Carlo la gratifia de son récit habituel sur sa charge à la bataille d'Ondurman et confia à Konig qu'elle en savait plus sur l'Inde que le vice-roi. Marcel Pagnol proposa d'écrire une pièce pour elle.

Ç'aurait dû être une période idyllique et, selon toutes les apparences, c'était le cas, mais Diane, allongée sur son matelas au soleil, reconnaissait qu'épouser David avait changé la nature de leurs relations. Ce n'était pas seulement qu'elle n'éprouvait pas de passion pour lui : elle en avait pris son parti dès le début ou, plutôt, avait décidé de ne pas y penser dans l'espoir qu'elle pourrait vivre avec cette idée. Elle n'avait pas eu grand mal à vivre avec lui dans des conditions provisoires, mais la permanence du mariage rendait les choses plus pénibles qu'elle ne l'avait imaginé. Ce qu'elle supportait encore plus mal, c'était l'effet du mariage sur Konig. Autrefois, elle jouissait d'un rôle anormal, et certainement ambigu, dans sa vie ; maintenant elle était sa femme. D'un trait de plume elle s'était mise à faire partie de l'image de Konig, avec les Rolls Royce, les dîners et les costumes soigneusement coupés. Il veillait sans cesse à ce qu'elle devait dire, porter ou faire.

Il fallait dire, à la décharge de Konig, qu'il ne se rendait pas lui-même compte du changement. Il semblait inconscient de la distance qu'il avait mise entre eux, ou peut-être était-ce quelque chose contre quoi il ne pouvait rien.

Il vint s'installer auprès d'elle dans un transat. « Nous allons rester ici quelques jours de plus que je ne comptais, dit-il.

— Je croyais que tu voulais finir *Motifs de divorce* ?

— En effet. Mais quelques jours de plus au soleil ne nous ferons pas de mal.

— Tu as parlé à Londres ce matin ?

— Qu'est-ce qui te le fait croire ?

— J'ai entendu le concierge te passer la communication au moment où je descendais.

— Un homme ne devrait pas avoir de secrets pour sa femme. Tu sais pourquoi ? Parce qu'il n'est pas possible de garder un secret envers une femme... A Londres il pleut, il fait quatre degrés et les travaux à la maison vont prendre deux fois plus longtemps que je ne pensais —, et coûter sans doute trois fois plus que ce qui était prévu. Si nous avons de la chance.

— Ce n'est pas ton genre de t'inquiéter pour l'argent, David.

— Qui s'inquiète ?

— Toi, je crois. Ça se voit sur ton visage. »

Konig se pencha en avant dans son transat. Il jeta un coup d'œil autour de lui pour s'assurer que personne ne pouvait les entendre. « Ce n'est pas le moment d'être à Londres, murmura-t-il. Il semble que ton ami Vale a eu quelques ennuis. »

Malgré la chaleur du soleil, Diane sentit un frisson.

« Quel genre d'ennuis, David ?

— Le classique scandale sexuel habituel en Angleterre. Un jeune homme s'est plaint à la police d'avoir été l'objet de propositions de la part de Vale. Malheureusement pour Vale, lorsque la police l'a trouvé pour l'interroger, il était dans une de ces boîtes pour hommes qui ont... des goûts spéciaux.

— Il en possède plusieurs.

— Ah oui ? Je n'avais aucune idée », fit Konig avec une expression où la surprise et l'indignation se mêlaient habilement. De toute évidence, il était décidé à jouer le rôle d'un innocent, même avec elle.

« Que va-t-il lui arriver ? » Diane perçut dans sa propre voix une très grande nervosité. « Va-t-il aller en prison ?

— Il faudrait d'abord qu'il soit jugé. Après tout, l'Angleterre n'est pas l'Allemagne. Mais, en fait, Vale a réagi avec bon sens. Il a pris le train de nuit pour Paris et a disparu. J'imagine que ses amis l'ont aidé à partir. Je les soupçonne d'avoir insisté pour qu'il parte — et de s'être même arrangés pour que son départ lui soit profitable. Un tas de gens avec des noms connus devaient tenir à ce qu'il quitte le pays avant de parler à la police... Bien sûr, il va devoir renoncer à ses divers postes d'administrateur. Y compris aux films King.

— C'est bien commode.

— N'est-ce pas ? On est navré pour ce pauvre homme — mais d'un autre côté, ce sera un grand soulagement de ne pas l'avoir dans les jambes à essayer de me chasser de ma propre société.

— Où va-t-il aller ?

— S'il est malin, dit Konig en haussant les épaules, et il est malin, il va tout vendre et recommencer ailleurs. Il y a un marché partout pour ce que Vale vend. Si j'étais lui, j'irais en Amérique. Il se débrouillerait très bien là-bas... » Plus il sera loin, mieux cela vaudra, songea Diane. Elle remercia Dieu que Vale n'eût aucun moyen de faire le rapprochement entre elle et sa chute. Elle roula sur le côté et prit un fruit dans la corbeille auprès de Konig.

« C'est drôle, dit-elle, quand nous allions en Amérique — tu te rappelles ? —, nous avons parlé des faiblesses de Vale au dîner avec Goldner. Je me souviens de t'avoir entendu dire que, si un homme a quelque chose qu'il doit vraiment cacher, il peut le faire pendant des années, mais que cela finira par causer sa perte.

— Je ne me souviens pas du tout d'avoir parlé de Vale, dit Konig d'un ton ferme. Bien sûr, c'est vrai qu'en fin de compte, c'est ce qu'on a le mieux caché — ce qu'on a enfoui le plus profondément — qui revient chaque fois nous hanter. »

Il marqua une pause et tira sur son cigare. « C'est vrai de tous les hommes. » Nouvelle pause. « Et des femmes aussi. »

Il souffla un rond de fumée dans l'air immobile. Il semblait attendre une réponse, mais elle resta sans rien dire.

Les lumières du lustre en cristal se reflétaient sur la surface polie d'une table qui occupait toute la longueur de la salle à manger. Il y avait vingt invités à dîner, dont la plupart étaient inconnus de Diane. 1938, c'était l'année de Munich, partout on parlait de guerre. Londres se divisait entre les partisans de la paix, qui soutenaient Nevil Chamberlain, et leurs adversaires, qui croyaient à la résistance et se ralliaient à Winston Churchill.

Konig, pour une fois, avait choisi le camp impopulaire. Il était suffisamment juif pour sentir qu'aucun marché n'était possible avec Hitler — aucun en tout cas qui comprît des gens comme lui.

« Ils n'ont pas de navires !

— Ils n'ont pas de chars !

— Ils n'ont pas le cran ! » entendit-elle tandis qu'elle montait se coucher, discrètement. Konig d'ordinaire regagnait tard sa propre chambre, longtemps après qu'elle fut endormie et se levait des heures après qu'elle fut déjà éveillée et habillée. Il était toujours fatigué, mais cela n'avait rien de surprenant : son nouveau studio presque terminé, il avait une demi-douzaine de films en production. Le nouveau studio engloutissait des capitaux à un rythme vertigineux, et il ne cessait d'emprunter de l'argent, comptant sur le fait qu'il avait déjà de telles dettes que personne ne pouvait se permettre de le laisser couler.

Il ne laissait pas ces soucis l'arrêter dans ses autres ambitions. Konig et Sigsbee Wolff étaient fort occupés à racheter les actions des studios Empire, en prenant soin de faire passer ces transactions par des intermédiaires, de façon à ne pas éveiller les soupçons de Marty Braverman. Diane savait, pour l'avoir entendu dire à une conversation de dîner, que Goldner était l'un de ces investisseurs anonymes et elle soupçonnait fort Kraus, l'homme de main de Konig, d'en être un autre ; une ou deux fois, ce dernier fut même prié à dîner, arrivant dans une veste de smoking plusieurs fois trop grande que de toute évidence il avait louée.

« Il me donne la chair de poule », dit un soir Cynthia Beaumont à un dîner.

Maintenant que les Beaumont étaient de retour, avec *Safari* (c'était le titre que Lucien avait donné à son film), enfin terminé, eux aussi devinrent des habitués des dîners de Konig. Le film ne fit pas grand-chose pour la réputation de Cynthia mais le jeu de Beaumont éblouit tous les critiques et l'assura d'une grande carrière au cinéma. On admira beaucoup aussi la mise en scène de Lucien que l'on considéra comme plein de promesses.

Cynthia au premier abord semblait aussi belle et arrogante que jamais, mais elle avait des cernes sous les yeux, la bouche étrangement crispée — et elle buvait. Elle ne s'en cachait pas plus qu'elle ne s'en vantait mais, à la fin de la soirée, elle avait généralement besoin d'un peu d'aide pour regagner sa voiture.

Ce soir-là, elle était pour l'instant maîtresse d'elle-même — au grand soulagement de Diane. « Kraus me donne la chair de poule aussi, dit-elle.

— En Afrique, dit Cynthia en riant, il était abominable. Toujours à rôder autour de nous comme un détective en quête de flagrant délit pour un divorce. Lucien le détestait.

— Ça n'est pas difficile à comprendre. Comment était Lucien ? Il semble avoir disparu.

— Il s'est laissé pousser la barbe. Ça lui allait bien, je trouve. Ce n'était plus du tout le beau play-boy. Au début, il était plutôt lugubre.

— Ça ne ressemble pas à Lucien.

— Mais il dépérissait, ma chérie. Pour toi. Pas un mot, pas une lettre, me disait-il tous les matins au petit déjeuner. Il prenait cela très mal, tu sais...

— Moi, je n'avais aucune nouvelle de lui. »

Cynthia parut déconcertée. Elle hésita, puis vida son verre. « Ça n'est pas ce que lui me disait. Comme c'est bizarre...

— Cynthia, pourquoi Lucien n'est-il pas revenu ? Il n'a même pas fait une apparition pour la première de son propre film. » Elle s'efforçait de poser la question d'un ton désinvolte. Elle n'était pas sûre d'y être parvenue. Mais Cynthia ne parut pas s'en apercevoir.

« Eh bien, une des raisons, ma chérie, c'est que je crois que ton mariage l'a pris un peu par surprise.

— Ça n'aurait pas dû. Je lui ai écrit. »

Cynthia vida son verre, ferma un moment les yeux, puis alluma une autre cigarette. Elle eut un certain mal à en trouver l'extrémité, mais finit par y réussir, aspira une profonde bouffée, puis l'écrasa dans son assiette. « Vraiment, chérie ? fit Cynthia, l'air plus égaré que jamais.

— Je lui ai écrit. Il n'a jamais répondu.

— Le courrier est épouvantable là-bas.

— Sûrement pas à ce point-là. »

Cynthia dissimulait quelque chose. Et puis elle mentait très mal, ou bien, plus probablement, elle ne voulait pas parler.

« C'est terrible ! reprit Cynthia. Mais tu as quand même dû recevoir quelques lettres de lui, chérie. Au début, il en griffonnait tout le temps.

— Comment postiez-vous vos lettres ? demanda Diane d'un ton nonchalant. J'imagine qu'il n'y a pas de boîtes aux lettres là-bas ?

— Non, non. On les donnait à Kraus et il les mettait au courrier : il s'occupait de tout.

— Je vois », dit Diane — et c'était vrai. Ce n'était qu'un soupçon qui semblait vraisemblable et, quand quelque chose est vraisemblable, c'était en général vrai. Elle était surprise de ne pas s'en être doutée plus tôt. « Où est Lucien maintenant ? toujours en Afrique ?

— Il partait pour Paris, je crois. Il y a des producteurs français qui s'intéressaient à lui. Tiens, tu ne devineras jamais qui nous avons vu à

Paris à noltre retour : Dominick Vale, figure-toi. L'air absolument superbe, au Fouquet's. Pas l'air le moins du monde coupable.

— Tu lui as parlé ? demanda Diane d'un ton qu'elle voulait désinvolte.

— Nous avons dîné avec lui. Tu sais comme Dickie et lui sont copains. Il a dit des choses très déplaisantes sur toi, ma chérie. Il semble te reprocher ce qui est arrivé.

— C'est absurde !

— Certainement. Oh ! Ils ne peuvent pas se taire, ces hommes ?

— Il y aura la guerre en 39, lança d'une voix forte un des invités. Je l'ai entendu d'un type qui était à Berlin la semaine dernière. »

Les yeux bleu porcelaine de Cynthia étaient un peu embrumés, mais elle y voyait encore clair. « Crois-tu qu'il y aura une guerre, Diane ? demanda-t-elle.

— David pense que oui.

— Dickie aussi. Sais-tu ce qu'il a fait ? Il est allé s'engager dans la réserve des auxiliaires de la R.A.F. Franchement, je crois que c'est l'uniforme qui lui a plu.

— Tu n'es pas juste, Cynthia.

— Ah oui ? Mais ça n'est pas toi qui es mariée à lui, ma chérie, n'est-ce pas ? Quand je pense, le plus bel homme d'Angleterre... Il n'a qu'à apparaître en scène et les dames de tout âge se pâment positivement, mais quand nous sommes au lit ensemble, je-ne-sens-rien ! déclara Cynthia en riant.

— Ne fais pas de scène, murmura Diane. Peut-être que tu ne lui as pas donné sa chance. Pourquoi ne partez-vous pas, tous les deux ? »

Cynthia alluma une autre cigarette et fixa Diane d'un regard songeur. « Tu n'as pas compris, dit-elle en baissant la voix. Ce n'est pas tant que Dickie ne puisse pas me satisfaire, moi — encore qu'à mon avis ça ne soit pas en demander tant. Mais moi, je ne peux pas le satisfaire ! Quand il est au lit avec moi, c'est comme s'il n'était pas là. Tu n'as aucune idée de ce que c'est.

— Peut-être que si », murmura Diane si doucement que Cynthia ne l'entendit pas.

« C'était une erreur, dit Konig. Je le reconnais.

— Tu m'as trompée. Et ce n'était même pas nécessaire.

— Ça, je ne le savais pas. Je prenais une assurance. »

Il était planté dans le salon déserté par les invités, son nœud de cravate défait.

« Je ne pense pas que ce soit une excuse. » C'était la première fois qu'elle le défiait.

Il rougit un peu. « Ce n'est pas la première chose que j'ai faite et dont j'ai honte », dit-il. Se sentait-il coupable parce qu'il avait intercepté ses lettres et celles de Lucien, se demanda Diane — ou seulement parce qu'elle s'en était aperçue ? Elle se demanda ce que Lucien disait dans ses lettres. Cela aurait-il changé les choses ?

Konig se versa à boire. Il buvait davantage ces temps-ci. Cela ne semblait pas avoir beaucoup d'effet sur lui, sinon donner l'impression qu'il faisait tout au ralenti. « Mais je te revaudrai ça », dit-il.

Elle resta silencieuse.

« Je crois que je vais dormir dans ma chambre, dit-elle. Je préférerais être seule. »

Konig ne discuta pas. Elle se demanda s'il n'était pas soulagé de la décision qu'elle avait prise de dormir seule. L'idée ne lui était pas venue jusqu'alors que David lui faisait peut-être l'amour à cause du même sentiment d'obligation qu'elle éprouvait envers lui.

1939 fut l'année de sinistres préparations en vue d'une guerre dont tout le monde savait qu'elle venait et à laquelle personne ne voulait penser. A certains égards, Konig n'avait pas à se plaindre. Plus la guerre approchait, plus les gens voulaient l'oublier. Les cinémas n'avaient jamais fait de meilleures affaires et Diane — belle, somptueuse et sophistiquée — était exactement ce que les gens voulaient pour ne plus penser au danger des gaz, aux bombardements aériens et aux parachutistes nazis sautant sur l'Angleterre déguisés en religieuses. Sa réputation grandissait en Amérique, mais ici, en Angleterre, Diane était déjà une star de première grandeur, et une secrétaire travaillait à plein temps à Grafton Street pour répondre au courrier de ses admirateurs, qui de loin dépassait celui du Premier ministre après Munich.

Pourtant l'approche de la guerre n'était pas la principale préoccupation de Konig. Malgré le succès de ses films, ils ne pouvaient jamais rapporter assez pour couvrir les frais de la vaste organisation qu'il avait édifiée. Même son habileté légendaire à jongler avec les chiffres ne pouvait dissimuler à ses commanditaires que les films King croulaient sous le poids du studio — et sous les habitudes ruineuses de son directeur. La stratégie de Konig pour affronter ce problème était toujours la même : il doubla sa mise.

Il allait produire une grande épopée, un film qui assurerait une fois pour toutes le marché mondial aux films britanniques. En même temps il allait mettre la main sur les studios Empire en se servant des films King comme moyen de prendre pied à Hollywood.

Il calculait, non sans raison, que les banques, le Trésor, peut-être même Goldner et ses nouveaux amis juifs de la City seraient trop heureux d'oublier les problèmes financiers des films King si on leur offrait une chance d'acquérir un grand studio de Hollywood — pas plus qu'il n'aurait de mal à les persuader qu'avec Sigsbee Wolff « dans sa manche » la chose était réalisable. Avec un peu de chance — et une nouvelle injection de capitaux — ils allaient se retrouver propriétaires des studios Empire — non seulement du studio, mais, ce qui était plus important, de la société de distribution d'Empire — ouvrant ainsi tout le marché américain aux films britanniques, cependant qu'il conservait son studio en Angleterre.

Comme Goldner de son côté achetait déjà des salles de cinéma en Angleterre et se préparait à devenir un distributeur indépendant, le monde anglo-saxon allait tomber sous leur contrôle. Diane savait fort bien que la fortune de Goldner — et dans une certaine mesure celle même de Konig — était due à elle. Maintenant qu'elle avait vingt et un ans et qu'elle était libérée de son vieux contrat, elle rapportait de l'argent à Konig !

Dans ces circonstances, il n'était guère étonnant, même pour Diane, que son mari eût peu de temps à lui consacrer, et elle-même de toute façon était déjà assez prise par son rôle de vedette. Ce qui était plus préoccupant, c'était qu'il n'avait pas assez de temps à consacrer au grand film dont elle devait être la vedette.

Après avoir rejeté *Cyrano* comme trop subtil pour un public de langue anglaise et *Guerre et Paix* comme trop ambitieux, il porta son choix sur *Les Mines du roi Salomon* dont il avait acquis quelques années auparavant les droits pour une bouchée de pain.

Ce qu'il craignait, c'était de tenter de mettre le film en scène lui-même : il savait que cela c'était plus qu'il n'en était capable. Il avait tourné des épopées jadis — voilà bien longtemps. Il connaissait trop bien ce que cela coûtait d'énergie. D'ailleurs, affirmait-il, ce n'était pas son métier. Après tout, il ne s'appelait pas Cecil B. De Mille. Mais trouver un metteur en scène n'était pas facile. Aucun grand metteur en scène américain ne voulait venir en Angleterre à une époque où la guerre était sur le point d'éclater et aucun metteur en scène anglais n'avait l'expérience de ce genre de film. Il réfléchissait sans cesse au problème, même avec Diane, sans trouver de solution.

Un soir, elle le trouva affalé dans son bureau devant le feu, les yeux fermés. Il l'entendit et se redressa d'un air las. Elle vint se planter devant lui. « Tu es debout bien tard, dit-il.

— Je ne pouvais pas dormir. Je suis descendue prendre une tasse de thé. »

Elle posa la main sur la nuque de David. Il gémit. « Il va falloir que je le dirige moi-même », dit-il.

Il y eut un long silence qu'interrompit seulement le souffle un peu rauque de Konig.

« Il y a Lucien », suggéra-t-elle doucement.

Il ne dit rien.

« Si son nouveau film est aussi bon que *Safari*...

— Il l'est. Je me le suis fait projeter.

— Alors, il pourrait le faire.

— C'est même exactement l'homme qu'il faut. » Konig redressa le cou et remua sa tête de haut en bas. « Mais, dit-il en levant les mains comme pour repousser un adversaire. Mais...

— Mais quoi ?

— Mais... est-ce que j'ai vraiment envie qu'il te dirige ? Est-ce que toi tu le veux vraiment ? La jalousie est une émotion ridicule, mais pénible à mon âge. Je ne veux pas l'ajouter à mes ennuis.

— Il est l'homme qu'il te faut, David. L'homme qui convient. »

Il ne lui demanda pas s'il pouvait lui faire confiance avec Lucien. Elle en fut heureuse, car elle n'aurait su que lui répondre.

« Mais est-ce qu'il voudrait revenir ? demanda Konig. Il a des engagements. Et il paraît qu'il garde une certaine amertume à propos de notre mariage. »

Elle avait réponse à cela. « Il le ferait si je le lui demandais. »

Konig acquiesça. « C'est vrai », dit-il. Il savait qu'elle avait raison, mais aussi qu'il n'avait pas le choix et qu'il prenait un risque. « Ecris-lui. Mieux, câble-lui. Je ne veux pas savoir ce que tu lui dis ni comment tu t'y prends... Arrange-toi pour qu'il vienne ici. Je ferai le reste. »

Il se leva, la prit par la taille et s'approcha du grand escalier. Il était si las qu'il s'arrêta pour reprendre son souffle avant d'arriver en haut. Il lui pressa la main. « Voilà longtemps que nous n'avons pas dormi ensemble, dit-il. Très longtemps. »

Dans la lueur tamisée de l'escalier, il semblait épuisé, on avait du mal à se rappeler quelle énergie et quel charme il pouvait déployer lorsqu'il était avec d'autres gens. Elle n'avait aucun désir de dormir avec lui, mais elle comprit — ou crut comprendre — la raison pour laquelle il avait abordé ce sujet. Il serait toujours jaloux de Lucien. Il avait besoin maintenant de réaffirmer ses droits sur elle. Elle ne discuta pas. Il y avait des moments dans le mariage où mieux valait céder et c'était le cas cette fois-là.

Il la suivit dans sa chambre, le souffle toujours court. Il s'assit sur le lit et ôta ses chaussures. « J'ai un secret à te confier, dit-il. Personne ne doit le savoir, mais on m'a offert de m'anoblir. »

Elle le regarda avec stupéfaction. Konig avait la réputation d'être capable de tout arranger, mais un titre semblait dépasser ses possibilités. « C'est merveilleux, David !

— Tu es très mignonne. En Angleterre, un titre de noblesse est la façon traditionnelle pour les politiciens de payer leurs dettes. Je ne nierai pas que ça me fait plaisir. Bien sûr, on t'appellera Lady Konig, ajouta-t-il.

— Je vais avoir du mal à m'y habituer.

— Allons donc. Tu t'y feras en un rien de temps. Tu t'es habituée assez vite à être Diane. Naturellement, nous devrons tous les deux être prudents. Le palais est très à cheval sur ce genre de choses. Une méchante histoire dans les journaux, même une rumeur intempestive, pourrait tout arrêter. »

Il aurait aussi bien pu dire : « Pas de liaison, je t'en prie, ou tu anéantiras mes chances. » Elle prit mal cet avertissement. Elle s'assit et commença à se démaquiller. « Tu n'as pas à t'inquiéter à mon sujet, répondit-elle.

— C'était une simple observation, dit-il d'un ton las. Je ne suis pas inquiet. »

Elle se retourna pour le regarder. Quelles que fussent les difficultés entre eux, il avait une fois de plus accompli un miracle, du moins en partie pour elle. Il avait fait d'elle Diane Avalon, la star. Maintenant il allait la transformer en Lady Konig, ce qui était bien loin de Queenie Kelley ! Elle se leva, se déshabilla, passa son peignoir et s'allongea auprès de lui. Ne pas coucher avec lui ce soir, alors qu'il venait de lui annoncer son anoblissement, ce serait élargir la brèche entre eux au point qu'elle ne pourrait plus jamais être comblée.

Cette nuit-là, ils dormirent dans le même lit pour la première fois depuis le soir où ils s'étaient querellés à propos des lettres de Lucien. David ne lui avait jamais fait l'amour avec plus de sentiment, de douceur et d'affection — pas depuis la première fois, à bord du *Mauretania.*

Et quand il eut fini et qu'il se fut endormi, Diane se leva, passa dans la salle de bains, se regarda dans la glace et pleura.

Le facteur, un vieil homme grisonnant à l'accent méridional impénétrable, avait fait tout le trajet d'Antibes à bicyclette pour apporter le télégramme, sur les instructions du concierge de l'hôtel du Cap.

« Pas de mauvaises nouvelles, j'espère ? demanda le facteur en essuyant quelques gouttes de sueur de sa moustache. C'est la partie la plus pénible de ce métier, apporter de mauvaises nouvelles aux gens.

— Non, ce ne sont pas de mauvaises nouvelles. Tout au contraire, c'est merveilleux ! Je savais que ça viendrait tôt ou tard. Il faut que je rentre en Angleterre, voilà tout.

— Vous feriez mieux de retenir une place rapidement. Les Américains rentrent en Amérique, les Anglais rentrent chez eux... bientôt, il n'y aura plus d'affaires ici. Pauvre France !

— La guerre n'a pas encore été déclarée, n'est-ce pas ?

— Pas encore, mais elle va l'être aujourd'hui. Tout à fait entre nous, les télégrammes sont prêts pour rappeler les réservistes. Demain, ce sera la mobilisation. Quel tintoin ça va être ! Quand on y pense... si les boches veulent la Pologne, qu'ils la prennent. On s'en fout pas mal de la Pologne ! »

Lucien acquiesça. Il était bien d'accord. Il monta faire ses bagages.

A la gare de Nice, les commentaires du facteur sur le départ des étrangers se révélèrent exacts. Le train de Paris était envahi d'un assortiment polyglotte de gens qui rentraient chez eux.

A Paris, Lucien attendit une heure pour la correspondance. Déjà, la confusion de la guerre s'était installée. Trimbalant ses bagages — car il n'y avait pas de porteurs —, il se fraya un chemin jusqu'au train de Calais, s'installa dans un coin et s'endormit. Le lendemain, il serait à Londres. Il irait directement voir Queenie.

Lorsque Lucien atteignit Calais, il faisait nuit — une obscurité étrangement menaçante, car en cas de raids aériens, on avait précipitamment imposé le black-out. Il mit presque une heure avant d'arriver au bout de sa file d'attente et il tendit à un gendarme son passeport bleu marine et or. Le gendarme examina le document, braqua le faisceau de sa torche électrique sur le visage de Lucien pour le comparer avec la photographie, reposa le document sur la table et prit son tampon de caoutchouc. « Depuis combien de temps êtes-vous en France, Monsieur ?

— Plusieurs mois.

— Où ça ?

— Paris et Antibes.

— En vacances ?

— Oui, en vacances.

— Ah ! Monsieur parle français.

— Mon père était français, monsieur le gendarme.

— Ça explique tout : Chambrun est un nom français.

— Mon père était peintre. »

Les yeux sombres du gendarme dévisagèrent Lucien avec soin. Il parut ravi. « Le peintre Chambrun ? Celui qui a peint *La Femme nue avec des fleurs ?*

— Exactement. »

Le gendarme fit un cercle avec son pouce et son index qu'il embrassa dans un geste d'admiration, puis il serra chaleureusement la main de Lucien. « Un peintre vraiment doué. Et quel œil pour le corps féminin ! On reste baba d'admiration. Et vous êtes né à...

— Paris. Si vous voulez regarder, c'est sur mon passeport. »

Le gendarme examina le document. « Et pourtant, Monsieur est anglais ?

— Ma mère était anglaise. A ma naissance, j'ai été enregistré comme sujet britannique au consulat de Paris. C'était le désir de ma mère. »

Le gendarme haussa les épaules. Il reposa le passeport sur la table et le referma. « Néanmoins... tout en respectant la délicatesse des sentiments de votre mère, je dois faire observer que Monsieur est un citoyen français.

— Mais voyez vous-même. Mon passeport précise que je suis anglais de naissance !

— C'est ce que dit votre passeport. Mais Monsieur est en territoire français. Aux yeux de la République, Monsieur est aussi français que moi. Votre père était français. Et, aux yeux de la loi, c'est la nationalité du père qui compte d'abord.

— Ecoutez, même s'il en est ainsi, je suis sûr que ça peut s'arranger. Je m'arrêterai au consultat de France à Londres pour régler tout cela. En attendant, il faut que je rentre. J'ai ici un télégramme de Diane Avalon, la vedette de cinéma. »

Le gendarme haussa un sourcil. « Mes félicitations, dit-il. Mais vous êtes aussi un déserteur. En tant que citoyen français, vous auriez dû vous inscrire pour votre service militaire. Monsieur s'est-il inscrit ?

— Bien sûr que non...

— Ah ! » soupira le gendarme. Il fit signe à deux hommes en imperméable et chapeau melon qui se tenaient dans l'ombre derrière lui. Il prit le passeport de Lucien et le leur tendit. Il murmura quelques mots au plus grand des deux en désignant du doigt sur le passeport l'information à laquelle il faisait allusion.

« C'est scandaleux ! fit Lucien. J'exige de voir immédiatement le consul britannique. Une affaire urgente m'appelle chez moi. »

Les deux hommes vinrent se planter de chaque côté de lui. Ils étaient moins aimables que le gendarme. « Vos affaires, quelles qu'elles soient, devront attendre la fin de la guerre, dit le plus grand des deux inspecteurs.

— J'insiste pour parler au consul ! »

Là-dessus Lucien sentit une main lui saisir le poignet sans douceur et il entendit le second inspecteur grommeler : « Boucle-la, espèce de con, ou je t'envoie mon genou dans les couilles. »

A la pâle lueur de la lampe bleue qui éclairait le coin du hangar, Lucien vit où on l'emmenait. Stationnée près de la porte de la gare, se trouvait une camionnette grise avec des barreaux aux fenêtres et auprès d'elle deux grands gaillards en uniforme de la police militaire française. En le voyant approcher, ils écrasèrent leurs cigarettes sur l'asphalte. L'un d'eux prit le fusil qu'il avait en bandoulière. L'autre se pencha pour dégrafer quelque chose de brillant qui pendait à sa ceinture.

Lucien s'aperçut à son horreur que c'était une chaîne.

« Personne n'a l'air de savoir où il peut bien être », dit Basil Goulandris à Konig.

Ils étaient assis dans le bureau de Grafton Street. On avait tiré les rideaux de défense passive, les fenêtres et les glaces étaient sillonnées de ruban adhésif pour empêcher les éclats de verre dans le cas d'un bombardement. Dans un coin de la pièce, il y avait un seau de sable et un extincteur.

« C'est de la folie ! Je n'arrive pas à comprendre pourquoi Lucien disparaîtrait juste au moment où nous avons besoin de lui.

— C'est la guerre. N'importe quoi peut arriver.

— La guerre... Ne me parlez pas de guerre. Je me souviens de la dernière, bon sang ! Si nous n'arrivons pas à terminer ce foutu film, nous allons être en faillite ! Et, si nous sommes en faillite, je ne pense pas qu'il y ait de grandes chances d'acquérir les studios Empire, vous ne croyez pas ?

— Aucune. »

Konig prit un cigare dans la boîte posée sur son bureau, l'alluma et exhala un nuage de fumée. Cela parut un moment le ranimer. « J'ai déjà connu des échecs, dit-il, cette fois, je ne suis pas si sûr de pouvoir m'en remettre. Je n'ai pas l'âge qu'il faut. Et puis la guerre complique les choses. L'idée même est détestable, mais nous allons peut-être être obligés d'aller en Californie.

— Les gens diront que vous fuyez.

— C'est tout à fait vrai, mon cher. Mais pas la guerre. Ici, je ne peux rien faire. Là-bas, je peux faire le film — et peut-être mettre la main sur les studios Empire. C'est la seule façon d'éviter les loups qui me poursuivent. Les gens peuvent raconter ce qu'ils veulent. Mon travail, c'est de faire des films — et de l'argent. D'ailleurs, Diane est pour l'instant notre plus bel atout. A quoi nous sert-elle ici ? Vous la voyez tournant des films d'entraînement pour l'armée ou enroulant des pansements ? Le moment est venu de l'emmener en Californie et de faire d'elle une vraie star, guerre ou pas guerre.

— Ça ne va pas faire de bien à sa réputation, vous savez.

— Foutaises, Basil. Ne m'obligez pas à vous enseigner votre propre métier. Les gens pardonnent tout à une vedette. »

Diane était lasse d'entendre Konig lui dire ce qu'elle devait faire, comme si elle allait toujours, automatiquement, accepter son jugement. Elle n'avait absolument pas peur, pour sa part, d'aller à Hollywood : c'était le seul endroit où l'on pouvait devenir une vedette, au plein sens du terme. Konig là-dessus avait raison.

Ce qui la tourmentait, c'était Lucien. On racontait qu'il avait été arrêté comme espion, jeté en prison parce que ses papiers n'étaient pas en règle. Elle lança à Konig un regard noir. « Envoie Kraus trouver ce qui est arrivé, dit-elle avec entêtement.

— Je ne peux pas me passer de Kraus en ce moment ! D'ailleurs Kraus ne peut pas prendre ce risque. Si les Allemands envahissent la France — et rien n'est plus vraisemblable, malgré ce que disent les journaux —, il serait arrêté par la Gestapo et jeté dans un camp.

— Alors envoie Goulandris. »

Konig leva les yeux au ciel. « Puis-je te demander pourquoi tu manifestes cette soudaine inquiétude pour Lucien ? Je croyais que tout était fini entre vous.

— C'est vrai. Mais je lui dois au moins cela. »

Diane savait que les choses n'étaient pas si simples. Elle avait jadis été responsable de la mort de Morgan et, si elle avait appris à vivre avec ce secret, elle n'avait aucune envie d'être responsable de ce qui était arrivé — ou de ce qui allait arriver — à Lucien.

« Envoie Goulandris chercher Lucien, et j'irai en Californie », annonça-t-elle.

Un moment, le visage de Konig trahit sa brusque colère. Et puis il se maîtrisa, calcula, comme elle savait qu'il ne manquerait pas de le faire, et capitula avec un hochement de tête lent.

Elle lui prit le bras et descendit avec lui. Dehors, une meute de reporters attendait. « Voilà Diane Avalon », les entendit-elle crier tandis que les éclairs de magnésium jaillissaient. Elle eut un sourire de triomphe, prenant un moment la pose avant que Konig la fît monter dans la Rolls.

Autrefois, ils auraient photographié Konig en demandant qui elle était, elle — si même ils en prenaient la peine. Aujourd'hui, c'était Konig qu'ils ignoraient, comme s'il était simplement son compagnon.

15

« N'est-ce pas que c'est divin ? » s'exclama Mr. Snayde, tout excité, tandis que la voiture s'arrêtait devant la maison.

Diane ôta ses lunettes de soleil. C'était exactement ainsi qu'elle avait toujours rêvé de vivre. Bâtie au milieu d'une forêt de palmiers et d'eucalyptus, entourée de hauts murs et d'un jardin à la française, la maison semblait avoir été conçue par quelqu'un qui voulait rassembler en un seul édifice toutes les formes de l'architecture européenne. Le garage, assez grand pour abriter une douzaine de voitures, était un cottage au toit de chaume couvert de lierre et de roses ; la piscine, avec son petit vestiaire en forme de temple grec, était une vaste folie romaine, avec des statues de marbre qui s'élevaient au-dessus de l'eau bleue soigneusement chlorée. Diane était impressionnée.

Snayde jaillit de la voiture. C'était un petit homme sautillant comme un oiseau, vêtu d'un costume qui semblait coupé dans une soie vert émeraude étincelante. Il portait une chemise rose et un bracelet d'or ; son enthousiasme était si intense qu'il en donnait la migraine à Diane. « La maison de Louis B. Mayer est juste en bas de la rue », annonça Snayde d'un ton respectueux.

Konig hocha la tête sans entrain. Diane aurait aimé chez lui plus d'enthousiasme.

« Bien sûr, reprit Snayde, il y a une salle de projection. Et un gymnase. Et un emplacement pour jouer aux quilles en sous-sol.

— J'adore, fit Diane.

— Je le savais, fit Snayde, extasié. On dirait que cette maison a été faite pour vous ! »

Konig regarda la maison, soupira et remonta dans la limousine où il s'assit pesamment.

« Mon Dieu, j'espère que non », dit-il à voix basse ; puis il regarda le visage de Diane. « Nous allons la prendre », grommela-t-il.

Les journées de Diane étaient programmées comme celle d'une personne royale. Le peu de temps qu'elle avait pour elle, elle le consacrait, sans le dire à Konig, à des leçons de conduite. Quelques jours après son arrivée à Los Angeles, elle se rendit compte que personne ici n'était libre s'il ne savait pas conduire.

Konig emménagea dans sa nouvelle maison sans cérémonie. Ce fut à peine s'il parut remarquer la différence — ce qui était un hommage à l'efficacité de Miss Bigelow, tout juste débarquée d'Angleterre par bateau et qui s'occupait de nouveau de la vie de Konig. Lorsqu'il arriva devant la porte, elle lui fut ouverte par le maître d'hôtel anglais qu'il n'avait jamais vu, mais qui s'inclina bien bas en disant : « Bonsoir, sir David. »

Dans le salon, les plateaux d'apéritifs étaient prêts. Miss Bigelow était debout à côté. « Tout va bien, sir David ? demanda-t-elle.

— Mais oui, mais oui, Bigelow », dit Konig avec impatience. Il balaya du regard le salon. « Il faudrait accrocher le Van Gogh un peu plus bas, je crois. Trois ou quatre centimètres.

— Je m'en occuperai, sir David.

— Où est Lady Konig ?

— En haut, sir David. »

Konig se dirigea vers la porte et s'arrêta. « Comment est-ce que je me retrouve dans cette foutue baraque pour aller en haut ? demanda-t-il. Je ne sais même pas où est ma chambre. »

Miss Bigelow le précéda dans un escalier qui aurait fort bien convenu à une procession de moines médiévaux. Elle lui montra une porte. Konig l'ouvrit. « Faites-moi monter un whisky, dit-il. L'un de nous va en avoir besoin. »

Diane était allongée dans la baignoire, ses longs cheveux enveloppés dans une serviette. « Je peux entrer ? » demanda-t-il.

Elle fit oui de la tête. Il s'assit sur le siège des toilettes. On frappa de nouveau à la porte. Il l'entrebâilla, tendit la main, prit le whisky sur le plateau que lui tendait le maître d'hôtel et claqua bruyamment la porte.

« Tu as passé une bonne journée ? demanda-t-il.

— Terrible. Une chose assommante après l'autre.

— Ça fait partie du métier. Ce sera plus facile si tu peux apprendre à aimer ça. Miss Bigelow a dit qu'elle n'avait pas pu te joindre cet après-midi. Je me demande ce que tu trouves à faire ici. »

Diane nota dans sa tête de s'occuper de Miss Bigelow. Elle n'avait rien à cacher, mais cela l'agaçait d'être espionnée par les employés de Konig. « J'apprenais à conduire », dit-elle.

Konig parut stupéfait. Lui-même n'avait jamais appris à conduire et considérait cela comme un dangereux mystère, tout comme piloter un avion. « Tu aurais dû m'en parler, c'est très dangereux. Si tu avais un accident... mon Dieu !

— Mais, David, tout le monde ici conduit.

— Pas Marlene Dietrich. C'est son chauffeur qui la conduit. Ou son mari, si c'est le jour de congé du chauffeur...

— David, je ne vais pas me laisser conduire partout comme une vieille dame. Passer son permis de conduire est une chose tout à fait normale et c'est ce que je vais faire. Je veux une voiture à moi. Si tu refuses de m'en acheter une, je me la paierai moi-même.

— Tu n'as pas de compte en banque.

— Je veux un compte en banque aussi.

— Bon sang ! Mais pourquoi ? Tu peux tout faire mettre sur le mien.

— Parce que j'aimerais avoir quelque chose *à moi.* »

Elle l'entendit soupirer. « C'était peut-être une erreur que de venir en Amérique... Très bien, je me rends. Je n'ai pas l'énergie de discuter. Et puis j'ai des nouvelles...

— De bonnes nouvelles ?

— Pas bonnes, non, mais pas mauvaises non plus. Goulandris est de retour. Il est arrivé à New York hier pour venir ici. Je lui ai parlé. »

Diane se redressa, émergeant de son bain de mousse, les seins au-dessus de l'eau. « Il a trouvé Lucien ? Il va bien ?

— Goulandris ne lui a pas parlé... Mais il est en bonne santé. Il semble que ce soient les Français qui aient arrêté Lucien. Ils ont prétendu qu'il était un citoyen français.

— Il est en prison ?

— Non, non, ce n'est pas aussi grave que ça. Ils l'ont mis dans l'armée et envoyé faire ses classes en Algérie. Ils n'ont pas voulu laisser Goulandris aller en Algérie pour le voir : c'est une zone militaire. Mais les autorités disent qu'il est en bonne santé.

— N'y a-t-il aucun moyen de le faire venir ?

— Si, je crois. Goulandris a parlé à Duff Cooper, à l'ambassade d'Angleterre et il a dîné avec René Boisson, qui est censé avoir l'oreille de la maîtresse de Roymand... Les Français veulent bien laisser Lucien rentrer en Angleterre. Il devra rester un moment dans l'armée — il s'agit de sauver la face pour les Français, tu comprends — mais il sera libéré pour mauvaise santé.

— Combien de temps cela prendra-t-il ?

— Pas trop longtemps. Tout au plus encore cinq ou six mois, peut-être moins. Avec un peu de chance, ils le renverront bientôt en France, alors au moins il aura un certain confort. »

Diane se couvrit les seins de mousse de savon, consciente du regard que Konig posait sur eux. « David, je te suis très reconnaissante.

— Je vais aller me changer. Nous dînons chez David Selznick. Les mêmes gens que d'habitude. La même abominable nourriture. La même collection habituelle d'impressionnistes de second ordre. Le même cinéma après le dîner... »

Il referma la porte et passa dans sa propre salle de bains. Diane se savonna avec vigueur.

Comme d'habitude, il n'avait pas discuté ses projets avec elle, mais elle arrivait à deviner pas mal de ce qu'il faisait. Comme la plupart des plans de Konig, c'était l'œuvre d'un jongleur habile. Il trompait tout le monde sauf lui-même.

La seule chose dont il ne tenait pas compte, c'était qu'elle comprenait de plus en plus qu'elle était la clé de voûte de ses projets. Maintenant il avait besoin d'elle : elle le savait. Elle le lisait sur son visage lorsqu'il lui parlait. Konig en général parvenait à dissimuler ses craintes, mais pour la première fois elle sentait qu'il avait peur.

Il descendit vêtu d'une veste de smoking blanche, l'air du parfait magnat de Hollywood. Il avait horreur des vestes de smoking blanches, mais c'était la coutume ici.

Debout Miss Bigelow l'attendait dans l'entrée. « Le sèche-serviettes de ma salle de bains n'est pas assez chaud, lui expliqua-t-il. Il faut plus de vapeur ou Dieu sait quoi.

— Je vais le faire arranger, sir David.

— Demain matin, nous parlerons au cuisinier. Il faut prévoir quelques dîners tout de suite. Il nous faudra du champagne — pas mal de caisses... Oh ! Avant que j'oublie, achetez demain une voiture à lady Konig.

— Quel genre, sir David ?

— Comment voulez-vous que je le sache ? Quelque chose de pas trop gros... une de ces — comment appelle-t-on ça ? Le modèle avec le toit qui se replie ?

— Un cabriolet, je crois, sir David.

— Exactement. Achetez-lui un cabriolet. Une Cadillac. Et, Bigelow... pas de couleur vive, je vous en prie. Peut-être blanc. Après tout, nous ne voulons pas que les gens regardent la voiture : nous voulons qu'ils regardent Diane. »

Chez les Selznick, à n'en pas douter, tout le monde regardait Diane. Dans une ville où la beauté physique était monnaie courante, un article qu'on achetait et qu'on vendait tous les jours, Diane attirait l'admiration — une admiration respectueuse. On la remarqua plus que le Picasso de la période bleue que possédait Selznick et qui s'élevait sans bruit vers le plafond quand on pressait sur un bouton, ce qui révélait la vitre carrée de la cabine de projection.

La nourriture parut à Diane aussi bizarre que le Picasso sur rails. Le consommé était à base de fruits et il y avait une fleur qui flottait sur chaque assiette. La salade était recouverte de noix râpées et l'agneau servi avec une tranche d'ananas. Comme dessert, on présenta d'énormes fraises sans goût nappées de crème aigre et de sucre brun.

« Je voudrais que vous me la prêtiez, entendit-elle Selznick murmurer à Konig pendant le dîner.

— Pas encore, mon garçon. Quand je serai prêt, vous paierez très cher pour l'avoir dans un de vos films. »

Elle tendit l'oreille pour en entendre davantage, au-dessus de la rumeur des conversations, tout en faisant semblant d'écouter son voisin de droite, un petit gnome à lunettes et à la calvitie avancée du nom de Diamond.

Diane les écoutait avec fascination — et une certaine colère, puisque c'était elle qu'on était en train de négocier. La réussite d'une star, elle le savait, se mesurait au nombre et à l'importance des « prêts » dont elle était l'objet. Konig, en fait, n'avait pas sérieusement l'intention pour l'instant de prêter Diane à qui que ce fût — et surtout pas à un rival comme Selznick — mais il ne cessait de tâter le marché. Elle se tourna vers son voisin et se rendit compte qu'il était si petit que Selznick — toujours l'hôte attentif — avait mis sur sa chaise deux coussins en tapisserie.

« Konig va vous prêter à Selznick ? demanda-t-il d'une voix rocailleuse. Emportez mon consommé et rapportez-le-moi sans cette foutue fleur, grommela-t-il au serveur. Si je veux manger des fleurs, je me ferai pousser des ailes et je deviendrai une abeille. Je m'appelle Aaron Diamond. Je pense que vous avez entendu parler de moi.

— Non. A la vérité, non, Mr. Diamond. »

Diamond prit un air incrédule. « Sans blague ! fit-il. Bien sûr, vous venez d'arriver. Je suis l'avocat. Il faut être avocat pour traiter avec certains des requins de cette ville. Je m'occupe de Gable. De Crawford. Rien que les meilleurs... Tiens, ce ne sont pas les Beaumont, qui viennent d'entrer ? »

Selznick fit un signe de la main à Cynthia et Richard Beaumont, qui lui rendirent son salut, s'excusèrent de leur retard et s'assirent.

« On dirait qu'ils se sont disputés, fit Diamond. C'est la guerre au paradis ! » Sous son air bourru, elle décela d'instinct une certaine bonté bien cachée.

Cela faisait au moins un mois qu'elle n'avait pas vu Cynthia. Celle-ci avait des cernes sombres sous ses yeux bleu porcelaine et les joues rouges. Elle fit signe à Diane, renversa un verre, voulut essuyer l'eau avec une serviette et renversa la salière. Elle lança une pincée de sel par-dessus son épaule juste dans le visage du maître d'hôtel des Selznick.

Le diagnostic de Diamond, se dit-elle, n'était que trop exact, mais avant même qu'elle pût lui répondre Diamond reprenait : « Ne me racontez pas d'histoires, mon chou, fit-il. Je reconnais quelqu'un qui boit quand j'en vois un. La moitié de cette ville est beurrée la plupart du temps. Ne vous trompez pas : je n'ai rien contre l'alcool, mais les alcooliques me cassent les pieds. Vous buvez ? »

Elle prit une profonde inspiration. « Ma foi, non...

— C'est ce que je veux dire. Vous êtes très futée. J'aime les gens futés. Il faut l'être, d'ailleurs, pour être mariée à Konig. »

Diane examina son compagnon avec intérêt.

« Et pourquoi n'avez-vous pas confiance en mon mari, Mr. Diamond ?

— Appelez-moi Aaron. Je n'ai confiance en *aucun* producteur. Au fond, ce sont tous des crapules. Ils ont ça dans le sang. Konig est plus malin que la plupart d'entre eux, et il a bien plus de classe —, mais on n'en a que plus de mal à lui faire confiance. Enfin, voilà un homme qui fait des combines avec Sigsbee Wolff.

— Vous n'aimez pas Sigsbee... Aaron ?

— Qu'est-ce qu'il y a à aimer chez lui ? Il veut acheter Empire. Très bien : Marty Braverman est un imbécile. Mais, si Sigsbee faisait lui-même le geste d'acheter la société, tout le monde crierait au meurtre. Je veux dire ce type est un gangster. Alors, il fait venir Konig et les Anglais pour la façade.

— Franchement, cela m'est assez indifférent. Mais pas à David.

— Eh bien, bonne chance ! Si Sigsbee réussit à rester en vie, ils finiront peut-être par y arriver.

— Oh ! Il n'est certainement pas tout jeune, mais il ne m'a pas l'air en plus mauvaise forme que la première fois où je l'ai rencontré.

— Ce n'est pas tout à fait ça que je veux dire, mon petit. Sigsbee a des associés. Lui veut mettre de l'argent dans le cinéma, mais il y a d'autres gars qui trouvent que c'est une meilleure idée d'investir dans le jeu : Vegas, Reno, Tahoe... Vous êtes déjà allée à Reno ?

— Non, je n'ai pas vu encore grand-chose du pays.

— Il faut y aller. J'y étais la semaine dernière. Il y a un type là-bas en train de construire un énorme hôtel. Un endroit formidable ! Je l'ai rencontré, mais je n'arrive pas à me rappeler son nom. Il est anglais, ça, je sais.

— Vraiment ?

— J'en suis sûr. Ecoutez, si jamais vous avez besoin d'un agent, venez me voir, d'accord ? Dès l'instant où vous travaillez pour votre mari, vous n'avez pas besoin de moi, mais si jamais il y a...

— La guerre au paradis ?

— Si ça se produit — et ce sont des choses qui arrivent ici — téléphonez-moi. Tout de suite. Et ne le laissez pas vous prêter pour un film sans m'en parler. Ce sera gratuit, mon petit. La tournée du patron. »

Diamond se tourna pour parler à la femme assise à sa droite, pendant que Diane faisait poliment la conversation à son voisin d'en face. Ils avaient à peine échangé quelques mots que Diamond claqua des doigts et lui donna une tape sur l'épaule.

« Ça y est, je me souviens, dit-il. Le nom de l'Anglais à Reno. C'est Vale. Dominick Vale. »

Diane n'était pas encore habituée à cette habitude qu'on avait à Hollywood de projeter un film tout de suite après le dîner.

A peine eut-on servi le café chez les Selznick que le Picasso s'éleva vers le plafond, que l'écran apparut et que les lumières diminuèrent d'intensité. Au soulagement de la plupart des invités, les conversations s'arrêtèrent.

Sitôt le film commencé, Konig se retira dans la salle de jeu où ceux qui étaient trop puissants pour devoir être aux studios de bonne heure se rassemblaient pour boire, jouer et parler boutique. Comme les lumières commençaient à baisser, Diane s'assit auprès de Cynthia. Elle remarqua avec inquiétude que Cynthia avait un verre de cognac à la main. Elle était allongée sur un divan, sa longue robe de soie moulant son ventre plat et ses cuisses. Elle avait ôté ses chaussures.

« Tu as l'air à ton aise, fit Diane.

— Tu es terriblement sexy.

— Tu es terriblement sexy aussi.

— Je te remercie. Ça me fait une belle jambe. La moitié des hommes qui sont ici sont secrètement des tapettes, lui déclara Cynthia. L'autre moitié couche avec tellement de filles qui veulent tenter leur chance au cinéma qu'ils sont devenus impossibles.

— Ça va si mal que ça entre Dicky et toi ?

— Oh ! Mon chou, ça ne pourrait pas aller plus mal. Il est dehors à toutes les heures de la nuit, il n'a rien à faire de moi. Bien sûr, il prétend que c'est pour le travail : les réunions de production, les scripts... Oh ! Il cache bien son jeu, mais je m'en rends compte : il a une autre femme.

— Comment peux-tu en être aussi sûre, Cynthia ?

— En tout cas, ma chérie, il ne couche pas avec moi. Et d'ailleurs... la semaine dernière il est parti deux jours, soi-disant pour un rendez-vous à San Francisco avec des gens qui veulent financer un festival shakespearien ici et, quand il est revenu, sais-tu ce que j'ai trouvé dans sa poche ?

— Non. Quoi donc ?

— Une pochette d'allumettes d'un hôtel de Reno. Voyons, pourquoi donc me mentirait-il pour une chose comme ça ? »

Diane se détourna pour regarder l'écran, le cœur serré. Elle savait bien pourquoi Dicky Beaumont était allé à Reno. Dominick Vale avait réapparu dans sa vie.

Elle se demanda combien de temps il faudrait avant qu'il ne réapparût dans la sienne.

Le film était sans intérêt, mais Diane le regarda avec plaisir, car cela lui donnait un prétexte pour interrompre sa conversation avec Cynthia, qui se leva à plusieurs reprises pour remplir son verre. Malgré toute l'affection qu'elle portait à Cynthia, elle trouvait plus intéressant de parler aux hommes.

C'était des hommes qui contrôlaient le monde, que ce fût le cinéma, la banque ou le journalisme : même ici, à Hollywood, où toute l'industrie tournait autour du sexe et de la beauté de quelques vedettes féminines. Une belle femme gagnait un salaire fantastique — dix mille dollars par semaine n'avait rien d'extraordinaire — mais peu importait combien elle gagnait, ce n'était jamais elle qui prenait les décisions ni qui participait aux bénéfices.

Konig lui avait enseigné beaucoup de choses sur l'argent. Malgré tout, elle était nerveuse. Elle ne possédait pour ainsi dire pas d'argent à elle. Maintenant qu'elle avait plus de vingt et un ans, c'était Konig qui la dirigeait, qui s'occupait de ses finances et qui négociait ses contrats. Dès l'instant où elle était sa femme, elle pouvait dépenser comme une milliardaire sans qu'il s'en plaignît mais, si elle quittait Konig — ou s'il lui arrivait quelque chose —, elle pourrait fort bien se trouver dans les griffes de quelqu'un comme Marty Braverman ou David Selznick. Elle nota dans sa tête d'en reparler à Aaron Diamond le plus tôt possible, ne sachant que trop bien que Konig considérerait cela comme une trahison.

Une voix vint interrompre le cours de ses pensées et elle se rendit compte que Cynthia lui parlait tout bas. « Seigneur, tu ne peux pas savoir combien j'ai essayé, disait-elle, d'une voix un peu brouillée par l'alcool. C'est humiliant d'avoir à séduire son propre mari — et d'échouer. » Cynthia vida son verre d'un trait et se leva d'un pas incertain pour aller en chercher un autre. Bientôt Diane l'entendit qui sortait de la pièce en claquant la porte derrière elle.

Diane soupira dans l'obscurité. Y avait-il quelqu'un ici, se demanda-t-elle, qui avait une vie sexuelle heureuse ? Les problèmes de Cynthia étaient pires que ceux de la plupart des femmes, mais n'avaient rien d'extraordinaire. Etait-elle mieux lotie elle-même ? Elle partit à la recherche de Cynthia.

« Elle était endormie dans le lit des Selznick ?

— A poings fermés.

— Un jour, ça finira mal.

— Ça va déjà mal.

— Oh ! Ça n'est pas encore très grave. » Konig regardait par la vitre de la limousine. « J'ai horreur des palmiers, dit-il d'un ton sombre.

— Cynthia est désespérément malheureuse. »

Konig hocha la tête. « Je ne comprends pas pourquoi Dicky n'essaie pas de l'empêcher de boire. Bien au contraire. Il a demandé au maître d'hôtel de lui servir un double scotch quand ils sont arrivés.

— Je n'avais pas remarqué.

— Moi, si. Ça ne rime à rien : à moins qu'il ne l'encourage à boire.

— Pourquoi donc ferait-il cela ?

— Oh ! Je peux imaginer des tas de raisons. Ça lui donne l'air d'un martyr. Ça le débarrasse d'elle, certainement. Toi et moi savons ce qui ne va pas dans ce mariage, mais pour le reste du monde on aura l'impression que c'est sa faute à elle, pas à lui... Quand même, je n'aurais pas prêté à Dicky ce genre d'imagination diabolique, et toi ? »

La limousine s'arrêta devant le perron de marbre de leur maison : elle n'arrivait pas à se dire que c'était chez eux. Konig semblait plus fatigué que d'habitude. Il avait un teint de papier mâché. Il grimpa les marches à pas lents et raides. Elle lui prit le bras pour l'aider, mais il l'écarta. « Pas la peine, fit-il. Je ne suis pas un invalide. »

Dans l'entrée, Diane attendit un moment que Konig la rejoignît. Puis elle remarqua deux valises : l'une en mauvaise moleskine, l'autre un sac Vuitton, couvert d'étiquettes de grands hôtels.

Konig hâta le pas. Quels que fussent les visiteurs, de toute évidence il les attendait — mais, une fois de plus, il ne lui en avait rien dit.

Il ouvrit la porte du living-room. Basil Goulandris prit son verre pour le saluer. Du fauteuil où il était assis, dissimulé aux regards, Kraus se leva en claquant des talons.

« Quelles nouvelles de New York ? » demanda Konig à Kraus d'un ton impatient.

Kraus agita doucement la main en l'air, comme un pilote décrivant une manœuvre délicate. Il jeta un coup d'œil à Diane : il semblait répugner à en dire trop devant elle. « Pas trop mal, dit-il, l'air aussi lugubre que jamais. Je crois que nous pouvons compter juste assez d'actions.

— Alors ce sont de bonnes nouvelles ?

— Ça n'est pas mal, sir David, mais ce sera tout juste. »

Konig avait déjà l'air mieux. Son visage avait repris quelques couleurs.

Diane regarda Goulandris, qui lui fit un clin d'œil. « Vous avez appris que je vous avais retrouvé Lucien ? » demanda-t-il.

Cela semblait des nouvelles datées d'une éternité, mais elle voulut quand même en connaître tous les détails. Il y avait des jours où elle ne pensait pas du tout à lui. Et puis il y avait d'autres moments, surtout la nuit, où elle ne pensait à rien d'autre.

« Il va bien, il va bien. Je ne peux pas vous dire le mal que j'ai eu à le retrouver en Afrique du Nord ! On va l'envoyer dans un endroit tranquille en France. Les Ardennes, je crois. Dans un camp de repos. C'est un bataillon d'artistes, d'écrivains, de sculpteurs, de prix Nobel, de réfugiés, etc. Bien sûr, cela n'est qu'une comédie. Les deux camps cherchent à s'en sortir sans combat.

— Quand vont-ils le laisser partir ? demanda Diane.

— En avril. Ou en mai. Dans pas longtemps. »

Konig se leva. « Je m'en vais me coucher, annonça-t-il. Nous parlerons demain. Au fait, John Mammon arrive d'Angleterre. J'ai décidé de recommencer à tourner.

— Je croyais que tu avais dit que c'était un médiocre ? » fit Diane, surprise que Konig eût pris une décision comme celle-là sans lui en parler — et qu'il persévérât dans son projet de tourner le film.

« C'est un médiocre. Mais il est rapide. D'ailleurs, ce n'est pas le moment de s'arrêter. J'ai le financement pour le film, je t'ai, j'ai Dicky, alors il va falloir le faire — et vite. » Il se tourna vers Kraus. « Braverman est dans les cordes. Encore un petit effort et je siégerai au conseil — avec assez d'actions derrière moi pour mettre la main sur les studios Empire. Ça n'est pas le moment de souffler. Ni d'échouer. Ni d'avoir une mauvaise presse. Pour l'instant, les enjeux sont trop gros. Par-dessus tout, ce que je ne veux pas, ce sont des surprises. Vous y veillerez, Kraus ?

— Absolument, sir David.

— Alors, bonne nuit. » Konig gravit lentement l'escalier, s'arrêtant à mi-chemin.

« Il n'a pas l'air bien, dit Goulandris à Diane.

— Il est fatigué. »

Kraus s'approcha de la fenêtre et regarda dans l'obscurité. « C'est un endroit étonnant, fit-il. Vous vous rendez compte : on peut acheter des oranges fraîchement cueillies à vingt-cinq *cents* la douzaine !

— Kraus n'a pas arrêté de ronchonner pendant tout le trajet depuis New York, expliqua Goulandris. Ça a été un voyage fichtrement déprimant. »

Kraus ne se vexa pas. Il se retourna, son visage maigre et pincé arborant un air grave, comme si lui seul comprenait le sérieux de la situation. « Je voulais seulement dire qu'ici tout semble possible. Ce doit être le soleil. Sir David doit finir son film, avoir un siège au conseil des studios Empire, tout est bien qui finit bien... Mais, à New York, ils voient les choses moins en rose. Ils pensent qu'il est peut-être trop vieux et qu'il n'a plus l'assiette financière pour faire un grand film. Et que, même s'il le termine, peut-être que ce sera un four. Et puis on parle beaucoup de Sigsbee Wolff. Ils ne savent pas s'ils peuvent faire confiance à sir David, mais ils savent en tout cas qu'ils ne peuvent pas se fier à Wolff.

— Les gens parlent toujours beaucoup de Sigsbee Wolff, fit Goulandris essayant comme d'habitude d'ignorer les mauvaises nouvelles.

— Oui, mais cette fois on parle déjà de lui au passé. Le bruit court que ses associés ne partagent pas l'enthousiasme de Wolff pour l'industrie cinématographique. Ils s'intéressent davantage aux jeux.

— Ça arrive, les discussions entre hommes d'affaires. Ils trouveront un compromis. Et après ?

— Les associés de Wolff ne sont pas des hommes d'affaires ordinaires, Basil. Ils veulent bâtir des casinos. Lui veut faire des films. Ça ne s'arrangera pas par un compromis. Deux ou trois personnes de la banque Morgan m'ont dit qu'il y avait de gros problèmes à propos d'un hôtel qui se construit à Reno. Sigsbee était contre. Ses amis étaient pour. Il a perdu, et l'hôtel est construit. » Il s'arrêta et frotta ses mains frêles. « Ce qui est plus préoccupant, à vrai dire, c'est que l'homme qui est derrière ce projet se trouve être... Dominick Vale. »

Goulandris se versa une rasade de whisky. La nouvelle ne parut pas le surprendre.

« J'espère que sir David sait ce qu'il fait, dit Kraus.

— Nous le savons tous. En attendant, vous feriez mieux de lui parler de Vale demain. Un nouveau souci pour le vieux.

— C'est un souci sérieux, Basil ? Je veux dire : comparé à tous les autres ? demanda Diane.

— Vale sait comment diriger une maison de jeux. C'est un talent précieux. Les jeux, c'est encore ici une entreprise de petite envergure : les bookmakers, le loto, des petites crapules... Vale dirige le genre d'établissement où les gens très riches peuvent perdre cent mille dollars en une seule soirée — et prendre du bon temps en même temps. Pour répondre à votre question, ma chère Diane, Vale est l'un de ces individus qui connaissent un tas de gens — et qui n'hésiterait pas à se servir de ce qu'il sait. »

Diane le regarda un moment en silence, se rappelant qu'elle avait plus à cacher que n'importe qui d'autre dans la pièce.

« Je crois que je vais prendre un verre », dit-elle, et elle se rendit compte que Kraus et Goulandris la regardaient avec surprise.

Ils étaient assis sur la terrasse qui dominait les jardins, avec la piscine qui étincelait au soleil. Les fleurs, les oiseaux et le soleil lui rappelaient l'Inde comme bien des paysages de Californie — mais une Inde sans pauvreté ni inconfort. Elle émietta un toast qu'elle lança aux oiseaux ; ils agitèrent leurs ailes, mais restèrent dans les buissons. « Je ne crois pas qu'ils soient aussi affamés à Bel Air qu'en Inde, dit-elle.

— J'imagine que non, dit Goulandris. Ils sont comme tout le monde. Tiens, regardez-moi ça ! » Goulandris, qui lisait les magazines professionnels tout en prenant son petit déjeuner, lui tendit *Variety*. « BRAVERMAN NIE LES RUMEURS », disait le gros titre. Plus bas on lisait une déclaration exclusive de Marty Braverman, que l'on décrivait comme « le tsar assiégé des studios Empire ».

« Konig devra passer sur mon corps pour siéger au conseil, lut tout haut Diane. Ce type n'a aucune qualification, et son soutien financier vient d'une bande de canailles et d'étrangers. »

Dans le *Los Angeles Times,* on voyait une photographie de Marty Braverman et d'Ina Blaze. Braverman plongeait vers le photographe, les yeux exorbités et la bouche grande ouverte. Ina Blaze serrait contre elle un caniche nain et tentait de se dissimuler le visage avec un sac à main. La légende disait : « Seulement bons amis ? »

L'article, toutefois, qui frôlait la diffamation, laissait entendre que Braverman avait utilisé l'argent des studios Empire pour acheter à Ina Blaze une maison d'un million de dollars à Malibu.

« Il y a un bel article sur une révolte des actionnaires qui se prépare aux studios Empire en page financière, annonça Goulandris avec satisfaction. Et un autre dans le *New York Times* à propos de certains actionnaires prêts à poursuivre Braverman pour malversations. Beau travail, j'ose le dire.

— On peut dire que vous vous êtes donné du mal, Basil, dit-elle.

— Je pense bien.

— Et ensuite ?

— Ça n'est plus de mon ressort. Konig et Wolff se chargent du gros travail. Moi, je me contente de faire passer les articles.

— Je pense qu'il vaudrait mieux que j'y aille. J'ai un essayage.

— Ah oui ! Le film. Vous êtes contente de recommencer à travailler ?

— Je pense que oui. Ça va me changer les idées... »

Goulandris ramassa ses revues. « Jamais le cafard, c'est la première loi de Basil. Mais, si vous voulez mon avis, ma chérie, soyez heureuse de ce que vous avez.

— Pourquoi ne serais-je pas heureuse ici ?

— Je ne sais pas. Mais personne ne l'est. Vous n'en avez pas l'air. Et des gens comme Konig ne s'intéressent pas à vos malheurs, vous comprenez ? » Goulandris se leva en époussetant les miettes de pain de son pantalon. « Ils croient que c'est quelque chose qu'ils auront plus tard dans la vie, quand ils seront à la retraite. Comme le golf. Ne faites pas la même erreur, Diane.

— Je m'en garderai bien », dit-elle. Mais elle se demanda si elle ne l'avait pas déjà commise.

« Il ne sait vraiment pas ce qu'il veut, fit Aaron Diamond. C'est un *putz.*

— Il a un bon œil », remarqua Diane loyalement, bien qu'en fait elle en fût arrivée à la conclusion que Mammon était un abominable raseur.

Personne ne savait comment Diamond parvenait à entrer sur les plateaux au moment du tournage, même sur les plateaux « fermés ».

Maintenant qu'il était l'agent de Beaumont, il avait au moins une raison d'être là, mais il passait le plus clair de son temps assis avec Diane, lorsqu'il n'utilisait pas un téléphone du studio pour mener ses affaires.

Il se conduisait comme s'il était déjà son agent, son confident et son plus proche conseiller, ce qui était sa façon habituelle de trouver des clients. Les gens simplement s'habituaient à le considérer comme leur agent. Il avait signé plusieurs contrats pour Clark Gable — et de bons contrats — quand Gable finit par lui dire : « Mais dites donc, vous n'êtes pas mon agent !

— Ah non ? » demanda Diamond de sa voix rauque. Gable haussa les épaules, commanda un autre verre et dit : « Eh bien, je pense que maintenant vous l'êtes. »

Diane se trouvait à peu près dans la même position. Diamond se comportait comme si elle était sa cliente et peu à peu elle accepta l'idée qu'elle l'était vraiment.

« Je pense que vous allez arroser ça ce soir », dit-il. Il avait son fauteuil près de celui de Diane, avec deux coussins dessus. Sur le dossier en toile, il avait fait peindre : « 10 % ».

« Pourquoi ?

— Vous ne lisez pas les journaux ?

— Non.

— Seigneur ! Trouvez au moins quelqu'un pour vous dire ce qu'il y a dedans tous les matins. J'ai une secrétaire qui me lit tout ce que j'ai besoin de savoir pendant que je prends mon bain.

— Elle reste plantée derrière la porte pour vous faire la lecture ?

— Mais non. Elle s'assied sur le siège des toilettes. Je ne suis pas timide. Tenez, regardez ça. »

Diane regarda l'article de *Variety*. Tout d'abord, elle n'y comprit rien. « KONIG ET BRAVERMAN FONT LA PAIX ! » annonçait le titre. Puis, en dessous : « Marty Braverman, le président des studios Empire, a annoncé aujourd'hui que sir David Konig, le directeur des King Films d'Angleterre, allait venir siéger au conseil des studios Empire. “ J'ai la plus grande admiration pour sir David, a déclaré Braverman dans une interview exclusive. C'est un brillant cinéaste. Son expérience et sa sagesse seront des atouts précieux pour notre société. Les studios Empire vont se trouver considérablement renforcés par sa collaboration, qui ne dépend que de certains détails financiers qu'on est en train de mettre au point. ”

« Sir David, interrogé par téléphone à son domicile de Bel Air a déclaré : “ Marty Braverman est un homme remarquable. Et je suis impatient de travailler avec lui pour faire des studios Empire une société encore plus forte qu'elle n'était. ”

« Le bruit court que, dès que sir David et ses associés auront terminé leurs négociations financières, c'est lui qui prendra le contrôle des studios Empire, avec la majorité des actions derrière lui, et que Braverman a déjà accepté en principe le rôle de président honoraire du conseil d'administration, en laissant la présidence effective à sir David. Doivent également siéger au nouveau conseil : Sigsbee Wolff, le magnat de l'immobilier à Los Angeles ; E. T. Kraus, un associé de longue date de sir David ; et Mr. Solomon Goldner, le magnat du théâtre britannique... »

Diane le regarda avec stupeur. Tout cela était nouveau pour elle.

« Konig ne vous a pas raconté ce qui se passait ? »

Elle ne voulait pas que Diamond sût que Konig l'avait laissée dans l'ignorance — il ne lui avait même pas parlé de Goldner —, aussi s'empressa-t-elle de répondre : « Il avait laissé un message pour moi, mais j'étais en train de tourner une scène quand il a appelé. Il faut que je lui téléphone.

— Allons donc ! Rentrez l'embrasser. Je n'aurais jamais cru qu'il y arriverait. Pour vous dire la vérité, je doute encore, mais j'ai sans doute tort. Sigsbee doit avoir plus de poids que je ne croyais... »

« C'est vrai ?

— C'est vrai. »

Konig prit Diane dans ses bras et l'embrassa. Sa fatigue et son irritation semblaient avoir disparu. Il paraissait dix ans de moins.

« Je suis heureuse pour toi », dit-elle. Mais, en fait, elle était furieuse. Il lui avait délibérément caché les négociations qu'il était en train de mener, comme si on ne pouvait pas lui faire confiance.

« Je sais. Et je te suis reconnaissant. Ça a été une période difficile. Maintenant, j'ai gagné mon pari. Je suis désolé de t'avoir laissée dans l'ignorance, mais il y avait certaines choses qu'il valait mieux que tu ne connaisses pas...

— Il faut arroser ça. » Elle se demanda de quelles « choses » il voulait parler. Cela ne semblait pas le moment de l'interroger.

« Nous allons le faire, absolument ! Ce soir. En attendant, il faut que je parle à Sigsbee... Il y a quelques gros paquets d'actions qu'il va falloir acheter. Prenons un peu de champagne. »

Konig sonna le maître d'hôtel, qui arriva quelques instants plus tard avec une bouteille de champagne, suivi de Goulandris, qui arborait un large sourire.

« Un triomphe ! » Il leva sa coupe pour porter un toast à Konig.

Diane leva la sienne aussi. Les trois hommes s'apprêtaient à boire lorsque Kraus apparut, traversant le grand salon d'un pas si rapide que personne ne remarqua qu'il était livide.

« Ah ! Kraus, lança Konig, prenez une coupe ! Vous arrivez juste à point pour trinquer avec nous. »

Mais Kraus avait les mains jointes comme un homme en prière. Il ne prit pas la coupe qu'on lui tendait. Diane eut soudain l'impression qu'il avait pleuré. « Qu'est-ce qui se passe ? » demanda-t-elle.

On vit la pomme d'Adam de Kraus monter et descendre une ou deux fois. « C'est Sigsbee Wolff », finit-il par dire.

Konig le dévisagea. « Qu'est-ce qu'il a, Sigsbee ? Je lui ai parlé il y a moins d'une heure.

— Il est... dans sa piscine.

— Sigsbee ? Dans sa piscine ? Pourquoi se baignerait-il ?

— Il ne se baignait pas, sir David. Quelqu'un l'a ligoté dans son fauteuil roulant et l'a poussé dans la piscine. Il a coulé à pic dans la partie la plus profonde. C'est le jardinier qui l'a trouvé. Il a cru voir quelque chose au fond de la piscine, alors il s'est penché et... c'était bien Mr. Wolff qui le regardait. »

Il y eut un fracas de verre brisé.

Konig avait laissé tomber la bouteille.

« C'est mauvais ? »

Konig secoua la tête. Il semblait parfaitement maître de lui. Il avait une expression lointaine. Il n'avait pas l'intention de partager la catastrophe avec elle. « Ce n'est peut-être pas trop mauvais. Le tout, c'est que j'arrive à garder les morceaux en place quelques jours. Ça ne va pas être facile. Va te coucher. Ne t'inquiète pas. Tu as besoin de dormir si tu dois tourner demain matin. »

Diane lui toucha la main, mais il ne réagit pas. De toute évidence, il avait envie d'être seul pour le moment.

L'instant passa. Comme elle montait l'escalier, en le laissant dans la bibliothèque avec ses pensées, elle sut que cet instant ne reviendrait jamais. Un bref moment, elle avait été prête à le faire monter là-haut, dans son lit. Mais Konig avait choisi de préserver sa dignité et sa solitude, et elle le laissa donc.

Les quelques jours suivants furent un vrai cauchemar, car Konig décida de confronter les problèmes posés par la mort de Wolff en affichant publiquement la plus grande confiance.

Diane et lui sortaient tous les soirs. Il avait l'air en pleine forme, heureux, débordant d'énergie, l'image même d'un cinéaste réussi, marié à une vedette en plein succès. C'était un numéro convaincant, mais Diane voyait ce que ça lui coûtait : car à peine était-il assis dans la limousine qui les ramenait chez eux qu'il renversait la tête contre le dossier de la banquette, fermait les yeux et poussait un long soupir de soulagement et d'épuisement.

Le matin, il économisait son énergie en travaillant au lit, Miss Bigelow assise auprès de lui avec son bloc et toute une corbeille de courrier. L'après-midi, il voyait des avocats, des banquiers, des financiers — de longues réunions derrière les portes fermées dont il ne voulait pas parler avec Diane.

« Sigsbee n'est pas le seul à être dans les ennuis jusqu'au cou, lui dit Aaron Diamond sur le plateau un après-midi.

— David a toujours réussi à faire un miracle de dernière minute. C'est sa spécialité.

— S'il y arrive cette fois-ci, ce sera plus fort qu'à Lourdes. Si vous voulez mon avis, mon petit, portez vos bijoux à la banque et louez un coffre à votre nom. Mieux encore, au nom de quelqu'un d'autre.

— Les choses ne vont quand même pas aussi mal que ça, Aaron ?

— Encore plus mal. Dans cette ville, on peut tout se permettre, sauf trois choses. Ne pas coucher avec une fille qui est la propriété d'un patron de studio. Ne pas tricher aux cartes. Et ne pas essayer de mettre la main sur la société de quelqu'un d'autre et d'échouer. Konig connaît Marty Braverman. Là-dessus, quelqu'un a donné une leçon de natation à Sigsbee, alors Konig a dû lâcher. Dès l'instant que Konig avait Sigsbee derrière lui et qu'il gagnait, les gens ne demandaient qu'à lui prêter de l'argent. Ils vont vouloir le récupérer dare-dare. Et il ne lui reste qu'une source de revenus dans l'immédiat, mon chou.

— Quoi donc ?

— Vous. »

Tard ce soir-là, Konig vint dans la chambre de Diane. Il était tout habillé. Il ne la regarda pas. Il déambula dans la pièce comme s'il en estimait le mobilier.

« Je suis navré de te déranger. dit-il, mais il faut que nous parlions.

— De quoi ?

— J'ai eu des conversations avec Selznick, dit Konig. Et avec quelques autres. A ton sujet.

— Quels autres ?

— Marty Braverman, par exemple. Il serait intéressé par l'idée de t'emprunter pour une longue période. Quatre films. Peut-être cinq. Il a très grande confiance dans ta possibilité d'attirer les spectateurs. »

Elle était furieuse. « Tu ne parles pas sérieusement. Tu m'as dit toi-même que Braverman est un porc !

— C'est vrai. Mais sois raisonnable. Je peux obtenir deux ou trois millions de dollars pour un accord sur quatre films — peut-être plus. Ça ne réglerait malheureusement pas tous mes problèmes, mais cela me soulagerait quand même.

— David, je ne veux pas être vendue à Marty Braverman — surtout pas à lui — pour quatre films. Et tu ne peux pas m'échanger comme un meuble.

— Comme un meuble ? Non. Mais je peux t'échanger. Nous avons un contrat.

— Et nous sommes mariés.

— Ecoute, fit-il avec un soupir las, c'est une question de survie. Ça ne me plaît pas plus qu'à toi.

— La survie de qui ? De toi ou de moi ?

— De nous.

— David, un film, peut-être. Je suis raisonnable. Je te suis reconnaissante d'un tas de choses. Mais fais que ce soit pour un film, et pour l'amour du ciel, pas avec Braverman. Que ce soit au moins quelqu'un qui ait un peu de goût, quelqu'un avec qui nous puissions parler du film... »

Il ne la regarda pas dans les yeux quand elle comprit, le cœur serré, qu'il ne pouvait pas. « Je me suis déjà mis d'accord en principe avec Braverman, murmura-t-il. Nous avons préparé un contrat. Il n'y a plus que quelques détails à régler.

— Je refuse. »

Konig haussa les épaules. « Nous verrons, fit-il. J'espérais ne pas en arriver là mais, puisque nous y sommes, laisse-moi te rappeler une fois de plus que c'est moi qui suis propriétaire de ton contrat. Il n'y a rien dedans qui m'empêche de passer un accord avec Braverman. »

Elle éprouvait une rage froide — jamais depuis la trahison de Morgan, elle n'avait ressenti une telle colère. Konig — qui prétendait l'aimer — était prêt à la jeter aux loups maintenant qu'il avait des ennuis. « Alors, moi, je fais quatre films, et toi tu touches deux ou trois millions de dollars.

— Nous les touchons. Avec ça, je réussirai peut-être à tenir le coup assez longtemps pour trouver un nouveau financement. »

Elle secoua la tête. « David, s'il le faut, je prendrai un avocat. Je romprai le contrat.

— Tu peux toujours essayer. » Il était blême. Il tourna les talons et partit en claquant la porte.

Diane décrocha son téléphone et appela Aaron Diamond. Le service des abonnés absents lui annonça qu'il était au Polo Lounge, le bar du Beverly Hills Hotel. Elle s'apprêtait à composer le numéro ; puis elle se dit que, puisqu'il n'était pas question de dormir, elle ferait aussi bien d'aller le voir. Elle s'habilla en hâte, descendit et mit son moteur en marche.

Lorsqu'elle se retrouva fonçant sur Sunset Boulevard, Diane se sentit mieux. Dans la pénombre du Polo Lounge, elle chercha Diamond et finit par le trouver à une petite table avec un téléphone et une séduisante jeune créature qui portait un manteau de vison malgré la chaleur.

Diamond ne manifesta aucune surprise en apercevant Diane, pas plus qu'il ne parut agacé de voir son tête-à-tête interrompu. Il savait reconnaître un problème d'affaires quand cela se présentait et acceptait l'idée que cela passait avant le plaisir, même à cette heure de la nuit. C'était un vrai professionnel.

« Va faire un tour, dit-il à la jeune femme qui haussa les épaules sans rancœur et se dirigea vers le bar comme si elle avait l'habitude d'être congédiée.

— Vous aviez raison, fit Diane.

— Je m'en doutais. Ecoutez, Konig est votre mari, mais c'est un Hongrois, vous comprenez ? C'est plus fort que lui. Vous savez ce qu'on dit des Hongrois : Un Hongrois entre dans une porte tournante derrière vous — et il en ressort avant vous. » Il éclata de rire. « Allons, mon petit, détendez-vous. Il a peut-être été anobli par la reine, mais il a une âme d'escroc — comme tous les Hongrois. Ecoutez, quand Konig est venu ici la première fois, on racontait qu'il séduisait les filles en leur expliquant qu'il était impuissant. Il restait assis là en disant : " Je suis désolé, chérie, mais, tu vois, ça ne sert à rien... Ça fait des années que je n'y arrive pas... Rien n'y fait... " Elles étaient navrées pour ce pauvre homme, d'accord ? Et puis, pour une femme, c'est une sorte de défi, d'accord ? Alors, en moins de temps qu'il ne faut pour le dire, elles s'étaient déshabillées et Konig disait : " Mon Dieu, c'est un miracle... Je commence à sentir quelque chose... " Qu'est-ce qu'il y a ? On dirait que vous venez de voir un fantôme. »

Diane se mordit la lèvre. Encore une humiliation. Elle avait été assez naïve pour ajouter foi à un mensonge si bien connu qu'il était apparemment devenu une légende à Hollywood. Mais elle n'allait pas l'avouer à Diamond. « Aaron, dit-elle d'un ton aussi ferme que possible, dites-moi simplement ce que je dois faire. »

Il haussa les épaules. Il aimait jouer les bouffons, mais il savait quand le moment était venu de se mettre sérieusement au travail. Et, tandis qu'elle se penchait pour écouter ce qu'il avait à lui dire, elle aperçut, vaguement et juste un instant, reflétés dans le vieux miroir sur le mur devant elle, trois hommes se lever, en grande conversation, et quitter la pièce. L'un d'eux était Kraus, dont on voyait briller les lunettes. L'autre était David Goulandris. Entre eux, les mains dans les poches, se tenait un grand homme brun, bien habillé, dont elle aperçut un instant le regard dur et méfiant dans la glace. Elle trouva qu'il ressemblait beaucoup à Dominick Vale.

Diane se tourna vers la table qu'ils venaient de quitter juste à temps pour voir Marty Braverman, son cigare rougeoyant dans l'obscurité, signer l'addition et se lever pour sortir.

Elle comprit que Konig avait des ennuis encore plus graves que même lui ne s'en doutait. Elle se demanda si elle devait l'avertir mais, dans sa colère, elle décida d'attendre.

« Il s'agit simplement de préserver les apparences, dit Konig d'un ton sec. C'est autant dans ton intérêt que dans le mien. »

Diane ne répondit pas. Maintenant que sa colère s'était un peu calmée, elle pouvait regarder la situation en face, à défaut d'agir sur elle. Le navire de Konig était en train de sombrer. Devait-elle couler avec lui ? Diamond avait été catégorique. « Allez-vous-en, demandez le divorce — tous ces contrats anglais ne tiendront probablement pas ici et, avec le régime de la communauté, vous avez droit à la moitié de ce qu'il a, s'il a encore quelque chose. »

Facile à dire, songea-t-elle. Konig l'avait poussée trop loin et elle ne pouvait pas lui pardonner cela, même s'il y avait encore une partie d'elle-même qui le considérait comme sir David Konig, le faiseur de miracles. Elle redoutait les complications inévitables, mais elle était déterminée à ne faire la paix qu'à ses conditions, à elle. « Qu'il n'y ait aucun malentendu, dit-elle, je n'accepterai pas que tu me prêtes. Je te combattrai, David, si j'y suis obligée.

— C'est bien compris », dit-il d'un ton las. Dans l'éclairage tamisé de l'intérieur de la limousine, il avait un air épouvantable. Son visage était gris, ses traits tirés, comme s'il avait vieilli de dix ans dans la nuit. Il avait les lèvres bleutées et les yeux rouges. Lorsqu'il alluma un cigare, ses mains tremblaient.

Devant chez Chasen, une petite foule de fans et de chasseurs d'autographes attendait. Elle savait qu'ils n'étaient pas là pour elle précisément. Ils étaient comme des oiseaux de proie, prêts à bondir sur tout ce qui se présentait. Elle se fraya un chemin à travers la foule jusqu'à la porte, suivie de Konig, qui marchait comme si chaque pas lui demandait un effort surhumain.

Mais à peine furent-ils dans le restaurant qu'il parut revivre. Il retrouva ses couleurs, son sourire, il traversa la salle en serrant les mains des gens qu'il connaissait. Ils étaient douze pour dîner, y compris les Beaumont, les Selznick et quelques personnes que Diane connaissait à peine. Konig, par la seule force de sa volonté et sa personnalité, parvint à jouer à merveille son numéro d'hôte. Personne, à le regarder, n'aurait pu imaginer qu'il était au bord de la ruine ni que Diane et lui étaient dans les plus mauvais termes.

Il avait commandé un soufflé flambé comme dessert et regardait avec un plaisir évident le cognac prendre feu et illuminer toute la table. Il avait le visage congestionné. Il parut se crisper, comme s'il redoutait la chaleur de la flamme. Puis, avec un sourire exquis, il se leva. « Il faut que j'aille donner un coup de fil », dit-il tandis qu'on servait le dessert, les assiettes encore couronnées de petites flammes bleues.

Il alla jusqu'à l'autre bout de la table, se pencha et baisa la main de Diane. Il la garda serrée un moment. Il y avait dans son regard une lueur d'amusement, comme s'il connaissait un secret ou comme s'il allait faire une plaisanterie. Il traversa la salle encombrée, saluant les gens qu'il connaissait, monta les marches d'un pas vif, la main sur la rampe, et disparut.

Une demi-heure s'écoula avant que le maître d'hôtel n'apparût, blanc comme un linge. Il resta là un moment, les mains croisées devant lui, puis il se pencha et murmura à l'oreille de Diane :

« Il y a eu... un problème, Miss Avalon », dit-il.

« Je suis désolé, Miss Avalon. » Le chauffeur était debout dans le parking, sa casquette à la main.

« Que s'est-il passé ?

— Sir David est sorti du restaurant et est monté dans la voiture. " Où va-t-on ? " ai-je demandé. " A l'hôpital des Cèdres du Liban, espèce d'idiot, m'a-t-il dit. Je viens d'avoir une crise cardiaque. " Alors je l'ai conduit à l'hôpital aussi vite que j'ai pu.

— Et...

— Il est mort dans la voiture. »

Diane contempla la limousine. La portière était ouverte. Un des escarpins vernis de Konig était sur le plancher.

Elle songea que Konig avait sans doute eu sa crise cardiaque à table au moment où on servait le dessert. Il s'était forcé à se lever, à venir lui baiser la main, à quitter la salle sur ses deux pieds pour aller mourir dans sa voiture.

Jusqu'à la fin, la dignité avait beaucoup compté pour lui.

Quatrième Partie

La Princesse

16

« J'ai besoin d'aide. »

Aaron Diamond baissa la tête, son crâne chauve étincelant comme si on venait juste de l'encaustiquer.

Pour une fois, au grand soulagement de Diane, il ne lança pas de plaisanterie, il ne détourna pas la conversation. Les enterrements le déprimaient — même celui de Konig, qu'il connaissait à peine. Durant la cérémonie, il avait pleuré à chaudes larmes — affligé, comme il l'avoua plus tard à Diane, par l'idée qu'un homme qui avait l'argent, la célébrité et une femme superbe pouvait mourir comme n'importe qui. Une fois le service terminé, il la fit sortir par une petite porte de la chapelle, évitant habilement la presse, et la ramena jusqu'à son bureau où il la laissa attendre un moment pendant qu'il se changeait, comme s'il avait peur que ses vêtements eussent été contaminés.

« Quel genre d'aide ? Vous êtes une riche veuve. »

Elle secoua la tête en écartant son voile. Elle ôta son chapeau, le posa sur le bureau de Diamond, avec un grand sac à main noir qui semblait mieux convenir à un voyage qu'à un enterrement. « Apparemment non. J'ai vu les comptables, Aaron. Il ne reste rien que des dettes.

— Il y a la maison. Les tableaux. Vos bijoux.

— La maison appartient à la banque. Et il y a en plus une seconde hypothèque dessus. Les toiles n'ont pas été payées, à l'exception de mon Van Gogh — et je pense que les créanciers de faillite mettront la main dessus d'ici demain. Sur les bijoux aussi, à moins que je n'agisse vite.

— Seigneur ! Je pensais que Konig valait au moins un million de dollars.

— C'est ce que tout le monde pensait. Il sauvait les apparences, Aaron, il va falloir que j'en fasse autant.

— Qu'est-ce que vous attendez de moi ?

— Commencez à négocier avec Marty Braverman. » Et, sans laisser à

Diamond le temps de protester, elle reprit : « Tout ce qu'il faut faire, c'est négocier dans une situation de force, Aaron.

— Quelle force, bon sang ?

— Il a besoin de moi. Vous le savez. Les studios Empire ne peuvent pas continuer éternellement à faire des films avec Ina Blaze en vedette.

— Exact. Mais vous avez besoin de lui aussi. Le film de Konig est foutu. Marty n'est pas vraiment un schnock, vous savez. Dès l'instant où il apprendra que vous avez des problèmes financiers, il va vous offrir des clopinettes.

— Aaron, murmura-t-elle, il ne va pas l'apprendre. Je n'ai pas été la femme de David Konig sans qu'il m'apprenne certaines choses. C'est pourquoi j'ai besoin de votre aide. »

Il la regarda en penchant la tête de côté. « Allez-y.

— Aaron, je m'en vais vendre mes bijoux. »

Il fit la grimace. « Dès l'instant que vous faites ça, tout le monde en ville saura que vous êtes fauchée.

— Pas si je sors tous les soirs en portant mes copies. Personne n'a besoin de savoir que les vraies pierres sont à New York. »

Diamond chaussa ses lunettes aux verres teintés. « Je me demande combien ça fait d'années de prison de dissimuler des actifs aux créanciers. Vous le savez sans doute. Enfin, peu importe... Je connais deux ou trois types qui peuvent s'en charger : des diamantaires d'Amsterdam, des réfugiés. Le problème est de savoir comment vous allez les sortir du coffre. Il doit être sous scellés.

— Je sais, fit Diane. Je suis allée au coffre.

— Quand quelqu'un meurt, ces foutus banquiers mettent les scellés.

— J'étais là-bas à neuf heures du matin après la mort de David. Je m'étais dit que le temps qu'ils aient la nouvelle et qu'ils donnent quelques coups de téléphone, jusqu'à midi, ou au mieux onze heures — et j'avais raison. J'ai pris ma clé, ouvert le coffre et voilà, j'ai tout pris.

— Où sont-ils maintenant ? » demanda Diamond.

Diane ouvrit son sac et en vida le contenu sur le bureau de Diamond. « Seigneur ! murmura-t-il. Qu'est-ce que ça représente ? En chiffres ronds ?

— Le tout est assuré pour trois millions de dollars.

— Si vous en obtenez le tiers, vous aurez de la chance. Vous le savez ?

— Je le sais. C'est dommage, mais on n'y peut rien. Vos amis peuvent simplement retirer les pierres et les remplacer par des copies. Comme ça je peux récupérer le tout en vingt-quatre heures sans que personne s'en aperçoive. Et, Aaron, il y a autre chose : je veux vendre le Van Gogh. Il est à moi, malgré ce que racontent les créanciers de David.

— C'est facile. Mais comment allez-vous le sortir de la maison ? Je suis sûr qu'elle est surveillée jour et nuit.

— C'est vrai. Il y a deux voitures garées au bout de l'allée. Des hommes de la banque, j'imagine.

— Ou des impôts. Ou de la succession de Sigsbee Wolff. Ou de Dieu sait qui... Dans des affaires comme ça, les plus emmerdants, ce sont les domestiques. La première chose que font les créanciers c'est de graisser la patte des larbins pour être prévenus si quelque chose disparaît. »

Diane tira de son sac une photographie en couleurs et la remit à Diamond. « Voilà le tableau, dit-elle. Et les dimensions. Pouvez-vous trouver quelqu'un à l'un des studios qui puisse en faire une copie dans la nuit ? »

Il acquiesça de la tête. « Pour cinq cents dollars, il y a des types chez Disney qui feront n'importe quoi. Mais ça ne trompera pas l'expert.

— Ça n'est pas nécessaire. Il faut seulement que ça trompe les domestiques. Faites faire la copie sur toile ; vous l'apporterez dans votre porte-documents et, pendant que nous prendrons le thé, nous échangerons les toiles dans le cadre. Dieu merci, c'est un petit tableau. Comment le ferons-nous évaluer ?

— Mayer Meyerman peut s'en occuper : il a ouvert une galerie ici. A mon avis, il y en a pour deux cents, deux cent cinquante mille à tout casser. Disons que, si nous avons de la chance, vous allez vous retrouver avec un peu plus d'un million de dollars. Qu'est-ce que vous allez en faire ?

— Vivre comme une riche veuve pendant que vous négocierez. Gardez la maison quelque temps. Et les domestiques. Je vais chercher une maison plus petite — parce que celle-ci est trop grande pour moi, non parce que je n'en ai plus les moyens, mais parce que la banque va la reprendre. Mais j'ai besoin de Braverman et lui il voudra de moi. »

Diamond sourit. « Konig aurait dû vous écouter plus souvent... Il ne vous a jamais demandé de signer quoi que ce soit ?

— Bien sûr que si.

— Des papiers d'affaires, des documents ? Des choses pour lesquelles il fallait des témoins ou une attestation notariée ?

— Parfois. Il n'aimait pas qu'on lui pose de questions sur ce genre de choses. Il m'a mise en société. Il m'a dit que ce serait utile pour les impôts et il m'a fait naturaliser américaine.

— Fichtre, il s'est bien débrouillé. J'aurais aimé avoir les dossiers si je dois vous être d'une quelconque utilité pour les affaires de Konig. » Diamond ouvrit le tiroir de son bureau et y fourra les bijoux. Puis le referma en la regardant attentivement. « Vous voulez un reçu ? »

Elle secoua la tête, sachant que Diamond la mettait à l'épreuve. Il était, elle le sentait, le genre d'homme qui ferait n'importe quoi pour quelqu'un qui lui fait confiance et rien pour quelqu'un qui se méfiait de lui. C'était un risque calculé. « Je n'ai pas besoin de reçu », dit-elle.

Diane se leva et il la raccompagna jusqu'à la porte. « Vous êtes en progrès. Si quelqu'un me questionne, je n'ai jamais vu ces bijoux. »

Durant tout le trajet de retour en voiture, Diane se demanda comment elle avait pu tout simplement remettre à Aaron Diamond trois millions de dollars en bijoux. Et pourtant elle connaissait la réponse. Certaines fois, où il fallait prendre un risque, il jouait tout sur son instinct.

Ce ne fut que lorsqu'elle entra dans le bureau de Konig qu'elle découvrit que les classeurs où étaient rangés les dossiers étaient vides.

Quelqu'un réfléchissait aussi vite qu'elle.

Le bureau de Braverman était blanc. En forme de demi-cercle, il se dressait sous un dais. Comme le devant était tout d'une pièce, on ne voyait d'en bas que ses épaules et son crâne chauve.

On racontait qu'il ne le quittait jamais pour accueillir un visiteur. Avec Diane, toutefois, il fit une exception et se leva. Il alla même jusqu'à descendre de son estrade pour lui serrer la main. Il ne prit pas la peine d'en faire autant avec Diamond : il n'échangeait une poignée de main avec un homme que pour conclure un marché.

Depuis trois semaines, il discutait avec Diamond, cependant que Diane sortait tous les soirs, ses faux diamants bien en vue. Diamond avait annoncé qu'elle songeait à prendre sa retraite. Il avait annoncé qu'elle envisageait de faire don des toiles de Konig au musée de Los Angeles. Il avait annoncé qu'elle renvoyait les scripts sans les avoir lus, preuve certaine qu'elle n'avait pas de problèmes financiers.

A Marty Braverman il avait confié que sa cliente pourrait accepter un accord si les termes en étaient convenables. Il savait que derrière la façade de Braverman, il y avait un studio sans vedette. Des années auparavant, Braverman avait commis l'erreur fondamentale de faire d'Ina Blaze sa maîtresse, puis l'avait aggravée en la faisant jouer dans un film après l'autre, malgré les recettes qui déclinaient et les critiques épouvantables. La carrière d'Ina était en pleine déconfiture et entraînait dans sa chute les studios Empire aussi bien que la réputation et que le mariage de Braverman.

Malgré cela, Braverman ne renonçait pas. C'était un magnat du cinéma, un tsar, le patron d'un grand studio, un homme qui avait l'habitude de faire et défaire des carrières sur un caprice. Il avait peu à peu cédé aux exigences de Diamond : il avait accepté le principe d'un contrat pour trois films, et il avait fallu deux semaines pour l'amener à admettre un prix de deux millions de dollars. Mais sur le principe de l'approbation des scripts par Diane, Braverman était intraitable. Il n'avait jamais donné un tel droit à une actrice, et il n'allait pas commencer.

La courtoisie n'était pas une des vertus que recherchait Braverman. Il avait accepté sans enthousiasme de rencontrer Diane et il en vint droit au but : « Personne ne me dit ce que je dois faire sur mon plateau, nom de Dieu, grommela-t-il.

— Nous le savons, Marty, fit Diamond.

— Bouclez-la, Diamond. Si vous voulez faire quelque chose, allez donc chez Disney. Ils engagent pour les Sept Nains : vous pourriez commencer une nouvelle carrière. C'est à votre cliente que je parle.

— Je le sais aussi », fit Diane d'un ton respectueux. Avec son tailleur bleu sombre, un petit chapeau sévère et ses longs gants de daim bleu, elle était la veuve parfaite.

Elle posa une main gantée sur celle de Braverman. De près, ce dernier semblait avoir été taillé dans la pierre par un sculpteur sans talent. Son visage hâlé avait la teinte d'une table de salle à manger en acajou et il avait de petits yeux bruns et astucieux, bordés de rouge comme ceux d'un animal sauvage pris au piège. Il ne faisait pas chaud dans son bureau, mais Braverman semblait transpirer comme s'il était dans un bain de vapeur. Diane conclut non sans surprise qu'il avait peur.

Peur de quoi ? se demanda-t-elle. Sûrement pas d'elle. La réputation de Braverman avec les femmes faisait partie de la légende de Hollywood. Au temps jadis, avant de s'être fait couper les ailes par Ina Blaze, il se vantait d'avoir couché avec toutes les vedettes qui travaillaient dans les studios Empire, comme si le droit de cuissage faisait partie de leur contrat.

Ce n'était pas d'elle qu'il avait peur, conclut Diane, c'était de son conseil d'administration. Si Sigsbee Wolff n'était pas mort, ce serait David Konig qui trônerait dans ce bureau. Braverman avait besoin d'un succès, il avait besoin d'une vedette et il devait avoir besoin des deux beaucoup plus qu'on ne s'en doutait.

« David parlait toujours de vous en termes si élogieux, dit-elle. Je voudrais que nous travaillions tous les deux de la même façon. »

Braverman la considéra avec méfiance. « De quelle façon ?

— Nous étions associés.

— J'ai des associés. Et je le regrette bougrement.

— Je ne parle pas de ce genre d'association, Marty. Ça ne vous ennuie pas que je vous appelle Marty, n'est-ce pas ?

— Allez toujours.

— Je comptais sur David, Marty. Les gens disent que c'est lui qui m'a inventée. Ce n'est pas tout à fait vrai, mais il y a une part de vérité là-dedans. Il savait ce que je pouvais faire et il savait comment m'employer. Et il savait que cela ne servait à rien de me faire tourner dans un film où je ne pourrais pas être moi-même. Alors nous en discutions. Nous prenions les décisions ensemble. Je voudrais avec vous le même genre de relation que j'avais avec David. »

Braverman réfléchit un instant. « Bon Dieu, vous étiez mariée avec lui. Vous n'êtes pas mariée avec moi.

— Oh ! Je le sais bien... Je voudrais simplement avoir le sentiment que vous allez vous occuper de moi *personnellement*, Marty. Que je peux venir vous trouver directement si je ne suis pas contente.

— Venez me voir quand vous voudrez, dit-il. Mais n'essayez pas de me doubler. Pas pour la somme que je vous paye.

— J'ai entendu dire que vous aviez engagé un nouveau directeur de production, Marty, fit Diamond. Nous voudrions simplement nous assurer que Diane a toute l'attention du grand patron et qu'elle ne dépend pas d'un type qui vient de débarquer. »

Braverman écrasa son cigare dans le cendrier avec une telle énergie que le mégot se brisa. Il en prit un nouveau dans l'humidificateur en argent sur la table basse, en coupa le bout avec ses dents et le cracha dans le cendrier. « Ecoutez, Diamond, dit-il, un studio de cette importance a besoin d'un directeur de production. Je ne peux pas m'occuper moi-même de toutes les petites conneries de détail, non ?

— Absolument pas, Marty.

— C'est pourquoi je voudrais dans le contrat, reprit Diane, que vous et moi, Marty, rien que nous deux, mettions au point ce que je vais faire. Je ne viens pas ici à cause des studios Empire. Je viens ici à cause de Marty Braverman.

— Selznick la voulait, Marty. Mayer la voulait. Harry Cohn la veut. Et c'est vous qu'elle veut.

— Est-ce qu'ils la voulaient pour deux millions de dollars ? demanda Braverman.

— L'argent n'est pas la question, répliqua Diane. David m'a laissé toute la fortune dont j'ai besoin, Marty. L'argent n'est qu'une question de prestige. Je veux l'assurance que nous ferons ensemble de grands films, que vous et moi approuverons ensemble mes rôles — et non pas un producteur ni un directeur de production. Rien que *nous.* »

Elle observa le visage de Braverman tandis qu'il réduisait en bouillie son cigare. Ce qu'elle lui offrait, c'était l'occasion de couper l'herbe sous le pied de son nouveau directeur de production avant même qu'il fût arrivé. Elle donnait à Braverman une chance d'accroître son pouvoir, au moment précis où on allait le lui arracher.

« Topez là. » Il prit la main de Diane, puis se leva et serra solennellement celle de Diamond.

Braverman était un homme de la vieille école pour qui rien n'était sacré tant qu'il n'avait pas sacrifié à ce rite. Il était prêt à rompre sans y réfléchir à deux fois n'importe quelle clause d'un contrat, mais il ne revenait jamais sur une poignée de main.

« Alors, Marty, demanda Diamond, qui est le nouveau directeur de production ?

— Vous pouvez garder un secret ? demanda Braverman avec un sourire rusé.

— Je suis avocat.

— Ça ne veut foutre rien dire. Je vais quand même vous mettre dans la confidence. On va l'annoncer cet après-midi, alors ? Le conseil d'administration voulait que j'engage quelqu'un, alors je l'ai fait. Et on m'a laissé le choix : j'ai engagé mon gendre. »

Une expression d'étonnement passa sur le visage de Diamond. « Marty, dit-il, vous n'avez pas de gendre.

— Depuis hier, fit Braverman en riant, j'ai un *futur* gendre. Ma fille est fiancée à Myron Cantor. »

Diane le dévisagea. « Vous voulez dire que Myron Cantor va diriger le studio ?

— C'est moi qui vais diriger le studio. Il prend ses ordres de moi.

— Mais c'est un agent.

— Personne n'est parfait. Il est intelligent. Il apprendra.

— Je le connais », fit Diane. Elle se demandait si Cantor se souvenait encore comment elle lui avait posé un lapin. Et puis elle se dit qu'après toutes ces années il ne risquait guère de se souvenir de Rani, la danseuse exotique.

En songeant qu'elle remettait son avenir aux mains de Marty Braverman et de son nouveau gendre, elle se rendit compte à quel point David Konig lui manquait. Elle était aux mains d'étrangers. La seule personne une fois de plus à qui elle pouvait vraiment se fier, c'était elle-même.

Les premières pages des journaux montraient de grandes flèches noires jalonnant l'avance allemande en France. Sur toutes les cartes, on voyait une espèce de flèche sur les Ardennes, là où le gros de l'offensive des forces blindées allemandes avaient percé ce que l'on décrivait comme de « faibles défenses françaises ». Elle se demandait si Lucien en faisait partie.

La nuit, lorsqu'elle se retrouvait sans sommeil dans la maison que David lui avait laissée avec ses dettes, elle pensait à Lucien. La solitude lui était parfois insupportable, et, au bout de deux semaines, elle congédia Miss Bigelow et accepta l'invitation de Cynthia de rester avec les Beaumont jusqu'à ce qu'elle eût trouvé une maison. A sa grande surprise, elle avait besoin de Cynthia tout autant que Cynthia avait besoin d'elle.

A Los Angeles, les exilés et les réfugiés allemands écoutaient les nouvelles et se félicitaient d'avoir fui l'Europe alors que les Français souffraient de leur défaite et du remords d'être ici à l'abri. Les Anglais, qui étaient les plus nombreux, étaient ceux qui pâtissaient le plus car il leur restait encore le choix de rentrer chez eux. Certains assuraient qu'ils faisaient plus pour leur pays en servant d'exemple du talent et de la culture britanniques dans les films américains, mais Beaumont, lui, se refusait à tout commentaire et surtout pas devant Cynthia, qui l'accusait chaque jour de lâcheté, malgré les conseils de Diane. Cynthia buvait plus que jamais ; mais, ivre ou à jeun, elle voulait rentrer en Angleterre avec lui, comme si partager la guerre devait résoudre les problèmes de partager un lit.

Diane se forçait à sourire, tout en dînant avec eux, un soir chez Chasen avec les Beaumont et Aaron Diamond, mais elle ne parvenait pas à dissiper l'hostilité qui régnait entre eux. Cynthia termina son second cognac — après trois doubles scotches et au moins une demi-bouteille de vin — et dit : « Je veux rentrer.

— Dans quelques instants, ma chérie, dit Beaumont, un peu nerveux, espérant éviter une scène.

— Je ne veux pas dire rentrer dans notre foutue maison. Je veux dire chez moi. En Angleterre.

— Nous en parlerons plus tard, ma chérie, reprit Beaumont en essayant de poursuivre sa conversation avec Diamond.

— Des clous ! On va en parler maintenant. Aaron, comment appelez-vous un homme qui ne veut pas rentrer chez lui même quand son pays a besoin de lui ? »

Diamond ôta ses lunettes et réfléchit un moment. « Un homme prudent ? » suggéra-t-il.

Cynthia éclata de rire. « Non, fit-elle. Un lâche ! »

Beaumont blêmit sous l'insulte. Il se leva. Cynthia le toisa d'un regard insolent, ses grands yeux bleu pâle brillants d'une lueur railleuse. « Tu n'as pas le cran de me frapper », dit-elle en riant.

Diane avait deviné un instant avant Cynthia que celle-ci se trompait — mais la main de Beaumont fut immobilisée à quelques centimètres du visage de Cynthia. « Pas en public ! murmura Diamond à Beaumont en le repoussant dans son fauteuil avec une force étonnante pour un si petit homme. Vous la ramenez à la maison et vous lui foutez une trempe, d'accord — ce serait peut-être même la solution. Mais si vous faites ça ici, demain vous aurez la une de tous les journaux du pays. »

Beaumont acquiesça d'un air las. Il y eut un moment de silence tendu ; puis Cynthia prit son poudrier, se remaquilla avec des doigts tremblants et se leva. « Mes chéris, ça a été une soirée charmante, dit-elle avec gaieté. Il faudra recommencer bientôt ! »

Puis ses yeux se fermèrent et elle s'effondra sur le sol.

Beaumont soupira et alluma une cigarette. Diana aperçut l'éclat d'un briquet en or et devina pourquoi Beaumont ne voulait pas rentrer en Angleterre.

C'était curieux, songea Diane, comme on devenait facilement paresseux à Los Angeles. Diamond mettait au point les derniers détails de son contrat avec Empire ; les hommes de loi discutaient à propos de la succession de Konig ; Kraus et Goulandris avaient disparu, essayant sans doute de se tenir aussi éloignés que possible des affaires de Konig ; Billy Soskin, le décorateur des stars, avait fini par lui trouver une maison sur la plage à Malibu et il s'activait à la redécorer — mais la plupart de cette activité, même si elle la concernait, n'exigeait pas vraiment sa présence. Elle se levait tard, prenait des bains de soleil auprès de la piscine et attendait l'arrivée de Cynthia pour son premier Bloody Mary de la journée.

Diane comptait les jours en attendant que sa maison fût prête. Elle en avait particulièrement envie un soir où Cynthia décida qu'elle allait veiller pour attendre le retour de Dicky. « Je m'en vais avoir une explication avec lui, dit-elle. Je suis sûre qu'il voit une autre femme. »

Diane soupira. Elle se demanda si ce ne serait peut-être pas le bon moment de dire à Cynthia la vérité sur Beaumont, mais, plus elle y pensait, moins cela lui semblait une bonne idée.

A minuit, Diane renonça à veiller, s'excusa auprès de Cynthia et monta se coucher. Il était près de deux heures du matin quand Cynthia l'éveilla. « Il y a des hommes dehors, dit-elle. J'entends des voix. Tu ne penses pas que ce soient des cambrioleurs ? »

Diane secoua la tête. « Je pense que c'est Dicky, dit-elle d'une voix ensommeillée.

— Non, ça n'est pas lui. J'ai entendu très distinctement une voix d'homme, et ce n'était pas la sienne.

— Alors, appelle la police. Ou bien réveille les domestiques. »

Mais Cynthia n'en fit rien. Elle sortit en trébuchant pour gagner sa chambre, suivie de Diane, et alluma les gros projecteurs extérieurs. Instinctivement, Diane passa devant elle en la bousculant et s'empressa d'entrouvrir les lourds rideaux juste assez pour voir dehors.

La pelouse, la piscine et la longue allée se trouvèrent brusquement illuminées et là, se découpant dans la lumière éblouissante, serrés l'un contre l'autre dans une étreinte passionnée, se trouvaient Richard Beaumont et Dominick Vale.

Beaumont leur tournait le dos. Juste à ce moment, Vale recula et regarda par-dessus l'épaule de Beaumont vers la fenêtre, ses yeux pâles et froids grands ouverts comme devant le flash d'un photographe. Il eut un sourire et haussa les épaules, comme pour demander qu'on excusât une regrettable manifestation de mauvaises manières. Puis il fit le geste d'incliner dans la direction de Diane un chapeau imaginaire, tourna les talons, s'enfonça dans l'obscurité et disparut. Les lumières s'éteignirent et, bien que toute la scène n'eût duré que quelques secondes et que dehors il fît humide et doux, Diane frissonnait. Lorsqu'elle se retourna, le visage de Cynthia était sans expression. Diane espéra qu'elle n'avait rien vu — elle avait essayé de lui boucher la vue — mais elle ne put rien lire dans les yeux de Cynthia.

« Je m'en vais prendre un dernier verre et lire au lit », annonça Cynthia. Elle avait les mains qui tremblaient.

« Tu ne crois pas que tu as bu assez ?

— Tu ne vas pas t'en mêler, chérie, dit Cynthia en remplissant son verre.

— Ça ne t'avancera pas de boire.

— C'est toi qui le dis. Tu ne bois pas. » Elle vida son verre d'une lampée, toussa et le reposa avec soin sur une soucoupe en étain. Même ivre et désespérée, Cynthia n'était pas le genre de femme à laisser une marque de verre sur un meuble ciré. « Ce sont les nuits que je ne peux pas supporter, dit-elle. Tu n'as pas un somnifère, par hasard ?

— Il y en a dans la salle de bains. On me les a donnés après la mort de David, mais je ne m'en sers pas.

— Merci », fit Cynthia. Elle prit la bouteille avec elle et sortit en refermant la porte sans bruit.

Plus tard, cette nuit-là, Diane s'éveilla au bruit d'une discussion. Elle entendit une gifle, puis le silence et décida de ne pas intervenir. Le matin, alors que l'aide-jardinier nettoyait la piscine, Cynthia Beaumont fit sa première tentative de suicide. Lorsqu'elle se réveilla à l'hôpital des Cèdres du Liban, elle eut la déception de constater qu'elle était encore en vie ; elle prit la main de Diane et, d'une voix qui n'était guère plus qu'un murmure, elle dit : « Ça ne fait rien, ma chérie. Désolée d'avoir utilisé tes comprimés. Tôt ou tard, j'y arriverai si je continue à essayer. »

Diane n'en doutait pas.

Le mariage de Shirley Braverman fut si somptueux qu'il en fit paraître encore plus petite la jeune épousée, qui n'avait pas besoin de ça. On s'accorda à dire que Braverman n'était pas mû que par l'amour paternel mais qu'il célébrait sa victoire.

Sigsbee Wolff et David Konig avaient essayé de s'emparer des studios Empire. Ils avaient échoué et ils étaient morts — ce qui était un échec encore plus grand, l'ultime échec. Braverman, bien qu'atteint dans son autorité et dans son prestige, avait survécu. Cela valait bien les quelques centaines de milliers de dollars que de toute façon il facturerait aux studios. D'ailleurs, il tenait plus à montrer son gendre sous le meilleur jour qu'à faire plaisir à sa fille, ou même à sa femme.

C'était Cantor que les invités étaient venus rencontrer et féliciter, pas Shirley. Diane le reconnut aussitôt. Ses cheveux noirs étaient aussi aplatis et gominés que jamais, comme si on lui avait laqué le haut du crâne. Les yeux de fauve avaient un regard toujours aussi pénétrant. « Nous nous sommes déjà rencontrés », dit-il en la dévisageant. Il claqua des doigts pour secouer sa mémoire. « Londres. Une grande soirée. Vous étiez avec un photographe. »

Elle acquiesça. Inutile de nier. « Vous avez bonne mémoire, dit-elle.

— Vous étiez la plus belle femme que j'aie jamais vue, alors je ne risquais pas de l'oublier. D'ailleurs, vous êtes toujours la plus belle femme que j'aie jamais vue. Vous m'avez posé un lapin. J'ai passé toute une soirée au Claridge à vous attendre, vous savez...

— Je suis navrée d'avoir gâché votre soirée.

— Bah, ça arrive. » Derrière les yeux de prédateur, Diane vit passer quelque chose qui lui parut de la fierté blessée. Elle sentit que Cantor n'était pas le genre d'homme à oublier ni à pardonner la moindre insulte venant d'une femme. « Je suis enchanté à l'idée que nous allons travailler ensemble, dit-il. Je veux montrer que nous sommes capables tout autant que la M.G.M. de faire une vedette.

— Mais, Myron, fit Diane en fronçant les sourcils, je suis déjà une star. »

Il battit un peu en retraite. « Oh ! Bien sûr... Mais je veux dire le grand jeu : les clubs de fans, les foules partout où vous allez, des gens qui donnent votre prénom à leurs enfants, être une star n'a rien à voir avec tourner des films. Gloria Swanson est une star et elle n'a pas tourné depuis des années.

— L'essentiel, Myron, ce sont les rôles. Si vous commenciez par me trouver de bons rôles ?

— Vous vous trompez, répondit-il en haussant les épaules. C'est la publicité qui compte. C'est pour ça que Konig n'a pu vous amener que jusqu'à un certain point. Il savait tout du cinéma, mais il croyait que la publicité était simplement quelque chose qu'on fait une fois que le film est déjà dans la boîte. Je crois, moi, qu'il faut commencer par la publicité. » Il claqua des doigts. « Lucien Chambrun ! C'était le nom du photographe, n'est-ce pas ? » Cantor n'attendit même pas sa réponse. « Qu'est-ce qui lui est arrivé ?

— Il est en France... dans l'armée...

— C'est moche. C'était un rudement bon opérateur. S'il était ici, je l'utiliserais. Vous avez lu *Les Flammes de la passion* ? »

Elle connaissait les règles : on ne disait jamais qu'on n'avait pas vu ou lu quelque chose. « Qu'est-ce que vous en avez pensé ? » demanda-t-elle, renvoyant, elle l'espérait, la balle dans le camp de Cantor.

A son soulagement, il ne lui rendit pas la pareille. « C'est l'histoire ! s'exclama-t-il. Du patriotisme ! Une belle histoire d'amour ! Ça ferait un grand film, vous ne croyez pas ? »

Elle eut un sourire enthousiaste. « C'est la première chose que j'ai pensée.

— Bien sûr. Vous êtes maligne.

— Vous l'avez acheté ? »

Cantor se rembrunit. « Marty l'a acheté. Il est tombé dessus par hasard. Il ne l'a même pas lu. » Il baissa le ton. « Pour dire vrai, Marty n'est plus tout à fait ce qu'il était. Entre nous.

— Il m'a paru en pleine forme. » C'étaient là des eaux dangereuses et Diane n'avait aucune envie de s'y aventurer. Cantor, heureusement, changea de sujet.

« Vous devez vous sentir bien seule, maintenant que sir David... n'est plus, dit-il. On devrait se voir... déjeuner ou dîner, parler de ce que vous allez faire.

— Eh bien, dès que mon contrat sera signé...

— Nous n'avons pas besoin d'attendre ça. Vous savez combien ça peut traîner, la paperasserie. Tenez, je vais en parler à Beaumont. Nous allons tous dîner ensemble. » Il se planta près d'elle, un bras passé autour de son épaule. « Vous savez, murmura-t-il. Cette histoire du Claridge. Sans rancune. On essaiera peut-être de remettre ça. »

Elle sentit la main de Cantor descendre plus bas le long de son dos et s'éloigna. Elle nota dans sa tête d'acheter *Les Flammes de la passion* en rentrant.

Plongée dans ses propres problèmes, Diane avait laissé passer l'événement littéraire de l'année, qu'Aaron Diamond lui raconta sous une forme condensée, lui qui affirmait être le premier à avoir parlé du livre à Braverman.

Les Flammes de la passion étaient l'œuvre d'une institutrice de Cleveland, âgée de soixante-dix ans, qui avait conçu ce livre pendant ses heures de loisir, l'écrivant, le réécrivant, le révisant pendant dix ans, sans se rendre compte, Dieu merci, qu'elle avait par inadvertance emprunté le plus clair de l'intrigue à *Guerre et Paix* pour la transposer dans la Virginie de la guerre d'Indépendance.

Le manuscrit, une fois terminé, moisit plusieurs années dans un carton au fond de son grenier, pendant plusieurs années encore jusqu'au jour où elle rencontra par hasard Emmett Lincoln Starr, l'éditeur de New York qui donnait une conférence à l'institut des Beaux-Arts de Cleveland sur « Ecrire en Amérique » (un sujet qu'il connaissait aussi mal que son public) ; cela encouragea la vieille dame à épousseter l'œuvre de sa vie et à la déposer à l'hôtel de Starr.

Dans des circonstances normales, Starr n'aurait jamais lu le manuscrit de Maybelle Faith Darling et il n'avait aucune intention de le faire quand le chasseur monta la lourde boîte dans sa chambre. Le hasard, toutefois, voulut qu'il souffrît d'un léger rhume et d'un début d'indigestion. Il se trouvait cloué au lit à Cleveland et, comme il avait le choix entre passer les vingt-quatre heures à venir dans un ennui frisant la dépression ou lire le manuscrit de Mrs. Darling, il ouvrit le carton et y prit quelques pages.

Le lendemain matin, il offrit à Mrs. Darling stupéfaite une avance de cinq mille dollars sur tous ses droits et revint à New York avec un manuscrit qui convainquit ses collaborateurs qu'il devait être ivre à Cleveland ou simplement qu'il perdait la tête ; mais, moins de six semaines après la publication, c'était le roman le plus demandé de l'histoire de l'édition américaine.

Pendant plus d'un an, il figura en tête des meilleures ventes. Dans tout le pays, des femmes baptisaient leurs bébés Caresse, d'après le nom de l'héroïne. Le « look Caresse » déferla sur la mode : les femmes partout se mirent à porter des jupes longues et amples et des décolletés plongeants, pendant que les coiffeurs proposaient la « coupe Caresse » copiée sur les abondantes boucles blondes de l'héroïne.

Starr vendit les droits de cinéma à Braverman pour la somme inouïe de deux cent cinquante mille dollars et Braverman avait promis aux millions de lectrices des *Flammes de la passion* de lancer un concours à l'échelon national pour trouver la Caresse parfaite. Le concours malheureusement fit long feu quand les journaux découvrirent que certains des dénicheurs de talents des studios Empire demandaient aux plus jeunes et aux plus jolies concurrentes de se déshabiller pour mieux montrer leur talent.

Mais Braverman avait eu l'idée du concours. Maintenant il était coincé. Il refusait obstinément d'y renoncer et de reconnaître qu'il avait fait une erreur.

«Ça ne rime à rien, lui dit Myron Cantor tout en prenant un verre avant le dîner au bord de la piscine des Braverman à Bel Air. Nous allons dépenser quatre ou cinq millions de dollars pour ce film, alors trouvons au moins quelqu'un qui ait une certaine notoriété.

— J'ai promis un concours au public américain, dit Braverman, une main sur le cœur comme s'il prêtait serment au drapeau. On s'attend que nous utilisions la gagnante.

— Nous signerons à la gagnante un contrat de quatre ans et on lui trouvera un rôle. Elle ne se plaindra pas. Nous dirons que nous avons trouvé quelqu'un de si parfait pour le rôle que ce n'était pas possible de dire non. Le public acceptera.

— Nous nous ferons lyncher.

— Les gens oublieront. Vous le savez. »

Braverman le savait. Mieux encore, il savait qu'il n'avait pas le choix. L'étoile de Cantor montait. Les autres membres du conseil d'administration d'Empire étaient tout aussi impressionnés par l'énergie de Cantor que l'ensemble de la profession.

« Bon, d'accord. Mais qui avons-nous ? Il y a bien Ina Blaze... »

Cantor dévisagea sans rien dire son beau-père, puis haussa les épaules d'un air attristé. « Bon, oublions Ina, nous pourrions nous faire prêter une vedette. L. D. nous laisserait peut-être Joan Crawford pour un seul film.

— Elle est trop âgée.

— Rita Hayworth ?

— Elle ne va pas pour le rôle. » Myron prit une profonde inspiration. « Je veux Diane Avalon. »

Braverman secoua la tête. « J'ai d'autres projets pour elle.

— Quels autres projets ?

— Elle est belle, elle est sophistiquée. Elle devrait tourner des films comme ceux de Garbo. Elle ne va pas du tout pour *Les Flammes.*

— Mais si, Marty, c'est le bon choix. »

Braverman devint tout rouge. « C'est *moi* qui choisis. Moi qui décide de ce qu'elle fait.

— Avec son approbation.

— Son approbation, mon cul. »

Cantor soupira. Discuter avec Braverman, c'était comme attaquer un bison de face. Une fois provoquées la fierté et l'autorité de Braverman, il était inébranlable. Diane Avalon était son bien personnel. C'était lui qui avait signé son contrat et il était très capable de la laisser inemployée plutôt que de la céder à Cantor.

Ce dernier huma une petite bouffée de reniflette et décida qu'il n'y avait qu'une personne qui pourrait faire changer Braverman d'avis.

On ne fit pas attendre Diane — ce qui stupéfia les secrétaires de Cantor, habituées aux plaintes des vedettes dont beaucoup marinaient des heures dans le somptueux salon d'attente.

Depuis deux mois qu'il avait pris en main le studio, l'arrogance et la grossièreté de Cantor étaient devenues légendaires. Son énergie aussi : il travaillait vingt-quatre heures sur vingt-quatre, dictant des mémos longs parfois de vingt ou trente pages et traitant de tout, depuis les détails d'un costume jusqu'à l'intrigue d'un film. De temps en temps, son énergie diminuait dans des proportions alarmantes, comme une ampoule électrique qui grille, et il se retrouvait si épuisé qu'il était incapable de parler. Dans ces cas-là, racontait-on, un peu d'excitant avait tôt fait de le ragaillardir. Que Cantor utilisât la benzédrine n'était un secret pour personne : il la recommandait à tout le monde et il en utilisait une demi-douzaine de flacons par jour, qu'il reniflait chaque fois qu'il se sentait déprimé ou fatigué. Lorsque Diane entra dans son bureau, il était allongé dans un fauteuil de coiffeur, le visage recouvert d'une serviette blanche comme un cadavre. Un barbier du studio était en train de le raser pendant qu'une manucure lui faisait les ongles. A ses pieds, le cireur du studio était agenouillé comme en prière devant les mocassins sur mesure de Cantor pour les faire briller comme un miroir.

Cantor fit signe au coiffeur de lui ôter la serviette chaude qu'il avait sur les yeux. Ils étaient sans éclat et rougis de fatigue. « Asseyez-vous », lança-t-il, puis, se rendant compte que Diane pouvait le trouver grossier, il ajouta avec plus d'enthousiasme : « Vous avez l'air en pleine forme, mon petit. Vous voulez boire quelque chose ? Café ?

— Du thé, je vous prie.

— Thé ! » hurla Cantor en direction de son bureau où une voix assourdie répondit dans le haut-parleur : « Tout de suite, Mr. Cantor. »

« J'oublie toujours que vous êtes anglaise.

— Je ne le suis plus. J'ai pris la citoyenneté américaine. David pensait que ce serait une bonne idée.

— Ah oui ? Sans doute. Ecoutez. Je m'en vais aller droit au but. Je voudrais que vous jouiez Caresse. Ça vous intéresse ? »

Diane y pensait depuis des semaines. C'était, à bien des égards, un saut dans l'inconnu. Elle essaya de s'imaginer comme la fille style garçon manqué d'un gentilhomme de Virginie. Ça n'était pas facile. Et puis, aussi, c'était le premier film dont allait s'occuper Cantor. Il y avait toutes les chances pour qu'il échouât, d'autant plus que Braverman le souhaitait.

Ça, c'était le côté négatif. L'aspect positif, c'était que Caresse était le rôle le plus recherché de Hollywood. Si Cantor réussissait, la comédienne qui aurait joué Caresse avait une chance d'être la plus grande vedette de l'histoire du cinéma.

Elle se demanda ce que David lui aurait conseillé de faire, mais elle connaissait déjà la réponse. Il croyait aux gros paris. Malgré cela, elle était trop intelligente pour sauter sur cette proposition. « C'est un beau rôle, dit-elle.

— C'est un rôle formidable, bon sang !

— Qu'est-il advenu du concours de Marty ?

— En ce qui me concerne, vous venez de le gagner.

— Je ne suis pas sûre de pouvoir prendre l'accent.

— On vous trouvera un répétiteur. On peut toujours ajouter quelques répliques pour expliquer que vous êtes allée dans un collège en Angleterre... des conneries comme ça. Et ça n'est pas bien compliqué. C'est le rôle du siècle. Si vous le refusez, vous faites l'erreur de votre vie.

— Et si je l'accepte ?

— Dites votre prix. Si ça marche, ce n'est pas simplement le studio que je dirigerai, c'est toute la boîte. Je déchirerai votre contrat... vous fixerez vos conditions. Vous serez la femme la plus célèbre du monde.

— Je croyais que j'étais célèbre, Myron. Ce n'est pas tout à fait mon premier film. »

Il s'assit auprès d'elle en soupirant. « Je sais tout ça, dit-il, mais ce n'est pas la même chose. D'accord, vous étiez une vedette en Angleterre et vos films ont pas mal marché ici, mais, quand j'en aurai fini avec vous, il y aura plus de gens qui connaîtront votre nom que celui du président des Etats-Unis. En Angleterre, vous pouviez vous promener dans la rue, faire des courses, des choses comme ça, hein ? Personne ne faisait attention, n'est-ce pas ? Ici, après ce film, vous ne pourrez plus faire un pas ! »

Cantor claquait des doigts nerveusement, puis il fit signe au coiffeur de lui enlever son peignoir. « Venez avec moi », dit-il. Il la précéda jusqu'à une porte qu'il ouvrit. Diane le suivit et se trouva dans une immense salle de bains. Une extrémité était équipée comme une salle de cure, avec douche suédoise, cabine de sauna et table de massage. Cantor referma la porte et s'assit sur le siège des toilettes. Il fit signe à Diane de s'installer sur le bord de la baignoire. « Ici, on peut parler tranquillement, dit-il.

— De quoi faut-il que nous parlions tranquillement ?

— Vous me faites marrer. Nous allons mettre quatre ou cinq millions de dollars, peut-être plus, dans ce foutu film. La presse va fouiller votre passé pour y rechercher le moindre accroc. Si nous devons travailler ensemble, il faut que je sache : les journalistes vont-ils trouver quelque chose ?

— Je ne comprends pas ce que vous voulez dire », déclara-t-elle d'un ton ferme.

Cantor la regarda avec impatience. Il s'octroya une nouvelle bouffée de reniflette, puis jeta le flacon et en ouvrit un nouveau. « Ces foutus machins ne durent pas, déplora-t-il. Bon. Alors, qu'est-ce qu'on leur dit ?

— Je suis née en Inde. Mes parents étaient anglais. Mon père était un officier au service d'un mahārādjah. Il est mort quand j'étais toute petite. Je suis venue en Angleterre avec une parente, j'ai étudié l'art dramatique, je suis devenue danseuse — contre la volonté de ma famille. Et puis j'ai rencontré David. » Elle parlait avec une absolue conviction. A bien des égards, le passé qu'on lui avait inventé était plus réel pour elle maintenant, songea-t-elle, que son véritable passé. Elle en était arrivée à y croire.

Cantor parut songeur. « L'Inde peut être un problème, dit-il. Les Américains n'aiment pas tellement les colonies anglaises. Les gens trouvent que ça va pour nous de botter le train des Noirs dans le Sud, mais que ça n'est pas bien pour les Anglais d'en faire autant avec les nègres de leurs colonies.

— J'ai grandi au milieu d'Indiens », fit Diane, ce qui n'était rien moins que la vérité, mais pas comme elle espérait que Cantor la comprendrait.

« Comme Kim », dit Cantor, son visage s'illuminant comme c'était toujours le cas lorsqu'il trouvait un film pour expliquer ce que lui ou quelqu'un d'autre voulait dire. Cantor voyait toute la vie en termes de cinéma. Il songea aussitôt à Elephant Boy, à Gunga Din, et aux *Trois Lanciers du Bengale.* « Est-ce que vous montiez à dos d'éléphant ? demanda-t-il.

— Pas souvent, fit Diane, en s'efforçant de garder son sérieux.

— Le Taj Mahal, le Raj, les charmeurs de serpents... pas mauvais, tout ça. On peut en tirer quelque chose. »

Cantor ferma les yeux un moment et essaya d'imaginer sa campagne de publicité. Son enthousiasme fléchit légèrement. L'Inde, c'était l'exotisme, d'accord, mais ne l'était-ce pas trop ? Puis il ouvrit les yeux, regarda Diane et décida qu'elle en valait le coup.

«Bon, dit-il. On va faire des bouts d'essai. »

Diane le regarda droit dans les yeux. « Pas moi.

— Bon Dieu, tout le monde fait des bouts d'essai. Vous le savez.

— Pas moi. J'en ai déjà fait. Vous avez vu mes films. »

A sa surprise, Cantor ne manifesta aucune colère. Bien au contraire, il parut impressionné. « Gagné, dit-il. Au fond, ce serait probablement une perte de temps. D'ailleurs, ajouta-t-il emporté par son enthousiasme, nous pourrons dire que vous étiez si parfaite pour le rôle que nous n'avons pas pris la peine de faire des essais. Nous avons trouvé Caresse ! » Il s'interrompit un moment, cherchant son flacon de benzédrine. « Il n'y a qu'un petit problème. Il faut que vous parliez à Marty.

— Pourquoi moi ? Et pour dire quoi ? demanda-t-elle prudemment.

— Parce que c'est dans votre contrat. Et parce que, si c'est moi qui lui parle, il dira non. »

Bien que cette perspective sourît peu à Diane, elle acquiesça. « Il est très contre ? »

Cantor agita la main, comme si c'était un navire dans une mer déchaînée. « Mezzo-mezzo. Comme ci, comme ça. Il pourrait se laisser persuader. Mais pas par moi. »

Cantor semblait avoir le regard vitreux. Diane se demanda s'il n'allait pas s'évanouir, mais il retrouva ses esprits. Il soupira. « Vous auriez dû venir au Claridge. Ç'aurait été formidable, nous deux. Je ne me trompe jamais sur ces choses-là. »

Diane décida qu'il était temps de partir. « Je suis sûre que vous avez raison, dit-elle prudemment — car à quoi bon le contrarier — mais aujourd'hui vous êtes marié, je suis veuve, alors c'est une de ces questions dont nous ne connaîtrons jamais la réponse. C'est peut-être mieux comme ça...

— Allons donc. Depuis quand est-ce que Konig est mort ? » demanda-t-il.

Diane parut surprise. « Trois mois, à peu près... »

Cantor aspira une bouffée. Il ôta ses lunettes comme un homme qui s'apprête à un combat de boxe. « Pauvre gosse », dit-il. Il se laissa glisser de son siège pour s'agenouiller devant Diane, passant les bras autour d'elle pour tenter de la faire glisser sur le tapis de bain. « Vous en avez autant envie que moi, murmura-t-il d'une voix rauque. Je le sentais bien à Londres, bon sang ! »

Diane était non seulement stupéfaite, mais elle avait peur de perdre l'équilibre et de tomber en arrière dans la baignoire. Elle s'imagina soudain avec le dos cassé. Il lui parut plus prudent de tomber en avant, même si cela voulait dire lutter avec Cantor. Elle sentit craquer la fermeture à glissière de sa robe, puis elle se retrouva sur le sol pendant que Cantor se débattait pour grimper sur elle.

« Vous et moi étions faits l'un pour l'autre », dit Cantor d'une voix pâteuse, reprenant inconsciemment une réplique de cinéma, comme toujours dans les moments de passion — mais Diane parvint à prendre appui assez longtemps contre le bord de la baignoire pour repousser Cantor. A son grand étonnement, il roula sur le tapis de bain et resta allongé sur le dos, les yeux fermés.

Elle soupçonnait un piège. Puis, comme elle commençait à se redresser prudemment, Cantor se mit à ronfler doucement et elle se rendit compte qu'il dormait à poings fermés.

Elle rajusta sa toilette du mieux qu'elle put et sortit de la salle de bains, laissant Cantor à ses rêves.

Il faudrait bien qu'ils s'entendent, décida-t-elle : elle avait toujours envie de tourner ce film.

« Je vous considère comme ma fille », déclara Braverman en descendant de derrière son monstrueux bureau. Il avait l'air attristé, comme si la paternité était un lourd fardeau. Il posa une main sur son cœur. « Et si vous étiez ma fille, je vous dirais : “ Chérie, ne fais pas ça ! ”

— Mais vous avez laissé votre fille l'épouser. »

Braverman roula des yeux. « Ce n'est pas que j'aie rien contre Myron. Mais il va trop vite. Il devrait d'abord apprendre à diriger le studio. Il a voulu produire *Les Flammes* lui-même et j'ai dit d'accord : mais il est en train de jouer toute sa vie sur un film.

— C'est pour ça que ça pourrait marcher, vous ne croyez pas ? J'ai lu le script. Il est bon. Le personnage est une jeune femme dont la beauté lui attire des ennuis et qui doit apprendre à se débrouiller toute seule. Elle est amoureuse de deux hommes forts, dans des camps différents, et bien qu'elle ne le sache pas, elle est plus forte que tous les deux. C'est une survivante, Marty.

— C'est comme ça que Myron voit l'histoire ?

— Non. C'est comme ça que je la vois. »

Elle s'attendait à entendre Braverman exploser de rage, mais il semblait distrait, comme s'il avait autre chose en tête.

Il s'approcha de la fenêtre et considéra les palmiers dehors. Il se retourna et revint vers elle, l'air songeur. « Depuis combien de temps est-ce que David est mort ? » demanda-t-il.

Elle se demanda à quoi il pensait, espérant que ce n'était pas le prélude à un nouvel assaut.

« Environ trois mois. Pourquoi ?

— Je suppose que les avocats sont encore en train de démêler tout ça.

— Ma foi, oui. Tout est plutôt compliqué. C'est pourquoi je veux me remettre au travail. J'en ai assez de rester là à leur parler tous les jours.

— Il vous a tout laissé ? »

Diane aborda la question avec prudence. Bravermam s'était-il aperçu qu'elle l'avait roulé ? Et que l'héritage de Konig se composait surtout de dettes et de problèmes ? Elle arbora une expression attristée, comme si le sujet était trop pénible pour qu'on en discutât, et elle espérait qu'il allait passer à la question suivante et révéler ce qu'il avait à l'esprit.

« Il devait avoir de l'argent placé dans tous les coins.

— Oh oui ! Ici et en Angleterre, certainement. L'affaire de King Films à elle toute seule a de quoi occuper les avocats pendant des mois.

— Ils vont vous saigner à blanc. J'ai horreur des avocats. Ecoutez, je m'y connais plus en affaires qu'eux. Venez me demander conseil.

— Ma foi, c'est très généreux de votre part...

— Je vous l'ai dit : vous êtes comme une fille pour moi. Tenez, pour les actions de David. N'écoutez personne. Venez me voir. Je vous dirai quoi faire. Comme votre propre père. N'écoutez pas les avocats. Venez me trouver. »

En fait, Diane était trop plongée dans les problèmes de savoir ce que Konig devait aux autres pour réfléchir à ce qu'il possédait. L'intérêt de Braverman déclencha dans sa tête un petit signal d'alarme : il lui faudrait découvrir ce que c'était qu'il avait si fort envie de voir. En attendant, elle profita de sa curiosité. « Je suis certaine que j'aurai besoin de tous les conseils que je peux avoir, fit-elle avec diplomatie.

— Comptez sur moi.

— C'est promis. » Elle marqua un temps. « Et pour le film, Marty... »

Il ouvrit les bras, comme s'il la bénissait. « Vous avez envie de le tourner, allez-y. Venez simplement me trouver avant de rien faire. Je veux que nous soyons associés, Diane. » Il eut un clin d'œil inquiétant. « Vous voyez ce que je veux dire ? »

Elle ne voyait pas du tout. Mais elle avait bien l'intention de le découvrir.

La décision qu'avait prise Cantor d'employer Diane était un pari habile. Cela devait aussi, dans les années à venir, faire partie de l'histoire du cinéma. Cantor finirait par prétendre qu'il n'avait jamais rencontré Diane auparavant, qu'Aaron Diamond l'avait amenée visiter le plateau d'Alma pendant qu'on tournait les extérieurs et qu'à la vue de Diane, plantée sur les marches de la maison, Cantor avait murmuré : « Voilà Caresse ! »

L'histoire était devenue un élément de la légende de Cantor, tout autant que de Diamond (encore que dans sa version à lui, c'était lui qui disait à Cantor : « Myron, voilà votre Caresse. »)

Sous la supervision de Cantor, elle devint vite la femme la plus photographiée d'Amérique. Son enfance de « princesse de conte de fées » à la cour d'un mahārādjah fascinait l'imagination du public tout autant que celle des journalistes et, comme l'Inde était un pays exotique, bizarre et lointain, on ne rechercha pas plus qu'on ne trouva de détails embarrassants.

Chaque jour, elle se rendait au studio, le tournage était encore compliqué par le fait que Cantor semblait incapable de se décider pour un metteur en scène ou pour un scénario.

Comme aucun metteur en scène de premier ordre ne voulait toucher à un film que tout le monde considérait comme une catastrophe en puissance, Cantor finit par porter son choix sur Roger Aptgeld.

« Mais c'est un ringard ! » protesta Braverman. Cantor, nullemen impressionné, ne broncha pas. Il savait qu'Aptgeld était un ringard, mais que c'était aussi un professionnel et qu'étant un ringard, il accepterait des ordres et qu'il laisserait Cantor prendre les grandes décisions.

Sous la direction d'Aptgeld, le film se déroulait sans histoires. Diane n'eut aucun mal à travailler avec lui, car il s'exprimait avec douceur, patience et semblait impressionné par ses responsabilités. D'ailleurs, Cantor savait exactement ce qu'il voulait, ce qui facilitait la tâche de Diane.

Cantor se passa et se repassa les rushes dans sa salle de projection privée. Il y avait quelque chose dans la beauté de Diane qui le provoquait et tout en même temps lui faisait peur. Avec elle, il avait toujours le sentiment que Diane voulait lui faire comprendre qu'il n'était pas de taille. Chaque fois qu'il approchait son genou du sien, elle souriait et éloignait sa jambe.

A la fin de la journée de travail, Cantor la faisait raccompagner chez elle dans sa limousine. Le chauffeur le déposait à sa maison de Bel Air, puis faisait demi-tour et descendait Sunset Boulevard pour raccompagner Diane à Malibu.

Tous les soirs, Cantor priait le ciel pour que Shirley fût endormie et qu'il pût prendre un somnifère, dicter quelques mémos dans son bureau, puis se glisser sans bruit dans le lit en attendant que le comprimé fît de l'effet. Mais Shirley avait de la résistance : presque tous les soirs, elle était éveillée, adossée aux oreillers de satin bleu pâle de leur grand lit, en train de lire un livre. Voilà des années, sa mère lui avait dit que la meilleure façon de préserver un mariage, c'était de donner à un homme ce qu'il voulait, et ils voulaient tous la même chose.

Cantor, si épuisé et peu désireux qu'il pût être, était invariablement obligé de simuler des débordements d'ardeur quand il venait se coucher. Il ne pensait pas une seconde qu'il donnait du plaisir à Shirley, mais on attendait ça de lui et il s'exécutait comme il pouvait. Ne pas le faire nécessiterait des explications.

Il avait découvert que penser à Diane l'aidait. S'il pensait à elle en train de se déshabiller — s'il imaginait les fesses rondes et lisses, la toison foncée entre ses jambes, les petits seins fermes et blancs — il parvenait en général à terminer son affaire en une minute ou deux, après quoi il pouvait rouler sur le côté et goûter quelque paix.

Il avait tout ce qu'il fallait à un homme, se disait-il parfois.

Tout, sauf ce qu'il voulait.

« Que pensez-vous de Dick Beaumont ? demanda Cantor, assis dans la voiture auprès de Diane.

— C'est un grand acteur.

— Oui. Je voulais emprunter Clark Gable, mais L. D. a dit non, le fils de pute... » Cantor jeta un coup d'œil à quelques messages et les roula en boule. De près, son inlassable énergie ne manquait jamais de rendre Diane nerveuse. « Il paraît que le mariage de Beaumont va mal.

— Ça n'affecte pas son talent. D'ailleurs, il semble avoir tourné une page. Il passe plus de temps chez lui. »

Ça, en tout cas, c'était la vérité, se dit Diane. Beaumont jouait le mari dévoué depuis la tentative de suicide de Cynthia. Et le comédien qu'il était tirait le meilleur parti de la situation. Il avait convaincu tout le monde sauf Cynthia.

« Vous seriez à l'aise de travailler avec lui ?

— Je suis toujours à l'aise avec Dicky. Nous nous connaissons depuis bien longtemps.

— Est-ce que vous et lui... fit Cantor avec un clin d'œil complice grotesque.

— Non.

— Oh ! C'était pour savoir », dit Cantor. C'était le plus loin qu'il pouvait aller en matière d'excuses. Il avait fait des excuses à Diane pour la scène de la salle de bains en lui envoyant des fleurs et du champagne. Après cela, il avait pris l'habitude de se confier à elle. Il avait presque des façons de propriétaire, comme si leurs relations avaient bel et bien abouti. « Seigneur, je suis fatigué », dit-il en s'affalant sur la banquette et en posant une main distraite sur le genou de Diane, comme s'il s'attendait à ce qu'elle vînt la tapoter.

« Vous devriez vous reposer, dit-elle.

— Je m'ennuierais. Vous savez, toute cette histoire est dingue. Et, comme si je n'avais pas assez d'emmerdements, Braverman convoque le conseil d'administration toutes les cinq minutes. Merde, il n'est pas capable de faire un film pour sauver sa peau, mais on imaginerait qu'il pourrait au moins s'occuper de ce que sont devenues ses foutues actions...

— Quel est le problème ?

— Le problème ? Le problème est que je n'ai pas le temps d'assister à toutes ces séances... D'ailleurs, qu'est-ce que votre mari a fait de ses actions, bon sang ?

— Quelles actions ? » Elle écoutait maintenant avec attention.

« Pendant un moment, il achetait des actions comme un dingue... avec Sigsbee Wolff.

— Je ne connais pas grand-chose à ces affaires-là, dit-elle, feignant une nonchalance qu'elle était loin d'éprouver. Il a acheté beaucoup d'actions, c'est vrai. Il passait des heures chaque jour au téléphone, à acheter et à vendre. J'imagine que tout est parti.

— Vous avez sans doute raison. Je ne vois pas un type comme Konig plaçant son argent quelque part. Les exécuteurs testamentaires n'ont rien trouvé ?

— Ils essaient toujours de découvrir combien de sociétés David possédait. Pourquoi ? » Elle était tout à fait sur ses gardes maintenant, mais Cantor apparemment n'était pas prêt à poursuivre le sujet.

« Comme ça, dit-il. C'est sans doute une connerie dans la paperasserie. Marty a mis tant de ses parents dans la société que personne ne retrouve plus rien. » Cantor s'empressa de changer de sujet. « Ce qu'il me faut, dit-il, c'est un assistant auquel je puisse me fier. Quelqu'un de l'extérieur, qui ne doive rien à Marty.

— Il doit bien y avoir quelqu'un, Myron.

— Oui. Mon problème c'est de trouver quelqu'un d'honnête et de loyal. »

La limousine remonta l'allée de la maison de Cantor, entre deux rangées de palmiers. Il leva les yeux et vit que la lumière était encore allumée dans la chambre de Shirley. Il soupira. Il se pencha plus près et posa la main sur la jambe de Diane, plus fermement cette fois. Il émanait de lui une légère odeur de cigare, qui lui rappelait David et ses amis. Un moment, elle éprouva un terrible sentiment de solitude, comme si elle était en train de gâcher sa vie. Elle aurait voulu être n'importe où sauf dans cette voiture avec Myron Cantor qui lui soufflait dans le cou.

« Diane, murmura-t-il, donnez-moi une autre chance. »

Diane du menton désigna le chauffeur. « Pas ici, Myron, je vous en prie ! D'ailleurs, je suis une veuve, ne l'oubliez pas. Et nous sommes garés juste devant votre porte. »

Même Cantor vit la logique de son raisonnement. Il s'écarta légèrement. « Ecoutez, je peux attendre. Inutile de se bousculer. » Et sans laisser à Diane le temps de dire que c'était inutile d'attendre, il l'embrassa, ouvrit la portière et, avant de gravir les marches de marbre de sa maison, il passa la tête par la vitre ouverte. « Je ne suis pas le genre de type que vous croyez, chuchota-t-il. Le chagrin, je comprends, je respecte. J'attendrai. Je suis très patient quand il le faut.

— Myron, dit-elle, c'est gentil de votre part ; mais vous perdez votre temps. » Elle releva la vitre, laissant à Cantor le choix entre reculer ou se faire guillotiner.

Quand même, songea-t-elle, tandis que la lourde voiture redescendait l'allée, elle lui était reconnaissante. Etait-ce possible que David fût mort encore en possession de ses actions des studios Empire ? Cela lui semblait improbable, mais, bien sûr, c'était possible, étant donné la complexité de ses affaires. La réponse sans nul doute était dans les dossiers.

Il y avait une personne qui saurait.

Elle décida de le faire retrouver par Aaron Diamond.

17

Sur la terrasse ensoleillée de la maison de Diane, Kraus paraissait ridicule, même pour Hollywood. Le maigre visage de furet n'avait pas changé, le teint était aussi blême que jamais, mais il avait fait quelques concessions au climat et aux habitudes locales. Il portait des mocassins, il arborait un chapeau de paille qu'il semblait répugner à ôter et avait renoncé à son costume croisé européen pour une veste de toile blanche à boutons de nacre. Il paraissait nerveux.

« Vous êtes sûr que vous ne voulez pas quelque chose à boire ? proposa Diane.

— C'est trop aimable, murmura-t-il. Un peu d'eau, peut-être.

— Qu'avez-vous fait ?

— Depuis la mort de sir David ? dit Kraus, en prenant un air consterné. J'ai organisé des spectacles pour les hôtels. Et pour les casinos. »

Diane lui lança un regard dur. « Vous travaillez pour Dominick Vale, n'est-ce pas ? »

Kraus s'essuya le front. « Il faut bien manger », dit-il.

Diane but une gorgée de thé. « Je ne comprends pas ce qui vous y a obligé, Kraus. A peine David a-t-il commencé à avoir des ennuis que vous avez détalé comme un rat quittant...

— Le canot qui coule. » Comme la plupart des gens d'Europe centrale, Kraus utilisait des expressions anglaises avec une belle audace. « Oui, je l'avoue. J'étais terrifié. D'abord Sigsbee, puis Konig... Oh ! Nous faisons tous des erreurs, même sir David. Je sais pourquoi vous m'avez fait chercher. Ecoutez-moi, je vous en prie. Est-ce qu'on s'inquiète aux studios Empire à propos des actions ? »

Elle plissa les yeux. « Peut-être. Qu'est-ce qu'il y a donc à propos des studios Empire ?

— C'est comme une baleine échouée. Un grand studio avec

d'énormes actifs et dirigé par des gens faibles — sauf Cantor. Les actions sont sous-cotées. Et la marge de contrôle de Braverman est extrêmement mince : il tient la société en mettant ses copains au conseil d'administration et en les laissant torpiller l'affaire, reprit Kraus avec un enthousiasme croissant. Etant donné la façon dont les actions sont réparties, quelqu'un pourrait prendre le contrôle d'un grand studio avec un investissement relativement faible. Ensuite, on liquide certains des actifs dont on n'a pas besoin : et vous voilà propriétaire de l'ensemble gratis ! L'Amérique ne va pas rester éternellement hors de la guerre. Et qu'est-ce que font les gens en temps de guerre ?

— Ils se font tuer, j'imagine, fit-elle avec impatience. Je ne vois pas le rapport.

— En Europe, oui, ils se font tuer. Mais pas ici. Ici, ils auront besoin de distractions, d'évasion, de quelque chose qui leur fera oublier la guerre. Ils iront au cinéma. Les affaires vont doubler. Les studios Empire, ça pourrait être une mine d'or.

— C'est ce que disait toujours David.

— Bien sûr que oui. Sir David était malin.

— Il disait aussi que, dès l'instant où l'on possédait les studios Empire, on pouvait emprunter une fortune en faisant figurer comme actif l'inventaire du matériel et des accessoires ainsi que le catalogue des films, même si tout cela avait été passé en profits et pertes voilà des années. »

Kraus tressaillit. Puis il but une autre gorgée d'eau. « Mes félicitations ! Vous avez appris quelques petites choses de lui. »

Elle se leva dans son peignoir de bain et s'étira. « Tout ça paraît passionnant. » Elle bâilla.

« Je dois tout à sir David, reprit Kraus. Je me demande : s'il était vivant, que voudrait-il que je fasse ? Il voudrait que je sois honnête avec vous, je pense.

— Très probablement. Avez-vous l'intention de l'être ?

— J'ai de nombreux problèmes...

— Nous en sommes tous là, Kraus.

— Si la guerre arrive ici, il y a un risque que je sois déporté. Ou interné.

— Je ne pense pas que ça arrive, Kraus. Personne autour de moi ne le pense. »

Il haussa les épaules. « J'espère que vous avez raison. Pour ma part, je crois que ça va arriver. Vale avait proposé de m'aider avec le ministère de la Justice. Maintenant, il refuse, il invoque des prétextes...

— Qu'est-ce que cela a à voir avec moi ?

— J'ai besoin de quelqu'un pour m'aider à avoir la nationalité américaine. Et j'ai besoin d'un travail. Pour ces deux affaires je crois que vous pourriez faire quelque chose — ou quelqu'un aux studios Empire. Ce à quoi je pense, c'est à un échange, Lady Konig.

— Un échange contre quoi ?

— Pour commencer, contre des renseignements. » Kraus ouvrit son porte-documents. Il en tira une grosse enveloppe qu'il posa sur ses genoux. « Que savez-vous des actions de Konig aux studios Empire ? » demanda-t-il.

C'était la troisième fois qu'il lui posait cette question. Son intuition ne l'avait pas trompée. Si Kraus connaissait la réponse, inutile de prétendre ne rien savoir. « Si vous me le disiez, fit-elle. Après tout c'est vous qui avez vidé les classeurs de David. »

Kraus rougit. « Ça semblait la chose prudente à faire.

— J'imagine que vous les avez offerts à Vale ?

— Non, pas exactement. J'ai laissé entendre que je savais où ils étaient. Ça a suffi pour me trouver du travail. Mais j'en suis arrivé à la conclusion que Vale et moi n'allons pas... nous entendre. Je crois qu'à la longue votre camp est plus sûr. » Il marqua un temps et but une gorgée d'eau. « Est-ce que sir David n'a jamais discuté de ces actions avec vous ?

— Pas vraiment. Il pensait sans doute que ça ne m'intéresserait pas. Ou que je ne comprendrais pas. Peut-être estimait-il que moins j'en saurais mieux cela vaudrait. »

Kraus eut un doux sourire. « Sur ce point, je pense qu'il avait raison, le pauvre homme... Vous vous souvenez qu'il avait monté une société pour vous ?

— Oui, bien sûr, ça, il me l'a expliqué. Je me rappelle avoir signé les papiers. Il s'est arrangé en même temps pour que je devienne citoyenne américaine... Mais c'était surtout une façon de réduire mes impôts.

— Exact. C'est une pratique courante ici. Avalon Pictures Inc. possédait les droits exclusifs de vous utiliser. Si Empire vous avait engagée pour un contrat sur trois films du vivant de sir David par exemple, ils auraient signé avec Avalon Pictures, pas avec vous personnellement. Bien sûr, vous êtes actionnaire d'Avalon Pictures. » Kraus, rayonnant, brandissait un mince dossier bleu. « Sir David n'était pas d'avis de faciliter les choses à ses créanciers.

— Je sais tout cela. Mais le seul actif d'Avalon Pictures, c'était moi. C'était simplement un moyen de diminuer les impôts.

— Pas tout à fait. Sir David tenait beaucoup à se protéger. Je pense que c'est pour cela qu'il a voulu vous faire prendre la nationalité américaine. Comme vous le savez, il avait de nombreuses obligations. Juste avant sa mort, il a transféré ses actions d'Empire à Avalon Pictures. C'était sans doute une mesure provisoire, de façon qu'il puisse affirmer qu'il ne les possédait pas, si besoin en était. Quoi qu'il en soit, il est mort avant d'avoir pu prendre la mesure suivante. Alors, ma chère madame, vous êtes maintenant la seule propriétaire d'Avalon Pictures, et Avalon Pictures possède près d'un million d'actions d'Empire. »

Diane le regarda avec stupéfaction.

« Ça fait de vous un élément important dans les affaires d'Empire, poursuivit Kraus. Vous n'avez pas assez d'actions pour vous débarrasser de Braverman — mais quiconque voudrait mettre la main sur la société devrait compter avec vous.

— Je vois », fit Diane.

Kraus reposa l'enveloppe sur la table, comme un homme qui met ses plaques sur le tapis d'une table de roulette. « Est-ce que nous faisons affaire ?

— Il me faudra des preuves de ce que vous avez. »

Il ouvrit l'enveloppe, en tira une photocopie et la lui remit. Il n'était pas venu les mains vides.

Elle y jeta un coup d'œil et reconnut la signature anguleuse de Braverman. « Myron Cantor cherche un producteur adjoint, dit-elle.

— J'avais espéré mieux.

— Il faut bien commencer quelque part. Travailler pour le chef de production d'Empire n'est pas un mauvais début. »

Kraus eut un pâle sourire. « Selon le salaire et plusieurs conditions, ça pourrait aller. Bien sûr, il me faudrait un contrat. Et que quelqu'un s'occupe de mes problèmes d'immigration. Ça ne devrait pas être difficile pour un grand studio.

— Je vous recontacterai.

— Entendu, dit Kraus en s'inclinant avec courtoisie. Ça va être un plaisir de travailler de nouveau avec vous, dit-il. Comme au bon vieux temps. »

Diane regarda la photocopie qu'elle tenait à la main. « Mais, dit-elle, sans tristesse, ça ne sera pas du tout comme au bon vieux temps. »

Aaron approcha la photocopie de ses yeux, puis resta silencieux un moment, comme un petit bouddha. « Merde alors ! s'exclama-t-il.

— Est-ce que ça fait de moi une femme riche ?

— Oh ! Oui et non. Une chose est sûre. Ça fait de vous une femme avec un tas d'ennemis.

— Et les actions valent un tas d'argent.

— Je ne sais pas quelle est la cote d'Empire aujourd'hui. Je vais demander à ma secrétaire de se renseigner. Mais ça n'est pas grand-chose. Trois dollars, trois dollars cinquante l'action, peut-être. C'est monté à dix ou onze quand Sigsbee et votre mari faisaient leurs combines, mais un tas de gens y ont laissé des plumes. Ça a remonté un peu avec toute la publicité à propos des *Flammes de la passion* — mais tant que Braverman est président, le prix ne va pas changer beaucoup.

— Quand même, ça fait trois millions et demi de dollars.

— Bien sûr. Mais dès l'instant où vous commencez à avoir un paquet important, le prix va plonger. » Il reposa le papier sur son bureau. « Si vous vouliez vendre, vous devez vendre soit à Marty Braverman, soit à un de ses ennemis. C'est un choix difficile à faire. Dans des circonstances favorables, comme un rachat, vous pourriez à peu près fixer vous-même votre prix. Mais à la Bourse, zéro.

— Braverman doit sûrement savoir que j'ai ces actions ?

— Non. Si c'était le cas, il aurait téléphoné pour faire une offre. Konig n'a pas enregistré les actions, vous comprenez. Il s'est contenté de les transférer à Avalon. Pour autant que Marty le sache, ça fait partie de la succession de Konig. Il attend probablement un coup de téléphone d'un avocat ou d'un exécuteur testamentaire une fois la succession à peu près réglée — si jamais ça arrive. Il y a tant de problèmes autour de la succession de Konig que Braverman doit se figurer que ça prendra peut-être des années avant que tout ça ne soit réglé, et en attendant, on ne peut pas se servir de ces actions pour voter contre lui. Pas vu, pas pris.

— Quand va-t-il s'en apercevoir ?

— Quand nous réenregistrerons les actions. Si nous le faisons.

— Nous n'y sommes pas obligés ?

— Non. Nous pouvons rester assis dessus un moment. Pourquoi nous attirer des histoires dont nous n'avons pas besoin ? Tôt ou tard, quelqu'un va comprendre et se mettre à leur recherche : alors nous saurons ce que ça représente pour eux. Ou bien vous pouvez jouer ça autrement.

— Comment, Aaron ?

— Jouer le coup à long terme. Vous pourriez vous retrouver à l'avenir assise dans le fauteuil de Marty Braverman. » Il éclata de rire.

Ce fut seulement lorsqu'elle eut quitté le bureau de Diamond que celui-ci se rendit compte qu'elle n'avait pas souri.

« Les rushes ont l'air bons, dit Cantor qui pilotait lui-même sa petite voiture de golf.

— Ça fait pourtant longtemps que je n'avais pas tourné.

— On ne le dirait pas. Les scènes d'amour sont formidables. » Il se tourna pour lui sourire, manquant de peu un groupe de figurants en tenue complète de soldats, avec drapeaux et épées.

C'était une ironie du sort, songea Diane, que sa grande scène dans les *Flammes de la passion* eût été le moment où Caresse Carson, regardant les flammes détruire sa maison bien-aimée d'Alma, se tourne vers la caméra en disant : « L'amour, c'est tout. »

Cette réplique avait frappé l'imagination de millions de lecteurs, pour la plupart des femmes — et, comme Cantor sentait que tout son film de plusieurs millions de dollars dépendrait de la façon dont les femmes réagiraient à cette phrase, Diane et lui avaient répété la réplique mille fois.

Il s'arrêta auprès de la tente du réfectoire et resta assis un moment. Diane n'avait d'autre choix que d'attendre, puisque son costume, avec ses couches successives de soie, ne lui permettait pas de descendre de la petite voiture sans l'aide de Cantor. Elle regrettait de ne pas avoir décidé de déjeuner seule dans sa loge.

« Je vous dois des remerciements, dit Cantor.

— Pour quoi donc ?

— Ce Kraus est une vraie trouvaille.

— Je vous l'avais dit.

— Vous aviez raison.

— Il a été formé par David.

— David par-ci, David par-là... c'est tout ce que j'entends de vous... » Il soupira. « Vous m'avez aussi débarrassé de Marty.

— Ça, c'était facile. »

Il haussa les sourcils. « Je ne pense pas. Et maintenant il est si occupé à essayer de se cramponner à son siège de président qu'il n'a plus le temps de s'occuper de moi. Ma belle-mère pense qu'il va faire une dépression nerveuse. Je n'en serais pas surpris. Le pauvre homme est harcelé tout à la fois par sa femme et par sa maîtresse : on ne peut rien imaginer de pire !

— Je croyais qu'il s'était réconcilié avec Estelle ?

— C'est plutôt une trêve. On ne tire plus, mais personne n'a déchargé son arme. Ina est furieuse contre lui parce qu'aujourd'hui vous êtes la grande vedette d'Empire. Et Estelle estime qu'il lui doit quelque chose pour l'avoir repris... Bah, allons déjeuner. » Cantor descendit et aida Diane à sortir de la voiture avec sa robe longue. Il lui passa un bras autour de la taille et, tandis qu'elle pivotait pour sauter sur le trottoir, il se pencha en avant pour profiter de sa proximité et l'embrassa. Elle le repoussa d'un coup sec de sa main gantée et il se redressa avec un sourire d'excuse. Par-dessus l'épaule de Cantor, elle vit une grosse limousine passer lentement.

A l'arrière, la fixant avec une haine non dissimulée, étaient assises Estelle Braverman et sa fille.

Cantor bravait la convention. La plupart des films suivaient un ordre précis. Lui tournait et retournait des scènes alors qu'on enregistrait déjà la musique. Il essaya différentes fins. Il se mit à changer le début. L'enjeu pour lui était si gros qu'il était incapable de s'arrêter.

Il testait chaque nouvelle version comme si c'était un avion expérimental. Cela se passait toujours de la même façon. Kraus choisissait une salle de cinéma quelque part à Los Angeles et annonçait une « projection surprise ».

Diane avait tenté d'éviter ces séances, ne serait-ce que parce que, chaque fois, la tension nerveuse de Cantor allait crescendo. Les distributeurs réclamaient à grands cris le film, elle le savait, tout comme Braverman, tout comme le conseil d'administration d'Empire et les propriétaires de salles, et pourtant chaque jour Cantor continuait à couper des scènes entières et à écrire de nouveaux dialogues, cependant que les actions d'Empire, dont la cote dépendait maintenant du succès d'un seul film, descendaient chaque jour à Wall Street, entraînées par le bruit qui courait que *Les Flammes* étaient un navet, si mauvais que le studio répugnait à le distribuer.

Pour Pasadena, avec son public familial de bourgeoisie aisée, Cantor insista pour qu'elle fût présente et, plutôt que d'avoir une discussion là-dessus, elle céda. Elle parvint quand même à obtenir d'Aaron Diamond qu'il l'emmène car faire le trajet en voiture avec Cantor, dans l'état d'angoisse où il était, ce serait comme être assise à côté d'une bombe à retardement.

Lorqu'elle entra dans la salle, il y eut un silence plein de murmures. Elle entendit le public chuchoter son nom et elle sourit aux spectateurs puis elle s'assit cependant que le grand orgue électrique s'enfonçait dans la scène et que les rideaux rouge et or s'écartaient pour révéler l'écran.

Le générique apparut. On applaudit son nom. Puis le son s'amplifia, avec le thème musical des *Flammes de la passion* et Diane se trouva en train de contempler son propre visage grossi mille fois. La caméra recula pour la révéler en pied, vêtue d'une robe XVIIIe en soie et en dentelle qui lui dénudait les épaules. Elle recula plus loin encore pour la montrer qui descendait le magnifique escalier de la maison des Carson. Tous les regards étaient sur elle lorsqu'elle s'arrêta au milieu pour regarder la foule. Son regard aperçut Richard Beaumont, superbe en uniforme rouge et or d'un officier britannique, puis, lorsque un peu plus loin elle regarda un beau jeune homme vêtu d'un sévère habit noir, son expression devint plus sérieuse, la caméra avança pour un gros plan et, d'un rapide changement d'expression, elle fit comprendre au public qu'il y avait deux hommes dans sa vie.

Elle avait vu les rushes. Elle avait répété et répété encore la scène, elle en connaissait chaque image. Mais se voir sur l'écran d'une salle de cinéma, en faisant partie du public, c'était une autre expérience. Elle regardait le film comme si c'était la première fois et en même temps elle se rendait compte que sa performance de comédienne était encore meilleure qu'elle ne l'avait espéré.

« C'est de l'or en barre », murmura Diamond assis à côté d'elle.

Dans la pénombre, elle voyait Cantor et Kraus penchés sur un bloc-notes. Sans doute Cantor dictait-il encore des changements, mais, à mesure que le film avançait, Diane doutait qu'ils fussent nécessaires. Le film se tenait.

Lorsque son visage emplit l'écran et qu'elle murmura, par-dessus la musique qui s'amplifiait (il faudrait qu'elle parle à Cantor, se dit-elle, pour qu'on baisse un peu l'intensité dans la copie définitive) : « L'amour... c'est tout ! » elle se surprit à pleurer comme toutes les autres femmes du public. Lorsque les lumières revinrent, elle se tourna vers Aaron Diamond et constata à son grand étonnement qu'il pleurait aussi, les larmes ruisselant sur ses joues rondes derrière les épaisses lunettes.

Elle n'avait pas besoin de rester pour voir les spectateurs remplir les questionnaires. Elle savait que c'était un succès. Elle sauta au cou de Cantor et l'embrassa. « N'y touchez plus, Myron, lui dit-elle.

— Il y a encore mille détails à arranger... il y a deux scènes que j'aimerais inverser...

— Ça n'est pas nécessaire. Pourtant la musique est trop forte à la fin. Elle couvre ma réplique. »

Cantor se tourna vers Kraus. « Notez cela », aboya-t-il. Puis il sourit. « Vous savez ? C'est juste le genre de détail qu'une star remarquerait. Alors, félicitations. Vous êtes une star !

— Je l'étais déjà, Myron.

— Pas comme ça, mon chou ! »

C'était vrai. Elle parvint à grand-peine à traverser le hall tandis que les gens s'approchaient d'elle pour lui demander des autographes ou pour simplement la regarder. Le public commençait à se pousser et à se bousculer. Diamond avait l'habitude de ce genre de scène. Il empoigna le bras de Diane et l'entraîna vers la porte où les gardes du service de sécurité lui ouvrirent un chemin. « Souriez, saluez de la main et courez », ordonna Diamond. Elle fit ce qu'on lui disait.

Ce ne fut que lorsqu'elle se retrouva dans la voiture qu'elle se rendit compte que deux ou trois personnes avaient réussi à lui arracher des bouts de sa robe. Elle ferma les yeux et renversa sa tête sur la banquette.

« Vous savez ce que je vais faire ? demanda-t-il.

— Non, dit-elle, je ne sais pas. » La plupart des questions de Diamond étaient de pure rhétorique et n'exigeaient pas de réponse.

« Je m'en vais m'acheter des actions d'Empire, voilà ce que je vais faire. Dès demain matin.

— Et mes actions à moi ?

— Gardez-les. Elles vont monter. Dès l'instant où ce film va être distribué, il va y avoir des gens qui vont essayer une fois de plus de s'emparer des studios Empire. A ce moment-là, vous n'aurez qu'à dire votre prix. Si nous jouons bien nos cartes, ces studios sont à nous... Dites-moi, au fait, vous n'êtes pas la petite amie de Cantor, n'est-ce pas ? »

La question prit Diane au dépourvu. Elle pensait à ses actions. « Bonté divine, non, Aaron. Qu'est-ce qui vous fait croire ça ? Il a essayé de coucher avec moi depuis le premier jour où nous nous sommes rencontrés, mais ce n'est qu'un de ses fantasmes. »

Diamond hocha la tête. « Si je vous le demandais, c'est que Shirley Braderman est déchaînée contre vous. Et sa mère aussi.

— Aaron, Shirley n'a aucune raison d'être jalouse de moi. Et d'ailleurs, ma vie privée me regarde.

— Oh ! Bien sûr. Tout ce que j'essaie de vous dire c'est : soyez prudente. Vous avez vu ces gens dans le hall, dans la rue. Des fans... mais ils peuvent devenir mauvais, ne l'oubliez jamais. Ils donneront votre prénom à leurs gosses, attendront des heures sous la pluie rien que pour vous voir — mais un seul scandale et ils vous tomberont dessus. C'est pourquoi vous avez une clause de moralité dans votre contrat.

— Une clause de moralité ? Je ne l'ai pas vue.

— C'est enfoui dans les petits caractères. Personne ne la voit. Mais elle est là. Un studio peut annuler un contrat s'il y a le moindre problème moral. Non pas que je suggère qu'il y en ait. Simplement je n'aime pas entendre dire que Shirley et Estelle racontent des horreurs sur vous.

— Ça passera, Aaron. Myron a un faible pour moi, mais c'est parce que nous travaillons ensemble. Je crois que c'est un de ces hommes qui ont toujours besoin d'être amoureux de sa vedette. Le prochain film, ce sera quelqu'un d'autre.

— Vous avez peut-être raison. Rappelez-vous quand même ceci : on peut se faire des ennemis dans ce métier, mais ne vous faites jamais d'ennemies des épouses, si vous pouvez l'éviter.

— Je serai prudente, Aaron », dit-elle d'un ton ferme.

Elle éprouva une brusque fureur, pas tant contre lui que contre le fait qu'une rumeur sans fondement, un potin ridicule, risquât de nuire à sa carrière. Elle décida qu'elle n'en serait pas victime. Sitôt le moment venu, elle irait affronter Braverman avec son paquet d'actions. En fin de compte, c'était cela l'important. Le contrôle qu'on avait. Pour l'instant, elle n'était qu'une employée, quel que fût son cachet. Un gros actionnaire, c'était quelqu'un avec qui il fallait compter.

Leur arrivée à l'aéroport de Richmond provoqua une émeute : la foule devant la salle de cinéma était si considérable que le gouverneur avait fait appel à la garde nationale pour entourer l'immeuble. Elle avait déjà vu des foules et des émeutes en Inde quand elle était enfant, elle se disait que les Américains étaient différents, mais au fond elle n'en était pas sûre.

Sur Richard Beaumont, l'expérience eut un effet traumatisant. Les foules le terrifiaient. Il lui fallait au moins deux ou trois verres bien tassés pour les affronter. Pire encore, Cantor avait insisté pour que Cynthia l'accompagnât. Beaumont avait les nerfs tendus, par Dieu sait quel mélange de culpabilité, de colère et de peur qu'il s'efforçait de dissimuler. Dans sa vie privée, comme sur un plateau, il avait besoin d'être dirigé ; or Cynthia en était incapable et il ne voulait pas davantage l'accepter de Cantor.

Chose étonnante, Cynthia tenait assez bien le coup — plutôt mieux que Beaumont en fait. C'étaient peut-être les comprimés, songea Diane, mais il y avait des moments où elle-même était contente d'être seule avec Cynthia qui ne lui demandait rien.

Et puis Cynthia lui servait un peu de chaperon. En restant auprès de Diane, elle rendait difficile à Cantor de lui faire la cour — mais cela se révélait inutile car, depuis leur départ de Los Angeles, son attitude envers elle avait été froide et réservée, comme s'il ruminait sa colère de s'être fait éconduire.

« Je suis très déprimé, dit-il, d'un ton dolent. Il est vrai que tout le monde s'en fout. »

Diane décida, si c'était possible, de ne pas se laisser entraîner sur ce sujet. Elle savait très bien ce qui ennuyait Cantor et c'était la dernière chose qu'elle avait envie de discuter. « Ça ne rime à rien de se plaindre des critiques, Myron. D'après ce que j'ai lu, elles sont formidables.

— Ça n'est pas ça qui me déprime, et vous le savez. Vous me battez froid depuis que nous avons quitté L.A. Avant même que nous ayons quitté L.A.

— C'est que vous étiez d'assez méchante humeur...

— Je pense bien, ça me rend fou. Nous sommes dans le même hôtel, mais, quand j'appelle votre chambre, qu'est-ce que j'ai au bout du fil ? Cynthia ! Enfin, un peu de cœur. Au moins, parlons. »

Elle se demanda si cela valait la peine de presser le bouton pour demander à l'hôtesse une tasse de café, mais décida que cela ne ferait que le rendre furieux.

« Myron, dit-elle d'un ton ferme, j'aimerais que vous laissiez tomber ce sujet. Pour nous deux.

— Ne me menacez pas.

— Je ne vous menace pas... soupira-t-elle. J'essaie simplement de vous faire comprendre que nous n'allons pas avoir une aventure... Avez-vous idée des choses que Shirley et votre belle-mère racontent sur moi ? C'est votre faute, Myron ! Vous vous répandez en prétendant que nous avons une liaison et vous savez que ce n'est pas vrai. Je trouve ça méprisable. Et je vais vous dire : si vous ne me fichez pas la paix, je m'en vais aller voir Shirley quand je rentrerai à L.A. pour lui dire la vérité.

— Je n'ai rien à foutre de Shirley ! Si c'est ça qui vous inquiète, je peux m'occuper d'elle.

— J'en doute, Myron. Mais ça n'est pas ce qui me préoccupe. Et baissez la voix. A moins que vous n'ayez envie que tout le monde sache de quoi nous parlons. »

L'hôtesse vint se pencher sur lui. « Nous arrivons, Mr. Cantor, alors, si Miss Avalon et vous pouviez attacher vos ceintures ? » fit-elle. Cantor devint tout rouge. « Nous sommes en train de parler, bon Dieu, cria-t-il. Comment osez-vous nous interrompre ?

— Je vous demande seulement d'attacher vos ceintures.

— Bon Dieu, j'ai loué cette saleté d'avion, l'équipage et tout le bazar. Vous travaillez pour moi ! Si je n'en ai pas envie, je n'ai pas à attacher ma ceinture.

— Comme vous voudrez », fit l'hôtesse avec un regard écœuré. Diane boucla la sienne en la faisant bien cliqueter rien que pour montrer dans quel camp elle se rangeait.

« Je n'aime pas qu'on me houspille, expliqua Cantor à Diane tandis que l'avion roulait sur la piste trempée vers la foule qui attendait. Je ne l'accepte de personne !

— Moi non plus », dit-elle d'un ton ferme.

Il se leva, ignorant sa remarque, tout comme l'avertissement de l'hôtesse priant les passagers de rester assis. « Personne ne dit " non " à Myron Cantor », grommela-t-il, puis il regarda vers le fond de la cabine et fronça les sourcils. « Vous feriez mieux d'aller là-bas parler à Cynthia. Elle m'a tout l'air d'avoir bu. Où donc est-ce qu'elle a fourré de l'alcool ? Ce fichu infirmier est censé l'avoir à l'œil. »

Diane connaissait la réponse à cette question. Les bouteilles de parfum en cristal taillé dans la trousse à maquillage de Cynthia étaient emplies d'alcool.

« Allez l'aider, ordonna Cantor en allumant un cigare, malgré l'air sévère de l'hôtesse. S'il y a une chose que je ne veux pas, c'est un scandale. »

Cantor avait loué la grande salle du Plaza, puis, affolé à l'idée qu'il ne parviendrait pas à la remplir, avait lancé deux fois plus d'invitations qu'il ne le prévoyait, si bien qu'il était presque impossible de bouger ou de respirer dans la cohue. A une extrémité de la grande salle, Diane, Beaumont et Cynthia se tenaient auprès de Cantor devant une meute de photographes et de reporters, pendant que Kraus, avec l'aide du personnel de l'hôtel et des attachés de publicité du studio, s'efforçait de séparer les invités des vedettes.

Il était une heure du matin lorsque la presse finit par s'en aller et à cette heure-là les sédatifs de Cynthia ne faisaient plus d'effet. Dans la foule bruyante des invités qui tourbillonnaient devant Diane et Cantor, elle apparaissait de temps en temps, dansant avec de parfaits inconnus et pour finir avec un des serveurs, contre lequel elle se plaquait farouchement. Diane se sentit coupable de ne pas avoir surveillé Cynthia de plus près.

« Bon Dieu, où est Beaumont ? grommela Cantor. Nous avons un problème.

— Je ne crois pas que c'en soit un que Dicky puisse résoudre.

— Mais, enfin, où est son infirmier ?

— C'est vous qui avez décidé que ce soir elle pouvait se passer de lui, Myron.

— Je ne devais plus avoir ma tête à moi. Je vais l'inviter à danser. Je la dirigerai vers la porte. Attendez-moi là. Ensuite nous monterons la coucher. »

Cantor, lorsque ses intérêts étaient en jeu, était un homme d'action. Il ne lui fallut pas plus de deux minutes pour reprendre Cynthia des bras du serveur, à qui il glissa un billet de cent dollars dans la main et qu'il remplaça sans trop de mal, en serrant Cynthia contre lui.

Il la poussa à travers la foule comme si elle était un otage puis, lorsqu'ils eurent atteint la porte, il la prit par un bras et Diane par l'autre et à eux deux ils entraînèrent Cynthia.

Un homme en smoking les suivit dans le couloir. « Un problème ? » demanda-t-il. Il avait le visage blême et rebondi d'un maître d'hôtel avec les yeux sombres et tristes d'un homme qui a déjà tout vu sans guère aimer cela.

Cantor lui tendit un billet de cent dollars.

« Nous voulons ramener la petite dame discrètement dans sa chambre, dit-il. Elle ne se sent pas bien. »

L'homme acquiesça. « Suivez-moi », dit-il. Il les précéda dans le couloir, ouvrit une porte d'incendie et sonna pour l'ascenseur de service. Lorsque la cabine arriva, il tendit au liftier un billet de dix dollars, en faisant un signe de tête à Cantor pour indiquer que c'était sa tournée.

« Quel étage ?

— Vingtième, dit Cantor.

— Lâchez-moi donc, saligaud, dit Cynthia.

— Des choses comme ça arrivent tout le temps dans les hôtels, dit l'homme d'un ton philosophe.

— Va te faire foutre ! » dit Cynthia.

L'ascenseur s'arrêta et les grilles s'écartèrent. « Nous y voilà, fit l'homme. En douceur. » Il se tourna vers le liftier et dit : « Merci, Harry. » Il suivit Cantor dans le couloir jusqu'à la suite des Beaumont, puis palpa ses poches. « Bon sang ! fit-il, je n'ai pas de passe.

— Nous pouvons entrer par ma suite », fit Diane. Elle ouvrit la porte pendant que les deux hommes la suivaient, soutenant Cynthia de chaque côté. Arrivée au fond de la suite, Diane déverrouilla la porte de communication avec l'appartement des Beaumont. Elle l'ouvrit et Cynthia la franchit en trébuchant, s'arrêta un instant comme si elle avait pris racine, puis poussa un hurlement.

Sur le lit, à la lueur des lampes de chevet, Richard Beaumont était allongé à plat ventre, avec pour tout vêtement que des chaussettes de soie noires et sa chemise empesée. Le chevauchant, le visage contracté de plaisir ou de douleur, s'affairait l'infirmier de Cynthia.

Le hurlement fut suivi d'un silence terrible. Puis Cantor dit : « Oh ! Nom de Dieu ! »

« J'ai envie de vomir », dit Cynthia d'une petite voix.

Diane la conduisit dans la salle de bains, puis regagna le salon où Cantor et le maître d'hôtel étaient debout tous les deux en grande conversation.

« Nous avons un problème, dit Cantor.

— On dirait, fit l'homme d'un ton calme.

— Un gros problème ?

— C'est difficile à dire. »

Cantor tira de sa poche une liasse de billets et en prit cinq de cent. Le maître d'hôtel fit semblant de ne pas les avoir vus.

« Bon Dieu, combien ? demanda Cantor.

— Combien avez-vous là ?

— Ne soyez pas trop gourmand. Je peux vous faire foutre en boîte.

— Et moi, je peux aller trouver Walter Winchell pour lui raconter ce que j'ai vu, Mr. Cantor.

— Il ne le publierait jamais. Il ne le pourrait pas.

— Peut-être que oui. Peut-être que non. Il pourrait faire une allusion. »

Cantor poussa un soupir. Puis il lança la liasse au maître d'hôtel sans compter les billets.

Diane revint vers la salle de bains puis voulut ouvrir la porte. Elle était fermée à clé. Elle appela Cynthia, mais n'obtint aucune réponse. Elle frappa à la porte.

Attirés par le bruit, Cantor et le maître d'hôtel apparurent.

« Elle s'est enfermée », annonça Diane.

Cantor martela la porte. « Ouvre cette foutue porte, mon chou ! » cria-t-il. Comme cela restait sans effet, il se pencha, collant ses lèvres au trou de la serrure et murmura d'un ton plus persuasif : « Ouvre, je t'en prie, mon petit... Nous sommes là pour t'aider. » Pas de réponse. « Connasse ! » marmonna-t-il en se redressant.

« Je peux aller chercher un passe », dit le maître d'hôtel.

Cantor acquiesça. Puis, du dehors, on entendit monter le bruit des sirènes de police. Le visage pâteux de Cantor tourna au blême. Il donna un coup de pied dans la porte, puis recula et tenta de l'enfoncer avec son épaule, ce qui lui arracha un grognement de douleur. Marmonnant ce qui était peut-être une prière, il tira de sa poche une lime à ongles en or et actionna la serrure avec la dextérité d'un homme qui l'avait déjà fait.

La porte s'ouvrit. Il se précipita, suivi de Diane. La salle de bains dallée de marbre blanc était vide. Une fraction de seconde, Diane se dit qu'il devait y avoir une autre porte — elle pria pour qu'il y en eût une.

Mais il n'y en avait pas. La fenêtre était grande ouverte, le voilage des rideaux soufflant dans la brise.

Un des escarpins de soie bleu pâle de Cynthia était sur l'appui de la fenêtre.

« Il veut vous voir tout de suite », annonça Kraus. Il avait les yeux si pâles que les blancs semblaient plus sombres que les pupilles.

« Il ne peut pas y avoir d'autre mauvaise nouvelle.

— On pourrait le croire. Mais il y en a, à en juger par le ton de Myron.

— Où est Dicky ?

— Voilà au moins un problème de réglé... Dieu merci ! Il s'est embarqué de bonne heure ce matin pour l'Angleterre, sur le Clipper de la Pan American. Il va s'engager dans la Royal Air Force, alors on n'est pas près de le revoir. » Kraus ôta ses lunettes et se frotta les yeux. « Vous feriez mieux de rentrer.

— Asseyez-vous », dit Cantor. Un léger tremblement lui agitait un coin de la bouche. Il avait l'air d'un homme au bord de l'effondrement nerveux.

« Les choses vont si mal que ça, Myron ? demanda-t-elle, en essayant de se montrer compatissante.

— Pas aussi mal qu'elles vont le devenir. Le bruit court que la raison pour laquelle elle s'est jetée par la fenêtre c'est parce qu'elle vous a découverts Dicky et vous au lit ensemble. »

Diane souleva son voile et le considéra avec stupéfaction. « C'est ridicule. »

Il haussa les épaules. « Les gens ne savaient pas que c'était une pédale. Tenez, Cynthia ne le savait pas ! Ça paraît très vraisemblable. »

Elle dut reconnaître, à la réflexion, que Cantor avait raison. On connaissait les tendances suicidaires de Cynthia : voir sa meilleure amie au lit avec son mari aurait pu suffire à la pousser à se tuer. Cela se tenait... pour ceux qui ne connaissait pas la vérité.

« Myron, demanda-t-elle calmement, qui répand cette rumeur ? »

L'idée la traversa que ç'aurait pu être Cantor lui-même. Rien ne serait mieux, de son point de vue, qu'un scandale homosexuel impliquant sa vedette masculine.

Il cassa le crayon qu'il tenait à la main. « Je n'en sais trop rien...

— Allons, Myron. Vous le savez : je le vois. Ce sont vos gens qui ont trouvé ça ?

— Non... »

Bizarrement, se dit-elle, il avait l'air de dire la vérité.

« Au fait, demanda-t-elle, en le regardant attentivement, qu'est devenu l'infirmier ?

— Je lui ai donné deux mille dollars, soupira Cantor, et je lui ai dit de disparaître. Je crois que c'est ce qu'il a fait.

— Je vois. Allons, laissez-moi deviner. Le maître d'hôtel a disparu aussi ?

— Je pensais que c'était la meilleure chose à faire.

— Et Dicky est en route vers quelque part en Angleterre. Alors, ce serait ma parole contre celle de qui, Myron ?

— Bon. C'est Shirley qui a lancé ce bruit. Elle a parlé à Louella qui l'a répété dans sa chronique, et maintenant tout Hollywood est au courant. Demain, ce sera le pays entier.

— Mais ça n'est qu'une rumeur. Je nierai.

— Bien sûr. Plus vous nierez, plus les gens croiront que c'est vrai. » Il se détourna de la fenêtre et se tourna vers elle, les mains dans ses poches. « Ecoutez, dit-il, ça ne va pas être commode. Je vais dire à Shirley de la boucler. Je vais même la faire revenir sur son histoire. Je peux l'obtenir, vous savez. Et si je n'y arrive pas, son père y parviendra. Je ferai ça pour vous... Mais seulement s'il y a un peu de compréhension entre nous... » Il alluma un cigare, en la lorgnant à travers la fumée.

Elle secoua la tête. Elle était prête à beaucoup de sacrifices pour sa carrière, mais coucher avec Myron Cantor n'en faisait pas partie. Elle décida toutefois de le ménager pour l'instant. « Ce n'est guère le moment d'en parler », dit-elle. Cantor s'approcha et s'arrêta tout près d'elle, les pieds écartés comme un boxeur. Un moment, Diane crut qu'il allait la frapper. Elle se leva aussitôt, mais il se contenta de braquer son cigare sur elle. « Je peux vous aider, dit-il. Mais avec moi contre vous, vous êtes foutue. Réfléchissez-y. Je peux m'assurer que jamais plus vous ne travaillerez à Hollywood.

— Oh ! Allez vous faire voir ! fit Diane. Gardez ça pour les starlettes. Il n'y a aucune clause dans mon contrat qui dit que je dois coucher avec vous.

— Donnez-moi une bonne raison de ne pas le faire, cria Cantor.

— Parce que vous êtes un petit bonhomme laid et vaniteux, Myron, c'est déjà une raison. Et parce que je suis sûre qu'au lit, vous en dites plus que vous n'en faites. »

Il reposa son cigare et saisit Diane par les poignets, les yeux brillants de rage. Il la serrait plus fort qu'elle ne s'y attendait. Elle essaya de se dégager, mais en vain : Cantor la tenait bien. Elle savait qu'il était au bord de la violence, mais bizarrement elle n'en éprouvait aucune peur. Voilà un an, deux ans, elle aurait eu peur ; plus maintenant. Elle prit le cigare de Cantor dans le cendrier où il l'avait posé, enfonça de toutes ses forces le bout rougeoyant dans la fourche de son pantalon et le maintint en place.

Il n'y eut pas d'effet immédiat. Cantor était si occupé à essayer de savoir s'il allait la frapper ou l'embrasser qu'il mit plusieurs secondes avant de remarquer l'odeur de tissu brûlé. Même alors, malgré son étonnement, il ne réagit pas tout de suite. Puis il sentit la chaleur et poussa un hurlement tandis que le cigare lui brûlait la chair. Il bondit en arrière, la lâchant et se prit l'entrejambe à deux mains, se brûlant les doigts au passage, si bien qu'il se mit à hurler de plus belle.

Diane observait la scène avec calme. Elle était certaine que les parties sexuelles de Cantor, quelle qu'en fût la valeur — et de toute évidence elles en avaient beaucoup aux yeux de Cantor — n'avaient pas été gravement endommagées. Il s'efforçait de parler, mais, entre ses gémissements et un torrent de jurons, il était difficile de comprendre ce qu'il voulait dire. Elle écouta plus attentivement et perçut les mots « Au secours ! » Obligeamment, elle ôta le bouchon du pichet Thermos en plaqué or de Cantor et lui déversa un bon litre d'eau glacée entre les jambes. Il poussa un nouveau cri, puis battit en retraite derrière son bureau. A en juger par l'expression de son visage, la terreur cédait maintenant la place à l'humiliation.

Diane prit son sac et se dirigea vers la porte.

« Je vous enverrai un chèque pour un pantalon neuf, Myron. Est-ce que cent dollars, ça ira ? »

Cantor s'assit, se rendit compte qu'il allait abîmer son fauteuil de bureau en peau de porc et se releva aussitôt, une main devant lui comme une feuille de vigne.

« Allez vous faire foutre. Vous pouvez dire adieu à Hollywood. Vous avez une clause de moralité dans votre contrat, mon petit. Cette rumeur, c'est tout ce qu'il me faut pour vous suspendre.

— Je m'en fiche bien, Myron. Empire n'est pas le seul studio en ville.

— N'en soyez pas si sûre. Vous n'avez plus Konig pour vous protéger. Croyez-moi, quand j'en aurai fini, il n'y aura plus un studio qui voudra vous toucher. »

Plus tôt elle serait de retour à Los Angeles pour en discuter avec Diamond, mieux ça vaudrait, décida-t-elle.

Elle sortit sans se retourner.

« Il ne faut pas prendre ça au tragique, lui dit Aaron Diamond au téléphone. Même Fatty Arbuckle s'en est tiré. » Il marqua un temps et toussota. « Bien sûr, ajouta-t-il prudemment, sous des noms différents. »

Diane n'arrivait pas à ne pas prendre la chose au tragique. De son vivant, Cynthia était ignorée de la plupart des gens de Hollywood ; maintenant qu'elle était morte, on la traitait comme une martyre.

Diane était décidée à se battre. Ses actions étaient entre les mains d'Aaron Diamond. C'était maintenant le moment de s'en servir. A peine avait-elle regagné Los Angeles qu'elle demanda à Diamond de retrouver l'infirmier de Cynthia. Si on pouvait le payer pour disparaître, on pouvait presque assurément le payer pour dire la vérité — ou du moins pour en dire une partie.

Le troisième soir, lorsque le téléphone sonna, elle décrocha avec une certaine appréhension. Comme la plupart des stars, son numéro ne figurait pas dans l'annuaire, mais il n'était pas impossible pour les gens d'obtenir ces numéros de la liste rouge : ils étaient dans les carnets d'adresses et sur les bureaux de trop nombreuses secrétaires de studios pour qu'on pût avoir la moindre assurance. Elle décrocha et, à son soulagement, entendit la voix rauque de Diamond.

« J'ai trouvé, mon petit, dit-il. Il est dans mon bureau. Je vais envoyer une voiture vous chercher.

— Est-ce qu'il voudra dire la vérité ?

— Peut-être. Il dira que vous n'étiez pas au lit avec Beaumont. Il ne dira pas que lui y était. On ne peut pas le lui reprocher.

— C'est déjà ça.

— Ça va coûter dix mille dollars. Non négociables.

— Payez-les.

— C'est déjà fait. La moitié maintenant, la moitié quand il fera une déclaration publique.

— J'arrive.

— Non, ne faites pas ça ! Je vais envoyer une voiture qui se garera à deux maisons de chez vous. Descendez sur la plage, le chauffeur vous attendra. Personne ne saura même que vous avez quitté la maison... »

Elle éprouva un brusque et terrible besoin de se détendre, d'être libre. Elle en avait assez d'être prisonnière chez elle. « Ne vous inquiétez pas, Aaron. Je serai là dans une demi-heure. »

Elle noua un foulard autour de ses longs cheveux, chaussa une paire de lunettes de soleil et se dirigea vers le garage. Le plus discrètement qu'elle put, elle ouvrit la porte du garage et scruta l'allée vaguement éclairée. Tout au bout, elle aperçut la lueur de quelques cigarettes : la presse attendait toujours. Elle n'alluma pas la lumière du garage. Avec un sentiment d'excitation croissant, elle monta dans le gros cabriolet blanc et pressa le démarreur. Elle n'avait plus qu'à se laver de tout soupçon et qu'à utiliser ses actions. Elle avait hâte de voir la tête de Cantor lorsqu'elle lui annoncerait qu'il travaillait pour elle. Enfin, elle avait tous les atouts en main.

Elle n'alluma pas les lumières de la voiture. Si les journalistes se mettaient sur son chemin, elle les renverserait, tout comme Morgan avait foncé au milieu des émeutiers voilà si longtemps à Calcutta.

Elle prit une profonde inspiration, se mordit la lèvre, écrasa la pédale d'accélérateur et sentit la lourde voiture foncer dans l'étroite allée, frôlant les murs. Elle entendit des cris, elle aperçut l'éclair d'une ampoule à magnésium, elle vit un homme jeter sa cigarette et sauter sur un mur, le visage blanc de peur ; puis elle déboucha de l'allée et prit la route de la côte. Elle entendit quelqu'un rire, puis elle se rendit compte que c'était elle. Ses mains tremblaient, mais à près de cent à l'heure elle tenait solidement le volant, de nouveau elle avait le sentiment d'être libre.

Pour la première fois depuis trois jours, elle sentait son optimisme revenir. Elle allait attaquer les rumeurs de plein fouet. Elle allait confronter Marty Braverman avec ses actions. Elle n'allait pas se laisser battre. Derrière elle, une voiture approchait. Elle passa à sa hauteur et un homme se pencha par la portière, un appareil à la main. L'éclair du magnésium l'aveugla un instant. Elle accéléra, car une autre voiture maintenant la suivait : en fait, lorsqu'elle regarda dans le rétroviseur, il y avait derrière elle une longue file de voitures, une douzaine au moins. La presse avait retrouvé sa trace.

Diane était une conductrice qui manquait d'assurance, mais la colère la rendit intrépide. Elle prit brusquement à droite une petite rue obscure sans ralentir, dérapa à gauche, tourna sur la gauche, puis de nouveau sur la droite sur Sunset Boulevard ; elle appuya à fond sur l'accélérateur : il n'y avait plus rien derrière elle.

Elle était calme maintenant, la peur l'avait vidée de son excitation. Elle allait faire le reste du trajet à cinquante à l'heure, se dit-elle, et tant pis pour la presse ! Lorsqu'elle freina, la voiture fit une brusque embardée, glissant sur la chaussée : elle en avait perdu le contrôle.

Elle se cramponna au volant, mais il ne semblait plus avoir d'effet sur la direction. Elle aperçut une pelouse au gazon soigneusement tondu, une bicyclette d'enfant, une bouche à incendie, tout cela dans la lumière crue des phares. La voiture tournoyait maintenant, presque au ralenti. Elle vit un palmier devant elle, surgir soudain sur son chemin comme s'il venait de sortir du sol ; on se serait cru dans un film de Disney, mais, avant même d'avoir compris qu'elle allait le heurter, elle entendit le bruit d'un millier d'assiettes qui se brisaient et sentit sur son visage quelque chose comme de la pluie qui la cinglait.

Il y eut un bruit de gémissement, un tintement métallique tandis qu'un bout de chrome tombait de la voiture pour venir rouler sur la chaussée, puis elle se rendit compte qu'elle avait le visage trempé et elle se demanda pourquoi elle n'avait pas remarqué qu'il pleuvait. Etait-ce pour ça que la voiture avait dérapé ? La pluie était tiède — elle était même chaude.

Tout cela était très mystérieux et elle s'épuisait à y réfléchir. Elle s'endormit. Dans ses rêes, elle entendit des gens qui parlaient à voix basse, elle sentit une aiguille qui lui piquait le bras. Quelque part, il y avait une sonnerie, un hurlement de sirènes. Elle rêvait qu'elle était dans une pièce blanche éblouissante, avec au-dessus de sa tête des batteries de lampes puissantes : était-elle sur un plateau de cinéma ? Elle vit d'étranges formes en robes blanches qui évoluaient dans une sorte de brouillard, puis elle entendit une voix qui comptait à rebours, dix, neuf...

Pourquoi à rebours, se demanda-t-elle ? Puis elle perçut le bruit rauque et rythmé de quelqu'un qui respirait à fond et elle sentit sur son visage quelque chose de froid et d'humide. Elle crut entendre quelqu'un dire : « Bon Dieu, quel gâchis... » Une voix inconnue et lointaine, qui semblait venir de sous l'eau.

Etait-ce le propriétaire de la pelouse qu'elle avait ravagée ? Elle voulut s'excuser, mais les mots ne venaient pas, et pourtant elle entendit quelqu'un qui disait : « Désolé » et qui le répétait d'une voix si frêle qu'elle ne la reconnut pas.

18

Les miroirs n'étaient pas autorisés dans la clinique du Dr Acheverria. Ses patients ne se verraient que quand le docteur l'ordonnerait, pas avant. Il prenait d'eux des photographies avant de commencer le traitement : ainsi, ils se souviendraient de l'air qu'ils avaient lorsque arriverait le moment de payer la note. Lorsqu'il jugeait que le temps était venu pour un patient de regarder le nouveau visage qu'il avait créé, le Dr Acheverria en faisait toujours une petite cérémonie, dévoilant le miroir de son cabinet (qui normalement était recouvert d'une lourde draperie) comme s'il présentait un objet d'art.

A peine Diane était-elle arrivée à la *clinica* de Cuernavaca dans la Rolls du docteur qu'on la conduisit dans son cabinet. Il l'accueillit avec une courtoisie empreinte de gravité derrière son gros bureau ancien. Il avait les yeux sombres, avec un regard triste et songeur comme s'il avait absorbé toute la souffrance de ses patients ; il avait des traits rugueux : le nez comme un fragment de marbre, un menton puissant, de grosses lèvres sensuelles. Sa tête était massive, le torse et les épaules ceux d'un lutteur mais ses mains, par un étonnant contraste, étaient longues et fines, les mains d'un violoniste ou d'un pianiste, avec de longs doigts gracieux, les ongles ras et sensibles d'un chirurgien.

Il devait lire la surprise dans le regard de Diane, car Acheverria sourit et eut un petit haussement d'épaules. « Lorsque j'ai commencé à faire de la chirurgie esthétique, dit-il, on m'a beaucoup critiqué. La chirurgie, c'était pour sauver des vies, non pas pour rendre les gens plus heureux ou plus beaux. Un collègue m'a dit : " Ce n'est pas à la médecine de changer pour des raisons frivoles ce qu'a fait la nature. " » Acheverria se mit à rire. « Tu sais mieux que moi que la nature ne fait pas toujours bien son travail ? Elle a parfois besoin d'aide. Quant aux problèmes créés par l'homme, ceux-là, nous sommes sûrement libres de les corriger. Il y a combien de temps que vous avez eu... votre accident ?

— Un mois. » Elle s'était éveillée d'un sommeil agité pour voir Aaron Diamond assis auprès d'elle, lui tenant la main. Elle ne souffrait pas : il n'y avait que le goût âcre de la nausée provoquée par l'anesthésie et la brusque terreur de découvrir que son visage était enveloppé de pansements. Il lui avait tapoté la main en lui promettant que tout irait bien, mais son regard était assez éloquent : il ne pouvait pas la regarder tout en parlant.

Contre l'avis unanime, elle avait insisté pour voir son visage deux jours plus tard, quand on avait changé les pansements. Elle avait contemplé une seconde l'étrange apparition dans le miroir que lui tendait l'infirmière : elle avait le visage sillonné de cicatrices, les lèvres noires et gonflées, de profondes meurtrissures violacées sous les yeux. Elle ferma les yeux : depuis lors, elle ne s'était pas regardée.

Acheverria alluma une batterie de puissants projecteurs braqués directement sur elle, puis approcha un tabouret et s'assit devant elle. Avec douceur il écarta son voile, puis coupa les pansements qu'il laissa tomber sur le sol. « On a changé les bandages chaque jour ? » demanda-t-il.

Elle acquiesça de la tête. Tous les jours l'infirmière les retirait, lui baignait le visage avec une solution saline, puis elle refaisait les pansements. Diane fermait les yeux pour ne pas voir l'expression de l'infirmière. Elle refusait tout visiteur à l'exception de Diamond. Elle ne voulait pas écouter les informations. Il n'y eut aucun communiqué à la presse. Elle se réfugia dans la maison de Diamond à Palm Springs comme un animal blessé.

Acheverria eut un sourire encourageant. « Avez-vous lu les journaux ? » demanda-t-il.

Elle secoua la tête. Ce qui l'intéressait, c'était ce qu'il pensait de son visage.

« Vous faites sensation. “ La disparition mystérieuse d'une vedette. ” La moitié de la presse vous recherche, l'autre moitié invente des histoires sur votre compte... Vous avez eu de la chance. Passer à travers un pare-brise la tête en avant... ça n'est pas exactement un traitement d'esthétique.

— Je sais. J'ai vu.

— Ah ! Vous avez regardé. Oh ! C'est inévitable. Et qu'avez-vous vu ? »

Elle ne répondit pas. Elle avait vu la fin de tout ce qui comptait pour elle.

« Vous avez vu quelque chose d'affreux là où il y avait jadis une grande beauté, dit Acheverria, répondant à sa question. Et qu'est-ce que les médecins de Los Angeles ont dit ?

— Que j'avais de la chance d'être vivante.

— C'est vrai. Evidemment, les médecins disent toujours ça. Quoi d'autre ?

— Qu'il resterait toujours des cicatrices. » Elle avait interrogé son médecin à propos de la chirurgie plastique, mais il s'était contenté de hausser les épaules. « Vous feriez mieux de vivre avec des cicatrices, lui avait-il conseillé. Vous vous y habituerez. Bah ! Personne n'est parfait. D'ailleurs, la plupart de ces chirurgiens plastiques sont des charlatans.

— Des cicatrices permanentes ! s'exclama Acheverria. Ma foi, il n'avait pas de tact, mais dans une certaine mesure c'est exact. Nous ne pouvons pas enlever les cicatrices de la peau. Mais nous pouvons les réduire au point où elles deviennent invisibles.

— Je veux être exactement comme avant.

— Vous demandez un miracle ? Eh bien, c'est ce que nous faisons ici. Je dois toutefois vous prévenir : ce sera un traitement long et pénible. Il y a des risques. Vous regretterez peut-être de ne pas vous être contentée d'un peu moins que de la perfection.

— Non, dit Diane. C'est pour ça que je suis venue ici.

— Très bien. Ce sera coûteux... dois-je ajouter. Il n'y a pas de garantie.

— Peu m'importe que ça coûte.

— Je ne voudrais pas que vous croyiez que c'est uniquement une question de cupidité. Qui sait ce que valent mes services ? Seul le patient peut en juger. Mais nous avons ici un établissement, un environnement dans lesquels les patients peuvent se sentir chez eux. Et vous aurez un appartement donnant sur un magnifique jardin, une femme de chambre personnelle, votre terrasse privée. Il y a un chef de première classe, un coiffeur, un manucure, même une esthéticienne. Nous avons un sauna, une piscine chauffée, des courts de tennis, un gymnase. Tout cela coûte de l'argent. Pour le téléphone, il n'y a rien que je puisse faire : il est lent et fonctionne mal. C'est le Mexique, vous savez.

— Je ne recevrai pas beaucoup d'appels : seul mon avocat sait que je suis ici. »

Il hocha la tête et jeta un coup d'œil à son dossier. « Et sous le nom de...

— Miss Kelley.

— Le personnel est discret, je vous l'assure. Il est bien payé justement pour s'assurer sa discrétion. » Acheverria se pencha pour lui examiner de nouveau le visage, cette fois plus attentivement. Il prit dans sa poche une aiguille longue et fine, la trempa dans de l'alcool et, de la pointe, tâta doucement les cicatrices. « Vous sentez quelque chose ?

— Oui.

— Bon ! Le tissu est toujours vivant. » Il éteignit les lumières. « Ah ! La peau ! s'exclama-t-il avec enthousiasme. C'est une des merveilles de la nature. Plus fine que le papier le plus léger, élastique, d'une incroyable résistance, se lubrifie toute seule et se répare elle-même : elle a même une mémoire ! La peau la plus difficile sur laquelle travailler, c'est celle des Anglo-Saxons : surtout ceux qui ont la peau claire et les cheveux blonds. Ils ont un épiderme fragile et qui ne cicatrise pas facilement. La peau des peuples méditerranéens ou des régions tropicales est beaucoup plus résistante. Elle réagit mieux au traitement. Vous êtes anglaise, j'imagine ?

— Je l'étais. Je suis américaine maintenant.

— Je veux dire que vous êtes née anglaise. La peau ne s'intéresse pas au nom qui figure sur votre passeport.

— Oui. »

Acheverria agita son doigt devant elle comme un maître d'école. « Ecoutez-moi, fit-il. Entre nous, il n'y a pas place pour les petites vanités. Il faut que je sache à quoi j'ai à faire. Ce n'est pas une peau anglaise. La couleur, l'épaisseur, l'élasticité, l'aspect légèrement huileux... c'est une peau merveilleuse, vous avez de la chance d'en avoir une comme ça, mais vos parents n'étaient pas anglais.

— Mon père l'était. Enfin, il était irlandais.

— Et votre mère ? »

Il y eut un long silence. Elle ne pouvait pas mentir à Acheverria. « A moitié indienne, murmura-t-elle. Je suis née à Calcutta.

— Ah ! fit-il d'un ton triomphant. J'aurais dû deviner. La coloration n'est pas sans rappeler celle de certains métis, mais en plus fine, beaucoup plus fine. Il faut un certain mélange de races pour produire une bonne peau, voyez-vous. La peau blanche est une anomalie de la nature, chère petite madame, une mutation génétique apparue dans un mauvais climat. Si votre mère n'était pas indienne, vous garderiez ces cicatrices sur le visage toute votre vie. Alors que là, Dieu merci, nous avons quelque chose sur quoi nous pourrons travailler. »

Pour la première fois depuis des semaines, Diane se mit à rire, malgré la douleur sourde qu'elle ressentait quand sa peau bougeait. « Vous êtes très persuasif, fit-elle. Mais c'est quelque chose que j'ai du mal à avouer.

— J'ai bien vu.

— En fait, docteur, vous êtes la première personne à qui je l'aie jamais avoué.

— Je suis très flatté. Ecoutez, je ne suis pas stupide. Vous êtes une vedette de cinéma. Vous n'avez pas envie que vos fans sachent que vous êtes de sang mêlé. Vous ne voulez peut-être pas que les hommes de votre vie le sachent non plus. C'est possible, bien qu'à mon avis ce soit idiot. » Il alla s'asseoir à son bureau. Derrière le meuble massif, on n'aurait jamais cru qu'il était le moins du monde anormal. « Vous n'avez jamais entendu parler de dermabrasion ? » demanda-t-il.

Elle secoua la tête.

« C'est une technique nouvelle. Elle demande du temps et de grandes précautions. Il y a un certain risque d'infection. Nous procéderons étape par étape. Je m'en vais réduire vos cicatrices. Ce sera ennuyeux et parfois douloureux. Vous vous impatienterez. Vous vous demanderez si je sais ce que je fais. Sachez-le d'avance : c'est normal. Je vais commencer par découper le tissu cicatriciel là où il dépasse le niveau de la peau : c'est le genre de chirurgie le plus délicat. Je recoudrai les incisions avec des points de suture si fins qu'ils seront presque invisibles. Et puis tout cela devra cicatriser. Nous changerons les pansements constamment, plusieurs fois par jour. Quand le processus de cicatrisation commencera, nous vous frictionnerons le visage à la vitamine E pour garder la peau souple et avec une solution saline sulfurée pour prévenir l'infection. Vous allez détester l'odeur : je crains que la vitamine E ne vienne d'une huile de poisson. Vous suivrez un régime strict, pas de stimulants, et vous éviterez le soleil. Quand j'estimerai que vous êtes prête, je commencerai alors l'abrasion de la surface endommagée de la peau, par toutes petites surfaces à la fois. La seule chose que je vous demanderai, c'est que vous ne regardiez pas votre visage pendant cette période. Il ne sera pas beau à voir et toute forme de choc ou de dépression chez vous ralentirait le processus. La peau est affectée par les changements d'humeur tout comme le reste du corps. Il faudra vous fier à moi.

— J'ai confiance en vous », fit Diane. Et pour la première fois depuis son accident, elle éprouva de l'espoir.

Elle resterait ici tout le temps qu'il faudrait.

La terrasse privée de Diane donnait sur une vaste étendue de pelouse soigneusement tondue. Tout au bout, on apercevait un luxuriant jardin tropical. Diane faisait sa promenade quand le reste des patients dormait encore, à l'aube, elle avait le jardin pour elle. Il était fermé par un haut mur derrière lequel on apercevait un bouquet d'eucalyptus et un jardin encore plus luxuriant ainsi que le toit de tuile rouge de ce qui semblait un grand château de style espagnol.

Le soir, elle s'asseyait sur sa terrasse et Acheverria venait souvent la rejoindre. Il approuva lorsqu'un domestique apporta sur une table roulante le dîner de Diane. « Fruits, légumes, un peu de poulet, dit-il. Vous avez un régime raisonnable.

— Toujours.

— C'est bien. Ce qui rend mon travail difficile, c'est que mes patients reprennent leur vie d'antan et détruisent ce que j'ai fait. Je fais ce que je peux de leur chair, de leur peau — et puis le patient rentre chez lui et se met à boire, à fumer, à trop manger, et tout cela est inutile. Bien sûr, ils reviennent, mais chaque fois je peux en faire moins.

— Personne ne peut rester jeune éternellement, je suppose. Même avec votre aide.

— Je vous enseignerai ce que je sais, dit-il. Mais dites-moi une chose : aimez-vous la vie ? Vous avez vingt-quatre ans. J'ai lu des articles sur vous. Sans doute, une grande partie de ce que j'ai lu était faux mais quand même... Vous avez épousé un homme de trente ans votre aîné. Vous avez travaillé dur pour devenir une star, et voilà maintenant que cela vous est retiré. S'il y a un homme dans votre vie, vous n'avez jamais parlé de lui, d'où je conclus qu'il n'y en a pas. Cela n'est pas très utile. Vous vous êtes coupée de votre passé, de votre enfance, de votre ascendance, mais qu'avez-vous mis à leur place ? Votre carrière ? L'argent ? La célébrité ? Quand je vous aurai rendu votre beauté, qu'en ferez-vous ?

— Je pensais que je retournerais à Hollywood et que je recommencerais », dit-elle, sur la défensive. Aaron Diamond lui téléphonait chaque jour pour lui donner le même conseil.

« Je peux réparer votre visage. Mais, pour être beau, le corps a besoin de davantage. Il a besoin d'amour, de bonheur, de sexe, de joie, tout autant que de retenue et de modération. Peut-être davantage.

— Je crois que j'ai eu cela autrefois. Ou presque.

— Et puis ?

— Et puis d'autres choses sont intervenues. Ça ne me semblait pas être ce qui comptait.

— Désirer la beauté en soi est destructif. Le but de la beauté, c'est le bonheur. Ça devrait vous rendre heureuse. Ça devrait rendre les autres heureux... Vous n'avez pas d'enfants, je pense ?

— J'ai fait une fausse couche. Après cela, le médecin m'a dit que je ne pourrais plus jamais avoir d'enfant. »

Acheverria secoua la tête. « Vous savez, j'ai vu votre dossier médical. Je doute qu'il ait eu raison. Les Anglais ont des années-lumière de retard dans ce domaine. Aujourd'hui, il s'agit d'une simple opération. Selon toute probabilité, vous pourriez avoir tous les enfants que vous voulez...

— Je n'en veux pas.

— Les enfants peuvent être un grand réconfort, dit Acheverria.

— Pas pour quelqu'un de sang-mêlé... comme vous l'avez dit avec tact.

— Ah ! fit-il en soupirant. Pour ma part, je suis en faveur de la vie sous toutes ses formes... sous toutes ses couleurs... Vous connaissez cette grande maison là-bas, celle qui ressemble à un château ? »

Elle fut soulagée de l'entendre changer de sujet. « De l'autre côté du mur ?

— Exactement. La Casa de Oro. C'est la maison du prince Charles Corsini. Vous connaissez ? »

Elle secoua la tête.

« Famille de banquiers. Il est immensément riche. Une réputation assez ambiguë, mais, pour ma part, je l'ai toujours trouvé charmant. Sa femme est morte dans un accident de voiture voilà environ un an et Corsini ne s'en est jamais remis. Il n'a jamais voulu s'en remettre, voyez-vous. Il est rarement là. La maison est inutilisée. Il a renoncé à ses chevaux de polo, il ne sort pas, il se plonge dans ses banques, ici, en Argentine, Dieu sait où encore... Il se sent coupable, alors son chagrin n'arrête pas. C'est un exercice vain. Il veut être malheureux. Vous comprenez... Ah ! fit-il à regret, il faut que je vous laisse dormir. D'ici quatre semaines, peut-être cinq, j'en aurai terminé. Alors vous pourrez regarder votre visage. Après cela, vous pourrez sortir, vous promener, vous réhabituer au monde. D'abord à petits pas, vous comprenez. »

Diane lui sourit. « J'aurai du mal à partir d'ici.

— Mais non », dit-il en se levant. Il lui baisa la main. « Quand vous verrez votre visage, vous aurez hâte de partir et de revenir à la vie. C'est ma récompense... et ma souffrance. »

Diane sonna pour qu'on vînt desservir. Elle regardait dans l'obscurité. Le Mexique était comme l'Inde de son enfance : la nuit tombait très vite et apportait avec elle des ténèbres totales et le silence.

Au lointain, par-delà les arbres, elle crut voir une lumière dans la maison Corsini — la Casa de Oro, c'était ainsi qu'on l'appelait ? — mais, lorsqu'elle regarda de nouveau, elle avait disparu.

« C'est un miracle ! dit-elle en lui étreignant la main.

— Non, non. C'est de la discipline de votre part, de l'habileté de la mienne. En regardant très attentivement, sous un éclairage intense, vous apercevriez de faibles traces de mon travail. Considérez cela comme ma signature, comme celle d'un artiste sur une toile.

— Ce n'est plus mon visage, dit-elle. C'est le vôtre.

— Le nôtre, dit-il, la reprenant. Sortez, allez faire des courses, allez au marché, un peu à chaque fois. Habituez-vous à être vue. Pour commencer, vous pouvez porter un voile. La peau est encore délicate. Je ne veux pas qu'elle soit exposée au soleil ni à trop de poussière. Pas de maquillage. Mon travail est fini. Le vôtre ne fait que commencer.

— Je voudrais pouvoir dire partout que c'est votre travail. Mais personne ne le saura. »

Il haussa les épaules, puis éteignit les projecteurs. « Vous saurez. Je saurai. C'est suffisant. »

Il pressa la sonnette pour appeler l'infirmière et se détourna pour regarder par la fenêtre.

Un moment, elle sentit la solitude du médecin, mais déjà une partie d'elle-même faisait des projets, songeait à l'avenir : elle était impatiente de rentrer à Los Angeles. Elle aurait voulu se précipiter pour l'embrasser, mais elle savait que c'était impossible.

Elle suivit l'infirmière dans le vestibule.

Ce soir-là, il ne vint pas dîner avec elle.

Chaque jour, comme un nageur qui s'aventure dans l'eau de plus en plus profonde, elle sortait dans les rues encombrées de Cuernavaca, accompagnée de sa femme de chambre. Pour éviter des gens qui risqueraient de la reconnaître ou même essaieraient de lui parler, Diane allait de bonne heure chaque matin au marché. Elle n'avait aucun besoin de faire des courses mais c'était une occupation, un plaisir pour lequel elle n'avait jamais le temps à Los Angeles ni à Londres.

Elle choisit une mangue, la humant, la palpant doucement avec ses doigts.

Elle souleva son foulard et remonta ses lunettes de soleil sur son front pour trouver la monnaie dans son sac et, lorsqu'elle releva la tête, elle s'aperçut soudain qu'un homme la dévisageait. Zut ! songea-t-elle. Elle avait été reconnue.

Elle se demanda si c'était un journaliste, mais aucun journaliste n'aurait été aussi bien vêtu que cet homme. Son visage d'ailleurs n'exprimait pas la curiosité ni même la surprise, mais une stupeur intense, presque de la terreur, comme s'il venait de voir un fantôme.

Etait-ce quelqu'un qu'elle connaissait ? Il était sous un auvent, dans l'ombre, c'était donc difficile à dire. Il paraissait la quarantaine, il était grand, un mètre quatre-vingts environ, estima-t-elle, avec la taille étroite et les larges épaules d'un athlète. Ce qu'elle apercevait de son visage sous le bord d'un large panama était beau.

Un moment, elle fut tentée de lui dire quelque chose — cela faisait longtemps qu'elle n'avait parlé à personne sauf au Dr Acheverria — mais, lorsqu'elle bougea, il eut un sourire embarrassé, comme s'il avait honte de l'avoir dévisagée si ouvertement, ou peut-être était-il soulagé de voir qu'elle n'était pas un fantôme, puis il recula dans l'ombre et disparut au milieu des échoppes.

Elle tendit la mangue à la femme de chambre et, plus par curiosité que pour autre chose, elle poursuivit sa route à travers le marché dans la direction qu'avait prise l'homme.

Au coin d'une petite ruelle derrière une église, était garée une Rolls Royce gris métallisé. Un chauffeur en livrée venait de refermer la portière. Derrière les vitres fumées elle aperçut l'homme qui l'avait regardée. Il avait la tête renversée contre le dossier et s'épongeait le front avec un mouchoir, comme s'il venait tout juste d'échapper à un terrible accident. Puis le moteur se mit en marche et la grosse voiture s'éloigna.

Il ne se retourna pas.

Il ne réapparut pas au marché les jours qui suivirent. Diane fut surprise d'en être déçue. Elle ne parla pas de cet incident au Dr Acheverria, qu'elle trouvait imperceptiblement plus froid envers elle. Elle savait qu'il était presque temps de partir, mais chaque jour elle hésitait, répugnant à décrocher le téléphone pour prendre des dispositions avec Aaron Diamond. L'image de l'inconnu la hantait. Elle avait le sentiment qu'elle ne pouvait pas partir avant de savoir qui il était, mais il demeurait invisible — bien qu'une fois elle aperçut de loin sa Rolls Royce qui descendait lentement une petite rue.

Elle avait presque perdu espoir, puis, une semaine après avoir vu l'homme, il émergea soudain d'une petite porte dans le mur du jardin pendant qu'elle faisait sa promenade matinale. Elle crut tout d'abord que c'était un des jardiniers. « *Buenos dias* », dit-elle, mais elle entendit alors une voix inconnue dont les intonations n'avaient rien d'espagnol, lui dire : « Bonjour », et elle leva les yeux vers lui.

Malgré l'heure matinale, il était de nouveau impeccablement habillé — un costume gris perle, une chemise blanche, une cravate noire — étrange tenue pour un lieu de villégiature. Cette fois il n'avait pas de chapeau. Ses cheveux étaient blonds et peignés en arrière. Le visage, énergique, beau, n'avait pas du tout la beauté conventionnelle des jeunes premiers de Hollywood. Le nez, bien trop grand, déviait d'un côté ; la bouche aussi paraissait grande, encadrée de deux rides profondes, mais le trait le plus remarquable de son visage, à part les yeux, c'étaient les hautes pommettes proéminentes.

Avec le nez aquilin, elles donnaient à l'homme l'air d'un oiseau de proie qui vient de se poser sur son perchoir, un lapin dans ses serres.

« Prince Charles Corsini, dit-il : je vous dois des excuses. »

Elle éclata de rire : il avait l'air si grave. « Vous auriez pu me ramener en voiture du marché ! »

Il eut un sourire un peu incertain. Il avait des dents parfaites. « Vous avez dû me trouver horriblement grossier, dit-il. Vous dévisager comme ça. Le fait est que vous m'avez rappelé quelqu'un que j'ai connu. Evidemment, vous devez être habituée à ce que les gens vous dévisagent...

— A vrai dire, pas tout à fait comme ça. Comment avez-vous su que j'étais ici ?

— C'est une petite ville, Lady Konig », dit-il d'un ton vague.

Elle haussa les sourcils. « Oh ! Mon Dieu, fit-elle. Moi qui espérais que personne ne me reconnaîtrait. Chaque matin, j'admirais votre jardin.

— Ah oui ? Il faut venir le voir. Mais j'interromps votre promenade.

— Ça ne fait rien. Vous pouvez m'accompagner si vous n'avez rien de mieux à faire.

— Je n'ai absolument rien de mieux à faire, dit-il. En général, je ne me lève pas d'aussi bon matin. » Il lui offrit son bras. « Cela fait longtemps que vous êtes à Cuernavaca ?

— Près de trois mois.

— Trois mois ! Vous avez dû terriblement vous ennuyer. Ce n'est pas l'endroit le plus amusant du monde.

— Je... j'étais en convalescence.

— Ah ! Acheverria est un type remarquable, n'est-ce pas ? Je lui ai vendu cette maison, vous savez, lorsqu'il a décidé d'ouvrir une clinique.

— Vous êtes dans l'immobilier ?

— Non, pas du tout. Je suis propriétaire de pas mal d'immeubles, ici et là, partout, mais en fait, je suis banquier.

— Il disait que vous n'habitiez pas là depuis quelque temps.

— C'est vrai. Ce n'est pas vaiment mon domicile. Mon père venait ici pour fuir l'hiver argentin : non pas que les hivers là-bas soient si pénibles mais il adorait le soleil. Il était italien, de Naples.

— Vous avez l'accent de quelqu'un qui a fait ses études en Angleterre.

— Oui. Une expérience bien déplaisante, d'ailleurs. Des coups de canne et des bains froids. Vous n'avez pas idée combien c'est difficile d'être un étranger en Angleterre quand on est jeune.

— Oh si ! Je me rends compte. Mais je n'aurais pas cru qu'un prince italien aurait été considéré comme un étranger...

— Etre un prince ne faisait qu'aggraver les choses, je vous l'assure. C'était déjà assez ennuyeux, mais venant de Buenos Aires, on me traitait en plus comme un métèque.

— Alors, vous êtes argentin ? En vérité ? »

Corsini eut un haussement d'épaules évasif. « Je suis né en Argentine, expliqua-t-il. J'ai encore de nombreux intérêts là-bas. En fait, j'ai l'honneur d'être consul général de Monaco en Argentine — poste qui, heureusement, ne nécessite pas que je réside à Buenos Aires.

— Vous n'avez pas l'air d'un banquier.

— Je prends ça comme un compliment. Mais ma banque n'est pas le genre d'établissement où on doit toucher un chèque ou contracter un emprunt pour acheter une voiture. C'est une petite banque d'investissements privés. Je sais que tout le monde croit que les banquiers sont assommants, mais ce n'est pas vrai du tout, vous savez. La banque, en fait, est une occupation très romantique. Tous les bons banquiers sont romantiques. Voulez-vous déjeuner avec moi demain ? »

Pour la première fois depuis bien des années, elle éprouvait une brusque excitation à côté d'un homme. Et Corsini lui avait fait faire le tour du jardin. Derrière lui, les tours de sa maison s'élevaient au-dessus des arbres. Des colombes blanches sautillaient sur les tuiles. « Oui, dit-elle. Oui, j'aimerais beaucoup. »

Il s'inclina et lui baisa la main, la gardant entre ses doigts un instant de plus que l'étiquette ne l'exigeait. Puis il disparut.

C'était étonnant, songea-t-elle, combien le reste de la journée passa lentement.

« Corsini ? N'y pensez pas ! » lança Aaron Diamond, dont on entendait à peine la voix au téléphone. Il était furieux. Il fallait des heures pour obtenir la communication et il avait déjà été coupé trois fois. « Nous avons des choses importantes à examiner, dit-il. Vous feriez mieux de rentrer ici dare-dare... » Sa voix devint inaudible, mais elle perçut quand même les mots : « Myron », « Marty » et « actions ». Puis sa voix redevint claire. « Je ne veux pas entrer davantage dans les détails au téléphone.

— Mais, Aaron, qui est Corsini ? Je n'ai fait sa connaissance qu'aujourd'hui. Je déjeune avec lui demain.

— Au nom du ciel, mon petit, ne vous acoquinez pas avec Corsini. C'est un service que vous vous rendrez à vous-même. »

Diane était au lit, le récepteur collé à son oreille. « Je ne " m'acoquine " pas avec lui, Aaron. C'était simplement par curiosité. »

Ou bien Diamond ne l'entendait pas ou il n'en crut rien. Sa voix s'élevait et s'évanouissait tandis qu'il multipliait les mises en garde avec des détails dont la plupart se perdaient dans les parasites. Malgré la mauvaise communication, elle sentait son anxiété. « ... La Banque d'Europe et des Amériques... Une façade pour Corsini... La Banque de Rio de Plata... Il y a presque eu une révolution — peut-être y en a-t-il eu une, je ne me rappelle plus... Evidemment, son père était un escroc de grande envergure... L'argent du Vatican, et pire encore...

— Aaron, je demandais simplement qui il est. Comment en savez-vous tant sur ses activités ?

— Je lis le *Wall Street Journal* et les pages financières, ce qui est plus que vous. Tout le monde connaît Corsini. Il a une sale réputation. Vous savez, on dit que la princesse Corsini s'est suicidée.

— La mère ?

— Quelle mère ? La femme ! »

Au premier abord, la maison de Corsini était assez sinistre pour être à l'origine d'une tragédie domestique. Sous certains angles on aurait dit un château bavarois ; sous d'autres, un monastère espagnol.

Corsini l'accueillit dans un hall où l'on aurait pu organiser un tournoi. « Etonnant, n'est-ce pas ? dit-il en suivant le regard de Diane. Mon père a acheté tout ce hall en Belgique puis l'a fait expédier ici et réassembler. Ça a pris deux ans.

— Ce devait être un homme remarquable.

— Remarquable... en effet... »

Corsini l'entraîna dans une succession de grandes salles pleines de meubles anciens. Ils ne s'arrêtèrent que dans une pièce plus petite, donnant sur le jardin, et que Corsini semblait avoir aménagée pour lui. Elle était peinte en blanc, meublée de quelques pièces anciennes impeccables et décorée comme s'il avait voulu affirmer sa propre personnalité dans la maison de son père.

Contre un mur il y avait une commode où s'entassaient les trophées sportifs, thème que l'on retrouvait dans la forêt de photographies qui, dans des cadres d'argent, occupaient toutes les surfaces planes. On y voyait Corsini jouant au polo, au golf, Corsini faisant franchir une haie à un cheval, Corsini au tir aux pigeons, au volant d'une voiture de course, appuyé à l'aile d'un avion, Corsini seul ou avec les membres de son équipe, arborant la tenue de tous les sports coûteux et dangereux qu'on pouvait imaginer.

Sur certaines des photographies, on voyait une jeune femme à ses côtés, élégamment vêtue et couverte de bijoux. Elle avait de longs cheveux bruns, les lèvres pleines, un petit visage ovale avec des pommettes très hautes.

La jeune femme était tout à la fois belle et mystérieuse. Diane l'examina avec une certaine curiosité pendant que Corsini leur préparait deux margaritas, en se demandant si c'était la femme qui s'était suicidée et, si oui, pourquoi ?

Ce ne fut que quand Corsini revint avec les verres que Diane se rendit compte qu'elle avait oublié le détail le plus important concernant la défunte princesse Corsini, si c'était elle.

Elle ressemblait trait pour trait à Diane !

Ils déjeunèrent dans le jardin, au bord d'une piscine qui aurait pu servir de cale sèche à un croiseur, sauf qu'elle était encombrée de petits îlots de marbre, dont chacun supportait une lourde sculpture de style roman. « Une folie, dit Corsini, d'un ton d'excuse. Mon père l'avait fait construire comme cadeau d'anniversaire pour ma mère. Malheureusement, elle est à peu près inutilisable. Comme elle ne savait pas nager, on a pied à peu près partout.

— Votre père devait être très riche.

— Ridiculement. Il avait le don de gagner de l'argent. Même ses erreurs en général se révélaient profitables. Pas pour les autres, comprenez bien ; mais pour lui. Je suis envahi. C'est notre côté Midas. J'aurais cru que votre défunt mari avait ce don aussi.

— Pas vraiment. David était surtout doué pour *dépenser* de l'argent.

— Ah ! C'est un talent très différent. J'ai de la chance. Je possède ces deux dons. Evidemment, cette guerre c'est très ennuyeux. Normalement, je ne serais pas ici. J'ai un charmant appartement à Paris où j'ai vécu des années. Franchement, je ne trouve pas l'Amérique du Sud très excitante. Le polo en Argentine est merveilleux mais on ne peut pas jouer au polo toute la journée. Malheureusement.

— Vous n'aimez pas non plus Cuernavaca ? »

Corsini haussa les épaules. « Je suis venu ici pour m'occuper de certaines propriétés que j'ai. Je comptais ne rester qu'un jour ou deux. »

Il se pencha en avant, ses yeux plus bleus que jamais dans la lumière qui se reflétait de la piscine. « Pour être honnête, je ne suis resté que parce que je vous ai vue. »

Diane sentit la main de Corsini toucher la sienne. C'était une main énergique et tiède, et l'impression était loin d'être déplaisante. « Vous restez longtemps ici ? demanda-t-il, ses doigts s'attardant sur ceux de la jeune femme.

— Je n'ai encore rien décidé.

— Restez un moment, murmura Corsini. Ça me ferait grand plaisir de vous faire visiter la région. Il y a beaucoup à voir au Mexique. Je ne pense pas que vous vous ennuieriez. »

Elle hésita. Elle savait qu'il était très important pour elle de retourner à Los Angeles et à ses affaires. Puis elle regarda Corsini et secoua la tête. « Je n'ai aucun projet immédiat. »

Il sourit. « Excellent », dit-il. Il prit une cigarette dans une boîte en argent auprès de son assiette. Un domestique se précipita pour l'allumer. « Je suis très bon pour faire des projets. »

C'était vrai. Rien n'était laissé au hasard, et pourtant jamais elle n'avait le sentiment d'être bousculée ni fatiguée. C'était en partie dû au fait qu'il avait d'innombrables gens à son service, ou bien qui lui étaient obligés, ou bien qui tenaient à lui plaire. Les musées de Mexico s'ouvraient pour eux le soir pour qu'ils pussent en contempler les trésors dans le calme et la tranquillité, accompagnés du ministre de la Culture en personne. Des églises et des monastères fermés au public ouvraient leurs portes à Corsini, et c'était un *monsignore* ou un évêque qui leur servait de guide.

Partout où ils allaient, une voiture attendait avec un chauffeur en blanc et un garde du corps en costume sombre.

Diane se demandait depuis des jours si elle devait pousser Corsini à lui faire l'amour : c'était, se demanda-t-elle, ce dont il avait besoin ou ce à quoi il s'attendait ? Elle éprouvait pour lui une passion dont elle était sûre — ou presque sûre — qu'il la partageait, et pourtant quelque chose le retenait. Ils regagnèrent un soir leur hôtel de Mexico après un élégant dîner aux Portages, où Corsini, comme toujours, s'était montré plein d'attention, poli et charmant, mais de sa façon curieusement réservée. Il l'embrassa pour lui dire bonne nuit et elle regagna sa suite. Elle se démaquilla, puis passa une chemise de nuit, puis elle entendit qu'on frappait doucement à la porte. « Entrez », dit-elle, croyant que c'était la femme de chambre.

Mais, lorsqu'elle se retourna, c'était Corsini, toujours en tenue de soirée et portant deux flûtes de champagne. Il les posa sur une table, s'approcha d'elle et l'embrassa. Un baiser très différent de celui qu'elle avait reçu quelques minutes plus tôt. Elle se demanda si ses cicatrices étaient visibles, mais il ne donnait aucun signe de les avoir remarquées.

« Je pensais... », dit-il.

Elle lui lança un regard interrogateur.

« Je pensais... qu'il est temps que je vous dise que je vous aime. Je l'ai su tout de suite, vous savez, fit-il. Dès l'instant où je vous ai vue.

— Qu'est-ce qui vous a pris si longtemps à le dire, alors ? Vouliez-vous en être sûr ?

— Non, pas du tout. J'ai toujours été sûr : je voulais que vous en soyez sûre. Je savais qu'il vous fallait du temps. Parfois, quand les choses vont trop vite, elles se finissent vite aussi... »

Charles ôta sa veste et la posa sur le dossier d'un fauteuil. Il n'était pas le genre d'homme à jeter ses vêtements par terre. Puis il la souleva dans ses bras et la porta jusqu'au lit. Tandis qu'elle l'aidait à se déshabiller, sentant ses bras autour de lui, ses mains parcourant le dos musclé, Diane se demanda, rien qu'un instant, si dans son esprit c'était à elle qu'il était en train de faire l'amour ou à quelqu'un d'autre, à l'autre femme de la photographie, qui s'était suicidée — et dont jamais, depuis dix jours qu'ils se connaissaient, jamais il n'avait mentionné le nom. Puis, comme le plaisir l'emportait, elle comprit que peu lui importait.

S'il y avait un sujet qui préoccupait Diane, c'était l'amour. Corsini affirmait qu'il était amoureux d'elle, mais qu'est-ce que cela voulait dire pour lui ? Ce qu'elle éprouvait pour Charles Corsini était bien plus fort que tout ce qu'elle avait jamais ressenti — assez fort pour l'effrayer, car elle le désirait, malgré ses secrets, malgré le mystère de la femme dont il n'avait jamais parlé et la possibilité, si Diamond avait raison, qu'il fût un escroc de haute volée.

Chaque jour maintenant, les messages téléphoniques d'Aaron Diamond apparaissaient, apportés de la clinique par le domestique de Charles. Elle savait qu'elle devrait rentrer, et pourtant elle laissait Charles la persuader de rester. Tous les jours, elle disait qu'elle devrait rentrer bientôt, et chaque jour il souriait et trouvait quelque chose de nouveau à lui montrer, quelque chose de nouveau à faire.

Un jour, vers la fin de la troisième semaine depuis qu'ils se connaissaient, elle se força enfin à l'affronter. Ils dînaient dans le jardin de sa maison, entourés de fleurs et du parfum du chèvrefeuille, pendant qu'elle parlait de l'avenir, de la nécessité de prendre une décision. Elle lui dit qu'elle devrait partir au plus tard à la fin de la semaine. Il hocha la tête, comme s'il avait fini par l'accepter. Puis il murmura un ordre à un des domestiques qui revint quelques minutes plus tard avec un paquet.

Charles se leva de son siège, la fit se lever et l'embrassa. Puis, avec un couteau à fruits, il ouvrit le papier et lui tendit le paquet. Elle plongea la main et en retira un écrin de cuir noir qu'elle ouvrit. Niché sur le velours noir il y avait un collier de diamants et d'émeraudes aux pierres si larges et si parfaites qu'il éclipsait tous les bijoux qu'elle avait jamais vus.

Elle regarda Charles, qui eut un petit haussement d'épaules, presque comme s'il s'excusait. Puis il le lui posa doucement autour du cou et hocha la tête d'un air satisfait. « C'était celui de ma mère, dit-il. Je ne pense pas qu'il serait possible de rassembler aujourd'hui des pierres pareilles. Même alors, ça n'a pas été facile. Au fait, l'or des montures venait d'une des mines de mon père. Il savait faire grand plaisir à ma mère. C'était un homme très sentimental. »

Diane sentait le poids du collier autour de son cou. Elle s'aperçut qu'elle commençait à pleurer. « Je ne peux pas l'accepter », dit-elle tout en sachant, au moment même où elle le disait, qu'elle le pouvait et qu'elle le devait.

Charles la regarda, l'air pour une fois très grave, et dit d'une voix sourde : « Je vous en prie. » Puis il lui prit la main, passa à son doigt un anneau d'émeraudes et murmura : « Je veux que vous m'épousiez.

— Oui », fit Diane, stupéfaite d'entendre le son de ces mots.

Il ôta la bague. « Il faudra la faire rétrécir, dit-il. C'était celle de ma mère aussi. Je m'en occuperai demain. »

Diane fut surprise de la facilité avec laquelle il pouvait se préoccuper de questions pratiques, même dans un instant d'intense émotion. Puis elle songea combien elle en savait peu vraiment sur l'homme qui allait être son nouveau mari. En trois semaines, elle n'avait presque rien appris...

Elle chassa fermement cette pensée.

Un des domestiques lui apporta la lettre. Diane était allongée au soleil près de la piscine, passant pour une fois la journée toute seule pendant que Charles vaquait à ses affaires. Parfois il lui laissait de petits messages, mais l'écriture sur le papier à lettres de l'hôtel Las Mananitas n'était pas la sienne. Elle ouvrit l'enveloppe et lut le billet. En une heure, elle était habillée et en route pour l'hôtel.

A Las Mananitas, on était en train de servir le déjeuner. Diane traversa le jardin encombré, sans se soucier des regards admirateurs des hommes, mais elle ne voyait pas trace de celui qu'elle cherchait. Puis elle l'aperçut, assis tout seul à une toute petite table sous un parasol, à l'écart du bruit et de la musique. Il ôta ses lunettes de soleil et agita son journal dans sa direction, puis se leva tandis qu'elle s'asseyait, en claquant des talons.

« Vous êtes magnifique ! s'exclama Kraus. Non pas mieux que jamais, c'est impossible, mais aussi bien que jamais. J'ai eu du mal à vous trouver. Vous n'êtes plus à la clinique ? »

Diane commanda un verre de jus d'orange. « J'ai été très occupée.

— Ici ? En tout cas, j'ai téléphoné à la clinique. On m'a dit que vous étiez partie. Quelqu'un a fini par me dire où vous étiez, mais je n'ai pas pu trouver le numéro de téléphone. Je sais que Diamond pensait que c'est une bonne idée pour vous d'éviter la presse, mais vous ne croyez pas que vous allez trop loin ?

— A vrai dire, j'avais complètement oublié la presse.

— Diamond devenait fou. J'ai fini par accepter de venir ici pour vous trouver.

— Est-ce que Cantor a changé d'avis ? Vous pouvez lui dire d'aller se faire voir.

— Non, non... Il est toujours furieux, bien sûr ; mais la question n'est pas là.

— Vous travaillez toujours pour lui ?

— Pas exactement. Myron n'a pas le caractère d'un homme d'affaires ni d'un directeur — je n'ai pas besoin de vous le dire. Je me charge maintenant au studio de toutes les choses qui l'ennuient. Naturellement, je lui rédige des rapports. Mais j'en fais aussi directement à Braverman et au conseil d'administration — ce que Cantor ne sait pas. C'est pourquoi je suis ici. Le studio a des problèmes.

— Je croyais que *Les Flammes de la passion* étaient un succès.

— Bien sûr. La regrettable publicité autour de votre nom a même aidé. Mais Cantor est incapable de trouver des produits. Aucun studio ne peut survivre sur un seul grand film par an. Il nous faut des tas de films — un apport régulier de marchandise fiable... Alors les actions baissent, il y a un problème de liquidités, Braverman lance des appels à l'aide à Wall Street...

— Je ne vois pas en quoi ça me concerne.

— Ah oui ? Vous êtes restée ici trop longtemps. Chère madame, vous avez de substantiels intérêts dans le studio. Vous risquez de perdre une fortune si les choses continuent à ce train. Et puis, ce n'est pas tout.

— Comment ça ?

— Braverman a deviné que vous aviez des actions de Konig. Il est terrifié à l'idée que vous les vendiez à un des requins qui tournent autour de lui. Et ils ne manquent pas : votre vieil ami Dominick Vale parmi eux, ce qui ne devrait pas vous surprendre. Il achète beaucoup d'actions. Ces gens-là sentent le sang dans l'eau à des kilomètres.

— Vale ? Pourquoi Vale ?

— Pourquoi pas ? Il a des hôtels, des casinos, des associés qui ont des ressources — pour la plupart illégales, mais peu importe. Ils adoreraient être propriétaires d'un studio.

— Dites exactement ce que vous pensez que je devrais faire, Kraus ?

— Vendre vos actions à Braverman, bien sûr. Il vous paiera à peu près n'importe quoi, je vous assure. Son contrôle sur le studio est extrêmement fragile. Avec vos actions, il serait tranquille. Il pourrait obliger

Cantor à revenir sur les termes de votre contrat. Ça pourrait être une partie du marché.

— Et si je ne veux pas vendre ?

— On fera pression sur vous — et parfois peut-être de façon déplaisante. Mon conseil est de vendre à Braverman, vite et à un bon prix. Vous serez riche, vous pourrez reprendre votre carrière et personne ne peut vous en empêcher.

— Qu'en pense Diamond ?

— A peu près la même chose. C'est pourquoi il... » Kraus s'interrompit et s'éventa de son panama.

« Je vais y réfléchir.

— Pendant combien de temps ? C'est urgent. Je ne me suis peut-être pas bien fait comprendre ?

— Mais si, très bien. Je veux quand même y réfléchir. Et peut-être en parler à quelqu'un. »

Kraus parut inquiet. « Pardonnez-moi, mais c'est également un problème confidentiel. La rapidité et le secret sont nécessaires.

— Je le comprends.

— Il faut me faire confiance, Diane. J'ai pris des risques considérables en venant ici.

— Je vous en remercie, Kraus. »

Kraus hocha la tête. « Au fait, j'ai encore une autre nouvelle. »

Il jeta un coup d'œil autour de lui. Il ne semblait pas pressé de passer à la nouvelle suivante. « Ce doit être tranquille ici, dit-il en regardant sans tendresse les paons sur la pelouse. Vous êtes toujours en traitement ? Quand pourrez-vous rentrer ?

— N'importe quand. J'ai voyagé. Kraus, voilà quelques jours j'ai fait quelque chose qui est tout à fait extraordinaire. Vous êtes la première personne à qui j'en parle, mais je pense que vous devriez savoir...

— Quoi donc ? » demanda-t-il.

Elle hésita un moment. « Je me suis mariée », annonça-t-elle.

Kraus la regarda, bouche bée. « Mariée ? Comment ça, mariée ?

— Vous savez : le mariage. “ Pour le meilleur ou pour le pire ”, etc. »

Kraus bégayait. « Fascinant. Si je puis me permettre de vous féliciter... qui est le... ah ! votre mari ? » Il s'épongea le front avec une serviette en papier.

« J'ai un nouveau titre. Je ne suis plus Lady Konig, Kraus : je suis maintenant princesse Corsini. Qu'est-ce que vous dites de ça ? »

Quelle que fût l'opinion de Kraus là-dessus, il semblait incapable pour le moment de l'exprimer, ni même de respirer. « Charles Corsini, oh ! mon Dieu ! murmura-t-il.

— Mais qu'est-ce qui se passe, Kraus ? »

Kraus avait fini par se reprendre. « J'ai été grossier, dit-il en retrouvant son souffle. Je suis sûr que Corsini doit être un homme d'un grand charme... Tous mes vœux de bonheur... bien entendu...

— Je ne pensais pas vous faire un tel effet en annonçant cette nouvelle.

— Mais non, mais non. C'est ma faute. Sans aucun doute une grande partie de ce qu'on dit de lui n'est pas vraie.

— Qu'est-ce qu'on dit de lui ?

— Il a la réputation d'une certaine brutalité en affaires, ma chère Diane... exagérée, j'en suis sûr... En Amérique on grossit ces choses-là démesurément. Il a dû profiter de sa leçon...

— Quelle leçon ?

— Il a été impliqué dans un célèbre scandale financier, vous savez. Et puis, au beau milieu de tout ça, sa femme... est morte...

— Aaron dit qu'elle s'est suicidée.

— Ça a été le verdict du coroner, oui. Ecoutez, il faut que je retourne à Los Angeles. J'ai un avion à prendre à Mexico... » Kraus se leva, ses yeux pâles papillonnant comme s'il ne voulait pas regarder Diane en face. « J'ai aussi une nouvelle qui ne concerne pas les affaires... Je ne sais pas si c'est le moment... étant donné les circonstances. Lucien est en vie.

— En vie ? Dieu soit loué ! Où cela ? » C'était la bonne nouvelle dont elle avait besoin pour que son bonheur fût complet.

« Il est prisonnier de guerre.

— Vous avez eu de ses nouvelles ?

— Non. C'est Basil Goulandris qui me l'a dit. Ce n'est peut-être pas le moment le mieux choisi pour vous l'annoncer.

— Bien sûr que si. Je suis si contente d'apprendre qu'il va bien.

— Ce sera peut-être une longue guerre », dit Kraus d'un ton ambigu, mais, sans lui laisser le temps de poursuivre, un chauffeur en livrée apparut sur les marches.

« Charles vient me chercher », déclara Diane. Elle posa un baiser léger sur la joue de Kraus. « Je vais réfléchir à ce que vous m'avez dit.

— Faites-le, dit-il avec une fermeté inhabituelle. Réfléchissez bien ! »

Il regagna la rue où son chauffeur et sa voiture l'attendaient. Il imaginait quelle serait la réaction de Braverman à cette nouvelle : même les plus puissants financiers de Wall Street tremblaient au seul nom de Corsini.

Il avait une consolation, se dit-il, au moins Corsini ne pouvait pas rentrer aux Etats-Unis. Le ministère de la Justice ne lui accorderait jamais un visa.

Puis il poussa un gémissement si fort que le chauffeur le regarda dans le rétroviseur. Car, malgré la réputation de Corsini, malgré son long passé de spéculations, de dépouillements d'actionnaires, d'émissions douteuses d'actions et ses relations encore plus douteuses à l'étranger, malgré même les faillites et les scandales qu'on trouvait si souvent dans le sillage de ses activités financières, il y avait quand même une façon pour Corsini d'entrer aux Etats-Unis, un moyen que personne ne pourrait lui dénier.

Il pouvait épouser une citoyenne américaine !

19

Il ne fallut pas à Diane plus de quelques jours de mariage pour comprendre que, si Charles Corsini aimait se donner l'air d'un homme qui n'avait rien d'autre à faire que de s'amuser — et que d'amuser les autres —, ce n'était qu'une attitude trompeuse. Elle avait hâte de retrouver Hollywood, sa carrière et ses actions, mais Charles semblait heureux de laisser les jours passer, s'occupant à sa façon, trouvant sans cesse des moyens plus subtils de lui faire retarder son voyage.

De temps en temps, il se retirait dans son bureau pour donner des coups de téléphone ou recevoir des visiteurs, pour la plupart des hommes en costume sombre qui arrivaient en limousine. Cachée dans les profondeurs de la grande maison, il y avait une petite troupe de secrétaires et d'assistants, qui apparaissaient de temps en temps avec des dossiers de cuir noir pleins de documents à faire lire ou signer par Charles.

Il ne dissimulait pas le fait que les détails l'ennuyaient, comme la routine quotidienne. Ce qui l'intéressait, c'était les bilans.

« Pour moi, c'est lire de la musique », expliquait-il. Il contemplait son jardin, comme si cela aussi était le bilan de quelque chose. « Il paraît que Beethoven jouait sur un clavier sans cordes, dit-il, se parlant à lui-même autant qu'à Diane. Une musique silencieuse... Et pourtant les gens disent que les banquiers sont ennuyeux. »

Charles n'était certainement pas ennuyeux ; c'était un homme complexe, aux passions profondes et qui se donnait beaucoup de mal pour le cacher. Son charme nonchalant masquait une tendance à la jalousie, comme Diane le découvrit le soir de la visite de Kraus.

« Tu as rencontré un ami aujourd'hui ? » demanda-t-il. Il souriait mais les yeux d'un bleu qui tirait sur le gris étaient plissés, comme s'il fallait juger si son explication était satisfaisante ou non.

Elle acquiesça. « Une relation d'affaires. Eberhart Kraus. Il était l'assistant de David.

— Tu aurais dû l'inviter à dîner, chérie.

— Il ne pouvait pas rester. Il n'est venu ici que pour me transmettre un message. »

Charles haussa un sourcil. Il lança quelques noisettes aux oiseaux sur la pelouse. Il ne manifestait aucun intérêt particulier, mais son expression était méfiante. « Peut-être que ce Cantor est calmé ? »

Diane avait souvent discuté avec lui de ses problèmes avec Cantor. Charles se montrait compatissant et compréhensif : il avait connu lui-même le même genre de choses, disait-il. Il fallait être patient. « Non, répondit-elle. Cantor fait toujours des histoires. Ce qui tracasse Kraus, ce sont mes actions des studios Empire.

— Des actions ? » A ce mot, Charles parut s'éveiller.

« Quand je suis arrivée en Californie, David a créé une société pour moi, tu comprends... »

Corsini approuva. « Bonne précaution, dit-il. Ça a dû t'économiser pas mal d'impôts. Bien sûr, la Californie n'est pas le meilleur endroit pour domicilier une société. La société était propriétaire de tes contrats ?

— Oui.

— Très bien. Apparemment, Konig n'était pas un imbécile.

— Bien sûr, il ne m'en a pas dit beaucoup là-dessus, tu comprends ; je n'ai su que je possédais une société que quelques jours avant sa mort. David m'avait simplement donné quelques papiers à signer. Je ne pensais pas qu'ils étaient importants.

— C'est une grande erreur que de signer quelque chose sans le lire, ma chérie, même si c'est ton mari qui te le demande.

— Je le sais maintenant. Bref, un des documents que j'ai signés était un papier qui faisait de ma société la propriétaire des actions de David dans les studios Empire. Je ne l'avais même jamais regardé. Je n'ai appris que je possédais les actions que peu de temps après sa mort. »

L'expression de Charles ne changea pas. Il resta silencieux un moment. « Alors tu es propriétaire d'un bon morceau des studios Empire ? fit-il, comme si elle lui avait annoncé qu'elle possédait un chien ou une collection d'argenterie anglaise ancienne.

— En fait... oui.

— Si seulement c'était Alcoa ou DuPont ou I.B.M. ! Les actions d'Empire sont... » Charles eut un petit mouvement de la main pour en évoquer l'instabilité, puis sa main plongea comme un avion qui pique.

« C'est ce qu'on m'a dit.

— Quand même, ce n'est pas sans intérêt. »

Il souffla dans l'air calme du soir un nuage de fumée de cigarette et le regarda s'éloigner. « Une compagnie cinématographique, dit-il d'un ton rêveur. On pourrait faire beaucoup de choses avec ça.

— Kraus estime que je devrais vendre mes actions à Braverman. Diamond aussi.

— Ah oui ? Personnellement, je ne le ferais pas, chérie. Si tu voulais empocher de l'argent tout de suite, ce serait peut-être la chose à faire — et la plus facile... Mais tu n'as pas besoin d'argent tout de suite, pas maintenant que nous sommes mariés. J'ai... voilà quelque temps que je pense à retourner en Amérique... Les capitaux d'Europe affluent en Amérique du Sud, mais ils ne veulent pas rester là-bas, vois-tu. Personne ne fait confiance aux gouvernements de ces pays-là : il y a de la corruption, la peur de la révolution et de l'expropriation. Un banquier qui pourrait promettre à ses clients européens que leur argent se retrouvera à New York ferait une fortune. Est-ce que tu me suis ?

— Oui, je crois. Quel genre de clients, Charles ?

— Chérie, fit-il en haussant les épaules, un banquier ne tient jamais à en savoir trop sur ses déposants. Nous n'avons pas de confessionnal dans nos banques. Peut-être l'Eglise. Peut-être certains des nazis et des fascistes qui voient plus loin que le bout de leur nez — ceux qui sont assez malins pour deviner que Hitler va perdre la guerre. Peut-être quelques-uns des riches Juifs qui espèrent encore fuir l'Europe centrale... Oh ! L'argent est là, cherchant simplement un moyen de s'écouler comme de l'eau retenue par un barrage. » Il lui prit la main et l'embrassa. « Veux-tu me laisser te conseiller ? »

Elle réfléchit un moment — un moment trop long pour Corsini, qui lui pressa doucement les doigts. « Tu peux me faire confiance, dit-il, je t'aime.

— Je te fais confiance, Charles. Mais je ne veux pas qu'il y ait des secrets entre nous.

— Des secrets ? lança Corsini en fixant un point invisible juste au-dessus de la tête de Diane. Je n'ai pas de secrets pour toi. Ton ami Kraus t'a dit que j'avais des ennuis en Amérique ? C'est vrai. Le gouvernement m'a accusé d'avoir enfreint les lois bancaires. Des erreurs ont été commises. J'ai placé une trop grande confiance dans mon associé — un Américain du nom de Luckman. Tout cela est dans le dossier. Je peux te montrer les coupures de presse.

— Je te crois, Charles. Je ne veux pas voir les coupures de presse.

— Alors ? Qu'y a-t-il d'autre ?

— Parle-moi de la femme qui est sur les photographies.

— Alana ? C'était ma femme », dit-il doucement. Sa voix était si neutre que ou bien il n'éprouvait aucune émotion, ou bien il faisait un effort héroïque pour la masquer. « Elle est morte...

— Elle était très belle.

— Oui. Mais pas aussi belle que toi.

— De quoi est-elle morte ?

— De la vie. Elle avait une nature très sensible. Les petites choses la bouleversaient... hors de toute proportion. Elle avait un tempérament instable... Nous voulions des enfants. Mais Alana, je ne sais pourquoi, ne pouvait pas en avoir. Elle faisait des fausses couches et chaque fois elle se le reprochait. Et peut-être que je n'étais pas assez compatissant. Il y avait d'autres choses aussi... aucun mariage n'est sans problèmes.

— Mais comment est-elle morte, Charles ? »

Il ne répondit pas tout de suite. « Un accident de bateau, murmura-t-il, de toute évidence peu désireux d'entrer dans les détails. Le corps n'a jamais été retrouvé. Ça a rendu la chose encore plus pénible, je ne sais pas pourquoi.

— Elle me ressemblait beaucoup.

— Tu trouves ? Il y a en effet une certaine ressemblance, avoua-t-il à contrecœur.

— Plus que cela... Nous aurions pu être jumelles ! C'est pour ça que tu as voulu me rencontrer ? »

Charles se leva. « Nous aurions dû en discuter plus tôt », dit-il. Il lui serra le poignet. « Non, non, n'aie pas peur. Je ne vais pas te faire mal, Diane. Si je suis en colère, c'est contre moi, pas contre toi. »

Il entraîna Diane dans la maison, la tirant derrière lui d'un pas vif, la précéda dans l'escalier, montant les marches deux par deux et prit une clé dans sa poche. « Autant que tu voies toi-même, dit-il. Après cela, tu pourras décider à ton gré. Mais, avant cela, laisse-moi te dire que rien de tout cela ne signifie plus rien pour moi. Ça fait partie du passé. Je ne suis pas venu ici depuis notre mariage. »

Corsini ouvrit le verrou et poussa la porte. « Entre, entre, dit-il avec impatience. Je vais allumer. »

Il s'avança jusqu'à la grande fenêtre, écarta les rideaux et l'ouvrit. De l'extérieur arriva le chant des oiseaux. Il n'y avait rien de particulièrement horrible dans la pièce, Diane fut soulagée de le constater. En y regardant de plus près, elle se rendit compte que c'était presque un musée. Sur la table de maquillage il y avait des rangées de produits de beauté et de parfums, de brosses à poignées d'argent, un vase ancien avec des crayons à sourcils, tout cela parfaitement ordinaire, mais avec quelque chose de sinistre parce que de toute évidence on n'y touchait jamais.

En face du lit, il y avait un portrait de la jeune femme qu'on voyait sur les photographies en bas, un bouquet de fleurs à la main, ses yeux sombres réfléchissant déjà, bien que la toile dût avoir été peinte longtemps avant sa mort, une certaine tristesse que le peintre avait perçue chez son sujet.

Corsini ouvrit tout grand un des placards. A l'intérieur, il y avait des rangées de toilettes, pendues avec soin, des chaussures qui s'alignaient en bon ordre sur leurs embauchoirs marqués de deux initiales.

« Je n'ai pas pu supporter l'idée de rien jeter de tout cela », dit Charles.

Pour la première fois depuis que Diane le connaissait, il lui paraissait vulnérable. Elle détestait ce tableau. « Je ne sais pas pourquoi je l'avais fait accrocher ici. C'était la seule chose qu'elle n'aurait pas voulu voir.

— Tu l'aimes encore.

— Tiens, regarde ! » Charles prit sur la table les brosses à poignée d'argent et, d'un geste précis, les lança par la fenêtre.

Il allait vite, rassemblant la chemise de nuit, les vêtements posés sur le tabouret, quelques-unes des robes accrochées dans la penderie, pour les jeter elles aussi par la fenêtre. Diane regarda la brise légère de l'après-midi les garder un instant suspendus dans les airs, comme si toutes ces toilettes répugnaient à partir. Puis elles descendirent en planant doucement jusqu'au jardin où les domestiques apparaissaient déjà sans un mot pour les ramasser. Le visage plat des Mexicains n'exprimait rien, pas même la curiosité.

Charles poussa les produits de beauté dans la corbeille à papiers, puis s'avança et décrocha le portrait pendu au mur. Il le mit dans la penderie, le visage tourné contre le mur, et claqua la porte. Puis il revint au milieu de la pièce où Diane était plantée, la prit dans ses bras, l'embrassa et l'entraîna avec lui sur le lit.

Elle frissonna en atteignant au faîte du plaisir plus vite qu'elle ne se souvenait jamais l'avoir fait, plus vite qu'elle ne l'aurait cru possible, puis elle guida sa main vers elle tout en glissant sous ses reins un des oreillers bordés de dentelle et elle se laissa aller à un plaisir qui semblait ne jamais devoir cesser.

Il resta allongé dans ses bras tandis que le soleil descendait vers l'horizon, allongeant les ombres de la chambre. Jamais Diane n'avait ainsi approché le genre de passion sexuelle qu'elle avait connu avec Lucien lorsqu'ils s'étaient rencontrés : en fait, l'expérience était même plus complète et plus forte, car elle n'était plus l'innocente à qui il fallait enseigner le plaisir. Elle se pressa contre Charles. Il lui embrassa le cou, puis les seins et, la retournant, il lui fit de nouveau l'amour cette fois plus doucement et bien plus, bien plus longtemps.

« Je t'aime », murmura-t-il.

Diane avait désespérément envie de le croire — elle le croyait. Mais elle voulait quand même être rassurée. « Et c'est vraiment moi que tu aimes ? Pas Alana ? demanda-t-elle d'une voix endormie.

— Toi, rien que toi. Nous allons avoir une vie merveilleuse ensemble ! Tu verras. Et beaucoup d'enfants — tous si beaux, cela va sans dire... »

Diane fut parcourue d'un brusque frisson. Cela ne semblait guère le moment d'avouer à Charles qu'à cet égard elle était comme Alana. La seule chose qu'elle ne pouvait pas donner à Charles, c'étaient des enfants, pas sans une opération, qu'elle n'avait pas l'intention de subir. Elle regrettait qu'Acheverria eût abordé ce sujet. Elle avait envie de changer la conversation et, d'ailleurs, elle avait un autre problème. « Je ne peux pas passer le restant de ma vie ici, tu sais, dit-elle avec prudence. J'ai une carrière. Je ne veux pas y renoncer.

— Bien sûr, fit Charles, ses bras autour d'elle. Je me sens coupable de te monopoliser.

— Il va falloir que je rentre... bientôt.

— Je pensais la même chose. Nous allons rentrer en Amérique ensemble. J'en ai assez de cette maison — assez aussi de penser au passé. »

Tandis que la nuit envahissait la chambre, il s'endormit dans le silence. Diane, allongée auprès de lui, écoutait son souffle et le doux murmure des jacarandas. Elle ferma les yeux et essaya de dormir aussi, mais, dans son esprit, elle voyait passer Morgan, Lucien, la chaussure de Cynthia sur le rebord de la fenêtre de la salle de bains de New York, elle voyait une mer déchaînée et une femme qui lui ressemblait trait pour trait et qui nageait jusqu'à la mort.

Elle se demanda si entre la mort tragique et mystérieuse d'Alana et celle de ce pauvre Morgan il n'existait pas des similitudes qui la rapprochaient ainsi de Charles.

Elle savait que c'était une chose dont ils ne pourraient jamais discuter, mais pendant un moment elle y crut de tout son cœur. Puis elle s'endormit, pelotonnée contre lui.

Diane fut surprise d'avoir besoin de se présenter en personne au consulat pour prouver sa citoyenneté avant que Charles pût obtenir un visa — et plus étonnée encore de la réaction des fonctionnaires du consulat.

Lorsqu'elle expliqua qu'elle était là pour obtenir un visa pour son mari, ils étaient tout sourires, mais quand l'homme derrière le comptoir des visas vit Charles et comprit qu'il était son mari, il pâlit, se leva et alla trouver le consul général en personne. Il fallut presque toute la journée pour accomplir ce que Diane avait pensé n'être qu'une formalité de routine, mais Charles, pour sa part, ne semblait pas surpris de voir les fonctionnaires du consulat échanger des murmures tout en examinant inlassablement les documents quand ils ne donnaient pas des coups de téléphone furtifs à Washington.

Quand le consul finit par raccrocher en fin d'après-midi après sa dernière conversation téléphonique, il était rien moins qu'aimable. « Je pense que nous sommes bien obligés de vous le donner », dit-il — et en manifestant une répugnance qui frisait le dégoût, il tamponna le passeport diplomatique bleu de Charles et le lui rendit du bout des doigts.

« Ah ! Les fonctionnaires, fit Charles avec son sourire nonchalant, ils sont tous pareils. »

Mais, à en juger par les regards qu'elle voyait dans les yeux du consul, Diane se dit qu'il n'y avait pas que ça.

« Où est Corsini ? grommela Aaron.

— Dans le bungalow. Le téléphone n'arrête pas de sonner. Je croyais que c'était moi la vedette, mais Charles a plus d'appels que moi.

— La salade de poulet, ce sont des morceaux ou un tas de déchets enrobés de mayonnaise ? demanda Diamond au maître d'hôtel, tout en regardant le menu.

— Des morceaux.

— C'est ce que vous dites toujours. Je veux du blanc de poulet, coupé en morceaux, et pas déchiqueté. C'est bien compris ?

— Entendu, Mr. Diamond.

— Il ne faut se fier à personne, fit Diamond, en se retournant vers Diane, mais sans qu'on sût très bien s'il pensait à Corsini, au personnel du Polo Lounge ou au monde en général. Un seul morceau qui n'est pas du blanc, et je le renvoie ! »

Aaron Diamond ôta son monocle, le trempa dans son verre d'eau et l'essuya. Il s'éclaircit la voix. « Franchement, dit-il, des emmerdements, vous en avez déjà eu. Mais à ce point-là... vous faites les manchettes des journaux avec une histoire d'adultère et de suicide. Et maintenant vous avez épousé un type qui est un escroc. Ou pire encore. »

Diane le foudroya du regard. « Je ne veux pas que vous disiez ça, Aaron.

— Bon, les mots ont peut-être dépassé ma pensée. Mais pour ce qui est de contre-publicité... vous voudriez saper votre carrière, vous n'auriez pas pu faire mieux... voilà ce que je vous dis. Vous voulez vous marier ? Parfait ! Mais je vous le demande : pourquoi Charles Corsini ? Vous auriez pu me parler d'abord.

— Aaron, tout ça est arrivé si vite. D'ailleurs, je l'aime.

— Le coup de foudre ? demanda Diamond. D'accord, je veux bien. Mais maintenant vous avez de vrais problèmes sur le dos.

— Quels genres de problèmes ? »

Diamond essuya sa fourchette sur la nappe. « Les stars qui ont épousé des types riches, ça ne leur a jamais réussi. Regardez Marion Davies. Regardez Gloria Swanson — dès l'instant où elle est devenue la maîtresse de Jo Kennedy, sa carrière... pfuit ! Les types qui dirigent les studios n'aiment pas les vedettes dont les maris ont plus de pouvoir qu'eux. Vous devriez essayer la salade de poulet. Elle est très bonne.

— Je n'ai pas faim », fit Diane en picorant sa coupe de fruits.

Diamond, sans l'écouter, claqua des doigts et commanda une salade de poulet pour Diane. « Vous voulez mon avis, oubliez le cinéma pour un moment. Ce que vous devriez faire, c'est vendre vos actions. Nous pouvons faire renégocier votre contrat en même temps.

— Charles ne veut pas que je vende.

— Ce sont vos actions, pas les siennes.

— Mais il est mon mari, Aaron. D'ailleurs, peut-être qu'il a raison. Pourquoi vendre à Braverman ?

— Laissez-moi finir. Corsini veut prendre lui-même le contrôle du studio ? »

Elle acquiesça de la tête.

« La commission de contrôle de la Bourse ne le laissera jamais faire. C'est pour ça qu'il rentre à New York ?

— Il a des affaires là-bas.

— C'est là où se trouve l'argent. Il reprend sa banque ?

— C'est un banquier.

— Vous ne trouveriez pas beaucoup de banquiers qui seraient d'accord avec vous. Enfin, ce qui est fait est fait... Je crois que vous avez commis une erreur.

— Je n'ai pas envie de perdre votre amitié, Aaron. »

Diamond secoua la tête. « Vous pouvez compter sur moi. Tout ce que je vous demande, c'est d'être prudente.

— Prudente à propos de quoi ?

— Prudente à propos de Corsini. Il y a quelque temps, il a fait la une des journaux.

— Quand ça ?

— Il y a deux, trois ans. Vous n'avez jamais entendu parler d'un nommé Luckman ?

— Non », dit-elle en mentant. Elle regrettait d'avoir interrogé Diamond. Elle essaya de ne pas avoir l'air intéressée, mais il n'y avait pas moyen d'arrêter Diamond.

« Un gros financier. Il donnait des soirées terribles. J'y allais. Et maintenant où est-il ? Au trou. Il a écopé de dix ou quinze ans, je crois.

— Pourquoi ? Et quel rapport cela a-t-il avec Charles ?

— C'était l'associé de Corsini. Luckman était le propriétaire en titre de la plupart des sociétés américaines de Corsini. Je crois que Corsini avait besoin d'un citoyen américain et Luckman a été très content de lui donner un coup de main. Après tout, Corsini a fait de lui un homme riche. Le seul ennui, c'est que quand les Fédéraux sont arrivés, les sociétés étaient au nom de Luckman, pas de Corsini. Sur le papier, bien sûr. Corsini a été expulsé. Mais en tout cas, Luckman, lui, il est allé en taule. » Il se tourna vers le serveur. « Vos melons, ils sont mûrs ?

— Les groseilles sont parfaites, Mr. Diamond.

— Si je voulais des groseilles, j'en aurais demandé, bon Dieu ! » Il reporta son attention sur Diane. « Corsini est malin, je vous l'accorde, mais on dirait qu'il arrive des ennuis aux gens qui l'entourent. Il ne vous a jamais parlé de sa femme... comment s'appelait-elle déjà ?

— Alana.

— Alana, c'est ça. Sale histoire.

— Charles m'a tout raconté, Aaron. »

Il leva la main pour demander l'addition. « Ah oui ? Ça a été un gros truc. La une des journaux. Il vous a dit qu'on avait raconté qu'elle avait une histoire avec Luckman ? »

Diane secoua la tête.

« Oh ! Qu'est-ce qu'on en sait ? Je l'ai entendu dire par des gens que je connais à New York. Ils n'aimaient pas beaucoup Corsini : il leur a coûté quelques millions de dollars, alors on ne peut pas leur en vouloir. Ils m'ont dit que Corsini et elle étaient partis faire une promenade sur un petit bateau. C'est le genre de dinguerie qu'il est capable de faire : il aime bien le danger. Bref, le bateau s'est retourné et elle s'est mise à nager vers la côte. Elle n'est jamais arrivée. Lui, si.

— Je sais tout cela », dit-elle calmement, mais elle commençait à se rendre compte que ce n'était pas le cas. Elle espérait que cela ne se voyait pas.

« Ah oui ! dit Diamond. Il y a quand même un petit détail que ces types m'ont dit et que peut-être vous ne connaissez pas.

— Quoi donc ?

— Elle était championne olympique de natation, mon petit ! Elle nageait comme un poisson. »

Diane aurait voulu en savoir davantage, mais elle aperçut soudain, dans le miroir devant elle, Charles qui entrait au Polo Lounge. En l'apercevant, son visage s'éclaira. Il sourit et ouvrit grands les bras.

Et, malgré ses craintes, Diane sut, au fond de son cœur, que Diamond devait se tromper, s'il se trompait, qu'elle n'avait rien à craindre.

Elle était décidée à le croire.

Diane n'avait jamais traversé les Etats-Unis en train, mais Charles n'était pas un homme qui aimait se presser.

Comme toujours, il avait fait ses plans avec un grand souci du détail. Il avait insisté pour que Diane engageât une femme de chambre qui l'accompagnerait ; son valet de chambre, un Anglais tiré à quatre épingles, du nom de Quayle, suivait Charles partout, mais si discrètement qu'il semblait avoir acquis le don d'invisibilité.

Lorsque Charles et elle montèrent dans le train à Pasadena afin d'éviter les journalistes, on avait déjà ouvert la porte de communication entre leurs deux compartiments pour faire une suite. Diane avait aussi remarqué que Charles, quand ils voyageaient, avait toujours son porte-documents près de lui ; elle avait remarqué également qu'il contenait un gros pistolet d'un noir bleuté. Au Mexique, il avait l'arme tout le temps près de lui — sur la table de nuit de la chambre à coucher, ou sur son bureau lorsqu'il travaillait. « C'est encore un pays violent », avait-il expliqué d'un ton nonchalant, lorsqu'elle l'avait interrogé. Apparemment, il avait la même opinion des Etats-Unis.

Charles alluma une cigarette. « J'ai hâte de revoir New York, dit-il.

— Ça n'a jamais été une de mes villes favorites.

— Oh ! Toutes les villes sont les mêmes. Mais en ce moment, avec la guerre en Europe, New York est le centre de tout. Berlin est fini, Paris est occupé, Londres est bombardé, on ne peut aller ni à Rome, ni à Genève, ni à Zurich. Alors c'est à New York qu'il se passe quelque chose. »

Il regardait le désert défiler sous le brillant soleil matinal. Dehors, il faisait sans doute près de quarante degrés, mais dans le compartiment argent et vert pâle du train de luxe, il faisait frais, même si l'on avait un peu l'impression d'être dans un aquarium en mouvement.

On frappa à la porte et le visage lugubre de Quayle apparut. Il murmura quelques mots d'excuse et tendit un mot à Charles. Charles le lut, le déchira violemment et d'un signe de tête congédia Quayle, qui referma sans bruit la porte derrière lui. « Tu avais vu des hommes en costume sombre monter dans le train avec nous ? demanda-t-il à Diane.

— Non. Je ne regardais pas.

— Quayle les a remarqués. Ils ont pris le compartiment devant le nôtre. C'est vraiment gâcher l'argent des contribuables !

— Qui sont-ils, Charles ?

— Des agents du F.B.I., je suppose. Ou du Trésor. » Le fait d'être suivi ne semblait pas le surprendre, observa-t-elle.

« Ça a l'air de t'être égal. »

Charles haussa les épaules. « Et pourquoi non ? Ici, le gouvernement existe pour entraver la marche des affaires. Heureusement, il n'est pas très efficace. »

Charles ne semblait guère affecté non plus par la présence des deux agents assis à la table voisine de la leur dans le wagon-restaurant ; ils dînaient en silence, comme deux membres d'un ordre monastique laïque, dans l'espoir de surprendre un fragment de conversation.

Quant à Charles, il parlait avec volubilité, mais pas d'affaires. Ses projets immédiats étaient ambitieux. Il avait dit qu'il rentrait d'exil, ce qui était en fait le cas, avec de vastes plans, et, cette fois, une célèbre vedette de cinéma comme épouse.

Il y avait dans le fait d'être à bord d'un train quelque chose qui incitait au sexe. Dans la longue nuit, tandis que le train traversait, en faisant longtemps hurler son sifflet, des petites villes disséminées dans la prairie, ils firent l'amour, lentement, passionnément.

Le deuxième soir, alors qu'ils s'asseyaient dans le wagon panoramique pour prendre un verre, un petit homme rebondi avec des fausses dents et des lunettes à monture métallique se mit à les dévisager avec une telle insistance que Diane, qui s'était laissé entraîner par Charles dans une partie de gin, finit par reposer ses cartes pour aller lui parler.

Elle avait l'habitude des fans, mais il y avait dans la concentration de cet homme quelque chose de troublant.

« Je suis Diane Avalon, dit-elle, espérant ainsi se débarrasser de lui. Vous ne vous êtes pas trompé. » Elle se demanda si il voulait son autographe.

Mais l'homme ne semblait pas avoir entendu parler d'elle. Il se contenta d'incliner la tête, en découvrant ses dents de porcelaine dans un sourire d'excuse sans gaieté. Il avait le visage d'un dentiste de petite ville ou d'un commerçant prospère, le genre d'homme qui est fier de ses bonnes manières et qui porte un chapeau de paille en été. Toutefois, les yeux derrière les verres dépolis de ses lunettes brillaient de colère.

« Vous êtes Charles Corsini ? » demanda-t-il d'un ton calme.

Charles leva le nez de ses cartes, il jeta un coup d'œil au fond du compartiment où Quayle était assis, aux aguets, mais toujours aussi discret. Quayle avait-il un pistolet, se demanda Diane ? En tout cas, il se leva et approcha bien vite pour un homme aussi calme.

« Mais oui », fit Charles. Il avait l'œil attentif, le regard fixé sur les mains de l'homme.

Mais elles n'esquissèrent pas un geste. Elles restaient sur ses genoux, les pouces enfoncés dans poches de son pantalon. « C'est bien ce que je pensais, dit-il.

— Je vous connais ? » demanda Charles prudemment, en faisant signe à Quayle de reculer. Charles ne semblait pas effrayé, songea Diane. Il maîtrisait la situation, et l'homme parut s'en rendre compte.

« Non, dit-il, vous ne me connaissez pas. Pourquoi me connaîtriez-vous ? Mon frère avait toutes ses économies dans votre fonds d'investissement. Il me disait toujours que j'étais fou de ne pas l'imiter. Tu doubleras ton capital en un an ou deux, voilà ce qu'il me disait.

— Et c'est ce qu'il a fait ?

— Mais oui. » Tandis qu'il parlait, on voyait la pomme d'Adam de l'homme monter et descendre. Ou bien ses verres s'embuaient, ou bien il commençait à pleurer.

Corsini gardait une expression aimablement distante, mais son visage était crispé, comme s'il savait déjà ce qui allait venir. Il attendit que l'homme reprît la parole.

Il y eut un moment de silence, puis l'homme poursuivit : « Ah !

Vous avez retiré vos billes, il a tout englouti là-dedans. Chaque sou qu'il avait jamais gagné ou qu'il possédait. »

Corsini haussa les épaules, pas tant par indifférence que pour indiquer qu'il connaissait l'histoire, il l'avait déjà entendue cent fois. « Et alors ? demanda-t-il doucement.

— Et alors il s'est tué. Il ne pouvait sans doute pas supporter l'idée de le dire à sa femme. Ou peut-être à moi.

— Je vois, dit Charles. Que voulez-vous que je fasse ? »

L'homme se leva. Maintenant qu'il était debout, il parut perdre un peu de sa dignité empreinte de tristesse. L'idée n'était pas venue à Diane qu'il était peut-être ivre, mais, de toute évidence, il l'était. Il se tenait très droit, dévisageant toujours Charles. « Rien, dit-il, je voulais simplement rencontrer l'enfant de salaud qui a tué mon frère.

— Il s'est tué lui-même », murmura Charles, comme s'il se parlait, pâle comme un fantôme, mais l'homme avait déjà tourné les talons et disparu dans la voiture suivante.

Diane était assise très droite, regardant Charles. Celui-ci n'eut pas un mot d'excuse ou d'explication. Il ramassa ses cartes, ses yeux bleus aussi dénués d'expression que jamais.

« A moi de jouer, je crois », dit-il, mais ses mains tremblaient et des gouttes de sueur perlaient sur son visage. Il tira une carte. « Gin, dit-il avec entrain en abattant son jeu. Ma chance a l'air de tenir. »

Cette nuit-là, Charles resta éveillé, à contempler l'ampoule bleue de la veilleuse, tandis que Diane écoutait le cliquetis des roues sur les rails. Pour la première fois depuis leur mariage, ils ne firent pas l'amour.

Cinquième Partie

Le royaume des mensonges

20

Oui, Virginie, la Café Society, ça existe ! Je l'ai trouvée rassemblée autour de la belle Diane Avalon, la vedette des *Flammes de la passion,* le succès de l'année, à la petite sauterie donnée par « Bunny » et Maggie Winterhalter à la Colony où deux cents invités triés sur le volet étaient conviés pour accueillir le prince Charles Corsini et sa vedette d'épouse de retour à New York. Le duc et la duchesse de Windsor étaient venus des Bermudes (Bo-Bo Esterhazy avait envoyé son hydravion privé les chercher) et le duc a dansé deux danses avec la belle star qui semble avoir survécu à un scandale qui a fait la une des journaux et à un grave accident de voiture, merci...

Cholly Knickerbocker
Journal-American, New York
10 novembre 1941

... Grâce à ses sources personnelles, votre serviteur a appris que Wall Street bourdonne de rumeurs concernant Charles Corsini. Peut-être est-ce parce que Charles est maintenant marié à la belle Diane *(Les Flammes de la passion)* Avalon, mais on dit qu'il s'intéresse *de très près* aux actions de cinéma.

Walter Winchell
Daily News, de New York
20 novembre 1941

Est-ce vrai que la belle Diane Avalon renonce à sa carrière de vedette pour son rôle d'épouse auprès de son nouveau mari, Charles Corsini ? Miss Avalon dit « pas de commentaires », mais ses amis nient qu'elle suive des cours de cuisine ou de couture... On assure dans les milieux de cinéma que son rôle dans le suicide de

Cynthia Beaumont risque de la rendre difficile à employer, mais on a vu des choses plus étranges arriver à Cinémaville...

Variety, 25 novembre 1941

Le prince Charles Corsini, président de la Banque du Rio de Plata et de la Banque d'Europe et des Amériques de Buenos Aires, a annoncé aujourd'hui la constitution de la Société Pacifica Investments Inc. en association avec Hugo Winterhalter et Felix Wildner. Interviewé dans ses nouveaux bureaux de Rockefeller Center, le prince Corsini a précisé que Pacifica aurait pour but l'acquisition d'investissement « significatifs » dans des compagnies en développement, mais a nié avoir l'intention de mettre la main sur telle ou telle entreprise contre les vœux de sa direction... L'essentiel des capitaux de Corsini, dit-on, vient d'Europe, et le ministère de la Justice, paraît-il, se donne beaucoup de mal pour en connaître les sources — sujet que Corsini se refuse à discuter. Quoi qu'il en soit, la seule chose qui cette fois pourrait couper les ailes de Corsini, ce serait l'entrée en guerre de l'Amérique dans un proche avenir...

Wall Street Journal
1er décembre 1941

« Charles, dit Felix Wildner d'un ton doctoral tandis qu'ils dansaient, sa petite joue ronde appuyée contre celle de Diane, la moustache blanche bien taillée lui chatouillant l'oreille, Charles cette fois a compris ! »

« A compris quoi ? » avait-elle envie de demander, mais elle savait que c'était inutile. Wildner était un imbécile — un riche pinceur de fesses pompeux et vaniteux qui, à n'en pas douter, ne faisait que raconter quelque chose qu'il avait entendu ailleurs, puisqu'il n'avait jamais une idée originale. D'ailleurs, elle connaissait déjà la réponse. Trois semaines à New York étaient plus qu'il n'en fallait pour apprendre qu'ici, en tout cas, Charles était affectueusement considéré comme un ange déchu.

C'était un des talents de Charles que de s'adapter à ce monde, mais Diane percevait derrière son calendrier mondain surchargé tout ce qu'il y avait de froids calculs. Le genre de gens dont il espérait des fonds n'était accessible qu'à des soirées et à des dîners. Rien ne leur semblait réel quand ils n'en avaient pas entendu parler par quelqu'un qu'ils connaissaient devant un verre de cognac et dans la fumée des cigares.

Au début, elle trouva ces sorties amusantes, mais il lui suffit de quelques jours pour voir son enthousiasme se dissiper. Sa qualité de vedette ne signifiait pas grand-chose pour ces gens, qui jugeaient tout le monde aux dimensions de leur fortune et par leur place dans la société et qui trouvaient le cinéma « vulgaire ». Et puis, elle commençait à s'énerver. Elle était prête à donner à Charles une chance de rétablir sa situation à New York, mais, lorsqu'il parla d'acheter un appartement à

Manhattan, elle le découragea avec fermeté. Si elle était toute prête à envisager un pied-à-terre à New York, puisque Charles aurait toujours des affaires ici, elle lui fit clairement comprendre que ce n'était pas là qu'elle voulait vivre.

Si Charles en fut contrarié, il ne le montra pas. Il avait été très étonné de découvrir qu'elle ne possédait presque rien, à part ses actions des studios Empire et la maison de Malibu — sur laquelle elle devait encore une petite fortune à la banque, à l'architecte Billy Soskin.

« Mais tu es une star ! dit-il. On parle toujours d'énormes salaires... je me souviens avoir lu dans les journaux que ton contrat se chiffrait en millions de dollars. »

Elle soupira. Les gens qui n'appartenaient pas au milieu du cinéma croyaient toujours que les stars étaient riches. « Deux millions, oui. Etalés sur trois films ou quatre ans. Mais, n'oublie pas, je suis suspendue. Cantor m'a suspendue juste avant mon... accident. Etre suspendue signifie pas de salaire. Si j'étais payée, Aaron prend dix pour cent. Ça me laisserait donc environ neuf mille dollars par semaine avant impôt. Disons dans les six mille, après impôt. C'est beaucoup, je le reconnais... Clark Gable n'en touche que dix ou douze... Mais si tu veux être une star, il faut *vivre* comme une star. Ça n'est donc pas énorme si tu dois entretenir une maison à Bel Air, une demi-douzaine de domestiques, une villa à Palm Spring...

— Je vois... », dit Charles en faisant craquer ses jointures. La seule mention du nom de Cantor le mettait toujours en colère. « Mais *Les Flammes de la passion* ont rapporté une fortune ?

— Aux studios Empire, oui. Je ne touche rien là-dessus. Les stars sont des employées. Des employées bien payées, mais quand même des employées.

— Et avant ?

— Avant, j'étais sous contrat avec David. Comme nous étions mariés, il n'y avait aucune raison pour qu'il me paye un gros salaire. Après tout, il réglait toutes mes factures. Le fait est qu'entre la maison, les dettes de David et mes frais de médecin, je n'ai rien à la banque et pas de revenus. Acheverria n'est pas bon marché, tu sais.

— J'imagine... Mais, quand même, je n'avais pas idée. Il faut que tu me donnes tous les détails : les hypothèques que tu as prises sur la maison, les factures, etc. Ce qui est à moi est à toi, bien sûr. Tu le sais. »

Diane le dévisagea. « Charles, c'est exactement ce que disait David.

— Je suis beaucoup plus riche que David Konig.

— La question n'est pas là. Je suis une actrice. Je veux me remettre à travailler. Et je possède un morceau des studios Empire. Je veux m'en servir. Je ne veux pas être dans la situation où un homme comme Cantor doive de nouveau me dire ce que je dois faire.

— Je comprends », assura Charles d'un ton grave. Mais elle n'en était pas sûre.

En attendant, il lui imposait un programme surchargé, comme s'il était décidé à ce qu'on les vît partout. Mais Diane décelait — ou croyait déceler — une lueur de haine et de mépris dans son regard, comme si, bien caché derrière cette façade souriante, il y avait un homme furieux, froidement calculateur et qui voulait se venger.

Un soir, après un dîner chez les Winterhalter, Bunny Winterhalter, qui dès le premier jour avait manifesté de l'intérêt pour Diane, la prit à part pour en discuter. Contrairement à la plupart de ses riches amis, Bunny était intelligent — trop intelligent même pour qu'on fût à l'aise avec lui, songea Diane. Il était si riche qu'il aurait fort bien pu se permettre de vivre dans une totale oisiveté, mais son instinct de prédateur le poussait à faire des affaires.

Il semblait aimer sincèrement Charles et, bien que Winterhalter fût plus âgé, les deux hommes de toute évidence appréciaient chacun la sympathie de l'autre et partageaient un certain mépris bien dissimulé pour le reste du monde.

La bibliothèque de son hôtel particulier de Manhattan abritait tant de défenses, de têtes empaillées, de cornes et de peaux qu'un invité avait dit un jour : « On dirait le salon d'attente d'un vétérinaire qui n'a pas réussi », mais, quand Diane lui cita cette phrase, Winterhalter se contenta de hausser les épaules. « C'est seulement la seule raison foncièrement acceptable de s'en aller tout seul dans les bois. »

Il contempla la tête d'un grizzly, qui lui ressemblait un peu. « Les hommes ont besoin de solitude, dit-il après un moment de communion silencieuse avec l'ours. Charles a ce même besoin. C'est le cas de la plupart des hommes qui valent quelque chose. C'est un loup solitaire, comme moi. Un homme dangereux. C'est pour ça que je l'aime bien.

— Il est dangereux, Bunny ?

— Oh oui ! dit-il en hochant la tête. Les gens de valeur le sont toujours. Il vous aime, vous savez.

— Je le sais.

— L'amour, bien sûr, est une émotion très instable. Dieu merci, cela m'a été épargné. Je préférerais me trouver face à face avec un buffle du Cap en train de charger, comme celui dont la tête est au-dessus de nous, avec une seule cartouche dans mon fusil et aucun refuge en vue.

— Bunny, ça me paraît plus dangereux que l'amour.

— Oh ! N'allez pas croire ça ! L'amour est le sport le plus dangereux de tous. Le taux de mortalité est bien plus élevé qu'à la chasse. »

Charles, à sa façon charmante, était aussi imprévisible que David. Il adorait surprendre Diane, généralement en cachant de petits cadeaux qui lui étaient destinés dans les endroits les plus invraisemblables. C'est ainsi qu'un matin elle trouva une bague en diamants dans son pamplemousse et il se passait rarement un jour sans qu'il ne parvînt à la surprendre d'une façon ou d'une autre.

Les aimables petits subterfuges qu'il introduisait dans leur vie conjugale n'étaient — Diane commençait à s'en rendre compte — que le reflet de l'attitude de Charles envers le monde en général. C'était un homme qui opérait dans l'ombre, non par nécessité, mais parce que la conspiration et le double jeu l'amusaient.

A peine s'étaient-ils installés à New York qu'il s'occupait à acquérir des propriétés en Floride et en Californie. En une journée il acheta la minorité de blocage d'un hôtel de Boca Raton et l'échangea à Meyer J. Schine pour un morceau du Roney Plaza de Miami, après quoi il utilisa son morceau du Roney Plaza pour obtenir un prêt de la Banque de Floride et verser une option de cinq millions de dollars sur un kilomètre et demi de terrains en bordure de mer à Fort Lauderdale.

Un matin qu'ils prenaient le petit déjeuner — tous deux s'étaient levés tard un dimanche d'hiver —, Diane fut donc surprise de voir que pour une fois Charles semblait préoccupé. Il lisait la première page du *New York Times* avec une telle attention qu'il ne se leva pas lorsqu'elle s'assit — ce qui était fort inhabituel, car en général ses manières étaient impeccables. Contrairement à la plupart des hommes mariés, Charles ne considérait pas que l'intimité remplaçait la courtoisie.

« Ça n'est pas encore un article sur toi dans les pages financières ? demanda-t-elle.

— Les Japonais ont interrompu leurs conversations avec les Américains. »

Diane resta songeuse. Cela ne signifiait rien pour elle.

« Les Japonais ne vont tout de même pas attaquer les Etats-Unis ? » demanda-t-elle.

Charles semblait sombre. « Oh ! Ils le pourraient bien... Attention, je ne m'attends pas à ce qu'ils bombardent New York... ni même Los Angeles. Mais, si cela se produit, il y aura toutes sortes de problèmes.

— Mais les Japonais sont très loin.

— Les Japonais ? Oui, bien sûr. Chérie, les problèmes ne viendront pas d'eux. Les Américains, bien sûr, finiront par les battre. Les problèmes viendront de Washington. S'il y a la guerre, nous aurons le contrôle des salaires et des prix, les impôts sur les gros bénéfices — toutes sortes d'interférences du gouvernement. La guerre, c'est mauvais pour les affaires.

— Je croyais qu'en temps de guerre les gens gagnaient énormément d'argent ?

— Certains, oui. Mais, dans mon cas, je n'en suis pas si sûr. Après tout, je suis un étranger. Comme le fait si justement remarquer le *Times*, toutes mes affaires ne supporteraient pas qu'on y regarde de trop près. Nombre de mes clients sont de l'autre guerre. Je ne leur demande pas quelles sont leurs opinions politiques, tu comprends, ni pourquoi ils veulent faire sortir leurs capitaux d'Europe. Certains sont des Juifs qui craignent de voir les nazis gagner la guerre. Certains, sans nul doute, sont des nazis qui craignent de la perdre... Je pourrais aller en prison si l'Amérique entre en guerre... Nous n'en arriverons peut-être pas là, mais quand même...

— Il n'y a rien que tu puisses faire ? »

Charles fronça les sourcils. Diane devina qu'il allait révéler un de ses secrets, et elle savait à quel point il avait horreur de cela. « La vérité est si compliquée que je ne peux même pas t'en parler, dit-il. J'ai fourni un certain nombre de... disons renseignements... aux Américains depuis des années. Dans le domaine de l'espionnage, ils sont très en retard sur l'Allemagne et l'Angleterre, mais il y a quand même un petit groupe... moins tu en sais sur leur compte, mieux cela vaut, je pense. Cela les intéresse beaucoup d'en savoir le plus possible sur les achats allemands dans les pays neutres. Certains minerais radio-actifs... mais moins on en dit là-dessus, mieux cela vaut.

— Ils ne te protégeront pas s'il y a un problème ? Quel qu' « il » soit. »

Elle n'avait jamais vu Charles aussi nerveux. Lui, qui même dans la chaleur du Mexique ne transpirait jamais, s'épongea le front avec une serviette, puis secoua la tête.

« Je ne pense pas. Plus on me soupçonne d'être un agent nazi, mieux c'est... de leur point de vue. Et, bien sûr, j'ai en effet d'étroits contacts en Allemagne. Sinon, je ne leur serais d'aucune utilité. Non, je crains d'avoir à affronter le ministère de la Justice et le F.B.I. tout seul, si nous en arrivons là. En tout cas, quoi qu'il arrive, tu ne dois jamais parler de tout cela à qui que ce soit.

— C'est promis. » L'idée de Charles en prison était ridicule, mais Diane se sentit obligée de demander pour manifester sa compassion : « Qu'est-ce que je peux faire pour t'aider ? »

Charles lui prit la main et l'embrassa. Il ramassa par terre une petite serviette de cuir rouge, l'ouvrit avec une clé et en tira une liasse de documents dactylographiés. Il avait pris un ton vif et détaché : « Je savais que je pouvais compter sur toi. Ces papiers sont un peu antidatés, dit-il. Pour plus de sûreté.

— Qu'est-ce que c'est ?

— Tu te souviens que Konig avait créé une société pour toi puis t'avait donné une partie des actions ?

— Bien sûr.

— Ce que je te propose ici revient à peu près au même. Comme tu le sais, j'ai fondé la Pacifica Corporation pour contrôler mes divers intérêts en Amérique. Je possède la majorité des actions — pratiquement, la société m'appartient, tout comme les films Avalon t'appartiennent. Ce que je te propose, c'est de mettre à ton nom mes actions de Pacifica. C'est toi qui auras le contrôle de mes investissements américains — en tout cas, sur le papier.

— Ça n'est pas risqué ? »

Charles examina les roses sur la table du petit déjeuner, évitant soigneusement le regard de Diane. « Risqué ? Je ne vois pas pourquoi. Je te fais confiance. Nous nous aimons. Si tu décidais soudain de me quitter, je pense que j'aurais du mal à récupérer mes actions... mais je ne crois pas que ce soit probable, n'est-ce pas ?

— Non, bien sûr, pourtant...

— Si ça peut te mettre plus à l'aise, nous pouvons procéder à un échange de lettres où tu promets de me revendre les actions après la guerre pour une somme symbolique... Mais cela devrait rester entre nous, tu comprends — strictement entre nous. Si je transfère les actions à ton nom, ce doit être fait sans réserves ni conditions, sinon toute la stratégie tombe par terre.

— Ce n'était pas le risque auquel je pensais, Charles chéri.

— Ah ? A quel risque alors pensais-tu ?

— Tu m'as dit un jour de ne jamais rien signer que je n'aie pas lu — même si mon mari me le demandait. Y a-t-il quoi que ce soit dans Pacifica qui puisse me causer de vrais ennuis ?

— Non, non, tu as raison d'être prudente, dit-il, bien qu'il n'eût pas l'air content. Bien sûr que tu devrais lire ces papiers.

— Que m'apprendront-ils ?

— Pas grand-chose. Ecoute, il n'y a rien dans Pacifica qui puisse t'attirer des ennuis. C'est la vérité. C'est une société qui possède certaines choses, voilà tout. Les capitaux proviennent de mes fonds personnels — et de quelques investisseurs éminemment respectables comme Winterhalter et Windner. D'où proviennent les capitaux est une question qu'on ne te posera pas à toi.

— Je comprends. Je me sentirais quand même mieux si je pouvais montrer tout cela à quelqu'un comme Aaron Diamond.

— Bien entendu. Je n'ai aucune objection. Tu as parfaitement raison. Mais il y a un problème. Je n'avais pas prévu que les choses iraient si vite avec les Japonais. La rapidité peut être essentielle. Tu n'auras peut-être pas le temps.

— J'aimerais y réfléchir. Et en reparler.

— Comme tu voudras », dit Charles. Son sourire était aussi affectueux que jamais mais, pendant un bref instant, il y eut dans ses yeux une lueur de colère ou d'irritation qui disparut si vite que Diane n'était même pas sûre de l'avoir vue.

Elle se leva, noua ses bras autour de son cou et l'embrassa. « Je vais lire les documents, chéri, dit-elle. Et y réfléchir. Si les Etats-Unis entrent en guerre, je te promets de signer tout de suite. Qu'est-ce que tu en dis ? »

Il l'attira sur ses genoux. « Ça me paraît très bien. Il faut voir les choses ainsi : nous serions partenaires autant qu'amants.

— C'est une proposition séduisante. » Elle se leva. Il en fit autant, la prit par la taille et l'entraîna vers la chambre. « Que va penser Quayle en voyant que nous n'avons pas fini notre petit déjeuner ? » demanda-t-elle tandis que Charles fermait derrière eux la porte de leur chambre.

« Sans doute la vérité. Peu importe. Aucun homme n'est un héros pour son valet de chambre. Ni un saint ! »

Elle laissa ses mains courir sur le corps musclé de Charles. « Est-ce vrai qu'une femme ne peut pas témoigner contre son mari ? » demanda-t-elle en riant tandis qu'il l'attirait contre lui.

Elle était trop près de lui pour pouvoir voir son expression, mais elle sentit son corps se crisper et elle espéra qu'il avait compris qu'elle ne faisait que le taquiner.

« Pas exactement, dit-il d'un ton très calme. On ne peut pas l'*obliger* à témoigner contre vous. Si elle le veut, elle peut. »

Puis il lui fit l'amour et Diane eut l'impression que, même si Charles était toujours un merveilleux amant, il se surpassait cette fois — comme s'il était décidé à lui montrer à quel point il l'aimait.

Lorsqu'elle s'éveilla, Charles, allongé sur les coussins, regardait le Caravaggio de Wildner.

« Il y avait une autre toile exactement comme celle-ci dans la collection d'Ernst von Salomon à Munich, dit-il. Une toile identique. Le vieux Windner ne le savait pas lorsqu'il a acheté celle-ci. Il l'a payée un demi-million de dollars, puis a découvert qu'il y avait deux tableaux et que personne ne savait lequel était vrai et lequel était une copie. Même Berenson était incapable de décider.

— Qu'est-ce qu'a fait Windner ? demanda Diane en se mettant sur le côté pour que Charles pût lui frotter le dos.

— Ce qu'il a fait ? Il a acheté le Caravaggio de von Salomon aussi, bien sûr. Pour quelque chose comme sept cent cinquante mille dollars ! Puis il l'a détruit — il a coupé la toile en petits morceaux et il les a fait brûler dans la cheminée. " Maintenant, le mien est le vrai ", dit-il — et, comme c'était le seul, il avait raison. Il vaut sans doute plusieurs millions de dollars aujourd'hui. Peut-être plus. C'est beaucoup d'argent pour une toile... » Charles alluma une cigarette et plissa les yeux pour regarder le Caravaggio à travers la fumée. « Des mots comme " faux " ou " escroquerie " ne veulent rien dire quand on parle de valeurs. Prends tes actions des studios Empire, par exemple. Elles n'ont pas beaucoup de valeur pour toi pour l'instant, hein ? En Bourse, elles ne te rapporteraient pratiquement rien.

— C'est ce que m'a dit Kraus.

— Ce type d'Europe centrale a l'air soucieux ? Il m'a bien plu. Un homme d'une intelligence remarquable. Je serai franc avec toi : je crois qu'il est temps que nous fassions quelque chose avec ton morceau des studios Empire.

— Tu ne songes pas à te lancer dans l'industrie cinématographique, Charles ?

— J'y ai un peu pensé. Oh ! Ne va pas te méprendre, je ne me vois pas en producteur. Mais c'est une bonne affaire. Et ce serait commode de contrôler une grosse société américaine. Une compagnie comme Pacifica n'est qu'une commodité juridique. Elle a une adresse, un numéro de téléphone, une secrétaire, et des millions de dollars. Les studios Empire sont mal gérés. Dans de bonnes mains, ça pourrait valoir une fortune.

— J'ai déjà eu toute cette discussion, avec David.

— Oui, mais permets-moi de te dire que la situation est maintenant un peu différente. C'était un excellent homme de spectacle, mais pas très fort dans ce genre d'opération. Et Sigsbee Wolff était fondamentalement une canaille. Je vais te dire comment nous allons jouer le coup. La première chose à faire, c'est d'attaquer en justice. Après tout, Cantor t'a suspendue sans cause et a essayé de détruire ta carrière. Ensuite, nous exigerons d'être représentés au conseil. Ensuite, nous attaquerons pour abus de biens sociaux. Nous les ligoterons sous les procès. Ton ami Kraus ne devrait pas avoir de mal à déterrer certains faits sur la façon dont Braverman et ses copains ont mis au pillage les studios Empire. Après cela, nous faisons venir des poids lourds de Wall Street, des gens comme Windner ou Winterhalter — le genre de nom qu'aiment bien les banques. »

Diane vint frotter son pied contre celui de Charles, mais cette fois ce n'était pas l'envie de faire l'amour qui la poussait. « Qui mettrais-tu au conseil ? » demanda-t-elle, en essayant de prendre un ton désinvolte.

Charles haussa les épaules. « Certainement pas moi, pour commencer — pour des raisons évidentes. Peut-être Winterhalter.

— Mais, Charles, ce sont *mes* actions.

— Oui, bien sûr...

— Je veux avoir le plaisir de mettre moi-même la main sur les studios Empire, chéri. Je veux voir la tête de Cantor. »

Charles éteignit sa cigarette et en alluma une autre. Le déclic de son briquet était le seul bruit qu'on entendait dans la pièce.

Il soupira. « Je ne suis pas sûr que ce soit une très bonne idée, commença-t-il.

— Pourquoi pas ? Si tu peux me faire confiance pour Pacifica, tu peux me faire confiance pour les studios Empire.

— Le transfert de Pacifica n'est qu'une transaction sur le papier. Ça n'est pas toi qui dirigeras la société. Tu le sais.

— Je le sais. Mais ça ne veut pas dire que je ne puisse pas me débrouiller dans l'industrie cinématographique, Charles. J'apprends vite. Et David était un bon professeur. Je ne vais certainement pas laisser utiliser mes actions rien que pour voir Dunny Winterhalter siéger au conseil. »

C'était la première fois qu'elle s'était jamais heurtée à Charles à propos de quelque chose qui concernait les affaires, et elle attendait de le voir perdre son calme. Elle se demandait s'il allait faire machine arrière. Mais il ne se mit pas en colère. Il se retourna pour la regarder, vit qu'elle parlait sérieusement et sourit.

« Ça pourrait avoir ses avantages, dit-il doucement. Une femme. Une jolie femme... Une star. La publicité serait extraordinaire. Et la beauté de la chose, c'est que personne n'a rien contre toi. »

Mais avant que Diane ait pu lui expliquer que ce n'était pas tout à fait vrai ni qu'elle ait pu se féliciter d'avoir vaincu la réticence initiale de Charles, on frappa à la porte.

Charles passa son peignoir et alla voir ce que voulait Quayle. Lorsqu'il revint, il avait l'air sombre. Il tenait sous le bras la serviette de cuir qu'il avait montrée à la table du petit déjeuner. Il l'ouvrit, étala les papiers sur le lit et prit dans sa poche un stylo. « Je suis désolé, dit-il. Les Japonais ont bombardé Pearl Harbor. »

Diane prit le stylo. Il semblait froid sous ses doigts. Elle ne se rappelait pas avoir jamais rien signé qui l'eût rendue heureuse ni qui fût à son avantage. Lorsqu'un homme vous présentait quelque chose à signer, c'était en général une mauvaise nouvelle.

Pourtant une promesse était une promesse. Elle signa.

« Alors, lui demanda Winterhalter, vous retournez en Californie ? »

Elle acquiesça. « Charles vous l'a dit ?

— Charles m'a dit certaines choses. Sans doute pas tout, si je le connais. Vous préférez être là-bas ?

— Oui. C'est ma place. Je suis une comédienne.

— Il va là-bas aussi ?

— Il parle d'acheter une maison. Il passerait quelque temps là-bas, quelque temps ici.

— Je ne crois pas qu'il puisse diriger ses affaires de là-bas, vous savez. Je ne vois pas Charles s'installant pour passer le reste de ses jours à Beverly Hills. Les gros capitaux sont ici.

— Nous verrons, Bunny. »

Elle jeta un coup d'œil à Charles qui se tenait un peu à l'écart, auprès de Felix Wildner. Wildner était un de ces hommes riches qui avaient atteint la cinquantaine sans grandir, en adolescents avec une petite moustache qui pointait au-dessus des lèvres boudeuses d'un enfant gâté. Il s'était marié cinq ou six fois — personne ne semblait savoir exactement — peut-être même ceux qui le connaissaient bien avaient-ils perdu le compte et s'en moquaient-ils.

« J'étais en train de dire à Charles quel heureux coquin il était », fit Wildner.

Diane glissa son bras sous celui de Charles pour montrer qu'elle aussi trouvait qu'il avait de la chance, puis elle lui donna un petit baiser sur la joue pour montrer qu'elle avait de la chance aussi.

« Aucune de mes femmes à moi ne m'a jamais apporté un bon investissement, dit Wildner.

— Felix, dit Charles, je ne l'ai pas épousée pour ses actions dans les studios Empire.

— Non, non, c'est symbolique. » La plupart des épouses de Wildner sortaient d'une troupe de girls.

« Bien sûr, ces gens là-bas, il faut les surveiller tout le temps, dit Wildner en plissant ses petites lèvres boudinées d'un air dégoûté. Si on leur laisse l'occasion, ils vous dépouilleront complètement », murmura-t-il.

Diane n'eut aucun mal à deviner qui Wildner entendait par « ces gens-là », cela ne fit qu'accroître l'antipathie qu'il lui inspirait. Elle n'avait jamais compris l'antisémitisme et, compte tenu des préjugés de race dont elle avait souffert dans sa propre jeunesse, elle trouvait cette attitude déplaisante. Elle non plus, si jamais la vérité était connue, n'était pas de leur race.

Elle le toisa froidement. Il l'ignora et continua à parler à Charles, qui écoutait gravement, haussant un sourcil pour montrer que, s'il était prêt à entendre Wildner, il réservait son jugement. Il était rare que Charles exprimât ouvertement son désaccord avec les gens. Il écoutait chacun avec la même indifférence polie que bien à tort on pouvait prendre pour un acquiescement. Wildner finit par s'arrêter pour reprendre son souffle. « Je ne sais pas pourquoi je vous raconte tout ça, dit-il. Vous êtes un loup solitaire, alors vous n'en ferez probablement qu'à votre tête.

— Il n'est pas tout à fait un loup solitaire, dit Diane.

— Quoi ? » demanda Wildner. Il n'avait pas l'habitude d'être interrompu par des femmes, si célèbres qu'elles fussent.

« Ce que je veux dire, Felix, c'est que je compte bien m'occuper de tout cela.

— Comment donc ?

— J'ai quelques idées à moi sur ce qui doit être fait.

— Diane connaît les personnages, fit Charles d'un ton léger. Et le métier.

— C'est une comédienne », dit Wildner, cherchant un soutien auprès de Charles et de Winterhalter.

Ce dernier haussa les épaules. Il semblait amusé. « Et Jo Kennedy n'a jamais fait un geste à la R.K.O. sans demander son avis à Gloria Swanson, dit-il.

— Jo Kennedy est un traître à sa classe.

— C'est une canaille, fit Winterhalter d'un ton pensif. Je vous l'accorde.

— Il a accepté une ambassade de Roosevelt. Ça dit tout. » Wildner se rembrunit encore en prononçant le nom du président. Il se pencha en avant comme s'il allait dire quelque chose de confidentiel et ajouta dans un murmure théâtral : « Passez la main dans le dos des nègres, je passerai la main dans le dos des Juifs — et nous resterons à la Maison-Blanche aussi longtemps que nous voulons ! » Il se mit à rire, renifla, puis lança un clin d'œil à Diane.

« Je crains de ne rien connaître à la politique, observa Charles avec tact, le visage totalement inexpressif. Je ne suis pas citoyen américain, vous comprenez...

— Moi, si », fit Diane d'un ton ferme en lançant un regard glacé en direction de Wildner.

Ce dernier parut se rendre compte qu'il était allé trop loin. « Je dis simplement que la finance et la politique des sociétés ne sont pas l'affaire d'une femme, dit-il. C'est une chose de posséder des actions mais c'en est une autre que de s'en servir. Ma mère possédait beaucoup d'actions. Mais elle laissait mon père prendre les décisions pour elle. C'était son rôle.

— Je crois que je peux tenir le mien, Felix.

— C'est une bonne négociatrice, murmura doucement Charles. Elle a eu de moi ce qu'elle voulait.

— Après ça elle va vouloir diriger les studios », remarqua Wildner d'un ton las, mais il accepta la défaite avec sa bouderie habituelle.

Avant que Diane eût pu dire un mot, Dunny Winterhalter éclata de rire — un grand rire tonitruant qui fit cesser toute conversation dans la pièce — et, donnant à Wildner une claque sur l'épaule si vigoureuse que celui-ci faillit en tomber à genoux, il dit : « Je n'en serais pas surpris. »

Charles, Diane ne put s'empêcher de le remarquer, ne rit pas.

Elle non plus.

La soirée donnée par les Esterhazy à la Colony suivait les nouvelles conventions mondaines d'après lesquelles les resquilleurs étaient aussi bien accueillis que les invités et il y avait l'attraction supplémentaire que le duc et la duchesse de Windsor étaient là. Graziela Esterhazy (une des nombreuses ex-Mrs. Wildner) donnait cette réception pour fêter l'anniversaire de Bo-Bo Esterhazy et, comme le duc et la duchesse étaient redevables à celui-ci de nombreuses faveurs petites et grandes, ils avaient consenti à honorer la soirée de leur présence.

La duchesse, dans une robe de soie gris pâle, était assise d'un air boudeur à une table, pendant que le duc, avec l'air d'un patient qu'on vient de placer sous anesthésie générale, était installé à une autre entre

Diane et Graziela, ses yeux pâles reflétant quelque chose qui dépassait le simple ennui. Il avait l'esprit ailleurs, peut-être pensait-il à la couronne à laquelle il venait de renoncer ou, plus probablement, à rien du tout. A part le fait qu'il fumait une cigarette après l'autre et qu'il sirotait du scotch, on aurait fort bien pu le prendre pour un homme dans le coma.

Diane essaya plusieurs sujets de conversation, mais aucun d'eux ne semblait capable d'animer Son Altesse royale. Au bout d'une demi-heure environ, un serveur arriva avec un petit billet sur un plateau d'argent. Le duc ne broncha pas jusqu'au moment où le serveur s'éclaircit la voix en disant : « Monseigneur, c'est de la duchesse. »

Le duc parut se réveiller, ouvrit le billet et le lut avec une lenteur attentive qui donnait à penser qu'il n'était pas à l'aise avec les messages écrits ou bien qu'il avait besoin de lunettes et qu'il était trop vaniteux pour en porter. Il s'empressa de reposer le billet sur la table, mais Diane avait eu le temps de lire les cinq mots griffonnés de l'écriture anguleuse de la duchesse : « Ayez l'air vivant, bon sang ! »

Comme il s'empressait d'obéir à l'ordre de la duchesse, sa brusque animation était redoutable à observer, les yeux délavés pivotant dans leurs orbites en direction de la duchesse pour voir si celle-ci était satisfaite.

« Comment va votre mari ? demanda-t-il, dans un effort désespéré pour faire la conversation.

— Très bien, monseigneur. Il est assis en face de vous. »

Le duc sourit à Charles, puis une lueur d'hésitation apparut dans son regard. « Il paraissait plus vieux la dernière fois que je l'ai vu », dit Son Altesse royale.

Diane était déconcertée.

« J'aime bien ses films. Ceux dans lesquels vous jouiez.

— Je crois que vous voulez parler de mon précédent mari, monseigneur. Sir David Konig.

— Bien sûr que oui. Je suis désolé. Qu'est-donc devenu Konig ? Vous avez divorcé ? Je n'arrive pas à me tenir au courant, reprit le duc avec agacement. Les Bermudes, c'est un vrai trou.

— Sir David est mort, monseigneur.

— Vraiment ? Je m'en souviens maintenant. Bien sûr que oui. Je l'aimais bien. Vous aussi, sans doute. Qui est le nouveau ?

— Charles Corsini, monseigneur.

— Vraiment ? Bon sang, je le savais. Je jouais au polo avec lui autrefois. Au temps où je jouais au polo. La duchesse n'aime pas que je pratique des sports dangereux. » Il tendit le bras à travers la table, renversant au passage son verre de vin, et serra mollement la main de Charles. Cet effort parut l'épuiser. « Vous pourriez me donner quelques conseils pour mes placements, dit-il à Charles. Manolo Guzman me dit que ça pourrait me rapporter deux fois plus.

— Il a sans doute raison, monseigneur. Naturellement, je suis à votre service.

— Très aimable. Venez me voir pour que nous bavardions. Bo-Bo nous a installés au Ritz Tewers.

— Votre Altesse royale reste longtemps ? demanda Diane.

— Je ne sais pas. Ça dépend des achats que prévoit la duchesse. Nous sommes venus ici avec toute une bande. Billy Soskin. Manolo et Manette Guzman, Penty Daventry... » Diane sentit une peur irrationnelle la traverser, qu'elle réprima au prix d'un grand effort de volonté. Elle était si occupée à essayer de faire la conversation avec le duc que c'était à peine si elle avait remarqué qui étaient les autres invités.

Le duc se retourna vers Diane. « Bien sûr, vous connaissez Mrs. Daventry ? demanda-t-il.

— Nous nous sommes rencontrées il y a des années, fit Diane. En traversant l'Atlantique. »

Mrs. Daventry était plus bronzée que jamais, mais une trop longue exposition au soleil et les effets de l'âge avaient donné à sa peau l'aspect du bacon grillé, Diane le constata avec satisfaction, en même temps qu'apparaissaient les premières taches de vieillissement.

Mrs. Daventry serra la main de Diane. Les yeux verts étaient toujours aussi durs et parurent à Diane refléter la même brûlante hostilité qu'elle lui avait vue voilà des années dans les toilettes de chez Sirpo. Le duc se rassit lourdement, indiquant d'un geste alangui de la main droite que les dames pouvaient, ou peut-être devaient, en faire autant. Il avait horreur de rester debout. Cela lui rappelait les interminables heures de cérémonies du temps qu'il était roi.

« Mrs. Daventry est au même hôtel que nous, dit le duc. C'est une amie de la duchesse », ajouta-t-il, comme si la distinction avait de l'importance pour lui. Diane devina qu'il n'entendait pas être désobligeant envers Mrs. Daventry, mais simplement bien montrer, en présentant une jolie femme, qu'il n'y avait rien entre eux. La jalousie de la duchesse était bien connue et elle était à l'affût du moindre signe que son mari pût s'intéresser à une autre femme.

« Vous étiez avec ma sœur quand elle s'est tuée ? » demanda Mrs. Daventry en se penchant pour parler à Diane comme si le duc était un obstacle à la conversation.

Diane essaya de se persuader qu'elle n'avait rien à craindre de Mrs. Daventry et l'espace d'un instant elle n'y parvint pas. Elle se sentit la gorge sèche en entendant le ton cassant de Mrs. Daventry. Elle but une gorgée d'eau et se dit de ne pas être idiote. Elle était une star, une princesse, plus célèbre que Mrs. Daventry ne le serait jamais. Et Mrs. Daventry, qu'avait-elle fait de sa vie et de sa beauté ? Elle avait épousé un gros lard dans un coin perdu de l'Empire.

« Je n'ai pas assisté à l'accident, si c'est ce que vous voulez dire », fit-elle sèchement.

Mrs. Daventry haussa un sourcil en entendant le ton qu'avait pris Diane. « Peut-être, concéda-t-elle de mauvaise grâce. J'ai toujours pensé que c'était une grave erreur de la part de Cynthia d'épouser Richard Beaumont. Je le lui avais dit à l'époque mais elle n'a pas voulu m'écouter. Papa non plus.

— C'était un mariage difficile, reconnut Diane, espérant mettre rapidement un terme à la conversation.

— Tous les mariages sont difficiles. Le sien était irraisonné. D'abord les gens ne devraient jamais se marier en dehors de leur classe. » Mrs. Daventry dévisagea Diane avec une hostilité renouvelée. « Cynthia était stupide, dit-elle. Quand même, c'était ma sœur. Je peux lui pardonner d'avoir sauté par la fenêtre — même si je ne peux pas le comprendre. Mais je ne peux pas le pardonner à Beaumont. Ni à ses prétendus amis. »

Diane la regarda droit dans les yeux. « J'étais son amie la plus proche, figurez-vous.

— Justement, fit Mrs. Daventry d'un ton déplaisant. Et qu'a-t-elle vu qui l'a fait sauter par la fenêtre, je me le demande ?

— Quelle importance ? Elle avait bu, vous savez. Elle n'était pas censée le faire, mais personne ne pouvait l'arrêter.

— Peut-être que personne n'a beaucoup essayé. En tout cas, les gens ne sautent pas par la fenêtre parce qu'ils sont ivres. Pas même Cynthia. » Elle prit une cigarette, jeta un bref regard agacé au duc et l'alluma elle-même. « Attention, reprit-elle, je ne dis pas que je ne puisse pas comprendre. Beaumont est un homme séduisant. Mais Cynthia croyait que vous étiez son amie. Elle avait confiance en vous. Vous saviez qu'elle avait déjà essayé de se tuer une fois. Etait-ce parce qu'elle avait découvert la vérité à propos de vous et de Beaumont ? Je le suppose.

— Mrs. Daventry, rien ne m'oblige à supporter...

— C'est vrai. Vous voilà princesse, maintenant ! Cynthia m'a raconté que, la première fois qu'elle vous avait vue, vous étiez danseuse dans une minable petite boîte de Soho ! »

Diane pâlit de rage, mais l'autre la regardait avec un sourire triomphal, et ses yeux verts étincelaient. « Je ne pense pas que vous vouliez provoquer une scène, princesse. Je n'imagine pas que Corsini aimerait beaucoup ça non plus, n'est-ce pas ? Nous allons donc garder ça entre nous, voulez-vous ? Sachez simplement que peu m'importe que vous soyez une princesse, une vedette de cinéma. Je vous tiens responsable de la mort de Cynthia.

— Absolument pas. Peu importe qui eût été vu avec Beaumont, en tout cas ce n'était pas moi...

— Si ce n'était pas vous, alors qui donc était-ce ? Vous étiez là. »

Diane se leva, tremblant de rage. « Si vous tenez à le savoir, répliqua-t-elle, c'était un autre homme. »

Mrs. Daventry éclata de rire. « Il faudra trouver mieux, princesse. Je n'aime pas beaucoup Vicky Beaumont, loin de là, mais personne n'a jamais raconté que c'était une tante. Cynthia s'en serait doutée, et elle ne m'en a jamais parlé... Ah ! Voici votre dernier mari, le prince charmant. » Mrs. Daventry leva les yeux en voyant Charles approcher. Elle lui sourit comme si Diane et elle venaient d'avoir une aimable conversation, puis elle donna un coup de coude dans les côtes du duc pour le réveiller. « Vous savez, dit-elle à Diane, chaque fois que je vous vois, je ne peux pas m'empêcher de penser que nous nous sommes déjà rencontrées.

— En effet », répondit Diane sur un ton froid. Inutile de poursuivre la scène devant Charles. « Avant la guerre, sur le *Mauretania.*

— Je veux dire avant... Où disiez-vous que vous viviez en Inde ?

— Je n'ai rien dit. Il y a bien longtemps de cela... »

Mrs. Daventry tendit à Charles sa main à baiser et il s'assit. « Votre femme et moi parlions de l'Inde, prince, fit Mrs. Daventry.

— Je n'y suis jamais allé.

— C'était un pays merveilleux. Bien sûr, tout cela est fini maintenant. On leur a promis l'autonomie. Ce sera la fin de tout... Vous verrez. » Elle soupira et but une longue gorgée. Son bracelet tinta contre le bord du verre.

« Une belle pièce », dit Charles poliment, pour changer de sujet. Il avait son opinion sur l'Empire britannique et devinait qu'elle ne coïncidait guère avec celle de Mrs. Daventry.

« N'est-ce pas ? fit-elle en levant le poignet. Ce bracelet a toute une histoire, vous savez. On me l'avait volé. L'homme qui l'avait volé s'est enfui en Angleterre avec une petite tchi-tchi.

— Qu'est-ce qu'une tchi-tchi ? demanda Charles.

— Une Eurasienne. Ou une Anglo-Indienne — comme elles préfèrent s'appeler. »

Charles hocha la tête. Il n'écoutait qu'à demi, comme s'il pensait à autre chose. « Passionnant, dit-il avec un enthousiasme qui sonnait faux.

— Vous rentrez en Angleterre ? demanda Diane à Mrs. Daventry en priant que ce fût le cas.

— En Angleterre ? fit Mrs. Daventry en riant. Il n'y a pas de place dans les convois pour les civils. Et, même s'il y en avait, je n'ai guère envie de partager une cabine avec quatre inconnus ni de voyager sans ma femme de chambre. Je crois que je vais rester ici quelque temps... Nous avons tellement d'amis en Amérique. »

Elle termina son verre et se leva. « Je suis sûre que nous nous rencontrerons de nouveau, Miss Avalon. » Elle gratifia Diane d'un sourire aussi chaleureux qu'un cube de glace. « Pardonnez-moi. Princesse, bien sûr. On oublie ces changements de... de titre. »

Elle fit la révérence au duc, qui répondit d'un vague hochement de tête, puis elle tourna les talons et s'éloigna dans la foule.

« Tu vas bien ? » murmura Charles.

Diane acquiesça de la tête.

« On dirait que tu viens de voir un fantôme.

— J'ai la migraine. C'est tout. Cette horrible femme...

— Elle ne m'a pas paru si horrible que ça, un peu assommante, peut-être...

— Ramène-moi à la maison, Charles, je t'en prie. Je ne me sens pas bien. »

Il prit aussitôt un air inquiet. « Bien sûr, répondit-il, s'empressant de présenter ses excuses au duc. Veux-tu que j'appelle un docteur ?

— Non, non...

— Il vaut mieux ne pas prendre de risques, poursuivit Charles en l'entraînant à travers la foule. Il y a des cas où il est très important de se reposer.

— Charles, dit-elle, ce n'est pas ça. Je ne suis pas enceinte.

— Bon, bon », fit-il d'un ton uni.

Mais il n'en pensait rien, Diane le savait. Elle sentait la déception dans sa voix, malgré ses efforts comiques pour le dissimuler. Une fois par mois, juste avant ses règles, Charles se montrait plus prévenant que jamais et, une fois par mois, il était contraint de dissimuler son désappointement quand tout se passait normalement.

Tôt ou tard, elle devrait lui dire la vérité.

Cette nuit-là, pour la première fois depuis des mois, elle rêva de la mort de Morgan et s'éveilla trempée de sueur, l'image du pique-feu dans son esprit.

Charles dormait auprès d'elle. Au mur en face du lit, le personnage du Caravaggio de Windner la regardait, vaguement éclairé par la lumière de la veilleuse. Vrai ou faux, c'était un chef-d'œuvre, encore que ce ne fût pas le genre de tableau que Diane aurait voulu avoir dans sa chambre. On lisait une telle peur dans les yeux du personnage que Diane s'attendait presque à l'entendre hurler.

Elle essaya de se rappeler le nom de la toile. Sans qu'elle pût se l'expliquer, cela lui semblait important. Elle se leva sans bruit et s'approcha pour regarder la petite plaque de cuivre vissée sur le cadre. Le titre était gravé dessus : « Bacchante punie pour un mensonge. »

Elle éteignit la veilleuse et revint se coucher, mais elle n'arrivait pas à oublier les yeux.

Ils ressemblaient exactement aux siens.

21

« C'est la guerre ! » s'était exclamé Myron Cantor en apprenant que Corsini mobilisait ses troupes sur la côte Est, à Wall Street.

La nuit, le studio était si tranquille qu'on aurait dit un royaume abandonné. Il était isolé du monde extérieur et de la réalité : c'était un royaume de rêves.

Kraus déambulait, s'efforçant de dissiper les crampes qu'il avait dans les jambes et son mal de tête. Jour après jour, soir après soir, il avait suivi d'interminables réunions avec Marty Braverman et Myron Cantor qui cherchaient le moyen de se protéger de Charles Corsini.

Quelques jours après Pearl Harbor, Cantor avait donné un déjeuner pour les cadres des studios Empire sur le plateau numéro un, afin de les préparer à la lutte. Il ne leur cacha pas le fait que les actions que possédait Diane faisaient de Corsini un redoutable adversaire. Il se leva devant un grand drapeau américain et leva son verre. « En cette heure critique de notre histoire, lança-t-il, je vous demande de vous joindre à moi pour porter un toast à notre grand président... » Il marqua un temps pour souligner son effet... « Martin B. Braverman ! »

Il fallut aux cadres du studio, qui pour la plupart s'attendaient à porter un toast au président Roosevelt, quelques instants pour se remettre du choc, mais Cantor savait ce qu'il faisait. Il les avertissait que l'ennemi n'était pas Hitler ni Tojo, mais Corsini.

Ce fut Corsini qui tira le premier, mais Cantor, qui aimait à se considérer comme un bagarreur, ne tarda pas à riposter. Des articles commencèrent à apparaître dans les journaux sur le passé de Corsini, avec des photographies du pauvre Luckman, menottes aux mains, à l'époque de son procès. Charles écarta ces insinuations d'un haussement d'épaules. Il avait commis des erreurs dans le passé, il en convenait avec dignité. Et qui ne l'avait pas fait ? Mais il en avait tiré la leçon et il faisait remarquer l'indéniable respectabilité de ses nouveaux associés. Il laissait entendre que même le duc de Windsor était derrière lui.

Quelques jours plus tard parurent d'autres articles, plus inquiétants, cette fois sur l'origine des fonds de ses banques sud-américaines. Le bruit courait que ces banques servaient de dépôt à de grosses sommes d'argent provenant de « certains clients » d'Europe qui voulaient garder leur argent à l'abri au cas où Hitler perdrait la guerre. Un journal réussit à découvrir une photographie de Charles aux jeux Olympiques de Berlin, serrant la main du général Goering.

Charles, pour sa défense, affirma qu'il n'en avait pas fait plus que le colonel Lindbergh ; il s'était simplement montré poli envers ses hôtes. Quelles que fussent ses sympathies personnelles (il prenait grand soin de ne pas les étaler), en tant qu'homme d'affaires, il se sentait libre de traiter avec n'importe qui. Peut-être avait-il été naïf à propos de la menace nazie, mais il n'était sûrement pas le seul.

Charles riposta par des contre-attaques contre les directeurs des studios Empire. Cantor avait refusé, pour des raisons purement personnelles, d'employer la grande vedette féminine du studio, Diane Avalon. Quant à Braverman, Corsini fournit la preuve que depuis des années il faisait payer par le studio ses frais personnels, y compris la pension mensuelle versée à sa maîtresse, Ina Blaze, et le coût du mariage de sa fille.

Si on ne prenait pas sérieusement ces accusations sur la côte Ouest, où il était généralement admis que les directeurs de studios avaient le droit de voler — mais dans l'Est, où ces choses-là étaient faites avec plus de subtilité, elles produisirent une certaine sensation.

Chez Kraus, elles provoquèrent des brûlures d'estomac, puisque c'était lui qui avait dû déterrer les éléments sur lesquels elles se fondaient. Il ne se sentait pas de loyauté particulière envers Cantor, et certainement aucune envers Braverman, mais il ne pourrait s'attendre à aucune indulgence s'ils l'emportaient — et s'ils découvraient qu'il avait travaillé pour l'adversaire.

Il traversa la rue à peine éclairée de la bourgade des westerns des studios, avec ses poteaux où attacher les chevaux et ses trottoirs en bois, poussa les battants de la porte du saloon, traversa le bar et la salle de jeux pour sortir de l'autre côté, qui donnait sur une ruelle médiévale, avec ses pavés inégaux et ses vieilles maisons.

Il frissonna malgré lui. Cela lui rappelait l'Europe et les ghettos. Au bout de la rue, spectacle surprenant, une limousine noire était garée. Il s'en approcha, ouvrit la portière, baisa la main de Diane et prit place auprès d'elle.

« Vous avez l'air fatigué », dit-elle.

Il haussa les épaules. « Autant travailler dans un asile. Enfin, que voulez-vous ? Ces gens luttent pour leur vie. Depuis les révélations sur les affaires financières de Braverman, les banques ont retiré leur soutien. Ça leur était égal que Braverman puise dans la caisse quand il le faisait discrètement — et qu'il gagnait de l'argent. Maintenant, elles font semblant d'être choquées.

— C'est bon signe.

— Oui. D'un autre côté nous avons affaire à des hommes désespérés.

— Désespérés à quel point ?

— Cantor a discuté avec votre vieil ami Dominick Vale. Ça me paraît assez désespéré.

— Qu'est-ce que pourrait donc faire Dominick ?

— Il possède quelques actions des studios. Il a acheté comme un fou. Il a beaucoup d'argent et peut disposer de davantage encore. Sa société contrôle des hôtels, des casinos, des cinémas... S'ils le font venir, ils pourraient bien réussir à combattre Corsini. Bien sûr, le problème, c'est que les associés de Vale se glisseront derrière lui, et ce ne sont pas exactement des hommes d'affaires conventionnels...

— Des gangsters ?

— Je crois que la formule est " ayant des liens avec le milieu ". Si eux arrivent, ils découperont les studios Empire en ne laissant que la carcasse.

— On ne peut pas les arrêter ?

— Les arrêter ? Dès l'instant où ils auront mis la main sur Cantor et Braverman, non. Mais Vale, on pourrait sans doute l'acheter. A ce stade.

— Comment ?

— En lui promettant pour commencer un siège au conseil d'administration et il en sera parfaitement satisfait pour quelque temps. Il ne va pas se lancer dans une guerre contre votre mari s'il n'y est pas obligé.

— Vale n'est pas un de mes amis.

— Qui parle d'amitié ? C'est un réaliste. Offrez-lui quelque chose qu'il n'ait pas à partager avec ses associés et il viendra vous manger dans la main.

— Très bien, je vais le voir. Dites-lui que je suis au bungalow numéro un. »

Kraus s'éclaircit la voix. « Il ne veut pas aller là-bas.

— Pourquoi donc ?

— Vale a changé. Vous verrez. Il est devenu un peu... excentrique. Los Angeles fait ça aux gens. Il faut que vous alliez le voir.

— Oh ! Très bien », dit Diane. Elle aussi avait les nerfs un peu à vif. Elle comprenait parfaitement pourquoi Charles était resté à New York, mais cela signifiait que la plupart du temps elle devait prendre des décisions toute seule et, bien qu'il la soutînt toujours lorsqu'il parlait au téléphone, comme il le faisait plusieurs fois par jour, elle sentait bien qu'il était inquiet. Elle savait qu'il craignait de voir le gouvernement prendre des mesures contre lui et, plus on lui faisait de la publicité, plus les risques étaient grands. Elle ne pouvait guère imaginer qu'on allait mettre en prison quelqu'un comme Charles, mais c'était de toute évidence une possibilité que lui prenait au sérieux — et qui savait mieux que lui quel genre d'argent avait trouvé son chemin jusque dans les caisses de la Banque du Rio de la Plata ?

Elle était sûre d'une chose : ayant commencé le combat, elle devrait le remporter, pour Charles aussi bien que pour elle.

« Il faut que je parte, dit Kraus. Il y a encore une réunion. On le remarquera si je ne suis pas là.

— Où est-ce que je retrouve Dominick ?

— Je vous le dirai. »

Diane mit une heure à trouver l'adresse et, quand elle y réussit, elle crut que Kraus pour une fois s'était trompé, puisqu'il s'agissait d'une société de location de costumes sur West Tico, au premier étage d'un immeuble délabré repeint tant bien que mal dans diverses nuances d'un rose fané.

Elle grimpa le petit escalier mal entretenu, frappa à une porte vitrée et s'entendit invitée à entrer par une voix basse et rauque. Dans la petite pièce de réception, un homme corpulent qui avait l'air d'un lutteur empâté la dévisagea de derrière un bureau métallique qui avait connu des jours meilleurs.

« Je suis venue voir Mr. Vale, dit-elle.

— Au fond. »

Elle poussa la porte et pénétra dans une pièce sombre, poussiéreuse et mal éclairée. Dominick Vale était assis tout au fond, mais même de loin l'odeur de ses bonbons à la menthe lui rappela aussitôt le passé qu'ils partageaient. Elle devina tout de suite pourquoi il ne voulait pas être vu en public : Vale était devenu gras. Ses cuisses tendaient le tissu de son pantalon lorsqu'il était assis et il avait une paire de doubles mentons aussi bien que le début d'un bourrelet de graisse sur la nuque, juste au-dessus de son col de chemise.

Il avait toujours eu les cheveux clairsemés et il s'était toujours donné beaucoup de mal pour les peigner de façon à le dissimuler, mais il avait maintenant un commencement de tonsure.

S'il était aussi méticuleux que jamais pour sa toilette, il donnait pourtant une impression non plus d'élégance, mais plutôt d'essayer de façon pénible et presque comique de dissimuler sa corpulence. De temps en temps, il s'éventait avec un panama, dont le bandeau était assorti à sa cravate. Ses yeux, Diane le remarqua, étaient toujours aussi menaçants sous les épais sourcils.

Tout autour de la pièce, il y avait des rangées de costumes, une forêt de velours poussiéreux, de dentelles déchirées, de fourrures mangées aux mites, d'ors ternis et de plumes dépenaillées, moisissant dans la faible lumière dispensée par les fenêtres crasseuses. Contre le mur du fond, auprès d'une longue rangée de justaucorps, de culottes à la française, de capes et de robes bordées de fourrure, se dressait une glace en pied pour les essayages à côté d'une vieille machine à coudre rouillée. Au-dessus des costumes, on apercevait des centaines d'invraisemblables chapeaux de toutes les périodes de l'histoire. Quelques armures pendaient du plafond accrochées à des chaînes, donnant à l'endroit l'air d'être une chambre de torture médiévale ou un lieu d'exécution.

« Qu'est-ce que c'est que cet endroit ? » demanda Diane d'un ton plus sec qu'elle ne l'aurait voulu. La poussière lui avait donné la migraine.

« C'est à moi.

— Ça n'a pas l'air particulièrement rentable, Dominick.

— Vous vous trompez. Juste avant le week-end, c'était une ruche en pleine activité. Une parfaite petite mine d'or ! »

Vale parut éprouver le besoin de faire un geste de paix et lui tendit une boîte en argent pleine de pastilles de menthe. Bien qu'elle en eût horreur, elle en prit une. Il en lança une dans sa bouche et se mit à la sucer avec satisfaction.

« On ne peut pas juger d'après les apparences, dit-il. Il y a toujours de l'argent à gagner en donnant aux gens ce qu'ils veulent. Vous leur donnez la beauté, ma chérie. Moi, je fais appel à leurs goûts douteux. En bas, il y a une confortable petite salle de projection où on passe des films pour un public très choisi. Dix dollars le billet, plus mille dollars par an de cotisation. Ça ne fait pas grand-chose, bien sûr, mais si on multiplie ça par cent, ça commence à chiffrer. D'ailleurs, la respectabilité m'ennuie. Le spectacle du comportement humain, c'est mon passe-temps favori. Comme le golf, ajouta-t-il. Ou la philatélie. Mais, à quoi dois-je ce plaisir… après tant d'années ?

— J'ai pensé que ce serait une bonne idée si nous bavardions un peu. Charles est du même avis.

— Puis-je vous demander pourquoi Corsini n'est pas venu lui-même ? Ou bien est-il trop occupé à masquer ses traces du bon vieux temps en Allemagne nazie ?

— Les actions des studios Empire sont à moi, Dominick. Je suis ici pour mon compte.

— J'ai déjà donné ma parole à Cantor et à Braverman. Ce sont deux clowns. Mais deux clowns à moi.

— Vous allez devoir combattre Charles — et moi, vous le savez. Eux resteront assis dans leur fauteuil à vous regarder vous battre.

— Je ne déteste pas la bagarre. Vous le savez. Il y avait un type à San Francisco qui ne voulait pas me vendre son hôtel. J'ai envoyé des gens que je connais pour lui parler et il a signé comme un ange.

— Kraus m'a raconté. Des hommes l'ont tenu par les chevilles au-dessus de la cage de l'ascenseur au vingtième étage. »

D'un geste de la main, elle écarta cette histoire. « Du mauvais mélo.

— Nous avons d'abord essayé de le faire chanter, expliqua Vale. Après tout, presque tout le monde a quelque chose à cacher. Vous savez cela mieux que n'importe qui, fit-il avec un clin d'œil qu'elle ignora.

— Si vous marchez avec nous, vous aurez un siège au conseil. Pas d'ennuis, pas de bagarres... pas de bon argent gaspillé à acheter des actions qui montent.

— Est-ce une offre de Corsini ?

— C'est une offre de moi. »

Vale la regarda d'un air mauvais. « Qui l'aurait cru ? demanda-t-il. Et dire que je vous connaissais quand vous étiez une des danseuses de Goldner ! Même en ce temps-là, vous étiez trop maligne... Braverman et Cantor devraient siéger au conseil aussi, vous savez. Mais qu'est-ce qui vous fait croire tout d'abord que j'ai envie d'être administrateur des studios ?

— Oh ! Je crois que oui. Je ne pense pas que vous soyez aussi indifférent que vous le prétendez à la respectabilité. Vous avez toujours su la valeur d'une bonne façade, d'une " image ", comme on dit ici. »

Vale gonfla ses joues et exhala un long soupir parfumé à la menthe. « Supposons que vous avez raison, ma chère. Qu'auriez-vous d'autre à m'offrir ?

— Qu'est-ce que vous voulez ?

— Ah non ! Montrez-moi quelques cartes. Je choisirai celles qui peuvent me servir. »

Diane devina qu'il la mettait à l'épreuve. Vale voulait savoir ce qu'elle connaissait du métier... et ce qu'elle savait de lui. Elle remercia dans sa tête Kraus qui, précieux comme toujours, l'avait renseignée.

« Vos amis contrôlent certains syndicats, je crois. Nous pouvons faciliter leur contrat.

— Oui, oui... Voilà une carte que je vais prendre, merci.

— Nous voudrions être sûrs en retour de n'avoir aucun ennui inattendu de main-d'œuvre.

— Bien sûr. C'est entendu. Quoi d'autre ?

— Nous songeons à lancer un programme de " jeunes talents " comme la M.G.M. Les studios Empire ont besoin de visages nouveaux. Nous pourrions faire de la place pour certains de vos... protégés.

— Très bien. Et exprimé avec tact. Bien sûr, il vous faudra un bon publicitaire pour un projet pareil.

— Vous pensiez à un en particulier ?

— En fait... Basil Goulandris est peut-être disponible.

— Basil ?

— Il vous faut quelqu'un qui soit les yeux et les oreilles des studios.

Vous avez Kraus... Non, non, ne le niez pas, je l'ai deviné. Je voudrais que Basil joue le même rôle pour moi.

— Je n'ai pas vu Basil depuis la mort de David.

— La loyauté n'est pas son point fort, je le reconnais. Mais c'est un bon. Et sa loyauté peut s'acheter. Il m'a été très utile.

— Oh ! Très bien, nous prendrons Basil. Rien d'autre ?

— Rien d'important. Un contrat de production — cela va sans dire. Et une priorité sur les vedettes d'Empire pour les engagements dans mes établissements. Je ne pense pas que vous accepteriez un contrat pour venir chanter une semaine en mon hôtel du lac Tahoe, n'est-ce pas ? Mais j'oublie... vous ne chantez pas, vous ne faites que vous déshabiller.

— Je n'ai plus à me déshabiller pour vivre, Dominick, fit Diane d'un ton sec.

— Non, mais vous pourriez, vous savez. Vous êtes toujours aussi belle — vous n'avez pas changé du tout. Et quelle extraordinaire volonté vous avez. Vous l'avez toujours eue, c'est vrai. Il faudra que je fasse attention. Et je vous conseille de faire attention aussi en ce qui me concerne. J'ai une bonne mémoire. C'est extraordinaire ce que la police peut faire de nos jours avec simplement quelques ossements. Que Corsini ait ou non tué sa femme, je ne crois pas qu'il serait heureux de découvrir qu'il a épousé en secondes noces une meurtrière.

— Ne dites pas de bêtises. Vous n'oseriez jamais !

— Je vois que nous nous comprenons...

— Alors nous sommes d'accord, me semble-t-il ?

— Absolument. » Il se leva. Il était toujours courtois avec les femmes, Diane s'en souvint : c'était sa façon de leur montrer son mépris. « Au fait, ajouta-t-il. Une de vos vieilles amies vient de descendre chez moi. »

Diane le regarda d'un air méfiant. Vale semblait dangereusement content de lui.

« C'est plutôt assommant, en fait, dit-il en riant ; mais en temps de guerre, on ne peut pas dire non. Penty Daventry. Vous la connaissez, je crois ? La demi-sœur de cette pauvre Cynthia. Ah ! Je suis sûr que nous avons des tas d'histoires à échanger. Vous l'avez connue en Inde, n'est-ce pas ?

— Non, fit-elle glaciale.

— J'aurais juré que oui. Il faudra que nous nous réunissions un de ces soirs. Maintenant que nous sommes associés », reprit-il avec un gros clin d'œil.

A l'idée de Dominick Vale et de Mrs. Daventry bavardant ensemble à son propos, Diane sentit la sueur perler sur son front. Un moment elle regretta d'avoir fait appel à Vale, mais elle se rappela qu'elle n'avait pas le choix. « Il faut que je m'en aille », dit-elle.

Il lui ouvrit la porte. « Faites attention, ma chère », dit-il en souriant.

Dehors, la rue fuyait au soleil, si déserte qu'elle en prenait un air sinistre. Elle se dirigea d'un pas vif vers sa voiture, puis s'arrêta un instant en remarquant une silhouette sombre dissimulée sur le seuil d'une boutique.

Elle aperçut les yeux enfoncés dans leurs orbites, la lourde mâchoire, les épaules puissantes. L'homme était bâti comme un lutteur et, si assurément il était gras, il semblait encore costaud.

Dans les montants chromés du pare-brise, elle vit son reflet. Il approchait vite, presque en courant. Elle sentit qu'il arriverait près d'elle avant qu'elle ait eu le temps d'ouvrir la portière, alors elle pivota pour lui faire face.

Tout autour d'elle, les fenêtres des immeubles délabrés étaient vides, les portes fermées. L'homme avait parfaitement choisi le lieu et l'heure. Il s'arrêta devant elle, le souffle court, et plongea sa main droite dans sa poche. Diane s'attendait à voir surgir une arme, mais le grand gaillard tira de sa poche un stylo qu'il lui tendit en même temps qu'un magazine qui avait sa propre photo en couverture. Avec un sourire nerveux, l'homme dit : « Miss Avalon, j'espère que vous voudrez bien me donner un autographe. »

Elle crut un moment que ses genoux allaient se dérober sous elle, mais elle signa le magazine d'une main tremblante, rendit à l'homme son stylo et ouvrit la portière de la voiture.

Elle roula doucement jusqu'au bureau d'Aaron Diamond, les vitres et la capote fermées. Elle regrettait d'avoir accepté de rencontrer Vale, mais elle ne pouvait plus revenir en arrière maintenant.

« Seigneur, fit Aaron Diamond, vous en avez une tête ! Vous avez eu un accident ou quoi ?

— Non, j'ai eu peur, c'est tout. J'ai cru que j'allais être attaquée, mais c'était un fan qui me demandait un autographe.

— A Beverly Hills ?

— Sur West Tico.

— Sur West Tico ? Je ne veux même pas vous demander ce que vous faisiez là. Eh bien, vous avez dû avoir un choc ! J'en ai un autre pour vous. »

Diane regarda Diamond. Il n'avait pas l'air d'un homme qui a de mauvaises nouvelles à annoncer.

« J'ai eu un coup de fil de Myron Cantor. Je crois qu'ils cherchent un accord.

— Un accord ?

— Cantor est prêt à discuter. Il est malin. Vous ne pouvez pas le battre — pas avec ce Vale près de lui. Alors pourquoi continuer la lutte ? Vous voulez que je lui parle ?

— Non.

— Non ? Vous voulez bien me dire pourquoi ?

— Il n'a plus Vale de son côté. »

Diamond ferma les yeux et posa les mains à plat devant lui comme un homme qui s'apprête à méditer. « Laissez-moi deviner. Vous avez fait un marché avec Vale. C'est ça ?

— C'est ça, Aaron.

— Vous avez de drôles de relations. Ecoutez, faites attention, hein ? D'abord vous épousez Corsini. Maintenant vous passez un marché avec Dominick Vale. Vous savez qui est derrière Vale ?

— Franchement pas. J'ai une migraine terrible, Aaron. »

Diamond pressa le bouton de son téléphone intérieur. « Apportez-nous deux verres d'eau et quatre aspirines. A la réflexion, mettez-en six. » Il se retourna vers Diane. « Avez-vous jamais entendu parler de Harry Faust ?

— Jamais.

— Je le connaissais, autrefois à Chicago. Il est ce que les journaux appellent un " personnage du milieu ". Quand les familles ont décidé de s'attribuer un morceau du gâteau par ici, elles se sont dit qu'elles avaient besoin d'un Juif : alors elles ont envoyé Harry. Vale et lui possèdent un hôtel à Tahoe, ils achètent des terrains dans le Nevada, ils dépensent de l'argent partout. Le seul ennui, c'est que Harry s'est laissé prendre au jeu. Vous comprenez. Il sort avec des starlettes, roule dans une décapotable rouge vif, s'est acheté une grande maison à Beverly Hills... Les *padrones* de la côte Est ne comprennent pas ces choses-là : ils se disent qu'ils ne le tiennent peut-être plus. Ils n'aiment pas beaucoup Vale non plus. Ils n'ont pas de sympathie pour les pédés.

— Je ne connais pas Harry Faust, mais j'imagine que Dominick peut se débrouiller tout seul.

— Vous avez peut-être raison. Il est malin. Le problème de Faust, c'est qu'il est complètement dingue : un égocentriste de première. Je les ai prévenus dès le début. »

On frappa à la porte et sa secrétaire apparut, portant un plateau d'argent. Il répartit les comprimés d'aspirine et leva son verre comme pour porter un toast à Diane en avalant sa dose. « Cantor et Braverman auront besoin d'autre chose que d'aspirine, dit-il. Quand ils vont entendre parler de ça, ils vont chier des briques. J'aimerais voir leur tête quand Corsini arrivera pour leur annoncer la nouvelle.

— J'aimerais aussi, Aaron », murmura Diane — et soudain sa migraine disparut.

Myron Cantor était assis à une table entouré d'une douzaine d'hommes et il se sentait très seul. Son propre beau-père, Marty Braverman, avait donné le ton de la réunion en disant de Cantor « notre ex-foutu petit génie ». Et après, ça n'avait fait qu'empirer.

Même Adolph Kiss, le fondateur des studios Empire, président honoraire du conseil d'administration, qui avait plus de quatre-vingt-dix ans, et peut-être même plus de cent ans — qui donc le savait ? —, avait été amené pour l'occasion dans son fauteuil roulant, un appareil pour sourd dans chaque oreille. C'était Kiss qui avait été le premier à voir l'intérêt de réaliser des films dans un climat où le long ensoleillement permettait de tourner dix heures par jour, même en hiver. Il avait fondé les studios Empire avec Sigsbee Wolff, alors que la principale activité de Los Angeles était encore les oranges et que Beverly Hills n'était que plantations de citronniers et élevage de bétail.

Puis il s'était débarrassé de Wolff, qui avait été le premier à commettre l'erreur de le sous-estimer.

Au long des années, Kiss s'était battu contre Wolff, contre la Fox, contre les frères Warner, contre Cukor, Erich von Stroheim avait été cascadeur pour Kiss à deux dollars par jour, plus un dollar pour chaque chute de cheval.

On disait que Kiss avait découvert Douglas Fairbanks, que Theda Bara avait été sa maîtresse alors qu'elle n'était encore qu'une figurante.

Seul l'âge pouvait affaiblir son emprise sur la société qu'il avait bâtie, car maintenant il avait dépassé la sénilité, c'était un personnage comateux qu'on amenait dans son fauteuil pour les séances du conseil et les grandes cérémonies.

Cantor regarda Kiss, tout droit dans son fauteuil comme une momie égyptienne, mais il ne trouva là aucun réconfort. Plus loin, il y avait Bernie Grieff, vice-président et directeur financier, qui annonçait les mauvaises nouvelles au conseil d'une voix monotone, comme un homme qui lit ses prières tout haut.

Il énonça les derniers chiffres et s'arrêta, comme s'il allait donner une bénédiction. Il s'éclaircit la voix, puis, joignant ses petits doigts boudinés et cherchant les mots justes pour résumer la situation, il déclara : « En d'autres termes, messieurs... c'est un vrai désastre. »

Autour de la longue table, il y eut un soupir collectif, puis le silence. Cantor regarda l'homme de la Bank of America et haussa un sourcil.

Le banquier étudiait ses notes. Il ne leva pas les yeux. « Non, fit-il après un moment de silence, c'est fini. Vous êtes allés trop souvent au puits.

— Arrêtez la production, dit Grieff. Voilà mon conseil. Il faut réduire les frais. »

Cantor secoua la tête. « Autant se couper la gorge. Nous avons douze films en production. Que nous ayons un succès, rien qu'un — et nous sommes tirés d'affaire ! »

Braverman regarda la liste qui figurait dans le dossier devant lui et secoua la tête. « Aucun espoir, fit-il. N'y pensez plus. Vous n'avez pas de vedette, pas d'Ina Blaze. Pas d'Ingrid Astar. » Il alluma un cigare, savourant l'humiliation de son gendre. « Et pas de Diane Avalon », ajouta-t-il.

Harry Warmfleisch examinait ses ongles. Il était marié à la sœur de la femme de Braverman, ce qui expliquait sa présence au conseil, mais il n'avait pas fait une carrière qui l'avait mené de l'horticulture paysagiste à la spéculation immobilière sans découvrir que l'argent comptait plus que le sang. « Tu veux mon avis, Corsini te tient par les couilles, lança-t-il.

— Irwing, fit Braverman en le foudroyant du regard, personne ne t'a demandé ton avis.

— Je suis directeur, bon Dieu ! J'ai le droit de dire ce que je pense. Pourquoi luttons-nous contre Corsini, dis-le-moi ? La société a besoin d'argent, la banque a fermé le robinet. Qu'est-ce que tu reproches au fric de Corsini ? »

Braverman était tout rouge. Il se tourna vers Adolph Kiss comme pour chercher auprès de lui une inspiration mais, à part un petit filet de salive à la commissure des lèvres, rien ne montrait que Kiss était vivant. « Irwing, implora Braverman, en s'efforçant de se maîtriser, si Corsini arrive, nous sommes vidés. Nous ne voulons pas de ça, n'est-ce pas ? »

Warmfleisch haussa les épaules. Cette perspective ne lui posait à lui aucun problème. Il n'avait jamais voulu être administrateur des studios Empire. Braverman fit une nouvelle tentative, déployant ce qui était pour lui une patience surhumaine. « Qu'est-ce que dirait Sylvia, Irwing ? Le mari de sa propre sœur jeté à la rue ?

— Tu as sans doute raison, dit-il. Mais je ne vois pas comment tu peux lutter contre lui, voilà tout. Pas sans trouver quelqu'un qui vous soutiendra, Myron et toi. »

Cantor s'éclaircit la voix. « Je crois que c'est là un point réglé.

— Ah oui ? Et qui est le connard ?

— Irwing, pas de mots comme ça. En fait, c'est un homme très adroit. Nous devrons faire quelques sacrifices pour l'amener au conseil — mais au moins il n'a pas envie de diriger la société. Il tient à être derrière la scène, pas devant. Et il est d'accord pour signer dans le cadre de cet arrangement des contrats à long terme pour Marty et pour moi.

— Sans blague ? lança Grieff d'un ton mauvais.

— Et pour vous aussi, Bernie, s'empressa d'ajouter Cantor. Cela va sans dire. »

Grieff acquiesça. Il détestait Cantor qui, à son avis, était tout juste bon à dépenser l'argent de la société. « Qui est-ce ? demanda-t-il.

— Dominick Vale », répondit Cantor.

Il y eut un long silence. « Nom de Dieu ! murmura Grieff, sans même chercher à dissimuler la crainte dans sa voix. Pourquoi pas Harry Faust ?

— Vale n'est pas si mal que ça, protesta Cantor. Avec lui au conseil, nous pouvons facilement lutter contre Corsini. Si Marty et moi avions le choix, d'accord, mais ça n'est pas le cas. »

Cantor s'épongea le front. « Vale est dehors. Je l'ai invité à venir nous rejoindre. Je propose que nous l'appelions pour entendre ce qu'il a à dire. Je ne vous demande pas de l'accueillir à bras ouverts. Rappelez-vous simplement : s'il marche avec nous, nous pouvons oublier Corsini ; s'il ne marche pas, il y aura un tas de gens — dont certains sont assis à cette table — qui se retrouveront sur leur cul. »

Il attendit d'autres objections, mais il n'y en eut aucune. Il pressa un bouton sur la table et la grande porte de la salle du conseil s'ouvrit. Seulement, ce ne fut pas Vale qui apparut. Ce fut Kraus, blanc comme un linge.

« Qu'est-ce que vous foutez là ? Faites entrer Vale », hurla Cantor.

Kraus n'avait plus rien de son humilité habituelle : il semblait soudain avoir acquis une secrète autorité. « Il n'est pas ici, annonça-t-il d'un ton détaché.

— Je lui ai dit midi, bon Dieu ! Où est-il ? »

Kraus tira de sa poche une feuille de papier. « Il a envoyé un télégramme.

— Eh bien, lisez-le », fit Grieff avec satisfaction, ayant déjà présumé que le contenu du message ne ferait pas plaisir à Cantor.

Kraus approcha le télégramme de ses yeux. « " Désolé, mais je rejoins Corsini, amicalement, Dominick Vale. " On l'a apporté il y a cinq minutes. En port dû.

— Nous ferions peut-être mieux de nous ajourner jusqu'à ce que nous ayons pu lui reparler », commença Cantor, désespéré, mais il fut interrompu par un bruit étrange. La bouche de Kiss s'agitait et il avait les yeux ouverts. Un instant, Cantor crut que le vieux allait mourir — il était peut-être en train d'agoniser — et il éprouva une brusque panique, comme si on allait lui reprocher ça aussi.

Et puis Kiss parvint à reprendre le contrôle de sa langue. Il ouvrit un œil et fixa Cantor. « Fiston, dit-il, tu aurais dû naître femme. » Sa voix semblait sortir d'une machinerie rouillée qui avait grand besoin d'huile et il émit une sorte de croassement qui voulait être un rire.

Cantor ouvrit la bouche pour demander pourquoi.

Kiss sourit, exhibant quelques-uns des crocs longs et jaunes qui lui restaient. « Parce que tu vas te faire baiser », lança-t-il. Il ferma les yeux et retomba dans son silence.

Il y eut une longue pause. Puis Grieff s'éclaircit la voix. « Faut-il que je mette ça dans le compte rendu ? » demanda-t-il.

22

Le temple de Dendur s'élevait dans la pénombre. On avait balayé le sable au pied de l'édifice, découvrant des hiéroglyphes ciselés dans la pierre usée par les ans. De chaque côté de la porte, de grandes silhouettes assises, sculptées dans la pierre, veillaient dans la pénombre. Deux hommes étaient assis sur les marches. On aurait dit qu'ils attendaient d'être admis dans le monde souterrain ou qu'ils étaient des pilleurs de tombes qui attendaient de se donner le courage d'entrer dans le sanctuaire.

Il y eut le bruit d'une bouteille heurtant du verre, qui retentit en longs échos dans l'air brûlant de la nuit, puis le silence. L'aîné des deux hommes s'étira en gémissant. « Tu trouves que Braverman est fou ? Tu aurais dû voir quand Burton Glass dirigeait le studio ! Six millions de dollars pour *Hélène de Troie* — en dollars de 1920, tu te rends compte ? Perdus corps et biens, comme le *Titanic.* Kiss était occupé à lutter contre ce connard de Sigsbee Wolff. Marty Braverman n'était encore qu'un petit comptable. Burton Glass... qui même se souvient de lui aujourd'hui ?

— Pas moi, Papy.

— C'est bien ce que je dis. Glass c'était un grand nom, un géant. Et puis Braverman a pris le contrôle, et maintenant voilà qu'il est viré.

— Non, pas encore.

— Tu parles, Danny. C'est le mari de Diane Avalon qui prend le contrôle : tu t'imagines qu'il va garder Braverman et Cantor ? Pas question. De quoi crois-tu qu'ils sont en train de parler ? » Papy Deigh se versa une autre rasade. Voilà trente ans, Adoph Kiss l'avait fait régisseur du studio. Il détestait les directeurs et les producteurs qui venaient bouleverser l'ordre de son vaste empire ; il détestait les metteurs en scène et les vedettes qui trouvaient qu'il était là pour les servir ; il détestait Danny Zégrin — jeune, ambitieux, hypocondriaque — que

Braverman avait mis dans le service de Deigh pour « apprendre les ficelles », et que Deigh soupçonnait d'être une canaille et un espion.

« Qui crois-tu que ça va être, Papy ? » demanda Zégrin. Il était petit, mince, nerveux, avec des yeux bruns de biche qui ne parvenaient pas à dissimuler l'ambition et des rides autour de la bouche qui donnaient à penser qu'il était né déjà vieilli par le cynisme.

« C'est difficile à dire, Danny. Corsini ne connaît rien au cinéma. Tu me diras, ça n'a jamais empêché des types comme lui de croire qu'ils savent diriger un studio... Regarde Howard Hughes ou Jo Kennedy. Mais peut-être que Corsini est plus malin que ça. Je l'espère.

— Il paraît que Dore Schary n'est pas heureux à la M.G.M. Corsini va peut-être le faire venir.

— Seigneur, j'espère que non. Schary est un coco. D'ailleurs nous ne voulons pas d'un étranger ici. » Deigh considérait les studios concurrents comme des puissances ennemies contre lesquelles Empire menait une guerre perpétuelle.

Zégrin se demandait comment il pourrait approcher de Corsini. Il avait le don de se gagner les bonnes grâces des hommes plus âgés et plus puissants. « Je pense que maintenant que Corsini a le contrôle, il va faire retravailler Diane Avalon, dit-il.

— Je n'en serais pas surpris, petit. J'ai connu son premier mari — Konig. Celui-là, voilà un homme qui aimait le cinéma !

— C'est une belle femme, Diane Avalon.

— Elle est dure à éclairer. Sa peau est trop sombre sur la pellicule. » Deigh voyait toutes les stars en termes des problèmes qu'elles présentaient ou selon les particularités qui faisaient leur charme. Si on lui parlait de Gary Cooper, il disait : « Ses films n'ont fait de l'argent que quand il portait un chapeau cow-boy. » Et de Dietrich : « Il faut veiller à ce que la boche ne sourie pas... elle a de vilaines dents. »

« Avalon est une belle fille, concéda-t-il, en sirotant sa bière. Je te l'accorde. » Il tendit la bouteille à Zégrin qui secoua la tête. Zégrin prit dans sa poche un petit flacon pour se pulvériser la gorge. Il souffrait d'asthme chronique et de rhume des foins, dont son psychanalyste lui avait dit qu'ils étaient psychosomatiques, même si son médecin penchait plutôt vers la théorie selon laquelle Zégrin était allergique à la poussière des plateaux. Dans l'un comme dans l'autre cas, Zégrin était convaincu qu'il ne serait guéri que par une promotion dans les bureaux de la direction où se tenait en ce moment même le conseil d'administration dont tout le studio attendait le résultat.

« Il est près de minuit, fit Zégrin. Ça fait des heures qu'ils discutent.

— Ils ont le temps ! Ils sont payés pour parler. »

Une sonnerie de téléphone retentit dans le noir. Deigh se leva, faisant craquer ses articulations et se dirigea d'un pas traînant vers l'appareil. Il écouta quelques minutes, puis se mit à souffler de façon alarmante.

Zégrin, qui l'avait suivi, crut un moment que le vieil homme avait une crise cardiaque. Il avait une main crispée sur la poitrine, pendant que l'autre serrait si fort le combiné qu'il en avait les jointures blanches.

« Ils ont choisi le remplaçant de Braverman ! cria-t-il.

— Qui est-ce, bon Dieu ? »

Deigh raccrocha l'appareil et éclata d'un rire de dément dont les échos se répercutèrent sur l'énorme plateau. Il étouffa un moment, essayant de reprendre son souffle, pendant que Zégrin — qui n'avait pas envie qu'on lui reproche d'avoir laissé le vieux con mourir ici — lui frappait dans le dos.

Deigh repoussa Zégrin, ses joues retrouvèrent quelques couleurs. « Laisse, gémit-il, tu me casses le dos. Ils ont choisi… une nana ! »

Zégrin dévisagea le vieil homme comme s'il était devenu fou. Il sentait qu'une crise d'asthme montait. « Tu plaisantes », fit-il, haletant.

Deigh avait retrouvé son calme et son souffle. « Diane Avalon ! dit-il. Tu as entendu ce bruit ? »

Zégrin secoua la tête. Il n'entendait que le sifflement de ses bronches. Il sentait la panique monter en lui. Il avait été l'homme de Braverman. Avec ce qu'il savait, il se disait que celui qui reprendrait le studio lui trouverait une place. Il savait se rendre utile au genre d'hommes qui dirigeaient les studios. Mais ça. Deigh but une longue gorgée. « C'est Burton Glass qui se retourne dans sa tombe », dit-il.

Charles arpentait nerveusement la salle du conseil. Il était arrivé de New York par avion pour l'assemblée, faisant jouer toutes ses relations pour obtenir une place en priorité. Pour la première fois depuis que Diane le connaissait, il allumait une cigarette après l'autre.

Diane ne détestait pas tant la fumée de cigarette qu'elle avait horreur des cigares, mais le tabac sous toutes ses formes la gênait — ce que Charles savait fort bien. En général il faisait de son mieux pour fumer le moins possible en sa présence. Ce n'était pas seulement la fumée de cigarette qui la gênait. Charles, c'était vrai, avait manigancé le vote qui laissait entre ses mains à elle la direction des studios Empire ; mais il y était parvenu en prétendant que c'était la seule façon dont il pouvait diriger la société et compte tenu de toute la publicité qui entourait ses autres affaires. Diane, promit-il, serait son alter ego. Elle serait le symbole de sa présence et de son intérêt, même s'il se trouvait à New York ou à Washington.

Ce que Diane trouvait encore plus agaçant, c'était le fait que Charles ne lui avait pas fait la moindre excuse pour l'avoir mise en avant dans un rôle de substitut. Il n'y croyait pas lui-même — il était parfaitement prêt à reconnaître en tête à tête qu'elle pourrait sans doute diriger le studio aussi bien que lui — mais il tenait à faire croire aux gens que c'était lui qui tirait les ficelles.

Diane savait fort bien que pour Charles seuls les résultats comptaient et, de ce point de vue, sa tactique avait été éminemment satisfaisante, mais elle ne s'en sentait pas moins humiliée, même dans la victoire, et elle lui en voulait.

Elle ne fut pas plus heureuse d'apprendre, bien qu'elle en reconnût la nécessité, que Charles comptait sur elle pour occuper la place seule, dès le lendemain. Il était arrivé à la dernière minute, aussi avait-elle appris la nouvelle avec le reste du conseil, et elle ne pouvait s'empêcher de se demander s'il n'avait pas fait exprès de l'annoncer de cette façon.

« Il faut vraiment que tu rentres si vite ? » demanda-t-elle en lui prenant la main.

Il eut un haussement d'épaules las. « Les choses sont très compliquées. Cette publicité a réveillé pas mal d'histoires. De vieilles histoires — et malheureusement quelques problèmes nouveaux aussi. Mes affaires à l'étranger sont à un stade très délicat. On me presse de tous côtés.

— Les ennuis ici sont sérieux ?

— Ça reste à voir. Je suis convoqué par au moins deux commissions d'enquêtes du Congrès. Nous pouvons remercier pour ça Braverman et Cantor. Je ne suis pas un nazi, bon sang ! J'ai fait des affaires en Allemagne et en Italie. Et alors ? Je ne suis pas le seul. Je voudrais pouvoir dire la vérité sur ce que j'ai fait, mais c'est hors de question. Et je suis dans le même bateau que Lindbergh. Pourtant, rien de cela ne m'effraie. Il n'y a qu'une chose qui me préoccupe vraiment.

— Quoi donc ? »

Il marqua un temps. « Tu te souviens de Luckman ? »

Elle acquiesça.

« On m'a dit qu'il espère être libéré sur parole. S'il était cité comme témoin, il dirait n'importe quoi pour sortir de prison.

— Luckman sait-il quelque chose qui pourrait vraiment te causer du tort ? »

Charles haussa les épaules. « Pour la plupart, il s'agit de vieilles histoires. Ça ne veut pas dire que j'aimerais les entendre répéter devant une commission sénatoriale. Mais en attendant je crois que je ferais mieux de rester en coulisse, du moins pour le public... Tu vas donner à Kraus le poste de Cantor ? »

Diane acquiesça de la tête. Qu'est-ce que Luckman savait donc sur Charles, se demanda-t-elle. Quels étaient les « faits » ?

« C'est un bon choix. Il faudra que tu t'entoures de gens solides. C'est ce qu'il y a de plus important.

— Je sais », dit-elle avec un rien d'impatience. Maintenant que Charles l'avait placée dans une position où elle pouvait contrôler, il semblait le regretter.

« Je ne suis pas sûr que ce n'ait pas été une erreur pour moi, dit-il. Toute cette foutue publicité ! Juste au mauvais moment. Enfin... ça n'est jamais le bon moment pour un financier d'avoir la une des journaux, n'est-ce pas ? Dis-moi, fais-tu confiance à ce Vale, maintenant que nous l'avons de notre côté ?

— Pas vraiment, non. C'était nécessaire, voilà tout.

— Il n'y a rien de plus dangereux que la nécessité. Enfin, il nous a soutenus avec ses actions. Peut-être qu'il peut nous soutenir dans d'autres cas... qui sait ?

— C'est un faiseur d'ennuis. Nous nous connaissons depuis longtemps.

— Plus tôt nous pourrons nous débarrasser de lui, mieux cela vaudra. » Il se frotta les yeux, puis s'approcha d'elle et la prit dans ses bras. « Mon Dieu, dit-il, nous devrions célébrer notre victoire. Au lieu de cela, je n'ai pas arrêté de me plaindre comme une vieille femme. » Il l'embrassa. « Quel effet ça te fait d'avoir gagné ?

— Je suis sonnée. » C'était vrai, songea-t-elle. Elle avait cru qu'elle se sentirait ravie, mais la victoire ne lui avait apporté que de nouveaux soucis.

« Il n'y a même pas de champagne dans cette foutue boîte, dit-il. Rentrons à l'hôtel. Quelle heure est-il ?

— Presque deux heures.

— Mon Dieu ! Pas étonnant qu'il n'y ait personne. Par où sort-on ? »

Elle n'en avait aucune idée. Elle connaissait le studio, mais elle n'était jamais allée dans la salle du conseil. Elle se rappelait que c'était au deuxième étage et qu'il y avait un ascenseur privé, aménagé pour le fauteuil roulant de Kiss. Sur un mur du couloir, ils trouvèrent une porte de bronze polie. Charles pressa le bouton et ils entrèrent dans une cabine d'ascenseur. Elle descendit sans bruit, la porte s'ouvrit et ils se retrouvèrent dans le sous-sol. La porte de la cabine se referma derrière eux.

Ils traversèrent les sous-sols, des salles pleines de chaudières et de machines ronronnantes, puis suivirent un long couloir mal éclairé bordé de poubelles et de cartons de vieux papiers.

A l'autre bout du couloir, il y avait une sortie de secours. Elle n'était pas fermée. « Dieu soit loué », dit Charles. Ils grimpèrent un petit escalier métallique et se retrouvèrent sur un parking. Pas trace de la voiture et une clôture métallique les empêchait de rejoindre l'entrée principale.

Le parking était désert et plongé dans l'obscurité ; on ne voyait qu'une voiture qu'un jeune homme de petite taille aux cheveux gominés était en train d'ouvrir. Même de loin, Diane l'entendait souffler.

« Par où sort-on d'ici ? » cria Charles.

Le jeune homme leva les yeux, étonné. Il s'approcha d'eux d'un pas vif et Charles, qui venait de se rendre compte qu'il s'était mis à la merci d'un total inconnu, glissa la main à l'intérieur de sa veste. Diane entendit le déclic métallique du cran de sûreté qu'il retirait.

Le jeune homme ne l'entendit pas — ou peut-être simplement ne vivait-il pas dans le genre de monde où un homme bien habillé avec une jolie femme à son bras est armé d'un pistolet. « Miss Avalon ! dit-il d'un ton respectueux.

— Nous cherchons notre voiture, expliqua-t-elle.

— Elle est devant, miss Avalon. J'ai la clé de la clôture.

— Alors ayez la bonté d'ouvrir, fit Charles.

— Enchanté de vous rencontrer, prince. » Le jeune homme tendit la main, obligeant Charles à remettre son pistolet dans son étui avant de pouvoir la lui serrer. « Danny Zégrin. Régisseur adjoint. »

Charles le salua de la tête. « La grille, s'il vous plaît », dit-il, n'étant pas d'humeur à faire la conversation.

Zégrin ne bougeait pas. La chance l'avait placé au bon endroit. « Je ne passerais pas par là, dit-il avec autorité. Il y a au moins une douzaine de reporters qui attendent. Et des photographes.

— Quelle barbe ! Pouvez-vous aller demander au chauffeur de nous amener la voiture ici ?

— Bien sûr. Mais ils suivront la voiture. J'ai une meilleure idée. Mettez-vous à l'arrière et cachez-vous en attendant que nous soyons sortis. La presse surveillera votre limousine.

— C'est un long chemin jusqu'au Beverly Hills Hotel, Mr...

— Zégrin. Danny Zégrin. Pensez-vous. A votre service. »

Corsini adressa au jeune homme un sourire encourageant. Il appréciait toujours l'esprit d'initiative. « Je me souviendrai de votre nom, dit-il. Et miss Avalon aussi, j'en suis sûr. »

Ils montèrent dans le cabriolet de Zégrin et se blottirent derrière la banquette tandis qu'il démarrait.

Diane remarqua que Zégrin ne soufflait plus comme un asthmatique.

Il était midi passé le lendemain quand Diane et Charles s'éveillèrent et firent l'amour.

« Tu m'as manqué », dit-il alors qu'ils gisaient allongés dans le grand lit, leurs jambes encore emmêlées. Il m'a manqué aussi songea Diane : c'était comme si son corps était habitué à lui ; le manque quand il partirait serait aussi pénible que d'être privée d'une drogue.

Elle l'embrassa pour toute réponse. Il soupira. « Il va falloir que je rentre ce soir, dit-il. Il se passe des choses dont je ne peux pas te parler. Je vais peut-être devoir aller en Europe. Madrid ou Lisbonne, peut-être Stockholm, pour un jour ou deux. La première chose que tu ferais mieux de faire, c'est d'acheter une maison. Il n'y a rien de plus déprimant que d'habiter l'hôtel.

— C'est mieux que de vivre seule dans une grande maison. Charles, tu ne risques rien ? Je t'en prie, sois prudent. Pour moi.

— Dès que les choses se seront arrangées, je viendrai te rejoindre. Et, crois-moi, je suis toujours prudent. Je pense que ça doit être le dernier voyage, Dieu merci. La Gestapo commence à poser des questions. Heureusement, même les nazis ont une foi touchante dans les millionnaires. »

Il se leva, alluma une cigarette, puis vit l'expression de Diane et l'éteignit. « Il faudra que j'aie un fumoir dans la nouvelle maison, dit-il. Comme mon père. Peut-être que je porterai un veston d'intérieur en velours !

— Je suis désolée, mais ça me gêne. D'ailleurs, c'est mauvais pour toi.

— Tu as raison. Pourtant, tous les hommes de ma famille vivent très vieux, alors ne t'inquiète pas. Mon grand-père à quatre-vingt-dix ans continuait à boire des espressos et à fumer six cigares par jour.

— Et ton père ?

— Ma foi, il a vécu jusqu'à près de quatre-vingts ans, ce qui n'est pas mal. Il t'aurait bien aimée. Il adorait les jolies femmes — bien qu'il ait toujours été totalement fidèle à ma mère, tu comprends. Il était l'homme d'une seule femme. Fidèle, dévoué, jaloux. Mais pas méfiant. » Il s'interrompit, comme si la comparaison avec le mariage de ses parents lui était pénible. « La méfiance est une chose terrible. Ça grandit et ça se développe... et ça finit par éteindre l'amour... »

Ce n'était pas un sujet qu'elle avait envie de poursuivre. « Reviens te coucher, chérie », dit-il, mais il avait l'esprit ailleurs. « Est-ce que tu te méfiais d'Alana ?

— Oui. Et, en fait, j'avais raison. C'est ce qu'il y a de pire dans le doute. Ça a un côté prophétique... » Il s'arrêta, puis eut un sourire crispé, comme s'il venait de décider, contre son gré, de lui révéler une partie de la vérité. « Elle avait une liaison avec Luckman ; je crois qu'elle a fait ça surtout pour me prouver que mes soupçons étaient justifiés. Je me souviens de ce qu'elle m'a dit quand j'ai découvert la vérité. “ Tu m'as toujours fait me sentir coupable, a-t-elle dit, alors j'ai décidé que je ferais aussi bien d'*être* coupable. ” »

Il secoua la tête. « Mais ça n'est pas elle qui se sentait le moins du monde coupable. C'était moi.

— Est-ce qu'elle aimait Luckman ? » Diane était surprise que Charles fût si franc avec elle : fallait-il mettre cela aussi sur le compte de son angoisse et de sa fatigue ?

« Qui peut le dire ? J'en doute. Pauvre Luckman ! Il ne savait pas choisir les femmes, je crois bien, ni gérer ses affaires non plus : ça lui a coûté cinq années de prison, déjà. Il avait une femme et des enfants. Il les a toujours, je suppose. Tu imagines à quel point il me hait.

— Tu ne peux rien y faire ?

— Peut-être que si. Ce ne sera pas facile de le joindre, pas s'il devient un “ témoin protégé ”.

— Il doit tout de même y avoir quelque chose que Luckman désire ?

— Tu veux dire : l'acheter ? J'ai essayé. On peut acheter la plupart des gens, c'est vrai — mais rarement ceux qui vous détestent. Ce Vale... est-ce qu'il te déteste ?

— Pourquoi me demandes-tu ça ?

— A cause de la façon dont il te regardait au conseil.

— Je n'avais pas remarqué.

— Ah non ? Ça m'a paru de la haine pure. Mais la question est : pourquoi ?

— Je travaillais pour lui.

— Ah oui ? Mais il y a une raison pour qu'il te déteste, si ? Comprends-moi, je ne cherche pas à fouiller dans ton passé. Je m'y intéresse d'un point de vue purement pratique. Qu'est-ce qu'il a exactement contre toi ?

— Ça remonte à des années. J'avais un contrat avec Vale et un nommé Goldner.

— Sir Solomon Goldner ?

— Il est sir Solomon ? Je ne savais pas.

— Oh si ! Un type gras, avec l'air d'un crapaud intelligent. Il possède des théâtres, des salles de cinéma, des immeubles, une maison d'édition, des magazines, Dieu sait quoi d'autre. Je l'ai rencontré. »

Elle fut désagréablement surprise de l'apprendre. Elle avait espéré garder son passé — en tout cas le plus possible — bien séparé de Charles. De toute évidence, elle n'y parvenait pas. « Eh bien, puisque tu le connais, tu peux facilement imaginer qu'il avait envie de se débarrasser de Vale. On a surpris Vale avec un jeune garçon... dans une situation compromettante. Ça a été un affreux scandale. Il a dû quitter l'Angleterre. Il m'en a toujours voulu.

— Je comprends. Mais pourquoi t'en voulait-il ?

— Oh ! Charles, tout ça est si compliqué.

— J'ai le temps. Et j'adore les complications. Il n'y a que les choses simples qui sont assommantes à entendre.

— Très bien. Vale avait une liaison avec Dicky Beaumont...

— Le comédien ? »

Elle hocha la tête. « Je vivais alors avec un photographe — Lucien Chambrun, je t'en ai parlé. Il a laissé tomber pour moi Cynthia Daintry et elle a épousé Dicky Beaumont par dépit. Vale m'en a voulu aussi. Puis elle s'est suicidée et Beaumont a dû quitter les Etats-Unis. Je suis sûre que Dominick me tient pour responsable de ça aussi. Chaque fois que nos chemins se croisent, il lui arrive quelque chose qui le rend malheureux, tu vois... mais ça n'est pas ma faute.

— Bien sûr que non. Quand même, on le comprend. Il y a parfois comme ça des relations entre les gens... Il n'est pas en mesure de te faire chanter pour quoi que ce soit ? reprit-il.

— Qu'est-ce qui peut bien te faire croire ça ?

— Tu sembles avoir peur de lui. Je ne t'ai jamais vue avoir peur de personne.

— Mais non, je n'ai pas peur de lui, déclara Diane avec indignation.

— Tant mieux. Tu sais, je ne voulais pas t'ennuyer. En tout cas, fais de ton mieux, si tu peux, pour amadouer maître Vale. Il se peut que j'aie besoin de lui demander quelques petits services. Et, pour la maison, vois si Billy Soskin connaît quelque chose à Bel Air.

— Combien veux-tu mettre ?

— Ça m'est égal. Dès mon retour à New York, je ferai virer un demi-million de dollars à ton compte. L'essentiel, c'est que la maison soit un peu à l'écart. A part ça, comme tu voudras. » Il lui prit la main. « Une belle grande maison, dit-il, avec plein de place pour les enfants et un beau jardin.

— Les enfants ? » C'était le dernier sujet au monde dont elle avait envie de parler.

« Bien sûr, les enfants. La vie est tellement plus facile s'ils ont une aile pour eux... Une belle nursery, une chambre pour une gouvernante, etc. »

Charles lui donna un petit baiser. « Ce seront de beaux enfants, ça va sans dire, mais on ne veut pas les avoir tout le temps dans les jambes... Allons, il faut que je m'habille. J'ai quelques personnes à voir avant de rentrer à New York. »

Diane se demanda si le moment ne serait pas bien choisi pour lui parler de sa fausse couche — mais que dirait-il s'il découvrait qu'elle ne pouvait pas avoir d'enfant ?

Il se leva et passa son peignoir. Elle n'avait pas envie de dissiper la bonne humeur qu'il manifestait, mais elle savait que, s'il devait y avoir quelque compréhension entre eux, elle devait lui parler d'Alana. « Charles, dit-elle. Qu'est-il arrivé à Alana, en fin de compte ? »

La question ne parut pas le surprendre. « Tu as entendu toutes les histoires ? »

Elle acquiesça.

« Nous aurions dû en parler avant. Evidemment, ça n'est pas un sujet agréable. Il y a des gens qui sont persuadés que je l'ai tuée. Tu le sais ? »

Elle acquiesça encore.

« Et tu ne m'as pas posé de questions ? C'est vraiment une preuve de ton amour, je dois le dire. Ecoute, je ne suis pas parfait — qui donc l'est ? mais je ne suis pas un assassin non plus, même dans la passion. Je ne dis pas que je n'en sois pas capable — que, dans des circonstances appropriées, je ne le pourrais pas —, mais je n'ai pas tué Alana. Elle m'avait persuadé d'aller faire un tour en bateau. Une idée idiote avec une tempête qui se préparait, mais elle adorait le danger et la mer. C'était une sorte de sirène. » Il sourit, comme s'il évoquait un souvenir. « Je croyais sans doute vaguement qu'elle allait me demander de lui pardonner, que nous aurions une grande scène de réconciliation avec les vagues qui se brisaient autour de nous... Au lieu de cela, comme tu le sais, ce foutu bateau s'est retourné. »

Il s'interrompit un moment, essayant de décider s'il allait ou non continuer ; puis il ferma les yeux et poursuivit : « Elle nageait deux fois mieux que moi : championne olympique ! Je l'ai vue s'éloigner du bateau et j'ai cru qu'elle allait retourner toute seule à la nage jusqu'au rivage. Puis l'idée m'est venue qu'elle ne nageait pas. Qu'elle était inconsciente. Sans doute, quand nous nous étions retournés, le mât lui avait-il heurté la tête... »

Il ouvrit les yeux. « Peut-être que j'aurais pu la sauver... qui sait ? En tout cas, je ne l'ai pas fait. En fait, c'était la décision raisonnable : tu remarqueras que je ne dis pas la bonne décision. Si j'avais lâché le bateau, je me serais noyé aussi. J'ai péché par omission. J'aurais pu nager à son secours, je ne l'ai pas fait. »

Il marqua un temps. « C'est la vérité. Je ne l'ai jamais dite à personne.

— Est-ce qu'elle t'a demandé de lui pardonner ? »

Il secoua la tête et sourit. « Non. En fait, elle m'a dit d'aller me faire voir. Nous avons eu une charmante petite scène de ménage. Nul doute que cela explique en partie pourquoi je n'ai pas tenté de la secourir. Mais ça ne justifie pas que je ne l'aie pas sauvée.

— Personne ne pourrait te le reprocher, chéri.

— Je me le suis longtemps reproché. Ça m'arrive encore : simplement aujourd'hui tout cela paraît dépassé, voilà tout. Avant que je te rencontre, ça paraissait important. Plus maintenant. »

Elle se leva et vint l'embrasser, serrant son corps nu contre la soie de son peignoir. Il la prit dans ses bras. « Maintenant, tu connais le pire », dit-il. Il se mit à rire. « Le reste, ce sont simplement les affaires. » Il passa dans la salle de bains, laissant Diane se demander ce qu'il voulait dire par là.

Elle l'entendit qui prenait sa douche. Elle songea à sa peau pâle. Elle ferma les yeux en essayant d'imaginer ce qu'il dirait s'il la trouvait tenant dans ses bras un bébé à la peau fine. Elle pensa à Alana en train de se noyer. Elle essaya de penser à autre chose.

Par-dessus le bruit de la douche, elle entendit la voix de Charles. Elle se rappela qu'il y avait un téléphone dans la salle de bains.

Doucement, avec précaution, elle décrocha le combiné du poste auprès du lit et retint son souffle.

« Vous ne me laissez pas beaucoup de temps, fit la voix de Dominick Vale.

— Je m'en rends compte.

— Je pourrais lui transmettre un message.

— Je veux lui parler directement — face à face.

— Ça n'est pas facile à arranger, mon vieux. On me suit partout, vous savez. Je pense que vous n'avez pas très envie de vous faire photographier avec lui par la police, non ?

— Certainement pas.

— Bon. Alors, attendez, je vais vous dire ce que je vais faire. Je vais vous donner une adresse sur West Tico. Passez par-derrière. C'est un magasin de location de costumes, au premier étage. Voulez-vous que nous disions deux heures ?

— Trois. Je déjeune avec Diane.

— Faites-lui mes amitiés. Au fait, peut-être que moins vous parlez de cela chez vous mieux cela vaudra. Si cela ne vous ennuie pas.

— Ça ne m'ennuie pas. Je compte sur vous pour qu'il soit là ?

— Mon cher Corsini, il meurt d'envie de vous rencontrer. Pour vous dire la vérité, Harry Faust est un snob. Qui irait bien plus loin que West Tico pour le plaisir de faire affaire avec un prince.

— Très bien », dit Charles brusquement. Il écouta l'adresse puis raccrocha sans dire au revoir. Même s'il avait besoin de Vale, il n'était pas disposé à se laisser snober par lui.

Diane l'entendit diminuer un peu le jet de la douche et commencer à chanter. Elle n'était pas amateur d'opéra, mais elle avait appris certaines choses au contact de Charles.

Il chantait l'air de Rhadames, dans la scène du tombeau d'*Aïda*.

« Il y en a quelques-uns à qui vous pouvez faire confiance. Les vieux de la vieille. Les cadres ? Je dirai : dehors. Ce sont pour la plupart des copains de Braverman. Ils volent depuis si longtemps qu'ils ne sauraient pas comment s'arrêter.

— Charles disait que c'est pire aux bureaux de New York.

— Qu'il s'en occupe, fit Kraus. Il est sur place. Grieff a un beau-frère à la comptabilité : tous les mois il y remplit d'argent liquide un sac en papier. Ils ne comptent pas, ils payent.

— Ça n'est pas possible », dit Diane. A part le vol du bijou de Mrs. Daventry voilà si longtemps, elle était pour l'argent d'une honnêteté scrupuleuse et faisait grande attention au sien — quand elle en avait.

Kraus haussa les épaules. « Vous ne me croyez pas ? dit-il. Demandez à Zégrin. »

Il désigna du menton Zégrin, qui était assis sans rien dire perché au bord de sa chaise, comme s'il craignait d'être renvoyé de la pièce dès l'instant où quelqu'un remarquerait sa présence.

Sa bonne fortune l'étonnait encore. Il s'était trouvé au bon endroit au bon moment, mais il n'avait aucun mal à comprendre que, si Kraus devait remplacer Cantor, il aurait besoin de quelqu'un pour le remplacer lui-même, il lui faudrait une ombre.

Diane regarda Zégrin qui rougit. « C'est vrai, dit-il. Grieff a même fait payer par la société la bar mitzvah de son fils.

— Comment a-t-il pu faire passer ça ? demanda Kraus.

— C'est son cousin qui est contrôleur de gestion.

— Il s'en va, dit-elle d'un ton ferme. Tout comme son beau-frère et son cousin. Faites-moi une liste.

— Vous allez vous créer un tas d'ennemis, protesta Diamond.

— Je préfère faire tout ça d'un coup que d'étaler dans le temps, Aaron. »

Kraus acquiesça. Elle avait raison. Son instinct était sûr, se dit-il. Il cocha un nouveau point sur sa liste.

« Le bruit s'est répandu que nous avons des difficultés, dit-il. La M.G.M. veut acheter un morceau de notre terrain. Ils ont besoin d'un bassin plus grand que celui qu'ils ont.

— Louez-leur le nôtre. Ne vendez rien.

— Mon chou, fit Diamond, il faudra bien vendre quelque chose. Vous n'avez rien qui entre et pas mal qui sort. Il y a ici des actifs dont vous n'avez pas besoin.

— Il y a un actif pour lequel nous n'avons même pas encore fait de projets, répliqua Diane. Moi. Il nous faut un grand succès. La première priorité est de trouver la bonne histoire et de faire le bon film. David m'a enseigné cela. Ensuite ?

— Rien d'important, dit Kraus en rangeant sa liste. Quelques papiers à signer, c'est tout. » Il lui tendit un épais dossier.

Diane feuilleta les documents. C'était pour la plupart de la routine — le genre de chose qu'elle était décidée à l'avenir à laisser à Kraus et à Zégrin. Elle se promit d'en parler à Kraus. Ce n'était pas le genre d'homme à prendre le pouvoir, ce qui était bon, mais, dès l'instant où on le lui aurait donné, il s'en servirait scrupuleusement. Zégrin, même si c'était un horrible petit bonhomme, ferait très bien comme chien de garde de Kraus.

La table de Diane, dans la salle à manger de la direction, était entourée de panneaux coulissants pour lui permettre d'être tranquille, mais elle ordonna qu'on les ouvrît pour permettre aux gens de la voir, et à ceux qui étaient assez importants pour l'approcher de venir lui présenter leurs félicitations.

La salle à manger d'un studio évoquait une sorte de cour royale et sa présence en ces lieux était aussi nécessaire qu'inattendue. De fait, son nouveau statut se trouva confirmé par l'addition au menu de la salade de « crevettes à la Diane Avalon », qu'elle commanda plus par loyauté que par goût.

Diane pensait qu'elle parviendrait d'autant mieux à contrôler la société que personne ne savait très bien quel devait être son rôle. Elle refusa de prendre le moindre titre et laissait Kraus parler pour elle le plus souvent possible. Kraus convenait admirablement à cette tâche. Il n'avait rien du côté flamboyant qu'on trouvait en général chez les patrons de cinéma. Il faisait peur à beaucoup de gens, mais Diane lui faisait confiance — dans la mesure en tout cas où elle pouvait faire confiance à quelqu'un. Il était son unique allié indispensable aux studios Empire. Lorsque Basil Goulandris suggéra que ce serait peut-être une bonne idée d' « étoffer » l'image de Kraus, ce dernier refusa aussitôt. Il préférait rester dans l'ombre : c'était là sa force.

Kraus vint s'asseoir auprès de Diane, discrètement, ce fut à peine si elle remarqua son arrivée, fit un signe de tête à Goulandris, prit un morceau de pain et le découpa avec soin en petits cubes égaux. Une serveuse lui apporta un bol et deux œufs mollets.

Kraus mit dans le bol les morceaux de pain, vida les œufs par-dessus et agita le mélange avec une cuiller. Goulandris ferma les yeux, puis repoussa son assiette de saumon fumé. Les déjeuners de Kraus ne manquaient jamais de lui faire perdre l'appétit.

« Le département des scénaristes ne vaut rien », déplora Diane en écartant son assiette de crevettes.

Kraus regardait d'un air lugubre par la porte vitrée. Diane avait raison. Braverman et Cantor avaient placé là tous les écrivaillons à qui ils étaient redevables et les jeunes femmes avec qui ils avaient couché une fois de trop.

« Vous avez raison, dit-il. Il nous faut du sang nouveau là-dedans. Et on devrait passer en profits et pertes presque toute la merde qu'ils ont achetée du temps de Cantor.

— Avez-vous lu, demanda Goulandris, *La Place d'une femme*, de Hirving Kane ? Ça n'est pas mal.

— C'est bon, reconnut Kraus. Nous avons eu quelques rapports là-dessus, mais Cantor ne le sentait pas. Il y a dedans un rôle pour vous, Diane.

— Je sais. Je l'ai lu.

— Vous devriez parler à votre ami Aaron Diamond. C'est lui qui a les droits, alors ça ne sera pas bon marché.

— Je lui en ai déjà parlé. Il en veut une fortune. Il baissera son prix. Je suis censée rencontrer Kane ce soir, à une soirée chez Aaron. »

Goulandris et Kraus, bien qu'il n'y eût pas entre eux une grande sympathie, échangèrent un coup d'œil. Charles Corsini les avait priés tous les deux de « s'occuper de Diane », ce que, pour des raisons différentes, ils étaient heureux de faire mais, à bien des égards, il devenait évident que Diane n'avait pas besoin qu'on s'occupe d'elle. Il y avait des domaines entiers où elle ne connaissait rien et, là, elle était toute prête à déléguer ses responsabilités, mais pas avant qu'on le lui eût soigneusement expliqué — dans les domaines qu'elle connaissait, elle prenait elle-même ses décisions et agissait en toute indépendance.

« Aptgeld est en retard sur son programme », dit-elle.

Kraus hocha la tête d'un air las. « Il veut refilmer quelques scènes de foule.

— Visionnez-moi ce qu'il a en boîte dès demain matin et dites-moi ce que vous en pensez. »

Les deux hommes se levèrent quand Diane quitta la table et la regardèrent traverser la salle à manger pleine de monde. Tous la regardaient, même les autres stars. Elle n'était pas seulement la plus belle femme de la pièce : elle était aussi la plus riche et maintenant la plus puissante.

« Bien sûr, c'est un peu baroque, dit Mr. Snayde en agitant les mains, mais j'ai pensé que le prince aimerait la loggia. Elle est italienne.

— C'est triste comme une crypte, fit Diane. Mon mari a pleine confiance en mon jugement, Mr. Snayde. Je veux quelque chose de gai, d'aéré et de clair.

— La maison a appartenu jadis à Rudolph Valentino, dit-il d'un ton nostalgique.

— Ça m'est égal.

— Il y a aussi l'ancienne maison de Theda Bara. Elle a de ravissants carrelages mauresques. Certaines pièces ont un côté très oriental — comme le Taj Mahal.

— Ça ne fera pas du tout l'affaire. Mais alors, pas du tout. »

Mr. Snayde suivit Diane dans la voiture avec un soupir. Il avait vaguement supposé que Diane aimerait peut-être quelque chose d'exotique, mais elle résistait avec obstination.

« Il y a la maison Bitzer, dit-il. Il était l'opérateur de D. W. Griffith.

— Je sais. Comment est-elle ?

— Un cadre superbe. Très isolée. Marion Davis a vécu là quelque temps. A l'intérieur, c'est un peu comme la Maison-Blanche. »

Diane haussa un sourcil.

« William Randolph Hearst l'avait fait reconstruire, expliqua-t-il. Il voulait avoir des toilettes et des commutateurs disposés de la même façon qu'à la Maison-Blanche pour ne pas se sentir dépaysé si jamais il était élu président... »

Il s'engagea dans une allée, ouvrit une lourde grille de fer forgé, puis reprit le volant et suivit le long chemin en courbe jusqu'à une grande maison blanche avec des colonnes majestueuses et l'air d'une résidence sudiste qui aurait atterri là.

La maison était grande — sûrement assez grande pour satisfaire Charles — mais elle avait une certaine élégance, la solidité d'un palais plutôt que la fantaisie débridée de la plupart des maisons de Hollywood. « Elle a de la classe », affirma Mr. Snayde, et pour une fois il avait raison.

« Je la prends », fit Diane sans même descendre de voiture.

Aucune femme, dans l'expérience de Mr. Snayde, n'avait jamais fait ça avant.

Le lendemain, cette anecdote venait s'ajouter à la légende déjà longue de Diane Avalon.

Deux fois l'an, Diamond donnait une soirée. C'étaient toujours des invités triés sur le volet, l'aristocratie de l'industrie, comprenant même des vedettes si vieilles et si célèbres que beaucoup imaginaient qu'elles étaient mortes.

Diamond en général disait à tant de gens qu'il donnait la soirée en leur honneur qu'une douzaine au moins d'hommes et de femmes avait l'impression d'être chacun l'invité ou l'invitée d'honneur — mais en vérité le seul invité d'honneur aux réceptions de Diamond, c'était l'hôte lui-même.

« Vous êtes formidable, mon petit », déclara Diamond. Diane n'en disconvint pas. C'est vrai qu'elle était formidable dans une robe du soir blanche très audacieuse qui même ici faisait hausser les sourcils.

« Aaron, j'ai acheté une maison aujourd'hui. C'est la première fois que j'ai jamais fait ça !

— C'est ce qu'on m'a dit. Sans visiter l'intérieur. La maison Bitzer — j'y allais autrefois, mais j'ai fini par en avoir assez de voir Hearst suivre Marion Davies partout chaque fois qu'elle parlait à un autre homme plus de deux minutes... Vous voulez rencontrer Kane ?

— Je ne sais pas, Aaron. Vous croyez ? J'ai bien aimé le livre. Au fait, comment l'avez-vous su ?

— La rumeur publique, mon petit. Ecoutez, si vous voulez le livre, achetez-le. Et suivez mon conseil : abstenez-vous de faire la connaissance de Kane. Il s'est installé au bar dès l'instant où il est arrivé et il a déjà essayé d'embrasser deux femmes mariées parfaitement respectables. Je veux deux cent mille dollars pour le livre et cinquante de plus pour qu'il écrive le scénario.

— Pas question, Aaron. Cent mille. Et je ne veux pas qu'il écrive le scénario.

— Allons, mon petit. Il y tient.

— Non. Je lui ferai un contrat pour mille dollars par semaine pendant un an comme scénariste — à la condition qu'il ne travaille pas sur celui-là. »

Diamond acquiesça. « C'est entendu. Vous êtes futée. Aucun auteur ne sait adapter son propre livre. Mais, en attendant, il ne pourra pas se plaindre à la presse que vous massacrez son livre car il sera en train de travailler pour vous. Malin ! Où est donc votre mari ? »

Elle ne put rien lui répondre. Elle n'avait aucune idée de l'endroit où se trouvait Charles ni même s'il était encore en vie, songea-t-elle, tout en se disant de ne pas dramatiser. « Il est en voyage d'affaires, Aaron.

— C'est ici qu'il devrait être. Si j'étais marié à une jolie fille comme vous, au moins je resterais à la maison, ça je peux vous le dire.

— Il a pas mal de problèmes d'affaires pour le moment.

— Il paraît que Luckman en fait partie. C'est un gros, gros problème, mon chou. Je vais vous dire une chose que j'ai apprise dans ce métier. Ne jamais se faire d'ennemis. Ecoutez, vous devriez vous détendre, vous devriez vous amuser un peu, ne plus penser à Charles. » Diamond, d'un geste large désigna la foule brillante des invités. « Allez danser, sortez davantage, vous comprenez ?

— Je n'aime pas sortir seule, Aaron. Charles me manque.

— Alors ne sortez pas seule : il y a plein d'hommes qui ne demanderaient qu'à vous emmener.

— Je ne sais pas comment Charles prendrait ça.

— On est au XXe siècle, mon petit. C'est normal de s'amuser un peu, même quand on est marié. »

Diane haussa les épaules. Elle était d'accord mais, quand Charles était absent, elle rentrait généralement à la maison après le travail, elle prenait un bain, s'enduisait le visage de crème de beauté, commandait un dîner léger et allait au lit de bonne heure. Sa vie, quand elle ne travaillait pas, avait toujours été dirigée par un homme. Elle ne s'en était jamais plainte, mais c'était un fait et elle n'avait pas envie d'en discuter avec Aaron Diamond, qui commençait déjà à s'agiter.

Diamond manifestait toujours une certaine agitation, qu'il était forcé de maîtriser quand il était au milieu de célébrités : on aurait dit un enfant en face de tant de cadeaux au pied de l'arbre de Noël qu'il n'arrive pas à choisir lequel ouvrir en premier. Son regard parcourait l'assistance tandis qu'il essayait de décider à qui il voulait parler ensuite. « Tenez, voici Mrs. Adolph Kiss, vous la connaissez ?

— Ma foi, non.

— Vous devriez circuler davantage, Diane. Bon sang, vous êtes une star. Allez vous amuser, bon Dieu ! » Se dressant sur la pointe des pieds, il embrassa Diane sur le front et disparut.

Elle regarda son reflet dans le miroir de Diamond. Elle contemplait d'un œil critique le visage qui s'offrait à son regard. Pas de rides encore, mais elle les sentait venir, se former sous la peau lisse tandis qu'elle se regardait. Etait-ce une erreur de jouer une jeune femme de dix-huit ans au début du film ? Serait-ce plus raisonnable d'essayer un rôle dans lequel elle devrait vieillir ? De nombreuses comédiennes pensaient que c'était chercher des ennuis. La plupart d'entre elles avaient raison.

Elle prit une coupe de champagne que lui proposait un serveur et sortit sur la terrasse où s'alignait une longue rangée de femmes nues en bronze et en marbre. Les gens s'écartaient sur son passage. Personne ne lui demanda de se joindre à un groupe.

Elle échangea quelques mots avec certains de ceux qui ici constituaient la noblesse : les Selznick, les Louis Mayer, les Mervyn LeRoy, jusqu'au moment où elle se trouva au bout de la terrasse, dans l'ombre, soudain seule et esseulée. Quand Charles allait-il revenir ? Il lui manquait tant que ses nuits étaient comme une peine de prison.

Elle entendit du bruit derrière elle, se retourna et vit Aaron Diamond planté tout seul sur les dalles de marbre, tout petit auprès des statues. Il tira de la poche de sa veste de smoking blanc un mouchoir de soie, ôta ses lunettes et se mit à les essuyer. Sans les verres teintés, ses yeux semblaient plus petits et las. Pendant une seconde, Diane fut consciente de son âge et étonnée de voir combien il avait l'air vieux.

« On m'a dit que vous étiez par ici, mon petit. » Il parlait d'une voix sourde et sans sa faconde habituelle.

Diamond la regardait, nettoyant toujours les verres de ses lunettes avec la même attention obsessionnelle qui lui faisait essuyer les couverts et les assiettes dans les restaurants. « Je viens de voir une dépêche sur le télex de mon bureau. »

Diane serra les bras contre son corps. « Ce n'est pas Charles, n'est-ce pas ? demanda-t-elle. Il n'a pas... il n'a pas eu un accident ? » Elle avait failli dire « été arrêté », mais elle se ravisa.

Diamond remit ses lunettes. « J'aime bien qu'on m'embrasse autant qu'un autre, mais ça salit toujours mes lunettes...

— Qu'y a-t-il, Aaron ?

— Eh bien, vous pourriez penser que c'est une bonne nouvelle, me semble-t-il. On dirait que Luckman ne va pas témoigner contre Charles, mon chou.

— Comment diable est-ce que Charles est parvenu à ça ? »

Diamond s'éclaircit la voix. Il se pencha vers Diane, le visage grave. « Luckman est mort, annonça-t-il.

— Mort ? De quoi ?

— Quelqu'un lui a planté un couteau dans le dos, à la prison de Washington, la veille du jour où il était censé témoigner. C'est un de ses compagnons de cellule qui a dû faire le coup. »

Diane frissonna. « Il devait avoir un tas d'ennemis », murmura-t-elle plus pour elle-même que pour Diamond.

« Pas que je sache. En tout cas, il n'en avait qu'un qui comptait... Evidemment, ça n'est pas facile d'avoir un type quand il est entouré de policiers — ni bon marché. Mais il y a des gens qui peuvent arranger ce genre de choses. J'en ai connu quelques-uns.

— Harry Faust ? »

Diamond parut surpris. « Harry est un de ceux-là, bien sûr. Qu'est-ce qui vous a fait penser à lui ?

— C'était juste une idée. Les gens vont tout de suite en déduire que c'est Charles qui a arrangé ça, n'est-ce pas ?

— Oui. C'est exactement ce qu'ils vont penser. Et dire. Vous savez, s'il l'a fait, c'était probablement la meilleure solution. Mais ça ne va pas lui valoir la médaille de l'homme de l'année.

— Il ne la cherche pas. »

Elle se détourna de Diamond et des brillantes lumières. Elle sentait une peur terrible l'envahir. Elle ne plaignait pas le malheureux Luckman, qu'elle ne connaissait même pas, mais elle savait maintenant non seulement que Charles était capable de tout, mais qu'il avait donné à Vale une autre prise sur eux deux — ainsi qu'à Harry Faust, ce qui, sans doute, était encore pire. Elle descendit les marches de la terrasse jusqu'au jardin, en retenant ses larmes.

Devant elle, sur la pelouse de Diamond, il y avait une piscine avec des projecteurs sous l'eau encastrés dans les parois. Une fille superbe sortit du vestiaire dans un costume de bain noir qui la moulait comme une seconde peau, grimpa sur l'échelle du plongeoir et plongea gracieusement, sa tête réapparaissant un instant plus tard parmi les gardénias qui flottaient sur l'eau.

Peut-être était-ce une invitée qui avait envie de se baigner ou peut-être avait-elle été engagée pour la soirée, songea Diane, pour fournir un spectacle aquatique. Personne d'autre ne semblait l'avoir remarquée, mais elle n'y prêtait aucune attention, ses longues jambes la propulsant d'un bout à l'autre de la piscine dans une série de mouvements souples et fluides. Ses cheveux blonds s'étalaient derrière elle, étincelants dans les lumières, son corps cerné d'un halo bleu argenté.

Diane soupira. C'était un de ces rares moments où Hollywood paraît aussi romantique que les gens qui n'y vivaient pas aimaient à croire qu'il l'était, une brusque et poignante vision de beauté et de richesse semblait justifier tout le clinquant, toutes les compromissions de la vie quotidienne.

Elle regarda la terrasse derrière elle, où des dizaines de visages familiers brillaient à la lueur des torches et des bougies, comme à un bal satanique, tout à la fois élégant et effrayant, puis ses yeux revinrent à la fille qui fendait l'eau — qui savait pourquoi ou pour le plaisir de qui ? — et elle sentit un petit frisson la parcourir.

Elle enviait cette fille qui n'avait sûrement pas plus de vingt ans. Elle n'avait d'autre responsabilité que sa beauté. Avait-elle un passé à cacher ? Elle semblait parfaitement insouciante.

Un moment, Diane se dit qu'elle aurait bien tout abandonné pour avoir Charles auprès d'elle et pour mener une vie aussi simple que celle de la fille de la piscine.

Puis elle s'essuya les yeux, vida sa coupe de champagne et remonta les marches. Si jamais il fallait faire bon visage, c'était maintenant.

23

Les nouvelles de la guerre étaient si mauvaises qu'elles ne tardèrent pas à chasser de la une des journaux l'histoire de Charles et puis à l'évincer complètement. A travers le Pacifique, des avant-postes dont les Américains n'avaient même jamais su qu'ils leur appartenaient tombaient l'un après l'autre aux mains des Japonais. A l'est, en Russie, les Allemands encerclaient Leningrad, alors qu'en Afrique du Nord ils approchaient du canal de Suez. En Amérique, la Bourse montait et jamais la fréquentation des salles de cinéma n'avait atteint de tels chiffres.

Diane lisait rarement les journaux, bien qu'elle pût voir les manchettes alarmantes sur la pile de quotidiens et magazines qui s'entassaient sur la table basse de Diamond. Richard Beaumont s'étalait en couverture de *Life,* ce qui lui rappelait désagréablement que sa carrière à elle était au point mort. Beaumont s'était réhabilité aux yeux du public en convoyant des appareils d'entraînement pour la R.A.F., puis il avait fait un triomphal retour à la scène pour reprendre son métier d'acteur shakespearien.

Diane avait entendu parler des triomphes de Beaumont et, elle devait en convenir, elle en était jalouse. Les gens la considéraient comme une star mais pas comme une grande comédienne. Beaucoup de choses dépendaient du nouveau film. Le script de *La Place d'une femme* avait déjà été rédigé deux fois pour développer son rôle : Kraus avait enfermé les scénaristes dans un bungalow du Beverly Hills Hotel pour les faire travailler jour et nuit et il avait posté un assistant dehors pour s'assurer qu'ils ne recevaient ni nourriture ni boisson avant d'avoir glissé sous la porte leur quota journalier de pages.

« Avez-vous un metteur en scène ? » demanda Diamond.

Diane secoua la tête. « En fait, ce qui m'inquiète plus, c'est l'opérateur. J'ai fait quelques essais. Aucun ne m'a plu. »

Diamond haussa les épaules. « Bon sang, ça ne sont pas les bons opérateurs qui manquent. Ne vous préoccupez pas des détails. »

Mais c'était le point qui, plus que tout, la préoccupait. Kraus qui avait un grand respect pour son bon sens, trouvait pourtant son inquiétude à propos de l'opérateur tout aussi ridicule que Diamond, mais c'est que Kraus et Diamond, se disait-elle, n'avaient pas à voir leur visage projeté sur des écrans de cinéma dans le monde entier. Sous la lueur des projecteurs, ses cicatrices étaient visibles : la caméra soulignait le fin tracé du travail d'Acheverria, tout comme l'éclairage cru de la table à maquillage de Diane le faisait dans sa loge. D'autres gens peut-être ne s'en apercevraient pas, mais elle le remarquait. Et, une fois grandies sur l'écran, d'autres gens remarqueraient ces traces. C'était le genre de choses que le maquillage pouvait masquer, mais la perfection de la peau de Diane, au cinéma comme dans la vie, avait toujours été sienne et ne devait rien à Max Factor.

Elle soupira. Il était trop tard pour reculer maintenant que tout le cinéma parlait d'elle. Elle leva le menton.

« Billy Sofkine me dit que les factures pour la maison sont astronomiques, observa Diamond.

— C'est que la rapidité coûte cher. Bill dit que c'est difficile de trouver des ouvriers : ils sont tous à Burbank, à fabriquer des avions à Dieu sait combien l'heure.

— Utilisez les ouvriers du studio.

— C'est ce que je fais. Mais il faut que je rembourse le studio.

— Vous êtes une femme honnête. Braverman ne remboursait rien. Pas plus que Cantor. Mais vous avez raison.

— Je ne peux pas empêcher les gens de voler le studio si je le fais moi-même... D'ailleurs, ce n'est pas l'argent qui m'inquiète. Je veux que la maison soit prête pour Charles.

— Il va se terrer ici un moment ?

— Je n'appellerais pas vivre à Bel Air " se terrer ", Aaron », protesta Diane avec agacement. Elle aurait bien voulu lui dire la vérité sur Charles — mais jamais il ne lui pardonnerait de révéler ses secrets à Diamond.

« Je voulais simplement dire qu'il va devoir rester quelque temps à mener une vie discrète, ajouta-t-il pour s'excuser.

— Je ne crois pas que ce soit le style de Charles.

— Ce serait la chose prudente à faire.

— La prudence n'est pas exactement son style non plus.

— Je m'en suis aperçu. Bon, bon... ne vous énervez pas. Ecoutez, vous voulez l'aider, tâchez d'avoir une bonne presse. Polly Hammer est une de mes amies. Elle meurt d'envie de vous rencontrer.

— Aaron, j'ai horreur des interviews. Et Charles aussi.

— Oubliez Charles. Les articles de Polly paraissent dans plus de cent journaux, bon sang. Vous vous faites d'elle une amie, elle fera passer

Charles pour un vrai petit boy-scout. Vous avez besoin d'une amie dans la presse et Charles aussi. Appelez-la. Demandez-lui de venir visiter la maison. Elle adore aider les gens à décorer.

— Je n'ai pas besoin d'aide.

— Qu'est-ce que ça peut faire ? Emmenez-la faire des courses. Parlez-lui de vos projets. Donnez-lui une ou deux informations. Vous aurez une amie pour la vie, mon petit — une amie qui a environ dix millions de lecteurs. Et puis elle a des rabais partout.

— Je vais l'appeler, Aaron. C'est promis.

— Ça vous changera les idées. Et, Diane... reprit Diamond, se penchant vers elle l'air grave, vous aimez Charles, je le comprends, mais faites attention.

— Attention à quoi, Aaron ?

— Faites attention, c'est tout. Peut-être qu'il a seulement de la malchance, mais on dirait qu'il arrive des choses embêtantes aux gens qui sont proches de Charles Corsini... »

Elle secoua la tête, claqua un gant contre l'autre et se dirigea vers la porte. « Je vais appeler Polly », dit-elle, coupant court à la conversation.

Il se leva de derrière son bureau. « Vous voulez mon avis ? Charles a de la chance. Il a une femme belle et talentueuse, avec la tête faite pour les affaires et qui est une vraie dame.

— Aaron, Charles est un prince, vous savez.

— Oui, oui, un prince italien. Cette ville est pleine de princes : polonais, russes, italiens. Ce que j'essaie de vous dire, c'est que vous avez le genre d'éducation qui compte, qui impressionne les gens : l'Angleterre, le Raj, un père dans l'armée indienne, élevée dans le palais d'un mahārādjah... Les gens respectent ce genre de choses. »

Diamond désigna du geste ses gravures de chasse et ses meubles anciens, comme s'ils appartenaient à Diane. « C'est du solide. Corsini le sait. Il n'est pas idiot. Il donnerait sans doute son bras droit pour avoir le genre d'éducation que vous avez. Ces choses-là, mon petit, ça ne s'achète pas. Je sais que vous n'en parlez jamais — et c'est très bien, ça montre que vous n'êtes pas une snob. Mais ça compte, Diane, ne l'oubliez jamais. Et ne laissez pas Charles l'oublier non plus. »

Diane regarda Diamond, planté derrière son bureau XVIIIe dans son costume de soie crème et ses chaussures noir et blanc, un anglophile de plus dans une ville où un maître d'hôtel anglais était encore le fin du fin, et elle comprit combien ce serait impossible de lui dire la vérité sur son compte. D'ailleurs, il avait raison. L'éducation qu'elle s'était inventée, qu'elle avait assemblée au long des années comme des morceaux d'un patchwork pour former une couverture était maintenant un tissu sans coutures, enrobé dans la légende. Elle y croyait presque elle-même.

Deux mahārādjahs au moins prétendaient aujourd'hui que c'était dans *leur* palais que Diane Avalon avait grandi. L'un d'eux avait même montré à un journaliste le poney qu'elle montait quand elle était enfant. Une dizaine d'Anglais résidant en Inde — des sahibs et leurs mems — écrivaient à Diane ou aux journaux, apparemment convaincus qu'ils l'avaient connue quand elle était enfant et qu'ils étaient amis de ses parents. Tous convenaient que Diane avait été une enfant d'une beauté singulière et qu'elle avait montré très tôt les promesses d'une grande carrière de comédienne.

Un moment, elle regretta que l'occasion ne se fût pas présentée pour elle de se détacher de sa légende, mais en voyant Diamond qui la contemplait avec une lueur d'admiration et d'envie au fond des yeux, elle comprit plus que jamais que c'était trop tard.

Vingt années de chroniqueuse à Hollywood avaient rendu Polly Hammer imperméable à la vérité, et en fait incapable de la reconnaître. Elle préférait le mythe et le fantasme. Comme ses lecteurs, elle était désespérément romanesque. Elle voulait croire à l'enfance « fabuleuse » de Diane et voir en Charles un « prince de conte de fées ». En même temps, elle connaissait fort bien les milieux de cinéma. Elle n'ignorait les secrets de personne mais ne révélait que ceux des gens qu'elle n'aimait pas. Diane se prit aussitôt de sympathie pour elle et Polly réagit en la traitant comme une fille adoptive.

« Vous devriez sortir davantage. Vous devriez donner des soirées aussi. Il n'y a pas dans la vie que le studio, vous savez.

— J'allais à des soirées quand David était vivant...

— Mais, depuis, vous êtes devenue une recluse. Bon, mon chou, je comprends. Il y a eu cette horrible histoire avec Myron Cantor à propos de la mort de la pauvre Cynthia Beaumont. Et puis vous vous êtes réfugiée au Mexique et vous avez épousé Charles. Mais ça ne vous ferait pas de mal de vous installer et de vivre quelque temps une vie normale. »

Diane se demandait si l'idée que Polly se faisait d'une « vie normale » ressemblait à celle qu'elle menait. Diane n'avait jamais dirigé une maison ni rien fait de ce à quoi la plupart des femmes semblaient occuper leur vie. Jusqu'à une époque récente, elle n'avait même jamais fait de courses.

Polly insista pour l'emmener faire une tournée des meilleurs magasins de Beverly Hills. « Vous manquez un des grands plaisirs de la vie, mon chou », dit-elle à Diane et, la matinée n'était pas finie que Diane devait convenir que Polly avait raison. C'était un grand plaisir que d'acheter sans avoir un homme planté à côté de vous pour prendre les décisions.

Le déjeuner était encore une chose à quoi Diane pensait rarement. Au studio, lorsqu'elle travaillait, elle prenait un repas rapide. Mais Polly insista pour l'emmener déjeuner au Beverly Wilshuire Hotel, où Diane fut traitée avec le genre de révérence réservé ailleurs aux royautés en visite.

Même là, on pouvait faire des courses. Des mannequins circulaient de table en table, arborant les chapeaux et les robes d'Armand Silk. Silk habillait Polly depuis des années. Il avait même fait des robes pour Diane une ou deux fois, en dépit du fait qu'il n'aimait pas en général habiller les vedettes, car c'étaient elles que les gens regardaient et non ses créations. Il s'approcha de leur table, dans un tintement de bracelets, et s'assit sans y avoir été invité, car il était de ces gens qui supposent toujours qu'ils sont les bienvenus. Il vivait depuis dix ans avec Billy Sofkine, le décorateur, et ce charmant couple était connu des appartements de Beverly Hills jusqu'aux hauteurs de Bel Air. Il prit une cerise au marasquin dans la salade de fruits de Diane. « C'est bien morne aujourd'hui, déplora-t-il.

— Pas beaucoup de clients ? demanda Polly.

— Ne m'en parlez pas, mon chou. Si je fais mille dollars aujourd'hui, j'aurai de la chance. C'est à peine si ça me paye mes mannequins. Non, mais je veux dire, regardez-les ! Des matrones boudinées qui sont venues de Pasadena avec leurs vachères de filles pour une journée de courses... Et les hommes habituels qui espèrent lever un mannequin ou une de ces matrones, bon Dieu... Il y a là-bas Harry Warmfleisch, derrière le palmier. Il paie le maître d'hôtel pour qu'il dépose une de ses cartes sur chaque table avec son numéro de téléphone personnel. Juste sous la corbeille à pain.

— Je n'en ai pas vu, dit Diane.

— Oh ! Ma chère, vous êtes une star. Il n'oserait pas. Il est marié. Les stars vivent dans des maisons de verre. Les gens qui ont des liaisons avec elles se font voir.

— Même les stars ont des secrets, tout de même ?

— Pas longtemps, dit Silk. Regardez ce qui est arrivé à Chaplin. Plus vous êtes grand, plus c'est difficile de garder un secret pour la presse. Vous vous souvenez de Grace Darling ?

— Jamais entendu parler d'elle.

— C'est ce que je voulais dire. Elle était très connue bien avant votre temps — et puis un jour sa sœur est arrivée, en se plaignant que Grace n'envoyait pas d'argent à sa famille...

— Et c'est ça qui a brisé sa carrière ?

— Ma chère, la sœur de Grace était d'Alabama. Elle était *noire*... Il faut que vous me laissiez dessiner quelques robes, dit-il. Je suis très pris, mais pour vous...

— J'adorerais, assura Diane qui n'en pensait pas un mot. Il faut que nous partions », ajouta-t-elle d'un ton ferme en lançant à Polly un regard qui lui fit terminer son café d'une gorgée.

Silk lui adressa un clin d'œil.

Elle sentit une brusque vague de panique déferler sur elle. Ce ne fut que lorsqu'elle se retrouva dehors, sur Wilshire Boulevard, qu'elle recouvra son calme et qu'elle se dit qu'elle était une star, une princesse et la principale actionnaire des studios Empire.

Elle se persuada qu'elle n'avait rien à craindre.

Mais, en montant dans la voiture de Polly, elle dut serrer fort son sac à main de ses deux mains gantées.

Elles tremblaient encore.

« Je croyais que vous n'aimiez pas les robes d'Armand, dit Polly quand elles se retrouvèrent dans la voiture. Vous vous sentez bien ?

— Très bien.

— Vous êtes toute pâle. Vous vous inquiétez à propos de Charles ?

— Non, non, il sera bientôt de retour.

— Je pensais que c'était peut-être ce qui vous préoccupait. Vous n'allez pas vivre ainsi pendant son absence, non ?

— Mais non, Polly, absolument pas.

— Pas la peine de monter sur vos grands chevaux, mon chou. J'ai toujours estimé que ce que fait une femme quand son mari est absent est aussi strictement son affaire que ce qu'il fait lui quand il n'est pas là. » Polly freina brusquement, manquant de peu un piéton terrifié qui regagna le trottoir en courant. Diane ferma les yeux en voyant une limousine foncer sur elles. Elle les ouvrit un moment trop tôt, juste à temps pour apercevoir Marty Braverman pelotonné sur le siège arrière tandis que la voiture de Polly manquait sa voiture de quelques centimètres.

Polly lui fit de la main un geste joyeux. « Je parie qu'il va voir Howard Hughes, dit-elle. Il paraît que Marty et Myron Cantor essaient de prendre le contrôle de Republic.

— Ils y arriveront, vous croyez ?

— Sans doute. Il paraît que c'est Hughes qui les finance. » Si Polly était bien mal informée sur la vie privée des stars, elle savait généralement de quoi elle parlait quand il s'agissait d'affaires. « Vous savez, c'est ce qui pourrait vous arriver de mieux. Aussi longtemps qu'ils n'auront pas un studio à diriger, ils essaieront sans arrêt de se venger sur vous de les avoir vidés des studios Empire. Dès l'instant où ils seront de nouveau au travail, ils n'y penseront plus. D'ici un an ils feront des accords de coproduction avec vous et essaieront de vous emprunter vos vedettes. Il n'y a pas d'ennemis permanents dans ce métier, mon chou. »

Elle s'interrompit, le temps de brûler un feu rouge en klaxonnant. « Et pas d'amis permanents non plus... Est-ce que Charles est du genre jaloux ? demanda-t-elle, changeant brusquement de sujet.

— Je ne lui ai pas donné de raisons d'être jaloux, alors je ne sais pas, fit Diane avec impatience.

— Il a la réputation de l'être. C'est un Latin. Pour ma part, j'aime les hommes jaloux. Qu'est-ce qui s'est passé avec sa première femme ?

— Oh ! Bon sang, Polly, il n'y a rien de vrai dans ces rumeurs.

— Alors, vous n'avez pas peur de lui ?

— Je n'ai aucune raison, Polly. Nous nous aimons. Et cessez de me cuisiner.

— Bon, bon. Mon chou, vous avez quand même peur de quelque chose. Impossible de cacher ça à Polly... Ecoutez, je peux être discrète. Si vous avez des problèmes, parlez-m'en. Les amies, c'est fait pour ça. Nous avons tous nos secrets et nous ne pouvons pas les dissimuler à jamais, vous comprenez ? C'est mauvais pour vous. Tenez, moi, j'ai toujours déversé mon cœur à mon coiffeur jusqu'au jour où j'ai trouvé que mes secrets alimentaient les conversations de tous les bars de pédés de L.A. Armand Silk en savait sans doute plus sur ma vie que moi, figurez-vous. On dirait que vous êtes de nouveau pâle... Attendez une minute, il faut que je m'arrête ici. »

Polly conduisait toujours comme si sa voiture était la seule à circuler sur la route. Diane n'avait pas eu le temps de lui demander où était « ici » que Polly, sans ralentir, donna un coup de volant pour se garer le long du trottoir et écrasa les freins, laissant l'arrière de la voiture dépasser sur la chaussée. Un homme qui faisait une marche arrière pour se garer précisément là se pencha à la portière de sa voiture pour l'interpeller. Polly lui fit un geste joyeux en sortant, tout en révélant une longueur de cuisse qui le réduisit au silence. « Ça marche toujours », expliqua-t-elle.

Diane se précipita à sa suite. Cette fois, Polly ne semblait pas être venue faire des courses. Elle s'était arrêtée devant une vitrine de West Tico ornée d'un rideau à fleurs poussiéreux et d'un vase de fleurs fanées. Une enseigne discrète, peinte à la main, annonçait sur le seuil : « Madame Vera — sur rendez-vous seulement. »

Polly frappa à la vitre du plat de sa bague en diamants. On vint lui ouvrir. « Vous allez l'adorer, dit-elle en poussant la porte.

— Adorer qui ?

— Vera. Je ne fais pas un geste sans la consulter.

— Vous ne croyez tout de même pas aux diseuses de bonne aventure ? » demanda Diane. La petite pièce était entièrement drapée d'une sorte de tissu sombre et au milieu se dressait une table ronde avec un vase de fleurs et quatre chaises pliantes disposées tout autour. Il flottait dans la pièce un parfum familier, qui donna à Diane un brusque et déplaisant sentiment de déjà vu : un mélange de bougie parfumée, d'odeurs d'herbes exotiques, la puissante senteur des fleurs pourrissantes, un soupçon de lourd parfum musqué.

De derrière un rideau à fleurs au fond de la pièce, on entendait quelqu'un tousser — une toux rauque et profonde qui dura au moins une minute. Puis la personne qui se trouvait derrière le rideau alluma une cigarette, eut une nouvelle quinte et baissa encore les lumières si bien qu'il ne resta pour tout éclairage que la lueur tremblotante des bougies.

« Comment allez-vous, Vera ? » demanda Polly. Sa voix pleine d'entrain semblait déplacée dans ce cadre un peu sinistre et Madame Vera parut le trouver aussi car elle resta un long moment silencieuse. « Comment voulez-vous que je me sente ? finit-elle par dire. Je suis une vieille femme. » La voix était gutturale, rauque, avec des tonalités étrangères. Diane fut parcourue d'un brusque frisson, comme si elle se trouvait dans un courant d'air. Elle croisa ses bras nus et fut surprise de constater combien elle avait la peau froide, malgré la chaleur qui régnait dans la pièce.

Le rideau s'écarta et Madame Vera demeura invisible. L'éclairage était conçu de façon à garder dans une obscurité presque totale le côté de la table où elle était assise. On n'apercevait d'elle que ses mains, qu'elle posa bien à plat sur la table, les doigts écartés. Les doigts étaient longs, fins, encore qu'un peu gonflés aux articulations par l'arthrite. Les ongles étaient pointus et badigeonnés d'un vernis rouge vif qui s'écaillait un peu sur les bords. « Asseyez-vous », dit-elle et elles obéirent.

« Vera, déclara Polly avec une nervosité un peu insolite dans sa voix, voici Diane Avalon.

— Ah oui ? » Il y avait quelque chose dans la façon dont elle avait dit cela — un ton de défi un peu mordant — qui attira l'attention de Diane. Elle ne semblait pas ignorer qui était Diane Avalon, mais cela ne l'impressionnait pas non plus : non certes que Diane s'en formalisât, car après tout c'était Hollywood où on pouvait rencontrer Joan Crawford chez le pharmacien, ou voir Clark Gable faire ses courses au supermarché. Non, la question semblait avoir une signification plus profonde qui mit Diane mal à l'aise.

« Vera est la voyante des stars, dit Polly. Ina Blaze ne fait pas un geste sans elle.

— C'est un Poisson. Nous avons tiré le sept étoilé à l'envers dans la douzième maison la semaine dernière. C'est signe d'ennemis secrets.

— Tout le monde sait qu'Ina est finie à la Metro, dit Polly. Même Ina. »

Madame Vera se mit à rire — un petit rire de gorge qui était presque un aboiement et qui aurait pu exprimer à peu près n'importe quoi sauf l'humour. Elle ouvrit son tiroir et y prit un paquet enveloppé de soie jaune qu'elle posa sur la table. « Les cartes ne nous disent rien que nous ne sachions déjà, dit-elle. Tous autant que nous sommes nous connaissons l'avenir. Nous prétendons le contraire parce que nous avons peur. Les cartes nous font sortir de nous, voilà tout, miss Avalon.

— Je ne suis pas sûre de vouloir connaître le mien », lança Diane d'un ton léger. Elle avait la désagréable impression que la vieille femme lui était hostile, rien qu'à la façon dont elle avait prononcé son nom.

La vieille défit le paquet et posa un jeu de tarots exactement au centre de la table. Elle replia avec soin le carré de soie et le remit dans le tiroir. « Il faut les envelopper dans la soie, expliqua-t-elle à l'intention de

Diane, pour les protéger des vibrations discordantes. En tout cas, c'est ce qu'on dit. La vérité, c'est que ce ne sont que des cartes. »

Elle les battit prestement, avec l'habileté d'un croupier, et reposa le jeu sur la table. « Tout comme dans la vie, nous avons des choix à faire ici. Gauche, droite. Marche, arrêt. Rester, partir. On ne peut pas plus fuir l'avenir que le passé. C'est le passé qui vous fait peur ? Je le crois. »

Diane la dévisagea — ou plutôt considéra l'obscurité — en se demandant ce que voulait dire la vieille dame. Elle posa les mains sur la table.

« Vous avez de belles mains, dit Madame Vera. Moi aussi, j'ai eu de belles mains, autrefois. » Elle s'interrompit pour tousser. « Pas aussi belles que les vôtres, bien sûr, mais pas mal... Alors, Mrs. Hammer ? Une consultation ? Vous n'êtes pas venue ici pour m'écouter parler de moi.

— Faites Diane, Vera. Vous m'avez tiré les cartes la semaine dernière.

— Je me souviens. L'arbre de vie. Ça n'est pas la meilleure façon de commencer avec une débutante. Et ça prend longtemps. Peut-être un tirage rapide, Miss Avalon ? Une sorte de démonstration ? » Elle ôta une carte et tendit le reste du paquet à Diane. « Battez ! » Elle avait une voix autoritaire.

« Je ne sais plus. Je ne suis pas vraiment une joueuse de cartes.

— Vraiment ? Alors vous avez manqué un des grands plaisirs de la vie. Veuillez tenir les cartes dans vos mains, puis poser une question dans votre esprit — sans rien dire.

— Quelle question ?

— Oh ! La question à laquelle vous voulez une réponse, bien sûr. »

Diane tenait le jeu de cartes entre ses mains croisées. Elle pensa à la question, mais elle n'arrivait pas à en trouver une. Il y avait de nombreuses questions, comme les facettes d'un diamant, et chacune d'elles menait à une autre.

Puis-je faire confiance à Charles ? se demanda-t-elle, et elle reposa le jeu.

« Vous avez la question ? »

Elle acquiesça.

Vera retourna la carte qu'elle avait gardée. Elle la tendit à Diane qui la regarda, en essayant d'en deviner la signification. « Qu'est-ce que je suis censée voir ici ? demanda-t-elle.

— Rien. C'est ce que je vois, moi, qui importe. La reine des fées, bien sûr, c'est vous. Une femme d'une grande puissance, qui a le sens de l'argent, très sensuelle, décidée à n'en faire qu'à sa tête... D'ordinaire elle est blonde, mais ça n'a pas d'importance. Les rameaux sont des signes de vie, de créativité, d'action... Veuillez couper le jeu en trois. »

Vera plaça la reine des fées au centre de la table, prit le paquet de cartes que Diane avait laissé de la main gauche et se mit à distribuer rapidement, à cartes découvertes. Elle plaça les deux premières croisées par-dessus, puis quatre autres pour former une croix autour des cartes centrales, puis quatre autres en ligne, à droite de la croix. Les figures étaient grossièrement dessinées et de couleurs vives.

Polly poussa un cri de surprise.

« Les Dix Epées recouvrent la reine des fées, fit Vera. Il est possible que bientôt votre vie soit régie par le désespoir. Il y aura peut-être des larmes. Si votre question concernait les affaires, quelqu'un sera peut-être ruiné. La carte est croisée par la Tour.

— La faillite, murmura Polly.

— Pas nécessairement. La ruine ou une mort violente pour quelqu'un d'autre ? C'est possible aussi. Certainement une période de confusion et de changement suivra la réponse à la question. Notez la précision des cartes de Cour : un grand nombre de gens seront influencés par le résultat. La dixième carte est intéressante aussi. Le quatre de trèfle dans le Résultat final... Une longue vie ? la prospérité ? Mais à un certain prix, je crois... Et regardez la troisième carte : la Justice à l'envers ! Il y a quelque chose dans le passé, quelque chose qui vous trouble, un acte pour lequel vous avez été punie... ou peut-être pour lequel vous n'avez *jamais* été punie... »

Diane sentit sa gorge se dessécher. La voix maintenant lui semblait familière. Elle fixa les mains de la vieille femme et se rendit compte qu'elle les connaissait presque aussi bien que les siennes. Les taches brunes de vieillissement étaient nouvelles, ou peut-être simplement plus marquées — après tout cela vieillit tant — mais, à ce détail près, elles n'avaient pas changé. Diane, fascinée, regarda la vieille femme poser une autre carte entre elles deux.

« La Lune, murmura la vieille femme. La vraie signification de cette carte, c'est la malchance pour quelqu'un qui vous aime », conclut-elle.

Diane n'avait pas la force de regarder son visage. « Quelqu'un qui m'aimait dans le passé ou quelqu'un qui m'aime maintenant ? demanda-t-elle d'une voix étranglée.

— Je crois que vous devez le savoir mieux que moi... Queenie, dit la vieille femme.

— Qui donc est Queenie ? » demanda Polly.

« C'est gentil à vous de revenir me voir. Asseyez-vous donc.

— J'ai eu le plus grand mal à expliquer à Polly pourquoi il avait fallu que je parte précipitamment », fit Diane. Elle avait passé l'après-midi à essayer de décider quoi faire, assise dans son bungalow du Beverly Hills Hotel, refusant tous les coups de téléphone. Elle avait invoqué une migraine pour qu'on la laissât tranquille —, et de fait, elle n'avait pas tardé à en avoir une, si intense qu'elle décida que la seule façon d'y mettre un terme était de revenir et d'avoir une explication avec Magda à la faveur de la nuit. Elle avait encore mal à la tête. Elle s'assit et appuya ses mains sur ses yeux.

« Tu as mal à la tête, chérie, tu as pris de l'aspirine ? » Diane fit oui de la tête.

« L'aspirine ne fait rien, dit Magda. Je vais te préparer une tasse de thé et te donner quelque chose qui te débarrasseras de ta migraine. » Elle se leva péniblement et s'éloigna d'un pas traînant pour allumer le réchaud.

Elle emplit une tasse ébréchée, puis y versa avec soin quelques gouttes d'un médicament violacé.

« Qu'est-ce que c'est ? interrogea Diane, avec une certaine méfiance.

— Une substance végétale inoffensive, répondit Magda. Bois-le gentiment, Queenie. »

A la surprise de Diane, la phrase la rendit aussitôt docile. un instant, elle *était* Queenie, assise sur la véranda et faisant ce qu'on lui disait. Elle se mit à boire le thé à petites gorgées. Bientôt sa migraine se dissipa. Elle sourit à Magda.

« Tu vois ? Je savais ce que je disais, hein ? Tu peux faire confiance à Magda, ma chérie. »

Diane reposa sa tasse. Elle en aurait bien pris une autre, mais le moment semblait mal choisi pour demander quoi que ce soit à Magda. « Est-ce que je peux te faire confiance, Magda ? C'est là la question. C'est pour ça que je suis ici.

— Pas en souvenir du bon vieux temps, Queenie ? Quel dommage ! Mais tu as raison. » Magda alluma une cigarette et examina Diane à travers la fumée. « Je vais te faire une autre tasse de thé, dit-elle, ne t'inquiète pas, ça ne te coûtera rien.

— Depuis combien de temps es-tu en Amérique, Magda ?

— Un an. Peut-être un peu plus. » Magda revint avec cette fois deux tasses de thé. Elle en posa une devant Diane. Dans l'autre, elle versa deux doigts de scotch.

« Pourquoi as-tu quitté l'Inde ?

— Pourquoi étais-je allée là-bas ? Pour survivre. Je commençais à être trop vieille pour être... comment dirais-je ?... une fille de bar. D'ailleurs, vivre avec ta mère était un peu déprimant après que Morgan et toi êtes partis. Ta mère avait pris un coup de vieux. Bien sûr, de toute façon, ça arrive en Inde, comme tu le sais, ce n'est pas comme ici, où les femmes de l'âge de ta mère passent l'après-midi assises au bord de leur piscine à jouer aux cartes. Un bon dentiste, un rinçage, un lifting peut-être, un régime strict et, de loin, on peut leur donner cinquante ans ou même quarante — malheureusement elles ne peuvent pas maintenir leurs maris à la bonne distance... Mais, en Inde, c'est différent. Là-bas on est peu de temps jeune et belle — et puis tout d'un coup vieille et fripée et édentée. Rien entre les deux. C'est peut-être le climat. En tout cas, dans le monde de ta mère, il n'y a pas l'équivalent de quelqu'un comme Mrs. Daventry...

— Tu la connais ?

— Elle, non. Mais j'ai été la maîtresse de son mari quelque temps, tu sais. Oh ! Un parmi d'autres. Un amant singulièrement dénué d'imagination, d'ailleurs — et pas généreux non plus. C'est si important, la générosité, tu ne trouves pas ? » Magda eut un petit ricanement qui fit un bruit de bois sec qui se brise. « Ah ! ah !... Ça me semble être hier quand nous nous asseyions toutes les deux sur la véranda. Tu as eu beaucoup de chance depuis. » Elle regarda la robe de Diane. « Du rose ! Qu'est-ce que dirait ta mère, je me demande ? Tu l'as rendue très malheureuse, tu sais.

— Je sais. Je lui écrivais tout le temps et puis la vie est devenue si compliquée que je ne savais plus quoi lui dire.

— Tout le temps ! Ah ! » L'expression de Magda était assez désagréable pour mettre Diane sur ses gardes.

« Je voulais lui écrire... il s'est passé tant de choses...

— Je sais. J'ai lu les journaux. Quand même, une lettre ça ne prend pas si longtemps. Après tout, tu n'as qu'une mère. »

Le remords un instant balaya la prudence de Diane — le remords et la surprise. Elle n'avait aucune raison de se justifier aux yeux de Magda, mais elle ne parvint pas à s'empêcher d'essayer. C'était comme si elle était redevenue une petite fille, qui essayait de plaire aux grandes personnes. « Une fois la guerre finie, s'entendit-elle déclarer, je pensais la faire venir ici... si elle voulait bien venir... »

Magda hocha la tête. « Ce ne serait pas un peu embarrassant, chérie ? Pour toi ? Et pour ton mari ? Je ne vois pas bien comment tu expliquerais... la différence de couleur...

— Je lui achèterai une maison quelque part. Je ne pensais pas la faire vivre avec nous. De toute façon, je ne pense pas qu'elle le voudrait.

— Tu as sans doute raison. Tu sais ? Tu pourrais peut-être t'en tirer sans qu'on pose trop de questions. Tu as toujours réussi à te tirer de presque tout, je m'en souviens. Ça n'a pas été très agréable pour elle quand la police est arrivée en vous cherchant, Morgan et toi.

— J'imagine.

— Tu crois ? demanda Magda d'un ton froid. J'en doute. Ta mère est devenue une hors-caste. Personne ne voulait lui parler, lui rendre visite... Bien sûr, c'est différent aujourd'hui. Les gens ont vu tes films. Ils ont su que la petite Queenie à sa maman était devenue une vedette de cinéma. Ta pauvre mère montrait à tout le monde les coupures de presse que tu lui envoyais. Et puis, quand ça a cessé, elle a inventé des lettres de toi et, quand il est devenu évident qu'il n'y avait plus de lettres, elle a inventé des raisons qui t'empêchaient d'écrire...

— Ils savent que je suis Queenie ?

— Qu'est-ce que tu crois ? Bien sûr que oui. Toutes les petites tchi-

tchi de l'Inde vont au cinéma en disant : " Regarde Diane Avalon, c'est une des nôtres. " Sans amertume, je dois le reconnaître. Tu es une héroïne, ma chérie. Tu as fait ce qu'elles ont toutes envie de faire : tu as menti et tu t'en es tirée. Ta mère, inutile de le dire, ne serait pas d'accord. Une situation pénible : c'est tout de même une chose à quoi son mariage avait dû la préparer, tu ne crois pas ? Mais elle savait que, toi, tu ne reviendrais pas. Pourquoi le ferais-tu ? Morgan, lui... c'est une autre histoire. »

La mention du nom de Morgan était une menace suffisante pour faire retrouver à Diane son courage. « Je n'ai pas vu Morgan depuis des années, fit-elle d'un ton léger. Et je peux me passer de critiques, Magda. Je ne dis pas qu'il n'y a pas des choses que je ferais autrement si je devais recommencer, mais tu n'es pas dans une position où tu puisses m'insulter. Pas même quand il s'agit de maman. Je ne suis pas ici pour m'entendre faire la leçon.

— Pourquoi es-tu venue ici, je me demande... Par curiosité ? Je ne pense pas. Seulement en partie. Par peur ? Mais quel mal peut faire une vieille femme comme moi à une star célèbre avec tout l'argent du monde ? » Elle alluma une cigarette et fut prise d'une quinte, la même toux déchirante que Diane avait entendue si souvent dans le vieux bungalow de Calcutta quand elle était enfant.

Elle prit le second paquet de cartes et les distribua de la même étrange façon. « La Croix celtique, dit-elle. C'est la disposition la plus facile. Regarde la carte qui est en quatrième position. La Mort ! » Elle écrasa sa cigarette dans le couvercle d'un pot de confiture. Elle posa son doigt sur la carte, juste au-dessus d'un dessin représentant un squelette en armure sur un cheval blanc.

« Regarde à l'arrière-plan : il y a un bateau ! Donc c'est un voyage qui se termine par la mort. Mais c'est dans le passé. Tu disais que Morgan allait bien ?

— Je n'ai pas dit ça du tout. J'ai dit que je n'avais pas eu de ses nouvelles depuis des années. Je pense qu'il est toujours en Angleterre. »

Magda acquiesça. « C'est possible, dit-elle. Les cartes ne disent pas ça... » Elle les battit de nouveau et les disposa de façon différente. « L'avenir, maintenant : tu vois la troisième carte ? C'est le Diable. Ça n'est pas courant d'avoir tant de Grandes Arcanes en un seul tirage. Regarde : il y a deux personnages nus, un jeune homme et une belle jeune femme. Le Diable les a enchaînés à un cube noir, sur lequel il trône. Mais observe bien : les chaînes pendent autour de leur cou. Ils pourraient les ôter s'ils le voulaient. On peut lire beaucoup de choses dans cette carte : le mauvais usage de la force, c'est le sens secret de ce tarot-là. Et, tu vois, le couple est uni par des chaînes. Est-ce que cela indique la cupidité et la dépendance ou bien un grand amour, je me demande ? Tu es amoureuse maintenant ? »

Diane acquiesça. Sa migraine avait disparu, remplacée par une chaude sensation de bien-être dont elle s'étonna.

« De Corsini ?

— Oui.

— Ah ! C'est bien. Tous les maris n'ont pas la chance d'être l'homme qu'aime leur femme. Tu vois, je lis les potins aussi. J'ai suivi ta carrière, tes mariages. Je suis... comment appelle-t-on ça ?... une fan. Après tout, il y a une paye que je te connais, comme on dit. » Elle regarda les deux dernières cartes et se versa une nouvelle rasade de scotch qu'elle mélangea à son thé avec une épingle à cheveux.

Diane la regarda. On voyait encore des traces de beauté sur le visage de Magda, mais elles étaient bien faibles.

La vieille femme rassembla les cartes d'un geste vif et les enveloppa dans le morceau de tissu, en repliant soigneusement les bords de ses longs doigts. « Ces temps-ci, les cartes que je tire ont une tendance pessimiste. C'est peut-être la guerre. Ou l'âge. Tu penses que Magda boit trop, hein ?

— Pas du tout, fit Diane, bien que ce fût exactement ce qu'elle pensait.

— Je t'en prie, ne mens pas. Malheureusement pour moi, j'ai toujours pu lire sur le visage des gens — bien mieux que dans les cartes. C'est vrai que je bois trop. A mon âge, on commence à s'inquiéter. Mes goûts ne sont pas extravagants, mais je n'aimerais pas finir mes jours sans un sou, pas à Los Angeles.

— Je suis sûre que ça ne sera pas le cas, Magda.

— Moi aussi, ma chérie. Bien sûr, j'ai mon cercle de clients. J'essaie de les trier sur le volet, tu comprends. Certains d'entre eux veulent me voir chaque jour : ils ne font pas un pas sans me consulter d'abord. Il m'est arrivé parfois de tirer les cartes à ta mère. Et elle n'aimait pas du tout ça, mais elle a fini par y croire. Pauvre femme, j'inventais de bonnes choses pour elle, même si c'est mauvais de mentir à propos des cartes. Mais je pouvais tout voir là, bien sûr, la douleur, la solitude, la mort.

— La mort ? » demanda Diane, la gorge sèche.

Magda eut un sourire triomphant. « Bien sûr, dit-elle. La mort ! Oh non, ma chère Queenie, tu n'auras pas à la faire venir ici. Il est trop tard pour ça.

— Maman est morte ? » Diane sentit sa gorge se serrer. Elle éprouvait du chagrin, et aussi de la colère à l'idée de s'être fait duper.

« J'en ai bien peur.

— Mais comment ça ?

— Quelle importance cela a-t-il ? L'âge, la tristesse, un cœur malade. Ou une triste existence.

— Pourquoi ne me l'as-tu pas dit plus tôt ?

— Je voulais voir ce que tu avais à raconter, ma chérie. Et, comme d'habitude, tu as menti. Oh ! De petits mensonges, j'en conviens, mais quand même. Tu allais la faire venir ici... tu parles ! Je lis en toi, Queenie, tout comme je lis dans les cartes. Je n'imagine pas que tu dises la vérité à propos de Morgan non plus, mais ne t'inquiète pas : je ne veux pas savoir ce qui s'est passé. »

Diane avait envie de pleurer. Elle avait un sentiment de chagrin, de perte, mais les larmes ne venaient pas. Elle avait toujours essayé de ne pas penser à sa mère, c'est un problème qu'elle résoudrait un jour, dans l'avenir, et voilà maintenant qu'il n'avait plus de solution. Elle voulait que quelqu'un lui dise que ce n'était pas sa faute — mais il ne fallait pas compter sur Magda pour ça.

Magda ouvrit un tiroir. Elle y prit une enveloppe et la posa sur la table. « J'ai apporté avec moi quelques souvenirs de ton enfance, dit-elle. J'ai pensé que ça te ferait plaisir de les voir si jamais nous nous rencontrions. » Elle ouvrit l'enveloppe et en examina le contenu. « Une photographie de ton acte de naissance. Des photos de toi avec tes camarades d'école : c'est difficile de distinguer leurs visages, les pauvres chéries, parce qu'ils sont si foncés, mais le tien est parfaitement reconnaissable... Même alors, Queenie, tu étais belle. Une photo de toi avec ta mère et Morgan... Je me demande si quelqu'un le reconnaîtrait en Angleterre ? Bien sûr, si tu n'en veux pas, ma chérie, je peux toujours trouver quelqu'un à qui les vendre. Je suis certaine qu'un journal adorerait les avoir. »

Diane était trop abasourdie pour réagir : d'ailleurs, elle reconnaissait un chantage bien monté quand elle en rencontrait un. Charles un jour lui avait dit en passant, ou du moins en avait-elle eu l'impression à l'époque, que la meilleure tactique avec les maîtres chanteurs était de payer si on pouvait se le permettre. Sa migraine l'avait reprise et elle aurait donné à peu près n'importe quoi pour sortir de là. « En souvenir du bon vieux temps, dit-elle, je serais heureuse de t'aider...

— Du bon vieux temps ? fit Magda en riant. M'aider ? Ma chère petite, je ne veux pas avoir l'air mercenaire, mais ce qui m'intéresse, ce ne sont pas quelques dollars par semaine. Je veux une maison à moi — pas à Beverly Hills, je ne suis pas aussi exigeante.

— Tu parles d'une grosse somme d'argent. Au moins cinquante mille dollars !

— Je pensais à cent mille. J'aimerais une piscine... inutile de vivre dans l'inconfort, tu ne trouves pas ?

— Quelles garanties est-ce que j'ai ? demanda Diane.

— Absolument aucune, ma chérie. Ma parole, bien sûr. Pour ce qu'elle vaut. Mais je suis presque une vieille femme. Je n'ai pas de besoins excessifs. Et tu vivras plus vieille que moi. Tu t'en tires à bon compte.

— Pourquoi n'es-tu pas venue me trouver plus tôt ?

— Les cartes m'ont dit d'attendre. Laisse-moi écrire pour toi le nom de ma banque. Tu feras verser l'argent là au début de la semaine prochaine, n'est-ce pas ?

— Je n'ai pas encore dit que je paierais, Magda. »

Magda éclata de rire. « Oh ! Bien sûr que si. Tu l'as fait en revenant ici ce soir, Queenie. C'était seulement le prix qu'il s'agissait de débattre. »

Elle se leva et glissa dans la main de Diane un petit flacon. « Une prime, dit-elle. Ce qu'il y a de mieux contre les migraines. C'est presque aussi bien que l'argent — ou qu'une bonne conscience. Et conduis prudemment en rentrant, je t'en prie.

— Qu'est-ce que c'est ?

— Des gouttes d'opium. Tu vas dormir comme une souche, ma chérie, ça, je peux te le promettre. »

Magda l'embrassa sur les deux joues, en lui soufflant une haleine qui empestait la cigarette et le whisky. Et, lorsque Diane entendit le déclic quand Magda referma le verrou, elle comprit, malgré une impression de lourde fatigue qu'elle n'arrivait pas à dissiper, que Magda était un problème qui n'était pas près de disparaître. Tôt ou tard, elle reviendrait pour demander davantage.

Luttant pour rester éveillée, elle mit la voiture en marche et s'éloigna lentement dans la rue sombre et misérable — que Magda allait bientôt quitter, avec son argent à elle. Au premier carrefour, elle fouilla dans son sac, prit le flacon et le jeta sur la chaussée. Le bruit du verre qui se brisait l'éveilla suffisamment pour qu'elle pût regagner l'hôtel et s'écrouler dans son lit.

Magda avait raison : elle s'endormit aussitôt. Mais ses rêves étaient pleins de terreur pour la première fois depuis des années et, quand le matin arriva, elle se retrouva allongée sur le dessus-de-lit froissé, tout habillée. Les oreillers étaient trempés de sueur.

Elle se leva péniblement pour remettre de l'ordre et ôter ce qui lui restait de maquillage avant l'arrivée de la femme de chambre. Inutile que Marie-Claire lui pose des questions — et d'ailleurs Diane estimait qu'il fallait toujours être soignée. C'était une leçon que sa mère lui avait enseignée et qu'elle n'avait jamais oubliée. En pensant à sa mère, brusquement les larmes qu'elle avait retenues si longtemps commencèrent à couler. Elle aurait eu tant de choses à lui dire — et maintenant il était trop tard.

Elle pleura un long moment. Puis elle passa dans la salle de bains, inspecta son visage dans la glace, soupira et ouvrit la douche.

Lorsque Marie-Claire arriva avec le plateau du petit déjeuner, elle était allongée dans son lit, avec des draps et des taies d'oreillers propres, sans aucune trace de larmes sur son visage. « Vous avez cinq minutes de retard », dit-elle tandis que Marie-Claire déposait le plateau.

C'était toujours une bonne idée de faire marcher les domestiques à la baguette. Ça aussi, c'était une leçon de sa mère.

« Un nid de rêve », susurra Billy Sofkine en tapant de ses petites mains potelées pour applaudir son travail.

Dans d'autres circonstances, Diane aurait partagé son enthousiasme, mais le fait qu'elle venait de déposer cent mille dollars à la banque de Magda la faisait éprouver tout à la fois de la colère et l'impression d'être vulnérable. Elle n'était que trop consciente du fait que c'était sans doute un premier versement.

« Douillet et élégant, si je puis dire », ajouta-t-il, vexé qu'elle n'eût pas fait chorus à ses éloges.

Elégant, ce l'était assurément, songea Diane, mais « douillet » n'était pas un mot qu'un autre que lui aurait utilisé pour décrire un salon de dix-huit mètres de long sous quatre mètres cinquante de hauteur de plafond, avec des portes-fenêtres donnant sur une grande pelouse.

Billy avait découvert une douzaine de candélabres dorés — des merveilles de sculptures et de cristaux — qui s'alignaient le long des murs. Chacun avait la forme d'un bras tenant une torche.

Deux immenses lustres tombaient du plafond, lequel était tendu d'un tissu pâle, pour lui donner l'aspect d'une tente somptueuse. Les tapis persans, encadrés de marbre blanc, formaient des flaques profondes de couleurs sombres, et ils étaient si beaux que Diane hésitait à marcher dessus et qu'instinctivement elle ôta ses chaussures, obligeant Billy à suivre son exemple.

« Vous allez adorer la chambre à coucher, du rose partout... C'est beau à en mourir ! La chambre de Charles est tabac... C'est très masculin.

— Il dormira dans la mienne.

— Eh bien, ma chérie, j'espère qu'il aime le rose. Il n'y a pas beaucoup de maris et de femmes qui partagent le même lit à Hollywood, vous savez. Les stars se lèvent avant l'aube et leurs producteurs de maris lisent des scripts jusqu'à deux heures du matin. C'est étonnant qu'il naisse des enfants ici... Ça me fait penser que je n'ai pas touché à la nurserie, sauf une couche de peinture blanche. Voulez-vous que je fasse quelque chose là ?

— Non, fit Diane d'un ton ferme. Laissez cela pour l'instant.

— Vous avez raison. Je pense qu'il est plus sage d'attendre avant de décider si la couleur dominante sera le rose ou le bleu... Quant à votre vestiaire, vous n'allez pas en croire vos yeux ! »

Diane ouvrit la porte et se trouva dans une pièce où tous les murs et le plafond n'étaient que miroirs. Elle n'en fut pas surprise, bien sûr —, après tout c'est elle qui avait fait faire cette pièce et elle avait vu les croquis — mais la réalité était quand même surprenante. Elle inspecta les penderies, les rangées d'étagères, les placards à chaussures, une penderie humidifiée en bois de cèdre pour les fourrures.

Elle referma les portes et se vit reflétée sous tous les angles. Elle portait un tailleur de soie gris pâle aux épaules carrées.

Elle tendit la main pour toucher la froideur du verre, ses longs doigts fins caressant sur la glace leur propre reflet. Elle avait les ongles si longs maintenant qu'elle avait du mal à s'acquitter de la tâche domestique la plus ordinaire : même pour boutonner un corsage ou attacher ses bas à son porte-jarretelles, il lui fallait l'aide de sa femme de chambre. Les ongles étaient recouverts d'un vernis gris argenté assorti à sa toilette : Max Factor en personne avait ajouté un soupçon d'argent dans son rouge à lèvres rose pâle pour obtenir une couleur que d'autres femmes parfois imitaient mais jamais avec le même effet.

« Magnifique ! » murmura Billy Sofkine, sans qu'on sût très bien s'il parlait de Diane ou de son vestiaire.

Elle regarda autour d'elle, imaginant où iraient ses affaires. Diane avait toujours dans sa tête un inventaire complet de tout ce qu'elle possédait, jusqu'au plus petit mouchoir bordé de dentelle. Elle n'avait pas une garde-robe aussi bien fournie que beaucoup de stars, mais elle avait toujours ce qui se faisait de mieux et prenait soin de ses toilettes avec un souci du détail que la plupart des gens auraient jugé excessif, voire obsessionnel.

Chaque fois qu'elle les avait portées, ses chaussures étaient enduites de cirage clair et placées au bout de la rangée si bien qu'elle mettait chaque paire dans l'ordre. Elle avait des habitudes vestimentaires aussi bien établies que celles d'un militaire, et elle possédait aussi la discipline naturelle et le soin du détail du bon soldat. On aurait dit qu'elle avait besoin de compenser le désordre de sa vie privée par l'ordre qu'elle imposait aux objets qui l'entouraient.

Diane pénétra dans la salle de bains avec sa grande baignoire-piscine merveilleuse. Des marches de marbre rose permettaient d'y descendre comme dans une piscine en miniature. La maison était vraiment tout ce qu'elle avait jamais désiré.

Une seule chose y manquait : Charles. Et soudain, entre les murs étincelants de la salle de bains, elle éprouva un sentiment de solitude que même Billy remarqua : la peau célèbre pâlit légèrement, une ombre bleue passa sous les grands ovales sombres des yeux qui parurent, l'espace d'une seconde, s'emplir de larmes.

Billy Sofkine en eut la chair de poule. Puis l'instant passa. « Montrez-moi l'appartement de Charles », dit-elle.

Il finit par téléphoner, mais, à sa manière charmante et évasive, il remit de semaine en semaine la date de son retour et il ne dit pas non plus où il était. Sa voix au téléphone était prudente, comme si quelqu'un d'autre écoutait la conversation — ce qui était, se dit Diane, fort possible, étant donné l'intérêt que le gouvernement continuait à porter à ses affaires. La mort de Luckman était arrivée un peu trop à point nommé et, si les commissions sénatoriales et le F.B.I. avaient à regret renoncé à leurs investigations devant l'absence du témoin vedette contre Charles, ils se vengeaient en le harcelant.

En tout cas, s'il était de retour aux Etats-Unis, Charles ne semblait pas pressé de la retrouver. Il y avait des jours où Diane avait l'impression que tout son corps avait mal et des nuits où elle ne pouvait penser qu'à Charles et où elle regrettait presque de ne pas être une femme plus facile. Elle avait envie du contact d'un autre corps, mais elle voulait que ce fût celui de Charles. La violence de la passion qu'elle éprouvait pour lui l'effrayait, surtout parce qu'elle n'était plus sûre que Charles eût les mêmes sentiments à son égard. Car alors comment pouvait-il rester absent si longtemps ? Et, s'il ne l'aimait plus, que faisait-elle ici, à dormir seule alors que chaque nerf de son corps semblait vibrer de tension sexuelle ?

Elle avait l'impression de simplement marquer le temps. Elle allait à des dîners, à des premières, souvent accompagnée d'Aaron Diamond, trop content d'apparaître en public avec la plus belle femme de Hollywood à son bras, et avec lequel il n'y avait jamais eu le moindre problème puisqu'on savait partout qu'il ne couchait jamais avec une cliente. Lorsque Diamond était pris, elle sortait soit avec Kraus, soit avec Goulandris. « Un pédé, un type qui a l'air d'être impuissant et votre agent », lui dit Polly Hammer alors qu'elles étaient assises ensemble à une soirée que donnait Diamond pour Harry et Sylvia Warmfleisch. Autant porter une pancarte : « On est prié de ne pas toucher à la marchandise. »

« Je n'ai peut-être pas envie qu'on la touche, Polly.

— Ne me racontez pas ça. Vous avez des cernes sous les yeux. Je sais ce qu'il vous faut. Vous savez ce qu'il vous faut. Oh ! Ce Charles, je le tuerais !

— Je vous en prie, Polly, ne dites pas ça. Qu'est-ce qui vous fait croire que Kraus est impuissant ?

— Il en a l'air. Il a le regard d'un jésuite.

— Combien de jésuites connaissez-vous, Polly ?

— Des tas. Je ne suis pas née ici, vous savez. Vous avez devant vous l'ex-Pauline Buszkowski, de Bethlehem, en Pennsylvanie, mon chou. Elevée par des religieuses, la messe tous les jours et un père qui rentrait chaque soir de l'usine à la maison pour s'enivrer et rosser ma mère... ou les gosses... Tiens, voilà Ronald Coleman et sa femme. Au travail. »

Polly se leva et disparut dans la foule. L'ancienne élève des religieuses de Bethlehem portait une robe au décolleté si plongeant que seul un miracle empêchait sa poitrine plantureuse de ne pas jaillir. Même dans une salle pleine de femmes bien plus belles, elle attirait l'attention.

Diane entendit un bruit derrière elle et se retourna. C'était Kraus qui, comme toujours, était entré dans la maison pour donner des coups de fil.

« Un problème ? demanda-t-elle.

— Vale, dit-il en faisant craquer ses jointures.

— Vale vous pose des problèmes ? A propos de quoi cette fois ?

— Il veut que nous vendions le terrain derrière le studio pour je ne sais quel projet immobilier qu'il veut lancer avec ses amis.

— C'est ridicule.

— Pas vraiment, dit Kraus. C'est essentiellement un emplacement d'avenir. Un jour, la façade sur Wilshire Boulevard vaudra une fortune. On pourrait construire un hôtel là, des boutiques et des immeubles de bureaux. Pas maintenant, bien sûr, avec la guerre, mais un jour...

— Mais voyons, c'est ridicule à Vale de penser que nous allons vendre.

— Eh bien, malheureusement, ce n'est pas si ridicule non plus. Apparemment votre mari lui en a parlé. C'est du moins ce que dit Vale.

— Charles ? Je ne peux pas y croire.

— Vale dit qu'ils ont même discuté le prix. Il me l'a mentionné, mais ça m'a paru ridiculement bas.

— Je vais en parler à Charles la prochaine fois qu'il m'appelle.

— Oui, je vous en prie. » Kraus s'éclaircit la gorge. « Vale m'a dit aussi que Charles lui avait parlé de vendre la cinémathèque du studio.

— La cinémathèque ? Et pourquoi donc ?

— Oh ! Ça ne vaut pas grand-chose actuellement — mais un jour après la guerre, quand la télévision démarrera, tous ces vieux films pourraient valoir une fortune. Après tout, qu'auront-ils d'autre à montrer à la télévision ?

— Je sais tout cela, fit Diane avec impatience. David en parlait tout le temps. Bien sûr que nous devons garder la cinémathèque.

— Le studio a besoin de capitaux. Nous le savons tous les deux. Mais, à mon avis, ce n'est pas une façon d'en trouver que de liquider les acquis. Surtout si Vale les achète pour une bouchée de pain. »

Diane éprouvait un début d'affolement. Elle avait cru que l'absence de Charles et sa réticence croissante à propos de ses affaires tenaient surtout aux problèmes qu'il avait avec le gouvernement ou à ce qu'il y avait de secret dans ses activités. L'idée ne lui était pas venue qu'il pourrait miner sa position à elle ni que la duplicité pour laquelle il était connu en affaires pourrait s'exercer contre elle. Il se comportait comme si les actions d'Empire dont elle était propriétaire lui appartenaient à lui, se dit-elle avec une brusque flambée de colère.

« Eh ! Il sait sans doute ce qu'il fait, observa Kraus, en espérant qu'il n'était pas allé trop loin dans la critique de Corsini.

— Peut-être, lança-t-elle.

— Il ne vous en a pas du tout parlé ?

— Pas un mot.

— Je trouve ça bizarre. Naturellement, il faudrait une réunion du conseil pour ce genre de changement. Il y a d'autres intéressés. Ce ne serait sans doute pas facile de faire avaler ça aux autres administrateurs — même aux actionnaires.

— Je suis sûre que tout ça n'est qu'un malentendu.

— Faut-il que j'en parle à Vale ? »

Diane secoua la tête. La dernière chose dont elle avait envie, c'était de voir Kraus aller discuter avec Vale avant qu'elle eût tiré tout cela au clair avec Charles. Elle ferma les yeux, sentant sa migraine qui revenait. Elle s'était demandé une fois s'il était possible d'aimer quelqu'un à qui l'on ne faisait pas confiance. Maintenant elle connaissait la réponse.

Ce n'était pas un sentiment confortable.

« Je ne peux pas en discuter au téléphone. Pas pour l'instant.

— Je ne comprends pas pourquoi, fit-elle avec colère. Je sais que tu as appelé Dominick.

— Pas de noms, je t'en prie. Il faut que tu me croies quand je te dis que je sais ce que je fais.

— Ça ne rime à rien, Charles. Je ne veux pas qu'on me traite comme ça ! Et puis... » Il y eut une sonnerie et une voix d'institutrice intervint sur la ligne. « Les trois minutes sont passées, dit l'opératrice en interrompant la communication.

— Nous n'avons pas fini, cria Diane.

— Nous sommes en guerre. Et les communications transcontinentales sont limitées à trois minutes.

— Mais je suis Diane Avalon ! De Hollywood ! Il s'agit d'une conversation très importante. »

Il y eut un silence respectueux, mais l'opératrice demeura inflexible. « Je suis navrée, Miss Avalon, votre temps est écoulé.

— Mais, mademoiselle, je parle à mon mari.

— Il va falloir que vous raccrochiez et que vous rappeliez plus tard, Miss Avalon », dit l'opératrice avec une certaine satisfaction dans sa voix. Sans doute, songea Diane, ce n'était pas tous les jours qu'elle avait l'occasion de remettre à sa place une vedette de cinéma.

Elle entendit à peine Charles lui dire d'une voix brouillée par les parasites et par les échos d'une autre conversation : « Ne fais rien... Dans quelques jours, je vais... » puis la communication fut interrompue et elle resta seule avec sa colère, sans en savoir plus sur les mobiles de Charles.

Diane passa un peignoir et descendit se faire une tasse de thé. Dire que dans une maison pleine de domestiques, elle se préparait son thé elle-même ! Mais faire du thé était un rituel et les rituels lui calmaient les nerfs. Elle regrettait que Charles n'ait pas pu lui expliquer ce qu'il faisait.

S'inquiétait-il à l'idée que quelqu'un écoutait ses conversations ou bien répugnait-il simplement à lui en parler ? Elle n'en savait rien. Elle aurait voulu qu'il ait eu le temps de dire qu'il l'aimait. Elle aurait voulu pouvoir lui parler de sa mère, mais comment aurait-elle pu ?

Elle resta assise dans la cuisine, à attendre que l'eau frémisse dans la bouilloire. Diane détestait vivre seule dans cette grande maison, avec des domestiques qui étaient encore des inconnus. C'était à peine si elle connaissait leurs noms, à part Marie-Claire qui était « désagréablement changeante ».

Il y eut un bruit dehors et elle se précipita à la fenêtre. Une voiture s'arrêta sur le gravier, un homme descendit et vint ouvrir la portière du passager à Marie-Claire, puis la prit dans ses bras et l'embrassa.

Il n'y avait aucune raison, se dit-elle, pour que Marie-Claire n'eût pas un homme dans sa vie — ni même plusieurs — mais au fond l'idée ne lui en était jamais venue. Elle se sentit plus seule que jamais. Elle voyait une certaine ironie du sort dans le fait qu'elle dormait seule pendant que sa femme de chambre était dans les bras d'un homme.

Ce que Marie-Claire faisait de ses heures de loisir la regardait, mais Diane se dit que ramener ses petits amis à la maison était aller un peu loin. Elle lui en toucherait un mot dès demain. Cela ne faisait jamais de mal de montrer aux domestiques qu'on savait ce qui se passait.

Elle mit son réveil pour cinq heures — elle avait un rendez-vous de bonne heure au studio — et essaya de trouver le sommeil, mais des images de Charles lui traversaient l'esprit, et l'empêchaient de s'endormir.

Pour la première fois elle comprit pourquoi Morgan s'était mis à boire. Etre privé de ce qu'on désirait le plus — et de ce qu'on estimait vous être dû — était une forme de torture, même quand on vivait dans le luxe. Tout ce qu'elle voulait, c'était Charles, ici, auprès d'elle ; la force de cette passion, sa simplicité profonde la terrifiaient. Jamais elle n'avait totalement soumis à personne ses émotions : et voilà maintenant qu'elles étaient asservies à Charles.

La découverte de ce besoin l'effraya plus que tout — plus même que l'idée que Charles derrière son dos traitait avec son ennemi.

« Je ne suis pas contente des rushes.

— Eh bien, Lacey non plus, dit Kraus de son ton le plus conciliant, même s'il refuse de l'admettre. Et pourtant, c'est un excellent metteur en scène.

— S'il est si bon metteur en scène, pourquoi est-ce que j'ai l'air si épouvantable dans les rushes ?

— Nous avons discuté tout cela. La qualité des rushes s'améliore. Osman est un opérateur de premier ordre. Lacey a grande confiance en lui.

— Mais ça n'est pas Lacey qui me photographie. »

Kraus roula des yeux, un tic que ses grosses lunettes grossissaient pour en faire un spectacle vraiment terrible à voir. Il avait contribué à choisir Robert Rowland Lacey pour mettre en scène *La Place d'une femme.* Lacey avait de la classe. Pour être plus exact, Lacey était la classe même, un gentleman dans une profession encombrée de ratés flamboyants.

Lacey était venu à Hollywood, arrivant du théâtre, et on admirait beaucoup sa qualité et sa réputation d'intellectuel. A sa villa de Malibu, Kraus avait rencontré les plus intéressants des intellectuels d'Europe en exil à Hollywood : Isherwood, Mann, Brecht, Remarque. Impressionné, il avait persuadé Diane d'engager Lacey, malgré les doutes que celle-ci exprimait.

Lacey manifestait à Diane un respect prudent. Il n'avait encore jamais fait de film avec une grande vedette féminine et il comprenait pertinemment que jamais on ne le prendrait au sérieux à Hollywood tant qu'il n'aurait pas passé ce cap. Il la traitait donc avec le genre d'attentions qu'un homme prudent pourrait avoir pour un paquet d'explosifs qu'on lui aurait confié.

« Lacey estime que les derniers rushes sont bien meilleurs.

— Lacey n'est pas un metteur en scène de femme. Je n'aurais jamais dû engager un intellectuel.

— Il y a des séquences remarquables...

— Oh ! Je me fous des séquences remarquables, Kraus !

— Osman a remporté un oscar pour...

— Kraus, je me fous de ton oscar ! » Il y eut un long silence. Diane s'emportait rarement et jamais devant Kraus. Elle se regarda dans la glace. Le visage était là, presque aussi beau que jamais. Tout ce qu'ils avaient à faire, c'était de le photographier !

Ils étaient tous satisfaits de ce qu'ils voyaient sur l'écran, mais elle savait à quoi s'en tenir. Elle distinguait les traces à peine perceptibles de ses cicatrices, même si eux ne les voyaient pas. Elle pouvait dire qu'ils n'utilisaient pas sa beauté, qu'ils ne savaient pas trouver les meilleurs angles pour la photographier. Elle avait été formée par des maîtres. Après tout, personne ne connaissait mieux qu'elle son propre visage... Elle regarda Kraus, qui semblait au bord des larmes. « Je suis désolée, dit-elle.

— Mais non, mais non, fit-il en haussant les épaules, vous avez raison. C'est ma faute.

— Ça n'est pas votre faute. Lacey avait toutes les qualifications qu'il fallait. Simplement il n'a pas la touche magique, voilà tout. J'aurais dû suivre mon premier instinct.

— Je vais lui parler.

— Nous lui parlerons tous les deux. » Elle soupira. C'était une autre confrontation qu'elle aurait préféré éviter si possible car elle avait assez de problèmes comme ça. Elle avait commencé la journée par une scène déplaisante — car Marie-Claire avait été furieuse que Diane l'ait vue avec son petit ami (qui était d'ailleurs un homme marié) et avait accusé Diane de l'espionner. Diane avait menacé de la congédier. A certains égards, songea-t-elle, ce serait plus facile de se débarrasser de Lacey que de Marie-Claire. « Il va falloir qu'il parte, dit-elle à Kraus.

— Lacey ? C'est hors de question. Nous ne trouverons jamais un metteur en scène pour reprendre un de ses films en pleine marche. D'ailleurs, il est bon. Vous le savez.

— Alors l'opérateur.

— Osman ? C'est le troisième que nous essayons...

— De quel côté êtes-vous donc ?

— Du vôtre », répondit Kraus en clignant les yeux. Puis il marqua une pause pour réfléchir. « Et aussi du côté du studio. Beaucoup de choses dépendent de ce film. Nous devons prouver que nous pouvons faire un succès — dans les temps et dans le budget — sinon les gens vont commencer à dire qu'Empire était mieux loti quand Braverman et son équipe dirigeaient les studios. Et n'oubliez pas : ils attendent dans les coulisses en espérant vous voir échouer. Vous n'êtes pas la seule actionnaire, vous savez... Ecoutez, Lacey nous attend dans la grande salle de projection.

— Il peut attendre.

— Il n'aimerait pas ça. Ecoutez-moi encore une fois : vous avez besoin de lui. Nous avons besoin de lui. Vous voulez vous débarrasser d'Osman, d'accord — mais pas de conneries avec Lacey. »

Diane dévisagea Kraus. « Jamais je ne vous avais entendu parler comme ça, dit-elle en claquant dans ses mains de ravissement.

— Excusez-moi, fit-il en rougissant. On est tellement excité ici...

— Mais non, mais non, c'était très impressionnant. Bien sûr, vous avez raison — mais qu'il trouve un moyen de réussir les gros plans. Je ne m'en vais pas tourner un film dans lequel je serai laide, même si ça fait la fortune d'Empire.

— Lacey connaît ses propres faiblesses comme metteur en scène, croyez-moi, Diane. Il y a réfléchi. Il a toute une équipe autour de lui.

— C'est pour ça que nous utilisons la grande salle de projection ? Il a amené ses copains de Malibu ?

— Copains, je ne sais pas. Il a demandé s'il pouvait amener quelques personnes, c'est tout.

— Je n'aime pas l'idée que nous n'ayons pas l'avantage du nombre.

— N'y pensez pas. Ce n'est pas un conseil d'administration », dit Kraus.

On avait déjà fait l'obscurité dans la salle de projection et Diane se glissa dans un des fauteuils au premier rang juste à temps pour voir un gros plan d'elle sur l'écran. La plupart des gens l'auraient trouvé bon, mais pas Diane. L'angle était mauvais, l'éclairage mal réglé. Il y avait une petite ombre d'un côté du nez — et, pire encore, on devinait les cicatrices sur sa peau. Osman, se dit-elle, avait utilisé un objectif qui n'avait pas la bonne focale.

Elle regrettait de ne pas en savoir plus sur la technique du cinéma. Après une demi-douzaine de plans, David Konig aurait aussitôt repéré le problème.

Lacey vit Diane s'asseoir et s'approcha d'elle. Comme ses cheveux argentés, qu'il affectait de porter longs sur la nuque, il avait une voix théâtrale, avec un accent qui n'était ni anglais ni américain, mais qui était celui du comédien professionnel. La voix de Lacey avait des résonances pseudo-shakespeariennes, même dans la conversation normale : son murmure semblait conçu pour emplir une salle, chaque syllabe vibrant d'un trémolo un peu trop marqué. « Admirable, n'est-ce pas ? » demanda-t-il.

Diane se mit à tousser. « Croyez-vous que vous pourriez demander qu'on ne fume plus ? Je ne peux pas respirer.

— Mais certainement, certainement, chère petite madame », dit Lacey en s'empressant d'éteindre sa cigarette.

Dans l'obscurité, les gens éteignirent docilement leurs cigares et leurs cigarettes. Dans un coin, Diane aperçut une unique lueur rouge, qui brillait comme un défi, le défi de quelqu'un qui n'avait pas l'intention de céder à ses désirs.

Elle décida de l'ignorer. Elle n'avait rien à gagner à entrer dans une colère que Lacey trouverait sans doute ridicule à propos d'une unique cigarette.

Elle regarda les séquences qui défilaient sur l'écran. « Je n'aime pas ça », fit-elle d'un ton ferme.

Lacey semblait peiné. « C'est vraiment très bien, vous savez. Osman a le génie de l'atmosphère. Ce que j'essaie de montrer ici...

— J'ai une ombre sur le visage, sur un côté du nez.

— C'est exprès, vous ne voyez pas ? Le contraste de l'ombre et de la lumière...

— Je ne crois pas que le public paie pour voir des ombres », dit-elle d'une voix assez forte pour être entendue de tous. « Les gens payent pour me voir. Ils veulent me voir belle. Et Osman est payé pour me rendre belle.

— Mais vous êtes belle, chère petite madame, déclara Lacey machinalement, comme si un compliment rapide était la meilleure façon de traiter l'objection d'une femme.

— Je vous remercie, Mr. Lacey. Je sais cela. Mais alors pourquoi est-ce que je ne suis pas belle sur ce plan ?

— Laissez-moi vous expliquer. Ce qu'Osman recherche ici, c'est quelque chose... qui dépasse la beauté conventionnelle.

— Je ne parle pas non plus de beauté conventionnelle, Mr. Lacey. »

Diane maintenait toujours une certaine distance entre elle et Lacey en conservant dans leurs rapports un rien de formalisme — que normalement il préférait — mais assorti d'un léger sourire destiné à le remettre à sa place, ce qu'il perçut. « Allez donc revoir les films que j'ai tournés pour David Konig, dit-elle. Ce n'est pas parce que quelque chose est laid que cela veut dire que c'est intelligent ou original.

— Bien sûr que non.

— Ça n'est pas que je sois contente de moi, vous comprenez ? Oh ! Je sais, toutes les femmes sont vaniteuses et je ne suis pas une exception — mais nous ne parlons pas ici de vanité. Il s'agit de donner au public ce qu'il attend quand il vient me voir dans un film.

— Absolument. Mais je crois pourtant que c'est une image de vous très frappante.

— Elle a raison, Lacey, c'est affreux ! »

La voix n'était guère plus qu'un murmure qui venait de l'autre bout de la salle, là où le fumeur obstiné était dissimulé dans l'obscurité. C'était une voix lasse et rauque, comme si elle était épuisée par la maladie, les intempéries ou peut-être simplement l'abus du tabac. Lacey fronça les sourcils : il connaissait l'homme de toute évidence et s'attendait à voir ses amis, ou du moins les membres de son entourage, le soutenir.

Diane, qui ne regardait que l'écran, entendit ou crut entendre un accent familier, une tonalité, une certaine façon de parler qui éveillèrent des échos dans sa mémoire et lui serrèrent soudain l'estomac. Elle aurait voulu se retourner, mais elle n'osait pas.

« Le visage d'une femme n'est pas un élément du décor, Lacey, pas du tout. L'objectif de la caméra voit en deux dimensions ; le visage est un objet en trois dimensions, alors il faut le réinventer. Ce que nous devons mettre sur la pellicule, c'est l'essence du visage, pas le visage lui-même. Son âme, pour ainsi dire. D'ailleurs, n'importe quel imbécile devrait savoir d'après les bouts d'essais qu'il faut toujours photographier miss Avalon du côté gauche, jamais du côté droit. Son profil gauche est beaucoup plus harmonieux et mieux proportionné. Et qu'est-ce que c'est que ces foutues marques sur son visage ? »

La cigarette brilla d'un rouge plus vif tandis qu'il s'arrêtait pour tirer une bouffée. « Bien sûr, le maquillage, la caméra, les lumières, je dirai tout cela doit travailler ensemble. Il doit y avoir une vision physique de l'ensemble. N'est-ce pas... *Queenie* ? »

Il y eut un long silence. Le visage de Diane continuait à occuper l'écran ; puis l'écran devint blanc tandis qu'on arrivait au bout de la bobine et les lumières se rallumèrent dans la salle de projection.

Diane, qui contemplait l'écran vide comme si elle était pétrifiée, tourna lentement la tête. Elle vit Kraus se lever, aussi pâle que s'il venait de voir un fantôme. Derrière lui, Diane et tous les copains de Lacey, les intellectuels émigrés et les gens de théâtre pelotonnés dans leurs fauteuils, étonnés par le spectacle d'un drame réel.

Courbé dans son fauteuil au bout d'une rangée, on apercevait un homme grand et mince. Elle se leva pour se précipiter vers lui, évitant tant bien que mal les genoux de Lacey, marchant sur les pieds de Kraus, déchirant ses bas contre les sièges qui lui barraient la route, ses larmes coulant maintenant sans aucun artifice. Brusquement, comme si elle était en train de se noyer, le passé défila devant elle. L'homme se leva, elle se jeta dans ses bras.

« Lucien ! s'écria-t-elle. Je ne peux pas croire que c'est toi ! »

24

Lucien renversa son fauteuil en arrière et contempla la vaste pelouse qui descendait jusqu'à la piscine. Il eut un petit sifflement.

« Tu as de la chance, Queenie, dit-il.

— De la chance ? Je t'ai perdu. David est mort. Je ne crois plus beaucoup à la chance.

— Ah non ? Moi, si. J'étais dans le désert, juste après Bir-Hakeim Nous avons creusé des tranchées dans le sable... Les Allemands ont bombardé à coups d'obusiers. Le souffle de l'explosion te fait saigner du nez et des oreilles, te soulève comme un grain de poussière et t'enterre dans ton foutu trou. Il y a des hommes qui perdaient la tête et s'enfuyaient en courant, mais derrière eux, dès qu'ils étaient à découvert, les schrapnels les cisaillaient. »

Lucien contempla le jardin comme si, par-delà les pelouses bien tondues et les parterres de fleurs, il regardait une horreur lointaine, qui était encore plus réelle à ses yeux que les buissons d'hibiscus et les cactus sans fleurs.

Il secoua la tête et de sa main libre essuya la sueur qui ruisselait sur son front. « Ce qui compte... poursuivit-il, ce qui compte, c'est la chance. Certains d'entre nous sont morts. D'autres pas. Mon voisin de tranchée — un peintre polonais du nom de Komarowski — a été touché. Un obus est tombé en plein dans son trou. Je l'entendais crier en polonais à pleins poumons, puis il y a eu une énorme explosion, après cela il ne restait rien de lui. »

Lucien ferma les yeux. « Tu vois, lui n'avait pas de chance, moi j'en avais. Il n'y a pas d'autre explication satisfaisante. »

Diane le regarda, cherchant des traces du svelte jeune homme qui l'avait arrachée au sous-sol de Goldner et fait monter le premier barreau de l'échelle qui l'avait amenée jusqu'ici. Les yeux n'avaient pas changé — ils étaient aussi bleus que jamais — mais le reste du visage lui était aussi peu familier que celui d'un étranger. Il était plus maigre, si maigre que les os semblaient juste sous la peau, et il y avait une dureté autour de la bouche dont elle ne se souvenait pas. Il s'était laissé pousser la moustache, Diane trouvait que cela ne lui allait pas. Juste sous l'œil droit, il y avait une longue cicatrice.

Lucien était la première personne de sa connaissance à avoir été touché directement par la guerre et elle trouvait les changements que cela avait opérés sur lui terrifiants. Cinq années durant, elle avait pensé à lui comme il était la dernière fois qu'elle l'avait vu, et voilà qu'elle le retrouvait, totalement différent de l'homme dont elle se souvenait.

Elle se pencha et lui tapota la main pour attirer son attention, car il semblait plongé dans une sorte de transe.

« Je te croyais mort, dit-elle doucement.

— Franchement, moi aussi.

— Quand les Français t'ont arrêté, David a essayé de te faire sortir. Tu savais cela ? »

Lucien haussa les épaules. « Même Konig ne pouvait pas accomplir de miracles contre le destin.

— Je l'ai fait essayer quand j'ai appris ton arrestation.

— J'ai été arrêté tant de fois, dit-il d'un ton vague. J'ai passé quelque temps en prison, en France. Puis dans l'armée française, puis dans un camp de prisonniers en Allemagne. » Il frissonna. « Puis je me suis évadé et j'ai gagné l'Afrique du Nord. Là, ça a été le pire.

— La prison, de nouveau ?

— Non. La Légion. » Il se mit à rire. « On m'avait arrêté comme déserteur. J'avais le choix entre la prison et la Légion. J'ai fait le mauvais choix. » Il but une gorgée, touchant le glaçon avec ses lèvres comme s'il embrassait une sainte relique.

« J'ai passé quelque temps dans un bataillon disciplinaire dans le bled, reprit-il. Il y en a qui devenaient fous avec la chaleur et la soif. Moi, c'étaient les mouches que je détestais surtout. Je ne comprends pas pourquoi les gens croient que le désert est propre. En fait, c'est dégoûtant.

— Et tu as survécu. C'est ça qui compte.

— Tu crois ? Sans doute que oui. C'est décevant du point de vue moral ; mais finalement tout se ramène à ça. Il a fallu la guerre pour que je comprenne — mais je crois que toi tu l'as toujours su, n'est-ce pas ?

— Ça aide d'être pauvre.

— Voilà au moins une chose qui m'a été épargnée. » Il se leva pour se dégourdir. « Tu n'as pas changé du tout, Queenie, dit-il. Encore que j'aperçoive des rides — oh non ! pas des rides, plutôt de légères traces — sur ton visage. Il faudrait réfléchir à la façon de te photographier pour que ça ne se voie pas à la lumière. » Il parlait sans passion, d'un ton plutôt interrogateur et compatissant. C'était là un problème technique, rien de plus.

« J'ai eu un accident de voiture. La plupart des gens ne les voient pas.

— La plupart des gens ne voient rien. L'essentiel de la photographie, c'est l'œil… c'est voir. Le reste n'est que technique. »

Il regarda son visage en faisant un cadre de ses deux mains. « Il n'y a aucune raison pour que ça se voie sur la pellicule. » Il soupira. « Ça fait longtemps, Queenie. Toute une vie, en fait. Mais, cicatrices ou pas, tu es toujours aussi belle… Tu n'aurais pas un autre verre sous la main, par hasard ? »

Elle lui désigna le bar.

« Une belle pièce ! » Lucien l'apprécia du regard avec quelque chose qui rappelait son enthousiasme d'antan. « Un meuble de Boulle ! » Pendant un moment, le Lucien d'autrefois, celui qu'elle se rappelait, réapparut sur son visage lorsqu'il sourit. Puis la ressemblance disparut, comme si c'était un caprice de la lumière, un accident, comme quand on se précipite pour accueillir un ami dans la rue et qu'on s'aperçoit trop tard que c'était un inconnu.

« Comment as-tu réussi à t'enfuir ? Et à venir ici ? »

Lucien prit un bronze sur la table basse, l'examina à la lumière, puis le reposa. « Maillol, murmura-t-il en le caressant des doigts. C'est étonnant que quelque chose d'aussi dur et d'aussi froid puisse être aussi sensuel, tu ne trouves pas ?

— David me l'avait acheté… il y a des années. » Elle se demandait s'il n'y avait pas un double sens dans le commentaire de Lucien. Etait-il amer à propos du passé ? Il avait toutes les raisons de l'être. Mais on ne percevait dans sa voix aucune amertume.

« Konig a toujours eu bon goût, il faut lui reconnaître ça. Comment je suis arrivé ici ? J'ai volé, j'ai triché, j'ai menti. J'ai couru et je continue à courir. Et puis j'ai rendu quelques petits services aux renseignements alliés en Afrique du Nord…

— C'était dangereux ?

— Quand il s'agit de sauver sa peau, c'est facile d'être brave. »

Il ne semblait pas tenir à entrer dans de plus amples détails. Il revint au bar et se versa une autre rasade de scotch du carafon de cristal taillé plus, semblait-il, pour le plaisir de tenir le carafon que d'envie de boire. « Très joli, dit-il. A la future mariée ? »

Elle acquiesça.

« Tu es amoureuse ?

— Oui.

— Bon. En plus, il paraît qu'il est riche… Charles Corsini ?

— Très.

— Encore mieux. » Lucien s'assit sur le canapé brun auprès de Diane et posa son verre sur la table laquée. Diane glissa une rondelle de liège sous le verre. Il haussa un sourcil — un geste qui lui rappela le bon vieux temps. Diane instinctivement posa sa main sur celle de Lucien.

« Tu n'as pas toujours été aussi soigneuse, dit-il. Des sous-verres ! Le mariage a fait naître en toi des vertus domestiques. As-tu appris à faire la cuisine ?

— Non, mes intérêts ménagers ne vont pas aussi loin.

— Avec un tel personnel, ce ne serait guère nécessaire... Combien as-tu de domestiques ?

— Quatre. Mais c'est leur soir de sortie.

— Et Charles ? C'est son soir de sortie aussi ?

— Il est à New York. Il est très occupé ces temps derniers.

— Ça n'a pas l'air de te faire plaisir.

— Pas du tout. Comment l'as-tu deviné ?

— Je te connais comme je me connais moi-même... J'ai vu dans les journaux qu'il avait toutes sortes d'ennuis ?

— Ça se tassera.

— Ah oui ? Tu n'en as pas l'air convaincue. On parlait pas mal de lui à Alger, tu sais.

— Que disait-on ?

— C'est bizarre. Les gens qui travaillent dans le renseignement sont censés être si secrets, mais en fait il n'y a pas de pires commères. Ils racontaient qu'il travaille pour les Américains. Il a d'excellents contacts en Allemagne et en Italie, alors ce ne serait pas étonnant. Et, bien sûr, si c'était vrai, ça expliquerait qu'on l'attaque si violemment ici pour ses relations nazies. Ça amènerait les Allemands à lui faire confiance, tu comprends... D'un autre côté, on racontait aussi qu'il a travaillé des années pour les nazis. Je pense que c'est possible aussi. Il devrait presque être un agent double pour que l'un ou l'autre camp s'intéresse sérieusement à lui... Est-ce qu'il t'aime ?

— Beaucoup.

— Tu n'en as pas l'air persuadée à cent pour cent non plus. »

Elle n'avait pas l'intention de discuter ce point avec Lucien. Il la connaissait assez bien pour deviner ce qu'elle pensait. « Nous avons traversé une période difficile », dit-elle, soudain consciente de la facilité avec laquelle elle lui parlait. Ce qu'elle avait éprouvé de passion physique pour lui s'était depuis longtemps consumé, mais il demeurait un sentiment d'intimité qu'elle n'avait pas connu depuis des années, pas même avec Charles. Avec Lucien, elle n'avait pas besoin de faire semblant ni même de s'inquiéter du passé — en tout cas pour l'essentiel. Et elle pouvait avoir confiance en lui. Elle le sentait et pour une fois elle était prête à se fier à son intuition.

« Pourquoi es-tu venu ici, Lucien ?

— J'en avais jusque-là de la guerre, dit-il en portant la main à sa gorge. Ça éliminait donc Londres. Les Américains étaient assez reconnaissants de ce que j'avais fait pour me fournir des papiers. Ça m'a paru une bonne idée de les prendre.

— Ce sont les seules raisons ?

— Je voulais te revoir. Non, ne vas pas te méprendre. Ce que nous avons connu est derrière nous. Mais ça ne veut pas dire qu'il n'y ait plus rien... D'ailleurs, je veux retravailler. Quand j'ai appris que tu possèdes aujourd'hui un studio et que Kraus le dirige, j'ai décidé de venir. Et puis... je ne sais pas... quelque chose m'a empêché de téléphoner... jusqu'au jour où j'ai rencontré Lacey.

— Il t'a parlé du film ?

— Un peu. Tu connais cette ville. On n'y parle que boutique. Il m'a dit qu'il avait du mal à te photographier, alors je me suis dit qu'il serait préférable d'aller voir de quoi il s'agit.

— Pourrais-tu faire mieux ?

— Bien sûr. Osman est très bien, mais il n'a pas le sens pour photographier les femmes. Pour être franc, j'ai envie de le faire. J'ai besoin de travailler.

— Tu as besoin d'argent ?

— Non, non. Je te remercie, j'ai assez pour le moment. J'ai besoin de travailler. Il faut que je bâtisse ma réputation ici à partir de rien.

— Il va te falloir une carte syndicale aussi.

— Oui, c'est vrai.

— Pour ça, il te faudra de l'argent... et pas mal. Je m'en occuperai. Ensuite, Aaron Diamond peut faire jouer ses relations. Je vais demander à Kraus de virer Osman. Tu peux commencer les essais demain. »

Il se leva et lui baisa la main. « Merci, fit-il. La première fois que je t'ai baisé la main, c'était dans le sous-sol de Goldner.

— C'était la première fois que n'importe qui me baisait la main, Lucien.

— Je me rappelle. Je te photographierai comme autrefois, ne t'en fais pas. Ce sera comme au bon vieux temps.

— Le bon vieux temps ? Lucien, le bon vieux temps n'était pas si merveilleux, tu sais.

— C'était mieux que Bir-Hakeim. »

Elle éclata de rire. Ils étaient d'accord. Elle redevint sérieuse. « Il y a quelque chose qu'il faut que tu saches. David avait dit à Kraus d'intercepter les lettres que tu m'envoyais. Et je suis à peu près sûre que Kraus ne te donnait pas les miennes. »

Lucien ne parut pas choqué ni même particulièrement intéressé. « Konig était un homme retors, dit-il. J'aurais dû m'en douter. Tu aurais dû t'en douter. L'idée ne lui serait jamais venue de se battre “ à la régulière ", comme on disait à l'école. Je doute qu'il y ait un équivalent pour " Que le meilleur gagne " en hongrois...

— Ça n'a pas l'air de te gêner.

— A quoi ça m'avancerait ? Tu l'as épousé. Il est mort. Et puis tu as épousé ce Corsini. J'aurais dû prendre l'avion pour avoir une explication avec toi. Mais, dans ce temps-là, ma carrière me paraissait si importante... Je t'ai toujours aimée, tu sais. Je pense que je t'aimerai toujours. Mais inutile de répéter les folies du passé. Quant au bon vieux temps, je crois que tu as tort. Je m'en souviens avec une grande tendresse. A un moment, c'était la seule chose qui m'a gardé en vie. »

Elle sentait les larmes lui monter aux yeux. Elle le prit dans ses bras et l'embrassa doucement, comme une sœur. Elle fut horrifiée de voir comme il était maigre, et plus surprise encore de s'apercevoir qu'il pleurait aussi. Un moment elle crut entendre un bruit, comme celui d'une porte qui se ferme — mais, lorsqu'elle se retourna, il n'y avait rien que le silence de la maison déserte. Elle regarda Lucien. Il semblait ne rien avoir remarqué d'extraordinaire.

Diane éprouvait une soudaine bouffée de remords, puis en comprit l'absurdité. « Viens, je vais te raccompagner. »

C'était étonnant quel plaisir elle éprouvait à voir les rôles renversés — car ç'avait toujours été Lucien autrefois qui possédait et conduisait la voiture, et elle qui était la passagère.

Il sourit. Il devinait ce qu'elle pensait — il avait eu la même pensée lui-même.

Si seulement, songea-t-elle, Charles la comprenait aussi bien.

« Et Charles veut une réunion du conseil. » Kraus, planté à la porte du vestiaire, oscillait nerveusement d'un pied sur l'autre.

Diane se contemplait dans le miroir. Cela faisait deux semaines qu'elle n'avait pas eu de nouvelles de Charles, deux semaines qu'elle avait appris qu'il était rentré aux Etats-Unis. Elle était furieuse qu'il eût appelé Kraus et pas elle, puis elle se dit qu'il avait sans doute ses raisons.

Elle avait commencé la matinée par une scène violente avec Marie-Claire, qui lui avait apporté en retard le plateau du petit déjeuner et s'était par-dessus le marché montrée impertinente. Diane une fois de plus l'avait remise à sa place, plus vivement qu'elle ne voulait. Elle nota dans sa tête qu'il lui faudrait trouver une nouvelle femme de chambre. Mais, avec tous ses soucis, elle avait du mal à y penser.

« Il veut une réunion du conseil ? Quand ça ?

— Dans les deux semaines qui viennent.

— Il revient ? Il aurait pu me le dire. Où diable est-il ?

— Il est difficile à joindre, répondit-il. Il part pour Miami acheter un autre terrain, puis pour Houston et je ne sais où encore...

— Comment avait-il l'air ?

— C'est difficile à dire. Comme un homme qui est soumis à de rudes pressions, peut-être.

— Est-ce qu'il vous a parlé de moi ?

— Il était pressé. J'ai eu l'impression tout de même qu'il n'était pas ravi de toute la publicité que vous fait Polly Hammer dans ses chroniques. C'est difficile à dire avec Charles, mais j'ai cru percevoir... un certain ressentiment.

— Je ne comprends pas pourquoi. C'est pour son bien. »

Kraus réfléchit au problème. Des années d'expériences désordonnées lui avaient donné une connaissance intuitive des réactions d'autrui, qui manquait à Diane. « Avez-vous songé, suggéra-t-il, que plus Polly vous présente sous un bon jour, moins c'est bon pour lui ?

— Je reconnais qu'elle y va un peu fort.

— C'est ce que je pense. Charles pourrait bien en conclure que vous vous préoccupez de votre propre image — en quelque sorte que vous mettiez une certaine distance entre vous-même et ses problèmes.

— Ce n'était pas du tout l'idée, Kraus, vous le savez bien.

— Je le sais. Est-ce que Charles le sait ?

— C'était une idée d'Aaron. J'en ai parlé à Charles. Il avait l'air enthousiasmé.

— Eh bien, il n'a pas l'air enthousiaste maintenant. Il faut bien reconnaître qu'il se bat pour sa vie.

— Avez-vous discuté de la proposition de Vale ?

— Il n'y a pas eu de discussion. Il m'a dit de mettre ça à l'ordre du jour. Il n'était pas d'humeur à discuter quoi que ce soit. Ce qui me fait penser : avez-vous pris une décision en ce qui concerne Lacey ? Il est ici depuis bien avant l'aube, à attendre l'occasion d'avoir une conversation avec vous.

— Et Osman ?

— Il est assis auprès de sa caméra, à grogner après ses assistants. Zégrin essaie de le calmer. Osman pense qu'il va être remplacé.

— Il l'est. C'est Lucien qui va être l'opérateur. »

Kraus fit craquer ses articulations. Il hocha la tête. « S'il n'a pas perdu la main, dit-il, il sera parfait. » Mais Diane ne put s'empêcher de remarquer dans sa voix une certaine méfiance, comme s'il se demandait si cela valait la peine de discuter avec elle.

« N'en parlons plus », dit-elle. Elle avait suffisamment confiance dans la loyauté de Kraus pour lui permettre de ne pas être d'accord avec ses décisions.

Il semblait un peu embarrassé. « Ce ne sont pas mes affaires, dit-il. Mais tâchez d'être prudente. D'après ce qu'on raconte, Charles est un homme très... jaloux. Il pourrait ne pas comprendre.

— Comprendre quoi ? Lucien est un vieil homme. Et puis il est le meilleur. C'est une décision professionnelle que je prends.

— Dès l'instant que c'est purement professionnel.

— Bien sûr que ça l'est ! lança-t-elle avec impatience.

— Ah bon ! Alors très bien », dit Kraus, mais Diane jugea à son expression qu'il ne trouvait pas ça bien du tout. « Je dis ça seulement parce que Charles avait l'air si bizarre quand je lui ai parlé. C'est peut-être parce qu'il m'appelait d'une cabine téléphonique.

— Charles ? D'une cabine téléphonique ?

— Apparemment, il craint qu'on écoute ses conversations.

— Ça explique pourquoi il ne m'a pas appelée ces temps-ci. Il ne veut sans doute pas que mon nom figure sur un rapport du F.B.I. » Mais elle essayait seulement de faire bonne figure devant Kraus. Charles voudrait certainement tenir son nom à l'écart de toutes les enquêtes qu'on faisait à propos de lui, mais, le connaissant comme elle le connaissait, il lui semblait probable que Charles ne voulait tout simplement pas discuter avec elle des projets qu'il avait pour le studio.

S'il savait qu'elle s'opposerait sans doute à ce qu'il voulait faire, il éviterait simplement le sujet jusqu'au jour où il pourrait lui présenter un fait accompli, et alors il la rallierait à sa cause à grand renfort de charme, et d'amour et de grandes excuses. En général, ça marchait toujours.

Mais cette fois, elle était déterminée à ne pas céder.

Peu à peu, comme un homme qui entre avec prudence dans une piscine, Lucien pas à pas se réinitiait à son art. Il fit venir Papy Veigh, le régisseur du studio. Celui-ci grognait, protestait, gémissait — c'était son travail de réduire les dépenses et il savait que Zégrin essayait de se faire une réputation en rognant sur tout — mais il reconnaissait dans les demandes de Lucien la voix d'un vrai professionnel. D'ailleurs, un regard au visage de Diane suffisait à le faire sauter sur ses pieds.

« La robe est terrible, dit Lucien. Trop compliquée. C'est un film, pas une présentation de couture. »

Kraus passa la tête par la porte. « J'espère que vous savez ce que vous faites, dit-il. Tout ça coûte une fortune.

— Kraus, je vous ai appris tout ce que vous savez, vous devriez avoir honte. »

Diane restait calmement assise au centre de ce qui était en train de devenir rapidement un ouragan. Elle avait toujours su ce dont elle avait besoin : un homme qui comprenait la beauté — et elle avait toujours eu raison.

Elle regarda le visage de Lucien et le vit sourire. Cela lui disait tout ce qu'elle avait besoin de savoir. Il l'examina dans le viseur qu'il portait autour du cou, pour cadrer son visage, puis hocha la tête. « Bien, dit-il, très, très bien », avec la tranquille satisfaction d'un homme content de son travail. « Mettez-lui deux gouttes d'eau sur les lèvres, dit-il au maquilleur, pour qu'elles attrapent la lumière. Avez-vous des gouttes pour les yeux ? »

Le maquilleur exhiba un flacon : ça faisait partie de sa trousse.

« Mettez-lui deux gouttes dans chaque œil. Je veux que les pupilles soient agrandies pour lui rendre les yeux encore plus sombres.

— Ça va mettre une minute ou deux à agir. Il faudra que Miss Avalon fasse attention. Ça va lui brouiller un peu la vue.

— Il n'y a que la caméra qui a besoin de voir bien clair. Mettez-lui les gouttes. Nous attendrons. »

Diane renversa la tête en arrière. Elle sentit les gouttes lui piquer les yeux, clignota et garda la tête renversée pour que le liquide n'aille pas gâcher son maquillage. Lucien désigna son poignet et braqua un doigt vers la montre du maquilleur. Diane s'aperçut que Lucien n'avait pas de montre. Il faudrait qu'elle lui en achète une. Puis, une fois les deux minutes passées, Lucien entrebâilla la porte, cria : « Lumière ! »

L'obscurité explosa en un éclairage éblouissant. Le maquilleur avait raison, songea Diane, en se dirigeant vers la porte et sentant déjà la chaleur des projecteurs : tout était brouillé.

Puis elle pénétra dans la lumière et vit une foule de visages qui la regardaient : Lacey, gros et congestionné ; Zégrin, obséquieux comme toujours, à un pas derrière ses supérieurs ; Kraus, les yeux cachés par le reflet de ses lunettes, bouche bée d'admiration ; Papy Veigh, son vieux feutre cabossé rabaissé sur ses yeux. Toute sa petite armée de machinistes et d'électriciens avait arrêté le travail pour la regarder descendre les marches de sa remorque et l'immense plateau était soudain silencieux.

Cela faisait des années qu'Empire n'avait pas eu une grande vedette. La M.G.M. avait Garbo ; la Paramount, Dietrich ; Empire avait été paralysé par l'obsession de Marty Braverman à tenter sans succès de faire d'Ina Blaze une vedette.

Diane s'arrêta devant ce silence, car elle connaissait bien l'histoire des studios Empire et comprenait l'importance de son entrée. Le moment parut se prolonger indéfiniment — et puis de toutes parts sur le plateau, jaillirent des applaudissements.

Elle sourit — un sourire de triomphe et avec Lucien derrière elle, qui l'aidait à descendre les marches, elle s'avança sur le plancher, devant la caméra, qu'elle distinguait à peine, et elle entendit Lucien crier à pleine voix : « Bon. Et maintenant mettons ça en boîte ! »

Se tournant vers lui elle lui envoya un baiser.

Désormais, se dit-elle, tout allait être bien.

« C'est une montre magnifique, dit Lucien, en levant son poignet vers la lumière.

— Pas trop tape-à-l'œil ?

— Pas du tout. » Diane l'avait choisie avec soin, un peu honteuse de ne pas arriver à se rappeler quel genre de montre Lucien portait jadis. En se fondant sur le fait que Charles avait toujours ce qu'il y avait de mieux, elle acheta pour Lucien une montre comme celle de Charles qui, elle n'en fut pas surprise, se révéla être le modèle le plus coûteux du magasin.

Voilà des années, à Londres, lorsqu'elle n'avait rien, Lucien l'avait emmenée à Bond Street où pour la première fois de sa vie elle s'était adonnée à une orgie d'emplettes. Maintenant elle était en mesure d'en faire autant pour lui, et même davantage. Elle donna des instructions à Kraus de lui trouver une maison près de la sienne et ils l'acquirent.

Les pouvoirs d'un studio étaient sans limites. Dans les vingt-quatre heures, Lucien avait emménagé dans une villa meublée de style espagnol à Bel Air avec une piscine et un couple de Mexicains. Il n'avait pas de permis de conduire. Quelques coups de téléphone et un examinateur du service des Véhicules automobiles de Californie vint au studio, lui fit passer un examen derrière les plateaux et lui remit sur-le-champ un permis. Avec la guerre, il était presque impossible d'acheter une voiture, mais la Chrysler blanche décapotable de Lucien fut livrée en deux jours, avec une abondante provision de bons d'essence. Le studio lui fit une avance sur son salaire, lui ouvrit un compte en banque, lui prit un rendez-vous pour passer un examen médical complet, chargea un des meilleurs dentistes de Beverly Hills de lui examiner les dents et lui alloua une place de parking où l'on avait peint son nom. Tout ça faisait partie d'un système si bien installé qu'aucun de ceux qui avaient le pouvoir à Hollywood n'y pensait. Il n'y avait aucune raison, songea Diane, de ne pas faire usage de ce système au bénéfice de Lucien.

Pour la première fois depuis bien des semaines — et même bien des mois — Diane s'amusait. Charles lui manquait, il lui manquait désespérément quand elle se retrouvait seule dans son lit, mais elle s'occupait, s'efforçait de prendre du bon temps, persuadée que c'était ce qu'il voudrait.

Lucien de temps en temps lui demandait si elle ne croyait pas que Charles serait mécontent qu'on les vît si souvent ensemble. « Pourquoi donc ? » répondit-elle en riant de sa question — mais la vérité était qu'elle voulait précisément que cela l'agaçât, au moins un peu.

« Qui sont donc les Padson ? » demanda Lucien en mettant à son poignet la montre que Diane venait de lui offrir, tandis qu'elle pilotait son gros cabriolet blanc à travers les routes en lacet qui dominaient Santa Monica.

« Une vieille fortune », dit-elle. Mais il y avait plus que cela. Ce n'était pas l'âge de leur fortune qui impressionnait que ses dimensions mêmes. Bien des gens supposaient que les Padson possédaient la Californie mais, lui avait assuré Polly Hammer, c'était une exagération. « Ils n'en possèdent tout au plus qu'un quart », avait dit Polly d'un ton parfaitement sérieux.

Chaque jour Norman Padson allait à son bureau de la Fondation Padson — bien que ce qu'il y fît demeurât un mystère — tandis que Billie Padson, avec une énergie qui terrifiait tous ceux qui la rencontraient, dirigeait les journaux, distribuait l'argent aux œuvres de la famille, prenait les décisions concernant les investissements et les affaires immobilières, harcelait les doyens et les professeurs de l'université que les Padson avaient fondée, exerçait le mandat du sénateur de l'Etat et avait même trouvé le temps dans sa jeunesse de mener une carrière de petite star à Hollywood quand elle n'était pas occupée à faire des emprunts, à jouer au tennis ou au golf ou à surveiller l'écurie des Padson qui s'enorgueillissait de compter deux vainqueurs au derby du Kentucky. Norman avait la réputation d'avoir « l'œil qui traînait », expliqua Polly, mais on disait que Billie le surveillait comme une tigresse.

Leurs dîners rassemblaient des gens dont les familles étaient riches et puissantes bien avant qu'on eût même inventé l'industrie cinématographique et qui étaient nés avec une immense fortune. Diane avait été invitée non parce qu'elle était une star, mais parce qu'elle était mariée à un banquier international et qu'elle possédait un bon morceau des studios Empire.

Laissant Lucien se présenter à Norman Padson, qui justifia sa réputation en fixant la décolleté de Diane jusqu'au moment où on eut l'impression que ses yeux allaient lui sortir des orbites, elle circula dans le salon, bien décidée à prouver qu'elle n'était pas un monstre simplement parce qu'elle était une vedette. Elle savait se rendre charmante et s'employa avec chacune des personnes que Billie Padson lui présenta, jusqu'au moment où, tout au bout de la pièce, elle sentit son sourire se figer tandis qu'elle se retrouvait en train de regarder les yeux de chat au vert singulier de Penelope Daventry.

« Nous nous sommes rencontrées, fit Mrs. Daventry d'un ton glacial.

— Enchantée de vous revoir, fit Diane machinalement.

— Vraiment ? » demanda Mrs. Daventry.

Mrs. Daventry n'acceptait pas plus la concurrence que dix ans plus tôt au Palm Cort du Grand Hôtel de Calcutta.

« Il paraît que vous êtes descendue chez Dominick Vale, fit Diane.

— Pour le moment. Ces temps-ci, il n'est pas facile à vivre. Il y a trop de jeunes gens qui entrent et qui sortent si vous voyez ce que je veux dire. Je compte louer une jolie petite maison à Beverly Hills — pendant que ce pauvre Daventry attend la fin de la guerre en Inde. Enfin, maintenant que les Américains sont à nos côtés au moins les Japs ne prendront pas Calcutta. Dommage, d'ailleurs, ça aurait montré à ces foutus sous-Indiens qu'il y a des gens pires que les Anglais. Bien sûr, il y a des soldats yankees partout. Il n'y a pas une petite tchi-tchi de Calcutta qui n'essaie pas d'épouser un Américain. »

Diane eut un rire gêné et, à cet instant précis, Lucien, superbe dans sa veste de smoking blanche, apparut à son côté. La prenant par le bras, la voix presque aussi gaie qu'au temps d'avant la guerre, il dit : « Ah ! Queenie, j'ai assez entendu parler de politique pour la soirée... »

Puis il remarqua Mrs. Daventry. Il s'inclina légèrement, s'apprêtant à lui baiser la main. Mais elle ne la lui tendit pas. Ses yeux verts, brillants d'une lueur triomphale, étaient fixés sur Diane. « Queenie », murmura-t-elle. Elle examina Diane à travers la fumée de sa cigarette. « J'aurais dû m'en douter ! La salope de petite nièce de Morgan Jones ! Vous avez fait du chemin, n'est-ce pas... Queenie ?

— Je ne sais pas de quoi vous parlez, fit Diane d'un ton ferme.

— Oh ! Bien sûr que si, ma petite. » Mrs. Daventry eut un rire déplaisant. « Je me demandais justement pourquoi ce visage me rappelait toujours quelqu'un — et puis Lucien Chambrun est venu rafraîchir mes souvenirs. Elevée dans le palais d'un mahārādjah, mon œil !

— C'est ridicule. Je n'ai pas besoin d'en supporter davantage !

— Oh ! Mais je pense bien que si, lança Mrs. Daventry, en baissant la voix. Attendez un peu. Cynthia, en tout cas. Je m'en vais m'assurer que tout le monde connaisse la vérité sur Diane Avalon ! *Y compris* Charles. Je ne peux pas vous faire arrêter comme une voleuse, et c'est dommage. Mais je ne pense pas que vous serez si bien accueillie dans le monde quand les gens sauront que vous êtes à moitié moricaude, vous ne croyez pas ? Les Américains n'aiment pas ça plus que nous en Inde, non ? »

Elle écrasa sa cigarette et regarda Lucien. « On dirait que vous avez eu une guerre pénible, déclara-t-elle d'un ton railleur. Quand même, vous aussi, vous êtes retombé sur vos pieds, n'est-ce pas ? Mais faites attention. Faudra que vous demandiez à Queenie ce qui est advenu de son oncle Morgan. Je suis sûre que nous aimerions tous connaître la réponse à cette question !

— Je me moque éperdument de ce qui est arrivé à Morgan, fit Lucien fermement. Pas plus que je ne m'intéresse à ce conte de fées.

— Vous avez toujours été stupide quand il s'est agi de femmes », dit Mrs. Daventry. Là-dessus elle tourna gracieusement sur ses talons et disparut.

« Cette femme est folle, dit Lucien en prenant Diane par le bras. De la jalousie monopolite. » Puis il regarda Diane, qui tremblait — de rage ou de peur ? se demanda-t-il — et il sentit qu'au moins un ou deux de ses traits avaient fait mouche.

Ils étaient assis tous les deux dans le noir, devant le jardin de la villa louée pour Lucien. Diane avait sur les épaules le manteau de poil de chameau de Lucien : il faisait plus frais, mais elle ne voulait pas rentrer, la soirée des Padson l'avait momentanément rendue claustrophobe. L'air humide de la nuit l'avait décoiffée. Elle s'en moquait. Lucien, assis à côté d'elle, fumait en silence. De temps en temps, il agitait la main pour montrer qu'il écoutait. Il finit par éteindre sa cigarette. « Ce serait un petit scandale, fit-il d'un ton calme. Rien de plus.

— Lucien, je ne peux même pas me permettre un petit scandale. Pas maintenant.

— C'est ta carrière qui te préoccupe ? Ce que tu as à faire, c'est de nier les rumeurs si elles se répandent. On a dit des choses pires sur des stars. Pendant des années, les gens ont chuchoté que Garbo était lesbienne. Ça n'a pas gêné sa carrière.

— Sang mêlé, c'est plus grave.

— Peut-être. J'ai pourtant entendu ça à propos de certaines vedettes aussi... De toute façon, c'est ta parole contre celle de Mrs. Daventry. Comparée à toi, elle n'est rien du tout. Polly Hammer sera de ton côté. Tout comme Charles.

— Ah oui ? Tu ne te rends pas compte. J'ai quelquefois le sentiment de ne pas le connaître. Il est lui-même dans une situation très délicate. Il aurait horreur du moindre scandale. Et qui sait la réaction qu'il aurait en apprenant qu'il est marié à une Anglo-Indienne ?

— Ridicule ! Il ne sait certainement même pas ce que c'est qu'une Anglo-Indienne, Queenie.

— Tu ne comprends rien !

— Tu n'as aucune raison d'être désagréable avec moi. J'essaie seulement de t'aider... Qu'est-ce que c'était que cette phrase à propos de Morgan ? Tu m'avais dit que c'était ton tuteur, pas un parent. Voilà des années que je n'ai pas pensé à lui.

— Moi non plus. » Diane savait qu'il y avait des limites à ce qu'elle pouvait raconter à Lucien et elle jugea à voir son expression qu'il y avait des limites aussi à ce qu'il avait envie de savoir.

« Enfin, quoi qu'il en soit, il peut aller au diable. C'est Charles qui t'inquiète, n'est-ce pas ? »

Elle hocha la tête. « Je ne comprends pas ce qu'il fait. Et je n'ai pas confiance en lui. Je le voudrais. Je le devrais. Mais je n'y arrive pas.

— Tu crois qu'il a d'autres femmes ?

— Mais non, mais non, pas du tout, répliqua-t-elle avec une certaine irritation. Charles est fidèle, comme la plupart des gens qui sont jaloux.

Mais je crois qu'il se sert de moi — qu'il utilise ma participation aux studios Empire.

— Peut-être que tu te trompes sur son compte, tu sais. Il essaie peut-être de te protéger en t'empêchant d'en savoir trop sur ce qu'il fait. »

Elle haussa les épaules. Ce n'était pas impossible. « Je l'aime tant. Et je ne crois pas qu'il le sache. Je ne crois pas que je lui aie laissé entendre. On dirait que je n'arrive pas à le lui dire. C'est comme si j'avais peur de me rendre vulnérable ou dépendante... Ah ! La barbe. » Son regard se perdit dans le petit jardin. « Il veut des enfants, tu sais.

— La plupart des Latins sont comme ça.

— Je ne peux pas lui en donner. Pas depuis ma fausse couche.

— Je ne savais pas. Est-ce qu'il est au courant ? »

Elle secoua la tête.

« C'est très mauvais. Après tout, si c'est si important, tu pourrais toujours en adopter. Mais c'est une erreur de cacher des choses à la personne que tu aimes. Ça a toujours été ta plus grande erreur, depuis le début. Tu n'es pas *obligée* de mentir. Si tu lui dissimules des choses, pourquoi n'en ferait-il pas autant ? Tu as peur qu'il ne soit d'une jalousie pathologique. Lui craint qu'être une star soit plus important pour toi qu'être sa femme. C'est une comédie d'erreurs — sauf que ça n'a rien de drôle.

— Qu'est-ce que je devrais faire ? Dis-le-moi.

— Je n'ai acquis aucune sagesse particulière dans le désert, tu sais. Juste quelques cicatrices. Mais je crois que c'est important d'aller le trouver pour lui dire que tu l'aimes. Parle-lui de Mrs. Daventry pendant que tu y seras. Il m'a l'air d'être le genre d'homme qui préférerait savoir la vérité — et qui peut sans doute arranger les choses s'il le faut. Je ne pense pas qu'il aime les surprises : la plupart des banquiers sont comme ça.

— Lucien, *personne* n'aime les surprises. » Elle replia ses jambes sous elle et sentit un de ses bas se déchirer contre le fauteuil de jardin. Elle les ôta tous les deux et les posa auprès d'elle en boule, à côté de ses bijoux qu'elle avait ôtés aussi pour ne pas les accrocher au manteau de Lucien.

Il alluma une autre cigarette. « C'est vrai, dit-il. Mais on les a tous quand même, Queenie. Personne n'y échappe. »

Dans la lumière grisâtre du clair de lune noyé dans les nuages, les rues étaient luisantes de pluie. Et les palmiers avaient un air dépenaillé, comme une femme qui s'est lavé les cheveux et qui ne les a pas encore brossés ni séchés. Les rues par endroits étaient inondées : Los Angeles était bâtie dans l'idée qu'il ne pleuvait jamais : comme si caniveaux et gouttières témoignaient d'une absence de foi.

Tout cela rappela à Diane Calcutta sous la mousson, sauf qu'ici les rues étaient désertes et que la pluie était un inconvénient plutôt qu'une bénédiction. Elle n'avait pas besoin de ce genre de souvenir.

Elle se sentait sale. Avant toute chose, elle avait envie d'une tasse de thé, d'un bain chaud et de vêtements frais. Elle n'avait pas pris la peine de remettre ses bijoux : elle les avait simplement fourrés dans la poche du manteau. Quant à ses bas déchirés, elle les avait roulés en boule et fourrés dans l'autre poche.

Elle ouvrit la portière de la voiture et gravit les larges marches de pierre mouillées, remerciant le ciel que les domestiques fussent encore au lit, puis elle ouvrit la porte et se débarrassa de ses chaussures.

Elle fut contrariée de constater qu'il y avait une lumière dans le living-room. Il faudrait qu'elle en parle au maître d'hôtel, se dit-elle. Poussant un soupir, elle redressa un tableau, pénétra dans la pièce pour éteindre et resta pétrifiée de surprise sur place.

« Te voilà enfin », dit Charles. Il n'y avait pas trace de colère ni même d'irritation dans sa voix ni sur son visage, mais on n'y lisait aucune affection non plus. « Bonne soirée ? demanda-t-il d'un ton un peu acerbe.

— Les Padson. Je ne t'attendais pas, chéri. »

Il se leva pour l'embrasser et puis retourna s'asseoir derrière le bureau Louis XVI sur lequel Billy Sofkine s'était tant extasié. Diane avait partagé son enthousiasme mais, maintenant que Charles y était installé, elle se rendait compte qu'il était trop petit et trop fin pour un homme. Charles y avait étalé des dossiers, des papiers, des enveloppes et, pour faire de la place, avait mis sur une autre table les quelques bibelots qui se trouvaient là et posé le vase de fleurs par terre. Il n'avait laissé sur le bureau qu'un plateau avec un carafon de whisky et un verre. Diane éprouva la tentation fugitive de remettre de l'ordre, mais elle eut la sagesse de réprimer cette envie. A en juger par le niveau du flacon, il était évident que Charles buvait depuis quelque temps, ce qui ne lui ressemblait pas. S'attendait-il à une entrevue difficile — ou peut-être imaginait-il Diane dans les bras d'un autre ?

Il y avait des gens qui pensaient que Charles Corsini contrôlait superbement ses émotions et l'admiraient pour cela ; il y en avait d'autres qui doutaient qu'il éprouvât la moindre émotion. Diane, elle, connaissait la vérité : il contrôlait ses émotions au prix d'un grand effort de volonté. Ce contrôle avait lâché une fois, à n'en pas douter, lorsque Alana l'avait trahi, et une seconde fois — avec des conséquences moins désastreuses — lorsqu'il l'avait emmenée jusqu'à la chambre d'Alana et qu'il avait jeté dans le jardin les affaires de sa femme ; mais elle soupçonnait Charles de vivre dans la constante terreur de perdre sa maîtrise de soi. Il n'en était pas loin maintenant, ce qui expliquait son calme glacial.

« Je connais les Padson. Norman est une nullité, la justification parfaite de l'impôt sur les successions. L'homme de la famille, c'est Billie. Ça n'est pas leur genre de banqueter jusqu'à l'aube — à moins qu'ils n'aient beaucoup changé. Et ça n'est pas ton genre non plus. J'espère quand même que tu t'es bien amusée.

— Je suis si heureuse que tu sois de retour, Charles. »

Elle était furieuse qu'il eût gâché par son attitude l'accueil qu'elle attendait depuis si longtemps de lui faire.

« J'ai été absent trop longtemps », dit-il comme s'il parlait tout seul. C'était une explication qu'il se donnait, songea Diane, plutôt qu'une excuse. « Bien trop longtemps.

— Pourquoi donc n'as-tu pas téléphoné ? Cela fait deux semaines que je n'ai pas eu de tes nouvelles.

— Il y avait des raisons à cela.

— Mais tu sembles avoir pu appeler Kraus ?

— Je ne suis pas marié à Kraus. Il y a des choses dont je ne peux pas te parler. Tout ce que je dis au téléphone est enregistré.

— Même les " je t'aime " ? » Il se frictionna le visage d'un geste exaspéré. « As-tu signé les papiers qui te donnent la direction de Pacifica ? » demanda-t-il d'un ton de procureur. Il n'attendit pas la réponse. « Tu l'as fait. Pour des raisons qu'il vaut mieux que tu ignores, il est d'une importance vitale que je ne donne pas la moindre impression que je contrôle encore ces actions. Tu sais fort bien que je t'aurais téléphoné si je l'avais pu, mais les risques étaient trop grands. Tu devrais savoir maintenant que tu peux me faire confiance.

— Quel problème y a-t-il avec Pacifica ? demanda-t-elle.

— Ça s'arrangera tout seul », dit-il en haussant les épaules. De toute évidence, il n'était pas disposé à en discuter, ou peut-être avait-il l'esprit ailleurs, se demandait-il où elle était allée.

« Je suis toujours responsable de Pacifica, n'est-ce pas ?

— Sur le papier, dit-il à contrecœur.

— Je ne sais même pas ce que tu as fait.

— J'ai liquidé certaines choses. J'en ai acheté d'autres. Je ne vais pas t'ennuyer avec les détails.

— Qu'est-ce qui te fait croire que ça m'ennuierait ? »

Il battit un peu en retraite. « Peut-être que ça ne t'ennuierait pas, reconnut-il. Nous pourrons en discuter demain. Tu dois être fatiguée.

— Pas spécialement », dit-elle bien qu'en fait elle fût épuisée. Elle savait qu'il essayait de la pousser à faire des excuses. Elle garda un silence obstiné.

Il haussa un sourcil. « Il est deux heures du matin, ou quelque chose comme ça. Même moi, je suis fatigué. » Il marqua un temps puis reprit : « Mais je ne croyais pas que tu aimais te coucher si tard.

— J'essaie de m'amuser, Charles.

— Et, apparemment, tu y réussis, dit-il sèchement.

— Je suis une star. Ça fait partie de mon métier d'être vue. Ce n'est pas ma faute si tu n'étais pas là pour sortir avec moi. Dieu sait que je t'ai supplié de venir.

— Si j'avais pu te rejoindre plus tôt, je l'aurais fait, crois-moi. Je m'aperçois que c'était une erreur. »

Il jeta un coup d'œil à ses boutons de manchette, comme s'il les remarquait pour la première fois. « Tu ne portes pas tes diamants ? demanda-t-il, la regardant soudain de plus près.

— Je les ai ôtés. Je suis allée danser avec des gens. »

Elle regarda ses jambes. « J'ai déchiré mes bas aussi.

— Je vois que je ferais mieux de me préparer à de nouvelles formes de mondanités. Danser jusqu'à l'aube à... où disais-tu que tu avais dansé ?

— Je n'ai rien dit. »

Elle ravala sa colère. Si la chose était possible, elle voulait faire la paix avec lui.

« Le film marche très bien ? demanda-t-il.

— Maintenant, oui. Nous avons eu des problèmes au début. Nous avons dû trouver un nouvel opérateur.

— C'est ce qu'on m'a dit », déclara Charles, donnant un petit aperçu de son mécontentement, comme un pêcheur qui lance sa mouche dans les eaux tranquilles d'un étang.

« Est-ce qu'on s'est occupé de tes affaires ? Qui t'a préparé quelque chose à manger ? »

D'un geste, il indiqua le peu d'importance qu'il attachait à ces choses — bien que Diane sût parfaitement qu'il n'en pensait rien. « Quayle m'a accompagné, dit-il. Je suis arrivé tard mais ta femme de chambre était encore debout. Elle m'a très aimablement préparé un repas. Une jeune femme très causante. »

Diane se maudit en silence de ne s'être pas réconciliée avec Marie-Claire. Elle se demanda ce qu'elle avait raconté à Charles en le servant.

« Elle s'est montrée très difficile. J'ai songé à me débarrasser d'elle.

— Ah oui ? Elle m'a paru une jeune femme tout à fait compétente. Et observatrice.

— Je ne peux pas lui faire confiance.

— Comment ? Tu veux dire qu'elle vole ? Je n'aurais pas cru ça d'elle.

— Non, non. Mais elle fait des histoires. Elle invente des ragots et elle sort beaucoup avec des hommes.

— Même les domestiques ont une vie privée. Sauf Quayle, qui paraît n'en avoir aucune, je suis heureux de le dire.

— Est-ce que la maison te plaît ? » Elle s'attendait au moins à des éloges pour ce qu'elle avait fait en son absence.

« Je n'ai pas tout vu.

— Et ce que tu as vu ?

— C'est très agréable. Sofkine a un goût excellent. »

Ayant fait à contrecœur cette concession, Charles était décidé à revenir à la charge. « Ton opérateur, Lucien... Chambrun... il dansait aussi ? »

De toute évidence, il était bien informé par quelqu'un sur ses activités. Un mensonge en ce moment, décida Diane, c'était dangereux.

« Oui, dit-elle du ton le plus détaché qu'elle pût.

— Et Chambrun... il danse bien ?

— En fait, non. Pas mieux que moi.

— Mais toi, jadis, tu étais très bonne, n'est-ce pas ? » Charles avait un sourire moqueur. « Tu dansais quand tu es arrivée en Angleterre, m'as-tu dit. D'ailleurs, est-ce que Chambrun et toi ne viviez pas ensemble, avant que tu épouses Konig ? Il me semble me rappeler que tu m'as dit cela. Je croyais qu'il était quelque part dans un camp de prisonniers de guerre ?

— Il s'est évadé.

— Quelle chance il a eue ! On dirait que je ne suis pas le seul dont on fête le retour.

— Charles, ce n'est pas du tout ce que tu penses...

— Ne t'avise pas de me dire ce que je pense ! » Il se leva comme s'il ne pouvait pas supporter de rester un moment de plus derrière le bureau et se mit à arpenter la pièce.

C'était le signe que sa maîtrise de soi était fragile, mais Diane n'en tint pas compte — ou plutôt, comme il était fatigué, elle ne réagit pas. D'ailleurs, non seulement elle était fatiguée et se sentait sale, mais aussi elle était dans son droit.

Charles n'avait aucune raison de l'espionner, et aucun droit de le faire. Quand ses affaires étaient en jeu, il restait éloigné et ne pensait plus à elle, disparaissant pendant des semaines sans donner un coup de fil. Et, aujourd'hui que la situation pour lui était rétablie, ou quand il avait besoin de sa signature, il arrivait à l'improviste, crachant du feu dans le rôle du mari outragé.

« Je me fiche de ce que tu penses, dit-elle. Je vais me coucher. »

Elle se leva et se dirigea vers la porte, faisant un effort pour ignorer Charles, mais elle le voyait du coin de l'œil, planté auprès du feu, la regardant maintenant avec une rage non dissimulée.

« Tu ne le nies pas ? » demanda-t-il.

Elle se tourna pour lui faire face. « Je ne veux même pas en discuter. »

C'était, elle s'en rendit compte aussitôt, une erreur tactique. Il s'avança entre Diane et la porte. La fragile maîtrise qu'il avait encore sur sa colère avait maintenant disparu. « Comment oses-tu me dire de quoi nous allons discuter et de quoi nous n'allons pas discuter ! » dit-il, haussant la voix pour la première fois.

Diane réagit aux vociférations de Charles par un mélange de peur et de colère. Un homme qui élevait la voix, qui lui disait quoi faire, c'était Szabothy, Cantor, Morgan — l'ennemi. Elle tint bon. « Laisse-moi passer, dit-elle.

— Pas avant que nous ayons parlé.

— Alors parle. Parle-moi d'Alana, par exemple. La soupçonnais-tu, elle aussi ? Ça n'a pas l'air de donner d'heureux résultats. Et Luckman ? Si nous devons discuter nos secrets mutuels, en voilà un bon pour commencer.

— Luckman ? demanda Charles, pris au dépourvu. Qu'est-ce qu'il y a à propos de Luckman ?

— Ne me prends pas pour une idiote, Charles. Tu l'as fait tuer, n'est-ce pas ? »

Les pupilles de Charles se rétrécirent jusqu'à n'être plus que des points noirs. Diane avait toujours considéré la colère comme une émotion qui brûlait, une sorte de feu, mais dans le cas de Charles, une sorte de froid s'abattit sur lui, on aurait dit que ses traits étaient pétrifiés par le gel.

Il resta immobile un moment — qui parut très long à Diane, bien que cela ne durât que quelques secondes — et puis il eut un geste si rapide qu'elle ne vit pas sa main arriver et qu'elle sentit seulement le choc. Elle resta un instant abasourdie, puis elle sentit sa joue la cuire et elle éprouva en même temps la peur que Charles n'eût abîmé son visage et, sans un regard dans sa direction elle tourna les talons et sortit de la pièce en courant, claquant la porte derrière elle, gravit l'escalier de marbre, ses pieds glissant sur les marches bien polies, et se précipita dans le long couloir jusqu'à sa chambre.

Elle ferma la porte à clé, éclatant en sanglots, tout autant de colère et d'humiliation que de peur, mais Charles ne la suivit pas. Elle entendit claquer une portière de voiture.

Elle se demanda où Charles s'en allait et sentit comme une douleur lancinante en se rendant compte à quel point cela la préoccupait encore.

Le matin n'apporta à Charles aucun apaisement. Il avait dormi une heure ou deux, dans son bungalow du Beverly Hills Hotel, puis s'était levé pour commander un copieux petit déjeuner auquel il ne toucha pas.

Il but quand même son jus d'orange et regarda le second lit. Il y avait jeté son porte-documents, plein de ses problèmes. Il faudrait voir Vale. Peut-être pourrait-on arranger les choses.

Il soupira. Il avait fait des erreurs. C'était la première chose à envisager. La plus grosse erreur était d'avoir paniqué et parlé à Vale. Si Vale ne l'avait pas mis en contact avec Faust, s'il n'avait pas essayé de faire peur à Luckman, si, si, si... Il se frotta le front, mais la migraine persistait.

Il pensa aux papiers qu'il y avait dans son porte-documents. Il y avait des gens auxquels il devait téléphoner, d'autres qu'il fallait rappeler. Il avait compté sur le jeune Zégrin pour le tenir au courant de ce qui se passait à Empire, sachant que Kraus était trop loyal envers Diane pour lui passer des renseignements.

Pouvait-on faire confiance à Zégrin ? Zégrin lui avait fait part des rumeurs selon lesquelles on voyait beaucoup Diane avec Chambrun, ces rumeurs étaient-elles fondées ? A la lueur froide du jour, il ne trouvait pas qu'elle avait manifesté le moindre signe de culpabilité. Bien sûr, c'était une comédienne, mais quand même, il la connaissait aussi bien qu'un homme pouvait connaître une femme. Comme il regrettait de l'avoir frappée ! Ce n'était pas sa faute si elle croyait qu'il avait tué Luckman. Après tout, tout le monde en était persuadé...

Avait-elle couché avec ce Chambrun ? Etait-elle amoureuse de lui ? Son père lui avait dit jadis qu'un homme qui délaissait trop longtemps sa femme ne doit rendre que lui-même responsable des conséquences ; assurément cela avait été vrai avec Alana.

Avait-il commis deux fois la même erreur ? C'était possible, se dit Charles.

Si on jouait trop de numéros à la fois sur la table, on ne gagnait jamais : tous les joueurs savaient cela, c'était la marque de l'amateur. Il avait fait une erreur en se diversifiant à ce point : en investissant dans l'immobilier, en créant de nouvelles sociétés, en prenant de trop nombreux associés — et en même temps en épousant une femme qui était une star mondialement célèbre, ce que la plupart des hommes auraient considéré en soi comme une occupation à part entière. Si bien qu'il n'avait pas accordé une attention suffisante à aucune de ces exigences — la même erreur qu'il avait commise voilà des années, quand il s'était lancé dans la banque en laissant Luckman s'occuper des détails et, à la fin, d'Alana aussi. Trop loin, trop vite, se dit Charles : ç'aurait pu être sa devise.

Enfin, la première tâche d'un survivant, quand on allait au fond des choses, se rappela-t-il, sévèrement, c'était de survivre. Il prit une douche rapide et s'habilla sans sonner Quayle. Il pouvait ce matin se passer de la désapprobation polie de Quayle. Quayle aimait bien Diane et avait été choqué de voir son maître quitter la maison en plein milieu de la nuit. Il l'avait même laissé paraître. Charles prit deux aspirines et décrocha le téléphone pour appeler Diane.

Une voix lugubre, sans doute celle du maître d'hôtel, lui annonça qu'elle était sortie.

Au studio, pas de réponse. Il était trop tôt.

Il éprouva un sentiment de panique, comme si les événements échappaient à son contrôle. La semaine prochaine, le conseil d'administration d'Empire allait se réunir et il devrait persuader Diane de satisfaire les exigences de Vale et de Faust. Plus important encore, à chaque minute qui passait, la colère et le ressentiment qu'elle éprouvait contre lui ne feraient qu'augmenter, pour dépasser peut-être le point de non-retour.

Il essaya une nouvelle fois le studio, sans résultat. Cherchait-elle à l'éviter ? Le temps d'avoir fait trois fois le tour de la table, l'odeur de la nourriture lui donna la nausée. Il la roula sur le porche et abandonna le plateau aux oiseaux.

Il se rappelait Diane nourrissant les oiseaux au Mexique, leur jetant des miettes de pain sur la pelouse et riant de plaisir sous le soleil. Les oiseaux avaient des couleurs brillantes, des rouges et des jaunes vifs, avec des yeux d'or. Les oiseaux ici étaient de couleurs sombres et avaient quelque chose de menaçant. L'un d'eux avait arraché un bout de son steak et l'agitait en tous sens, projetant de petites gouttes de sang sur la nappe. Charles frissonna et rentra à l'intérieur. Il ne croyait pas aux prémonitions, se dit-il.

Il lui fallait trouver Diane, lui parler, faire la paix avec elle, si c'était encore possible. Il essaya Aaron Diamond, le réveilla, mais Diamond ne savait rien. Il parla à Kraus, qui dit qu'on ne l'attendait pas au studio. Chez Polly Hammer, pas de réponse.

Il prit son porte-documents et fouilla parmi les papiers. Il n'avait pas échappé à l'attention de Zégrin que Diane avait autorisé le studio à acheter une voiture à Chambrun et à lui louer une maison : c'était en fait précisément ce qui avait tout d'abord éveillé les soupçons de Charles. Il griffonna l'adresse sur un bout de papier puis demanda sa voiture.

Si elle était là, au moins il saurait le pire.

Il pria le ciel qu'elle n'y fût pas.

« Elle n'est pas ici, mon ami. Et, si vous voulez me permettre, c'est une heure un peu matinale pour une visite.

— J'étais inquiet pour elle, vous comprenez. » Charles se sentait ridicule. Le rôle d'un mari jaloux n'était pas celui qu'il aimait jouer, surtout pas en présence de l'homme qu'il soupçonnait d'être l'amant de sa femme. Encore une erreur, se dit-il. Par-dessus le marché, il s'était ridiculisé. Commencerait-il à perdre la main ?

Lucien lui versa une tasse de café. « Pour autant que je sache, elle est rentrée chez elle hier soir.

— Elle est arrivée à la maison sans encombre.

— Ah ? Alors je ne vois pas où est le problème. Elle est sans doute endormie dans son lit. »

Charles goûta le café. Il constata avec plaisir que c'était du très bon café. D'après le peu qu'il avait entendu dire de Lucien, il s'attendait à trouver un jeune et bel Anglais, une sorte de dandy, un homme à femmes. Lucien était beau, certes, mais il n'était pas du tout ce que Charles aurait imaginé que pouvait être un photographe de femmes. Il avait l'air d'un homme qui avait roulé sa bosse, il faisait penser plutôt à un soldat qu'à un photographe de mode et, bien que son accent fût anglais, ses manières, comme son goût en matière de café, étaient tout à fait européennes.

Charles s'éclaircit la voix. « Nous avons eu un malentendu hier soir, expliqua-t-il, j'espérais le dissiper.

— Ah ! Ces choses-là arrivent. En général, elles passent.

— Pour celle-ci, je n'en suis pas sûr. C'est pourquoi je la cherche. »

Lucien hocha la tête. « Et vous avez pensé qu'elle pourrait être ici ?

— L'idée m'a traversé.

— Je vois. Est-ce que je faisais partie du... malentendu ? »

Charles hésita. Il répugnait à exposer ses problèmes à un étranger, mais il s'était déjà ridiculisé, il n'y avait donc pas grand-chose à perdre. D'ailleurs il trouvait Lucien plutôt sympathique. Il ne protesta pas de son innocence pas plus qu'il ne manifesta d'indignation. « J'en ai peur, avoua Charles.

— Je l'avais prévenue, fit Lucien en haussant les épaules. Elle a toujours été entêtée. Si elle ne l'était pas, elle danserait encore dans un cabaret. Vous n'avez pas choisi le bon soir pour avoir une scène avec elle, mon ami. Elle a eu un choc déplaisant au dîner des Padson — qui, d'ailleurs, était épouvantable.

— Quel genre de choc ?

— Une horrible femme déterrant de vieilles histoires sur son passé. J'ai réussi à la calmer, mais elle était encore très bouleversée quand elle est partie.

— Elle était ici ?

— Bien sûr que oui. Ecoutez-moi, Corsini : s'il y avait plus de choses entre nous que de l'amitié, elle serait la première à vous le dire. »

Charles fut surpris de se trouver sur la défensive. Il se hérissa. « J'ai trouvé que c'était un peu extraordinaire de sa part de rentrer aux petites lueurs du matin. Avec un manteau d'homme sur les épaules.

— Merde alors ! Corsini, c'est une adulte ! Si elle voulait vraiment vous tromper, elle le ferait et vous n'en sauriez jamais rien. N'importe quelle femme sait faire ça, même Queenie.

— Queenie ? Pourquoi l'appelez-vous comme ça ?

— Mon Dieu, que de choses vous ne connaissez pas sur elle... Je lui ai dit que c'était une erreur aussi. Elle se donne toujours tellement de mal à cacher son passé que l'idée ne lui vient jamais que ce serait peut-être plus facile de tout raconter. Elle s'appelait Queenie avant d'être Diane Avalon. Ecoutez encore. Elle m'a sauvé la vie — elle m'a remis sur mes pieds. Oh ! Très bien. Moi, je l'ai tirée d'une boîte sordide de Soho quand elle avait seize ou dix-sept ans, et rendue célèbre. Je l'ai présentée à David Konig... bien sûr, j'étais amoureux d'elle. Je le serai peut-être toujours. Vous ne savez même pas à qui vous êtes marié, Corsini. Elle a du cran, Queenie... Plus que moi. Sans doute plus que vous. C'est l'être le plus ambitieux que j'aie jamais rencontré, mais elle est si occupée à dissimuler les traces du passé qu'elle gâche toujours le présent et l'avenir.

— Elle ne m'en a pas beaucoup parlé.

— Bien sûr que non. C'est là son problème : elle croit que vous ne l'aimeriez pas si vous saviez. Vous auriez dû le deviner, mon ami. Elle vous aime. Ça n'est pas facile pour elle. Je ne crois pas qu'elle m'ait jamais vraiment aimé : peut-être une certaine excitation sexuelle, mais pas de véritable amour. Je ne crois pas qu'elle ait aimé Konig non plus. Elle le respectait, assurément, mais là encore... ce n'était pas l'amour. Mais *vous,* elle vous aime ! Et ça lui fait peur : elle n'en a pas l'habitude. Elle a essayé de vous rendre un peu jaloux. C'est stupide, je le lui ai dit, mais elle voulait vous faire revenir. D'ailleurs, c'est une femme du monde. Vous ne pouviez tout de même pas vous attendre qu'elle aille partout seule ou que chaque soir elle emmène Aaron Diamond comme cavalier... Vous auriez dû lui téléphoner, lui expliquer la situation, faire un peu attention. Vous n'avez de reproches à faire qu'à vous-même, mon cher Corsini. Certainement pas à moi. »

Charles arpentait la pièce. Sur le bureau se trouvait une photographie encadrée de Diane. Il l'examina. A certains égards, elle ne ressemblait pas aux autres, encore qu'il fût difficile de dire en quoi. « C'est de vous ? » demanda-t-il.

Lucien acquiesça. « C'est un des premiers portraits pour lesquels elle a posé pour moi. Ça fait presque huit ans.

— Elle n'a pas beaucoup changé. Une photo superbe.

— Moi, je peux voir les changements. A certains égards, elle est même plus belle aujourd'hui. Elle sera toujours belle. Vous avez de la chance de l'avoir, Corsini. Essayez de ne pas gâcher votre chance.

— Avez-vous la moindre idée de l'endroit où elle pourrait être ?

— Non. Si elle m'appelle, je lui dirai de vous contacter. Elle est peut-être avec Diamond. Elle s'inquiétait à propos de votre conseil d'administration.

— J'ai essayé Diamond.

— Essayez encore. D'ailleurs, à quoi ça rime, tout ça ? Vous êtes tous les deux riches. Laissez aller. Qu'est-ce que ça vous fiche ce qui arrive à Empire ? Il y a des choses plus importantes que l'argent. La vie, c'est tout ce qui compte vraiment. »

Corsini hocha la tête, puis regarda sa montre. Il ne fallait pas être en retard à son prochain rendez-vous.

Beaucoup de choses en dépendaient.

Bien haut dans les collines de Hollywood, derrière Sunset, il y a des routes qui serpentent entre de hauts murs avec des virages si serrés qu'on les croirait conçus pour un rallye automobile. Les côtes sont raides et des panneaux avertissent l'automobiliste de braquer ses roues avant à angle droit contre le trottoir quand il se gare et de placer une pierre ou des cales derrière les roues arrière. Ces panneaux sont inutiles. Personne ne se gare jamais dans la rue dans ce quartier de Los Angeles.

Dans les années vingt, avant que Beverly Hills se développe, les stars firent construire ici d'immenses châteaux de style vaguement mauresque, mais dans les années trente, la plupart d'entre eux avaient été abandonnés ou rachetés par de riches excentriques et des gangsters — des gens en tout cas qui avaient la manie de la tranquillité.

C'était l'endroit parfait pour se cacher de la presse ; un quartier si éloigné et difficile d'accès qu'aucun huissier ne passait jamais délivrer une sommation concernant quelqu'un qui habitait dans les collines. C'était pour ces raisons que Vale avait choisi de vivre ici, même s'il gardait une maison à Palm Springs pour les week-ends.

Ce fut là que Charles vint le trouver au milieu de la matinée. Vale était assis sous une ombrelle vaste comme une tente, auprès de la piscine. A ses pieds, ce qui était assez surprenant, se trouvait une très belle femme, allongée sur un matelas dans le plus sommaire des costumes de bain, ses cheveux blonds noués en chignon. Vale portait un chapeau de paille à large bord de style quelque peu mexicain, un ample peignoir de coton blanc, des lunettes de soleil et des pantoufles de cuir marocaines à bout pointu. Apparemment il détestait le soleil ou peut-être, songea Charles, ne se sentait-il simplement pas dans son élément à la lumière du jour. Il se drapa dans son peignoir pour se protéger les chevilles et serra une serviette autour de son cou. Il n'avait pas l'air à l'aise.

Charles s'assit auprès de lui, dissimulant son antipathie. Il jeta un coup d'œil à la femme allongée à plat ventre devant eux et haussa un sourcil. Vale eut un haussement d'épaules, resserra autour de lui les plis de ses vêtements, se leva et se dirigea d'un pas traînant vers le vestiaire, en faisant signe à Charles de le suivre. Un jeune homme était planté derrière un bar en rotin. Il secoua un shaker en direction de Vale, comme s'il jouait des mariachis dans un orchestre de rumbas.

« Pas maintenant, Tony, dit Vale. Ce monsieur et moi avons à discuter affaires.

— J'en suis sûr, fit Tony d'un ton boudeur. Il y a eu un appel pour Mrs. Daventry... Norman Padson veut lui parler.

— On croirait qu'il vient de découvrir le sexe, le pauvre homme. Enfin, il la voit à deux heures ! Eh bien, ne reste pas planté là. Va lui dire, comme un bon garçon. » Vale regarda le jeune homme se diriger vers la piscine en tortillant de la hanche. « C'est un peu risqué de votre part de venir ici, vous ne croyez pas ? dit-il à Charles.

— Je ne voulais pas vous parler au téléphone. De nos jours, on ne sait jamais qui écoute.

— Pour autant que je sache, il n'y a rien dont nous ayons à parler. Nous supposons que vous tiendrez vos promesses.

— Les gens de Faust sont allés trop loin.

— Ces choses-là arrivent. Nous avons tenu nos engagements. Vous ne vouliez pas voir Luckman témoigner. Il ne l'a pas fait.

— J'ai demandé à Faust d'aller le trouver avant qu'il parle. Je ne lui ai pas demandé de faire tuer Luckman. Ça ne faisait pas partie du marché.

— Ça a toujours été une option, Corsini. Vous trouvez peut-être que les gens qui devaient contacter Luckman sont allés trop loin. Et, je vous en prie, ne mentionnez pas de nouveau le nom de Faust. Il ne vous a jamais rencontré. Vous ne l'avez jamais vu.

— Avez-vous la moindre idée des ennuis que ça m'a causé ? Même Diane m'a accusé d'avoir fait assassiner Luckman.

— Je ne pensais pas que ça la choquerait, elle, mon vieux, franchement. »

Charles d'un pas rapide s'approcha de Vale et s'empara de la serviette qu'il avait autour du cou. Il la serra en attirant Vale vers lui. « Qu'est-ce que vous voulez dire par là ? demanda-t-il.

— Demandez-lui, mon vieux. Demandez-lui des nouvelles de son oncle Morgan. Et assurez-vous qu'elle vote comme il faut la semaine prochaine, vous savez où est votre intérêt ! »

Charles serra plus fort la serviette, si bien que Vale poussa un hurlement. Il y eut un déclic derrière eux et Charles se tourna pour apercevoir la femme qui prenait un bain de soleil plantée sur le seuil, en train d'allumer une cigarette. Elle avait passé une chemise de soie diaphane sur ses seins nus et semblait observer la scène avec plus de curiosité que de crainte.

« J'espère que je ne dérange pas, dit-elle. Je pense, mon cher prince, que, si vous devez étrangler le pauvre Dominick, vous pourriez trouver un endroit plus tranquille pour le faire. »

Charles lâcha la serviette pendant que Vale, soufflant et toussant, s'affalait contre le bar pour reprendre sa respiration. « Nous avions juste une petite discussion d'affaires, Mrs...

— Daventry. Penty Daventry. Nous nous sommes rencontrés à New York.

— Bien sûr, je me souviens. Chez les Esterhazy.

— Exactement. Dominick, mon chou, votre visage est d'un vilain mauve. Buvez donc une gorgée d'eau ou quelque chose. Est-ce que par hasard je n'ai pas entendu le nom de Morgan ? »

Vale se versa un verre de cognac et le vida d'un trait. « Nous parlions de Diane, dit-il en s'éloignant prudemment de Charles.

— Son passé ou son présent ? » demanda Mrs. Daventry et, s'asseyant sur un tabouret de bar auprès de Charles, elle prit une autre cigarette dans son étui, se pencha pour que Charles lui allumât, et dit : « Je l'ai connue voilà des années, à Calcutta... »

« S'il ne vous aimait pas, il ne vous aurait pas giflée, dit Polly Hammer. C'est un Latin. Ils sont tous passionnés. » Diane la dévisagea sans aménité. Polly pensait en termes de clichés romanesques : une querelle d'amoureux, une gifle, des larmes, une réconciliation.

Le premier instinct de Diane avait été de se précipiter chez Polly, mais c'était une erreur. « Ça montre seulement à quel point il tient à vous, dit-elle à Diane. Je parierais qu'en ce moment même il est en train de vous acheter un énorme collier de diamants pour vous montrer comme il est désolé. »

Aaron Diamond, au moins, se montra plus pratique quand il finit par arriver. « Allons, au moins, vous avez des motifs de divorce.

— J'ai jadis été la vedette d'un film qui s'appelait comme ça, fit Diane avec tristesse. *Motifs de divorce :* David l'avait mis en scène lui-même. J'ai l'impression que c'était il y a une éternité. »

Diamond se versa une tasse de café et regarda Diane. Il était avocat : rien ne le choquait. Tout être humain avait un prix. Devant un tribunal de Californie, gifler une star allait coûter à Corsini une fortune. « Il y a eu des témoins ? »

Diane secoua la tête.

« Ah ! Dommage. Vous auriez dû aller à la police et porter plainte — et puis chez un médecin pour vous faire photographier. En couleurs. Enfin, voyons quand même le bon côté des choses. Nous pouvons plaider la cruauté mentale *et* physique. Vous devriez obtenir une somme colossale. » Il se frotta les mains. « Ma parole.

— Je ne suis pas sûre que c'est ce que je veuille.

— Vous ne savez pas ce que vous voulez. Vous êtes encore en état de choc.

— Attendez donc, fit Polly. Il va appeler. Je parie que le pauvre homme a le cœur brisé.

— Je ne le prends pas au téléphone, Polly.

— Vous avez tout à fait raison ! affirma Diamond. Faites changer les serrures de la maison. Nous allons obtenir une ordonnance du tribunal lui interdisant de vous voir. Nous allons vous faire hospitaliser aux Cèdres du Liban, pour choc, épuisement, une radiographie du visage... »

Le téléphone sonna. Polly décrocha, hocha la tête et passa le combiné à Diane. « C'est Kraus », dit-elle.

Kraus n'avait pas sa voix habituelle. Pour quelqu'un qui ne le connaissait pas, il aurait pu paraître terne, mais Diane savait à quoi s'en tenir. « Charles vous cherche, dit-il. Vous voulez lui parler ?

— Absolument pas. » Elle avait besoin de temps pour savoir quoi dire.

« Ce serait peut-être une bonne idée.

— Non. Pas encore, en tout cas.

— Il a téléphoné toute la matinée.

— Pour dire quoi ?

— Franchement, ça n'avait pas grand sens. Je n'arrivais pas à m'en débarrasser. Il m'a dit qu'il avait passé la matinée avec Vale et avec une femme du nom de Daventry, et qu'ils lui avaient raconté les choses les plus extraordinaires à votre sujet. Il a dit que maintenant il comprenait tout.

— *Tout ?* dit Diane.

— C'est ce qu'il a dit. Il veut vous voir le plus tôt possible.

— Je pense bien », fit Diane avec amertume. Elle imaginait la scène. Charles, en rage, se précipitant pour parler à Dominick Vale... Ah ! Celui-là ! Et à Mrs. Daventry ! Elle n'avait aucun mal à deviner ce qu'ils lui auraient raconté, et avec quelle joie.

Charles rassemblait-il tous les renseignements sur elle pour les utiliser contre elle à la séance du conseil, ou même dans une procédure de divorce ? Ou bien avait-il simplement l'intention de faire davantage pression sur elle d'une façon ou d'une autre ? L'idée de Charles assis en train de bavarder avec les deux personnes qu'elle redoutait le plus au monde était plus énervante que d'avoir reçu une gifle.

« Diane, reprit Kraus, je pensais seulement que ce serait peut-être une bonne idée d'avoir une conversation avec lui avant le conseil. Pour éviter tout... tout incident déplaisant en public. Je pourrais peut-être arranger une rencontre entre vous deux en privé, quelque part...

— Non. Je ne sais pas ce que mijote Charles, mais je ne me laisserai pas menacer.

— Ecoutez, si la vie m'a appris quelque chose, c'est d'accepter les compromis. Faites un marché, par exemple, gardez le terrain et cédez la filmothèque. Ou vice versa. Ou bien trouvez s'il y a autre chose que nous pouvons lui offrir...

— Si la vie m'a appris quelque chose à moi, c'est de ne pas céder quand on est où je suis. Même si c'est Charles qui me harcèle.

— Comme vous voudrez, murmura Kraus, navré.

— Parfaitement.

— Malheureusement, il y a une autre complication... »

Diane attendit la pause inévitable pendant que Kraus rassemblait son courage pour lui annoncer la nouvelle, quelle qu'elle fût. Si Charles « savait tout », s'en servirait-il pour la détruire ? Vale lui avait-il parlé de la mort de Morgan ? Comme il devait rire après tous ses discours à elle sur Luckman, de découvrir qu'elle avait tué son oncle ! Vale avait-il parlé à Charles de sa fausse couche ? Du fait qu'elle ne pouvait plus avoir d'enfant ? « Tout », ça couvrait beaucoup de choses — plus qu'elle ne voulait même envisager.

« Allez-y, dit-elle d'un ton résolu.

— La nouvelle s'est répandue, dit Kraus. La maison est cernée par les journalistes.

— C'est Charles qui a fait ça ? » Diane fut un instant déconcertée. Elle essaya de penser à une raison qui aurait poussé Charles à appeler la presse, mais elle n'arrivait pas à en imaginer une seule. Ce n'était pas non plus son style. Il était plus subtil que cela. Il avait toujours préféré travailler en coulisses. Vale alors ? Ça semblait encore moins probable.

« Je ne pense pas que c'était Charles, dit Kraus. On raconte qu'il vous a battue après une scène. C'est la dernière chose qu'il voudrait voir imprimer. Les journalistes me posent les questions les plus extraordinaires : " Est-elle défigurée ? " " Dans quel hôpital est-elle ? " " Lui fait-on de la chirurgie esthétique ? " " Est-ce que vous annulez son film ? " Je ne crois pas que vous devriez rentrer.

— Ne soyez pas comme une vieille femme, Kraus, dit-elle. Maintenez les reporters dans la rue. Engagez des vigiles. Après tout, c'est ma maison, non ? » Et, même tout en donnant ses ordres, elle savait que ça ne marcherait pas. La meilleure tactique — la seule — était de se cacher. Si les journalistes ne vous trouvaient pas dans les quarante-huit heures, ils perdaient leur intérêt, et l'histoire mourait d'une mort naturelle.

Elle raccrocha. « J'ai besoin de vous parler, dit-elle à Diamond. Sérieusement.

— Professionnellement ?

— Professionnellement. Je crois que Charles va me faire des coups bas. »

Polly secoua la tête. « Je sais que vous avez tort, mon chou, dit-elle. Lorsqu'il lira les journaux, il retrouvera ses esprits, vous verrez. » Elle eut un sourire béat, comme si Charles allait franchir la porte, les bras chargés de roses.

Diane la regarda. Elle comprit soudain qui avait révélé l'histoire. Après tout, qui d'autre était au courant ? Comme d'habitude, l'instinct professionnel de Polly et son goût de conseillère du cœur avaient coïncidé. Elle avait dû passer un rapide coup de téléphone à son journal pour leur annoncer la nouvelle en se disant que tout cela était pour le bien de Diane. Diane se maudit de lui avoir fait confiance, mais se disputer avec Polly maintenant ne ferait qu'aggraver les choses.

Elle demanda deux comprimés d'aspirine pour se débarrasser de Polly afin de pouvoir parler seule à Diamond. Plus tôt elle échapperait aux interventions de Polly, mieux cela vaudrait.

« Je ne sais absolument pas où elle est. Elle est partie avec Aaron Diamond. Pourquoi ne lui demandez-vous pas à lui ?

— Je ne le connais pas. J'ai horreur des avocats. »

Charles, l'air maussade, était enfoncé contre la banquette arrière de sa limousine. Bien que les vitres de la voiture fussent en verre teinté d'un noir funèbre, il portait des lunettes de soleil. La presse le traquait partout. C'était pour cette raison qu'il avait choisi de retrouver Polly Hammer au parking du Brown Derby, près de son bureau au journal, en insistant pour qu'elle s'y rendît à pied afin d'être bien sûr qu'elle était seule.

« Mes pieds me font mal », gémit-elle. Comme la plupart des gens qui habitaient Los Angeles, elle n'allait jamais à pied nulle part.

Mais les pieds de Polly n'intéressaient pas Charles. « Vous êtes tout de même en contact avec elle ? interrogea-t-il.

— Non. Je crois qu'elle m'en veut. Allez-vous lui demander une réconciliation ?

— Je ne sais pas encore ce que je vais faire.

— Je veux un scoop. Il faut que vous me promettiez que je serai la première à savoir. Vous me devez une exclusivité.

— Vous l'avez. Qu'est-ce qu'elle vous a dit de moi ?

— Elle a dit à Aaron Diamond que vous alliez placer des coups bas. C'est vrai ?

— Mais non, mais non. Je n'ai pas la moindre intention de me battre. Il n'y a d'ailleurs aucune raison de se battre. J'essaye de liquider quelques affaires qui traînent, voilà tout. C'est moi qui ai un problème, pas Diane.

— De quoi a-t-elle si peur ? C'est ça que je veux savoir.

— D'ombres. » Charles alluma une cigarette et entrouvrit la vitre pour laisser la fumée sortir. « Tout cela est un malentendu.

— Vous l'aimez encore, n'est-ce pas ? C'est ce que je lui ai dit.

— Mais oui. Si vous lui parlez, je vous en prie, dites-lui cela. C'est important qu'elle le sache. Dites-lui aussi que le passé ne compte pas.

— Quel passé ?

— Elle saura de quoi je parle. » Il tira sur sa cigarette, chaque instant de cette conversation lui était odieux.

Il regrettait que Diane ne lui eût pas fait davantage de confidences, mais il n'avait de reproches à adresser qu'à lui-même. Après tout, sa vie à lui était aussi compliquée que la sienne et, comme elle, il en avait toujours gardé pour lui les éléments les plus importants.

Il n'avait pas de mal à comprendre pourquoi Diane s'était inventé une enfance, mais elle n'avait pas besoin de lui cacher cela, à *lui.* Il avait des oncles et des cousines qui avaient épousé des *mestizos,* des Juifs, et même dans un cas une dame brésilienne d'une grande beauté dont la couleur était de quelques tons trop foncée pour qu'on pût l'attribuer seulement au soleil.

Quelle stupidité de se faire du souci pour des choses pareilles. D'ailleurs, ce genre d'histoire n'était pas difficile à nier. Le vol du bracelet n'avait rien de si grave, même si Mrs. Daventry en conservait une grande rancœur. Les fans de Diane n'aimeraient peut-être pas cela, mais Charles n'était pas choqué. Son incapacité à avoir des enfants était regrettable, mais il y avait toujours la possibilité d'en adopter un. Après tout, il l'avait envisagé avec Alana... La mort de Morgan, bien sûr, était une affaire plus grave. Vale n'avait pas été trop prodigue de détails, sans doute parce qu'il était lui-même impliqué, mais Charles avait une assez grande connaissance du monde pour imaginer qu'il y avait sûrement bien des motifs à la mort de Morgan, dont certains, du moins, avaient pu paraître importants à Diane à l'époque. Ce n'était pas comme si elle l'avait abattu à coups de pistolet ou empoisonné. Ils étaient peut-être en train de se battre. Elle l'avait frappé avec un pique-feu. On pouvait considérer cela comme un accident, encore que la question se posât de savoir si on pourrait le présenter ainsi au public...

Dans tous les cas, il y avait certaines choses qu'il pouvait faire — qu'il *devait* faire maintenant. Vale, il n'en doutait pas, pouvait être acheté ou effrayé. Le tout était d'exercer sur lui une pression suffisante. Quant à Mrs. Daventry, il n'y avait rien de plus simple que de ruiner sa réputation : et le moyen d'y parvenir était assis auprès de lui dans la voiture. Il se pencha vers Polly Hammer. Ce n'était d'ailleurs pas facile, car elle portait un chapeau à large bord qui semblait conçu pour empêcher entre eux tout contact. « Ecoutez, fit-il, j'ai peut-être une histoire pour vous... Bien meilleure que celles-ci.

— Et je peux la publier ?

— Absolument. Sans y faire figurer mon nom.

— Bien sûr.

— Vous connaissez Norman Padson ? »

Polly acquiesça. Tout le monde connaissait les Padson. Entre autres choses, ils étaient propriétaires du journal concurrent du sien. Tout scandale concernant les Padson ferait les délices du patron, comme ses employés appelaient toujours William Randolph Hearst.

« Connaissez-vous une femme du nom de Penelope Daventry ? »

Polly acquiesça de nouveau. Mrs. Daventry figurait régulièrement dans sa chronique. Elle allait aux soirées qu'il fallait et portait toujours ce que Polly appelait des « toilettes fabuleuses ».

« Elle est la maîtresse de Norman Padson. Vous le saviez ?

— Je ne peux pas croire que Norman prendrait ce risque. Billie Padson le surveille comme un oiseau de proie.

— Apparemment pas d'assez près. Il a un petit pied-à-terre près de son bureau. Il est propriétaire de l'immeuble. Tout cela est très discret. Il dit qu'il va au gymnase, puis il se rend là-bas, si bien que même le chauffeur n'est pas eu courant...

— Et comment *vous* pouvez-vous être au courant ?

— J'ai surpris un indice par accident, alors j'ai demandé à quelqu'un de faire une petite enquête. Que croyez-vous qui se passerait si cela se savait ?

— Norman serait vissé. Ça, c'est sûr. Quant à Mrs. Daventry, il lui ferait fermer toutes les portes de la ville. Mais comment puis-je savoir que c'est vrai ? »

Charles lui tendit un bout de papier. « Voici l'adresse. Deux heures de l'après-midi semble le bon moment pour avoir un photographe sur place... Vous transmettrez mon message à Diane ?

— Si je peux. Je ne promets rien.

— Je ne m'attends pas à une promesse, fit Charles aimablement. Il y a presque une semaine avant la réunion du conseil. Largement le temps. »

Polly avait rempli son rôle, même si elle ne parvenait pas à contacter Diane, se dit-il. Un article sur Norman Padson ferait du jour au lendemain disparaître des journaux les articles sur Diane et sur lui — et ils seraient débarrassés de Mrs. Daventry par-dessus le marché. Il avait examiné les chéquiers de Diane avec un œil de banquier. Ils lui avaient montré que quelqu'un la faisait chanter. Quelle que fût cette personne, il allait s'occuper d'elle.

Il devrait prouver à Diane combien il l'aimait maintenant.

Elle avait peur de son passé ? Très bien : il le détruirait pour elle, morceau par morceau.

Kraus tenait tellement à éviter « tout désagrément » qu'il s'arrangea pour faire entrer Diane dans la salle du conseil après que tout le monde fut déjà assis. Elle arborait un tailleur de soie noire avec une veste ample aux épaules larges, de coupe un peu espagnole, et un chapeau de velours noir avec une petite voilette, presque comme une mantille. Sans le maquillage de plateau, on voyait encore un peu la marque sur son visage, un bleu léger sur la peau pâle. Elle s'était demandé si elle devait ou non la dissimuler, mais en fin de compte elle décida de faire passer la vérité avant la beauté. Si cela embarrassait Charles, tant mieux.

Pendant près de cinq jours, elle s'était « terrée », comme disait Aaron Diamond, au Ranch Campbell à Victorville, surveillée par la formidable Mrs. Campbell, qui avait abrité Clark Gable lorsqu'il avait divorcé de sa première femme, Vivian Leigh lors de sa dépression nerveuse et Orson Welles lorsqu'il se cachait de la presse. Mrs. Campbell l'avait maternée comme sa mère au bon vieux temps et elle éprouvait une sorte de soulagement à être nourrie, amusée, protégée et traitée comme une petite fille. Ce n'était qu'à son retour, en avion privé, qu'elle avait vu les journaux et compris que Mrs. Daventry avait pris sa place comme vedette de la semaine.

On annonçait que Mrs. Daventry quittait Los Angeles pour New York, avec l'intention de rejoindre son mari en Inde. Norman Padson, disait-on, séjournait chez des « amis ». Même le journal de Padson évoquait l'histoire, encore que dans une version fortement édulcorée, et puis elle avait été reprise par tous les potineurs de la ville — et notamment par Polly Hammer, dont l'article était le plus riche en détails.

Le soulagement de Diane de se voir débarrassée d'un ennemi fut de courte durée lorsqu'elle aperçut Dominick Vale assis à la table du conseil, un sourire de triomphe aux lèvres. Elle le toisa, puis remarq qu'il y avait une place vide à côté de lui.

« Charles n'est pas ici ? » demanda-t-elle à Kraus.

Il haussa les épaules, expliquant son impuissance à contrôler ou à expliquer les allées et venues de Charles.

Elle s'assit auprès de Kraus et attendit ce qui lui parut un temps interminable. Charles avait-il décidé de ne pas venir ? Etait-il incapable de l'affronter ? Etait-ce sa façon de lui manifester sa colère ? Et pourtant, se dit-elle, c'était certainement son intérêt d'être ici. Elle regarda la pendule.

« Nous allons devoir commencer sans lui, murmura Kraus. C'est aussi bien. La meilleure chose qui pourrait nous arriver, c'est qu'il ne vienne pas.

— Attendez encore une minute. »

Mais la minute s'écoula sans que Charles apparût.

« Allons-y », dit-elle à Kraus, qui déclara la séance ouverte malgré les protestations de Vale.

Elle avait compté voir Charles avant l'assemblée, ne serait-ce que pour une ou deux minutes. Elle était encore à moitié sûre qu'ils pouvaient parvenir à un accord, se rapprocher d'une façon ou d'une autre. Maintenant il n'y avait plus aucune chance. Ce fut à peine si elle écouta les premières formalités de la réunion. Elle ne pensait qu'à Charles.

Puis la porte s'ouvrit et il entra, aussi beau que jamais, souriant comme s'il n'y avait jamais eu un nuage entre eux. Cela seul était exaspérant : le voir planté devant elle, détendu et plein d'assurance, comme s'il avait déjà remporté la victoire — et qu'on lui eût pardonné. « Mes excuses, — dit-il d'un ton suave en s'adressant au conseil — et valables. Ma voiture a été retardée. »

Il se pencha pour l'embrasser. Elle détourna la tête. « Ne sois pas stupide ! Il faut que nous parlions, chuchota-t-il d'un ton insistant. Il est encore temps.

— Après le conseil.

— Avant. Il faut que tu comprennes ce qui est en jeu. D'ailleurs, je sais tout. Vale et Daventry m'ont parlé... »

Elle l'ignora, scandalisée de ce qu'elle prenait pour une nouvelle menace — et ici par-dessus le marché ! Avait-il l'intention de parler de son passé aux membres du conseil, maintenant qu'il savait « tout » ? Elle vit le sourire de Dominick Vale : Charles avait-il fait un marché avec lui — à propos d'elle aussi ? « Tu ferais mieux de t'asseoir, lui dit-elle d'un ton glacial. Inutile de faire une scène en public. »

Charles la regarda un instant, puis haussa les épaules. Diane n'accorda pas plus d'attention que lui aux préliminaires, encore qu'elle simulât un vif intérêt à chaque point de l'ordre du jour qu'on énumérait et sur lequel on votait. Kraus, elle le savait, avait le sentiment que le conseil repousserait toute proposition de vendre une partie des acquis de la société à moins qu'elle-même ne votât dans ce sens, mais, en jetant un coup d'œil aux visages vaguement familiers, elle remarqua que plusieurs des membres du conseil avaient les yeux tournés vers Vale. Les avait-il contactés ? C'était possible. Elle en avait appris assez sur la politique des sociétés pour savoir qu'un gros paquet d'actions ne garantissait pas qu'on en faisait toujours à sa tête.

Elle avait téléphoné à chacun des administrateurs, à l'exception de Vale, mais ces conversations, pour lesquelles Kraus l'avait conseillée, ne la rendaient que plus mal à l'aise. Pour la plupart, les membres du conseil étaient d'accord avec elle, mais il était évident qu'ils avaient peur de Charles et de Vale — sans doute pour des raisons différentes — et qu'ils espéraient un compromis. Elle n'était pas disposée à leur en offrir un. En tout cas, c'était trop tard, car Charles commençait déjà à expliquer les avantages que la société retirerait de vendre le terrain et la filmothèque. Il avait bien préparé son intervention, se dit-elle — ou alors quelqu'un de bien introduit dans la place, l'avait fait pour lui.

Elle eut un moment d'hésitation. Cela avait-il vraiment une importance que Vale et ses amis eussent ou non le terrain et la filmothèque au rabais ? Une semaine plus tôt, si on l'avait forcée à choisir entre les vendre et sauver son mariage avec Charles, qu'aurait-elle fait ? Elle connaissait la réponse : elle aurait choisi Charles, s'il lui avait demandé, s'il lui avait expliqué pourquoi c'était nécessaire. Au lieu de cela, il avait essayé de lui forcer la main, il s'était adressé derrière son dos à une canaille comme Vale, il l'avait menacée personnellement.

Elle lui en voulait de l'avoir placée dans cette situation et pourtant, en même temps, il y avait une part d'elle-même qui voulait lui céder. Elle repoussa cette envie. Elle ne pouvait pas céder. Elle était déterminée à l'emporter. Peut-être, ensuite, le mariage pourrait-il être raccommodé : après tout, on avait vu des choses plus étranges. Si Charles l'acceptait comme une égale, c'était possible.

« C'est une occasion superbe », disait Charles. Il avait retrouvé son sang-froid habituel.

« Pour qui ? » demanda-t-elle.

Charles, d'un geste impatient, éluda la question. « Le studio a besoin de liquide. Les banques jouent un jeu d'attente. Vous n'avez qu'un seul grand film en cours de production : s'il capote, les banques vous couperont les vivres. Il est temps d'acheter un peu de quoi souffler. Etant donné les circonstances, hésiter serait une folie. »

Diane parcourut la table du regard. Il y eut plusieurs hochements de tête approbateurs. Après tout, Charles était un banquier, si peu orthodoxe fût-il. Il avait le talent de la persuasion : son ton était raisonnable, il laissait entendre que son souci était sincère. Avec le temps, se dit-elle, il les aurait tous qui viendraient lui manger dans la main. La plupart des administrateurs imaginaient encore qu'elle ne siégeait au conseil que pour l'arranger, lui, qu'elle était une sorte de figure de proue, bonne pour les relations publiques, mais pas un élément sérieux quand il s'agissait de vraies affaires. C'étaient des hommes. Ils écouteraient Charles et resteraient convaincus que tout désaccord entre Charles et elle était d'ordre affectif, que c'était une conséquence de leur scène dont on avait tant parlé.

Charles esquissa quelques chiffres : il avait bien un don qu'elle avait conscience de ne pas posséder elle-même. Il s'interrompit. « J'espère que j'ai été clair, conclut-il. Pas de question ? »

Diane leva la main. Elle attendit que tous les assistants eussent les yeux tournés vers elle : elle savait en tout cas comment attirer l'attention. « Ne crois-tu pas que tu devrais dire au conseil que c'est Harry Faust qui va bénéficier de ce marché ? » demanda-t-elle calmement.

Il y eut un moment de silence. Elle vit Vale jeter un regard mauvais à Charles. Sans doute Charles avait-il été averti de ne pas mentionner le nom de Faust : on lui avait sans doute dit de ne même pas le prononcer devant elle. L'expression de Vale montrait clairement qu'il était furieux contre Charles. « Qu'est-ce qui vous fait croire que Faust est impliqué dans cette affaire ? » demanda Vale, le regard menaçant.

Elle éclata de rire. « Mr. Vale, dit-elle, il n'y a pas de secrets entre un mari et une femme. »

Charles pâlit. Elle avait du mal à interpréter son expression : était-ce de la rage ou de la peur ? « Une affirmation ridicule, dit-il, mais sans sa conviction habituelle. Je ne connais même pas Mr. Faust. »

Elle lui fit un sourire doux-amer. Elle n'avait rien à perdre à riposter — et tout à gagner. « Oh ! Chéri, bien sûr que si, fit-elle. Tu parlais de lui à Dominick, voilà des mois, juste après la prise de contrôle. Dominick avait arrangé un rendez-vous entre vous deux, tu ne te souviens pas ? »

Vale s'épongea le front avec un mouchoir de soie. « Balivernes ! dit-il.

— Ah oui ? Voulez-vous dire que vous ne connaissez pas ce Faust ?

— Je n'ai pas dit cela.

— J'en suis bien heureuse. Et est-il derrière cette opération ? »

Vale lui lança un regard vénéneux. « C'est un groupe, dit-il. Il y a plusieurs personnes dans le coup. Je ne les connais pas toutes... personnellement.

— Et ne s'agit-il pas précisément de gens qui se trouvent tous connaître Faust ?

— N'allez pas trop loin, *Queenie,* lança Vale. Vous savez ce que je peux faire ! »

Diane savait fort bien ce qu'il pouvait faire ; mais elle savait aussi qu'il ne risquait guère de le faire ici. En tous les cas, sa colère l'emporta sur sa crainte, même sa crainte de Vale. Elle regarda autour de la table et sentit qu'elle avait gagné un avantage provisoire. Le nom de Harry Faust suffisait à glacer le sang de la plupart des gens assis à cette table.

« Pouvons-nous passer au vote ? » demanda Diane d'un ton léger. Elle savait que c'était maintenant ou jamais.

Harry Warmfleisch — le seul survivant du temps de Braverman — soutint la motion, comme elle savait qu'il le ferait. Il avait hâte de retourner à sa partie de golf et on pouvait toujours compter sur lui pour soutenir toute proposition susceptible d'abréger la séance.

Elle vit quatre mains se lever en faveur de la motion. Vale et Charles, elle s'y attendait. De toute évidence, ils s'étaient acquis deux autres administrateurs.

Quatre mains se levèrent contre la proposition. Tout le monde la regarda car l'issue du vote était entre ses mains. Elle ne vit que Charles. Elle hésita, elle aurait voulu qu'il lui dise quelque chose, mais il se contenta de lui sourire.

Se moquait-il d'elle ? se demanda-t-elle. Mais il n'y avait pas d'humour dans son sourire. Elle leva la main.

Elle se tourna vers Kraus, qui essayait de lui dire quelque chose — qu'elle avait gagné, qu'il était content pour elle, que tout irait bien... Vale, lui, la foudroyait du regard, mais la place de Charles était vide. Il était parti si vite, si discrètement qu'elle n'avait même pas remarqué son départ.

« Maintenant vous avez réussi, petite garce ! » lança Dominick Vale.

Il était impossible à joindre. Personne à New York ne savait où il était. Les domestiques de la maison de Cuernavaca disaient qu'il n'était pas là. Etait-il retourné en Argentine ? Kraus appela l'ambassadeur des Etats-Unis là-bas, mais on n'avait aucune nouvelle de la présence de Corsini. Il avait tout simplement disparu.

« Il est furieux, fit Kraus. Vous ne pouvez pas l'en blâmer. » Elle ne lui en faisait pas reproche. Mais elle voulait au moins lui parler.

« Tu l'as poussé trop loin, lui dit Lucien. Moi, je le trouvais plutôt sympathique. »

Elle était irritée de voir Lucien faire écho à ses propres appréhensions. C'était vrai qu'elle avait poussé Charles trop loin. Maintenant il avait disparu, lui laissant une victoire vide.

Autour d'elle, tout retombait en place. Son rôle dans le film était terminé. On en parlait déjà comme d'un succès, peut-être même un classique. Bien sûr, les studios claironnaient cela à propos de chaque film, mais dans le cas de *La Place d'une femme,* elle savait que ce n'était pas sans quelque fondement.

Quoi que cela dût ajouter à sa réputation, le film avait déjà fait celle de Lucien. Du jour au lendemain, on se l'arrachait. Dans cette ville, un homme qui savait photographier les jolies femmes — et mieux encore les *rendre* jolies — ne manquerait jamais de travail.

Le studio, elle pouvait laisser Kraus s'en occuper, maintenant que la crise était passée. Son étoile à lui montait aussi. Il avait fini par s'installer dans l'ancien bureau de Braverman, avec ses projecteurs et ses oscars. Il se déplaçait dans une limousine du studio. On le voyait aux premières, avec une starlette à son bras (jamais deux fois la même, car il avait horreur des potins). On avait même donné son nom à un plat du restaurant d'entreprise.

Diane se levait tard, ne faisait rien et se trouvait incapable de penser à autre chose qu'à Charles.

« Vous ne lui avez jamais laissé une chance, fit Polly Hammer. Vous étiez si en colère que vous vous êtes fermée comme une huître. » Diane avait invité Polly à venir bavarder, précisément pour se raccommoder avec elle — car Polly n'était pas la personne qu'il fallait avoir comme ennemie, et elle le savait. Diamond l'avait suppliée de voir Polly. Kraus avait insisté auprès d'elle. En fin de compte, Diane céda : Polly n'avait fait que son travail.

« Mais, Polly, il m'a frappée. Et il m'a menacée.

— D'accord, il vous a frappée. Ça arrive, mon chou. Etes-vous sûre qu'il vous menaçait ? Je n'en ai pas eu l'impression quand je lui ai parlé.

— Quand était-ce ? demanda Diane, surprise d'apprendre que Charles avait parlé à Polly.

— Juste après que vous êtes partie de chez moi. Il m'a demandé de venir le retrouver dans une voiture garée près du Brown Derby.

— Qu'est-ce qu'il voulait donc ?

— Il voulait que je vous décide à l'appeler. Et il m'a raconté une histoire : celle à propos de Norman Padson et de Mrs. Daventry.

— C'est Charles qui vous a raconté ça ?

— Absolument. Il avait l'air de croire que cela vous ferait plaisir.

— Il devait savoir ce qui arriverait à Mrs. Daventry si une telle histoire paraissait dans la presse.

— Bien sûr que oui. Il savait pertinemment qu'elle serait chassée de la ville par Billie Padson. Qu'est-ce que vous aviez contre elle, mon chou ?

— C'est une vieille histoire, Polly. Je préférerais ne pas en discuter.

— Cet homme est fou de vous, vous savez. Je l'ai bien senti. Il ferait n'importe quoi pour vous. Maintenant il a disparu. Je suis allée voir Madame Vera, vous savez. Je pensais que les tarots me diraient où il était parti.

— Et alors ?

— Non. C'est drôle. Elle n'est plus là. L'endroit est fermé — pas d'adresse, ils font suivre le courrier. Un de ses voisins m'a dit qu'elle avait hérité d'une fortune. C'est difficile d'imaginer qu'elle avait des parents qui avaient une fortune à lui laisser, n'est-ce pas ? J'ignore où elle est. »

Diane resta silencieuse. Si Charles s'était occupé de Mrs. Daventry, il avait également pris soin de Magda : l'avait-il achetée ? L'idée lui vint un moment que peut-être il ne l'avait pas menacée. Mais comment avait-il découvert Magda ? Puis elle comprit que, si Charles en effet avait un informateur à l'intérieur du studio, il n'avait aucun mal à apprendre tout ce qu'il voulait savoir. Quelqu'un lui avait parlé de l'argent qu'elle avait dépensé pour Lucien. Quelqu'un lui avait fourni les détails sur la situation financière du studio, des informations que seul Kraus était censé connaître. Quelqu'un aurait très bien pu fouiller dans ses dossiers ou faire une photocopie de son chéquier, qui était entre les mains d'une des filles du bureau de Danny Zégrin...

Elle nota de parler à Kraus de Zégrin à la première occasion. Puis elle se dit que, si Zégrin était l'homme qu'elle cherchait — et elle en était tout à fait sûre —, il pourrait bien y avoir un moyen de l'utiliser.

Zégrin roulait des yeux inquiets. Même dans la fraîcheur du salon de Diane, il transpirait. Avec son costume sombre, sa cravate sombre et ses cheveux noirs bien gominés, il avait l'air d'un croque-mort qui a perdu un corps. Il semblait sur le point de pleurer.

« Je sais ce que vous avez fait », dit Diane.

Il avala sa salive. Sa pomme d'Adam monta et descendit.

« Je ne sais pas de quoi vous parlez, princesse.

— Je passe. Je n'ai pas encore parlé à Kraus. Il aurait été furieux.

— Je suis innocent.

— J'en doute, Danny. Ils sont très rares ici, et je ne crois pas que vous soyez du lot.

— Vous n'avez rien contre moi.

— Peut-être. Peut-être que non. Quelle importance ? Il suffit que je parle à Kraus et il vous congédiera sur-le-champ. Je crois qu'il peut s'assurer aussi que vous ne retrouverez jamais une place dans cette ville.

Je n'aurai même pas besoin de le lui suggérer : vous savez comment il est pour ces choses-là. Il vous faisait confiance, Danny. »

Zégrin hocha misérablement la tête. Il savait qu'elle avait raison. Kraus était implacable. Il n'y aurait ni appel ni pitié. « Qu'est-ce que vous voulez que je fasse ? » demanda-t-il.

Son ton geignard l'irritait, mais elle n'en montra rien. « Vous fournissiez des renseignements à mon mari, n'est-ce pas ? »

Il acquiesça.

« Depuis le début ?

— Ma foi, oui... Tout d'abord, il voulait simplement que j'aie Kraus à l'œil. Je ne vous espionnais pas.

— C'est mon mari qui vous a demandé de m'espionner ?

— Non. Au début, je lui ai simplement transmis des renseignements quand je pensais qu'ils l'intéresseraient. Il ne m'a pas dit d'arrêter.

— Vous êtes toujours en contact avec lui ?

— Pas directement. J'ai une adresse à New York où je peux lui envoyer des choses. Et un numéro de téléphone. Je laisse un message. Il rappelle, tôt ou tard.

— Ecrivez-moi tout ça, Danny. » Elle lui passa un bloc et un crayon. « Avez-vous eu de ses nouvelles récemment ? Depuis une semaine ou deux, depuis la réunion du conseil ?

— Deux ou trois fois, bien sûr.

— A propos de quoi ?

— Franchement, des petites choses. Il m'a fait faire une copie de votre chéquier. Il avait peur qu'on ne vous fasse chanter, et il voulait voir s'il y avait des gros chèques ou bien des retraits inhabituels. Ça l'intéressait beaucoup. Il avait engagé un détective pour surveiller les diseuses de bonne aventure de West Tico, j'ai entendu ça.

— Vous êtes allé la voir ?

— Non. C'est lui qui y est allé. Il a été très discret là-dessus. Il est venu en ville pour s'occuper d'elle lui-même. Je suis allé le voir dans un appartement à côté de Sunset. Une sorte de studio miteux, pas du tout le genre d'endroit où on s'attendrait à trouver un type comme Corsini.

— Comment était-il ?

— Très nerveux. Il avait son valet de chambre avec lui. Ils étaient tous les deux armés. Comme le chauffeur.

— Qu'est-ce qu'il a dit ?

— Pas grand-chose. Je lui ai donné des papiers. Il m'a dit : " Merci. Si vous savez ce qu'est votre intérêt, vous ne m'avez jamais vu. " Pendant que j'étais là, il y a eu aussi un coup de fil d'Angleterre. Je signale ça parce que c'était un nommé Goldner — un pair, un lord, ou quelque chose...

— Sir Solomon Goldner ?

— C'est ça. Corsini lui parlait d'immeubles qu'il était en train d'acheter à Londres. Un bloc d'immeubles — là-bas on appelle ça des appartements.

— A Shepherd's Market ?

— Tout juste. Il était très pressé. Il a dit à Goldner de ne pas marchander. Payer le prix, a-t-il dit, peu m'importe ce que ça coûte. »

Charles était-il en train d'enterrer tous les problèmes de son passé ? D'abord, Mrs. Daventry — éliminée à la suite d'un scandale révélé à Polly Hammer. Puis Magda, achetée, sans doute, ou menacée. Et voilà maintenant qu'il achetait la maison où Morgan était mort.

Que comptait-il en faire ? se demanda-t-elle. La démolir ? Si l'endroit où Morgan était enterré cessait d'exister, il serait impossible à quiconque de jamais prouver que le crime avait eu lieu. Un passé sans tache — était-ce ce que Charles lui offrait ?

« De quoi se cache-t-il, Danny ? » demanda-t-elle.

Il la considéra avec stupéfaction. « Vous voulez dire que vous ne savez pas ? » Il s'épongea à deux reprises le front avec son mouchoir trempé, mais la sueur continuait à ruisseler sur son visage. « Il n'a pas tenu sa parole, princesse ! Harry Faust lui a collé un contrat sur le dos le même jour.

— Un contrat ?

— On dit que c'est de cinquante briques. Ça fait de l'argent. La moyenne pour une liquidation, c'est cinq briques.

— Une liquidation ?

— Un meurtre, déclara Zégrin, avec un rien de satisfaction dans le ton. Celui qui tue Charles Corsini ramasse cinquante mille dollars. Quand vous avez voté contre lui, vous avez signé son arrêt de mort ! »

« Je peux essayer, mon petit... C'est tout ce que je peux dire.

— On ne peut pas l'acheter ? »

Diamond regarda le dessus de son bureau, il fureta sous le cuir doré damasquiné et, comme toujours, il n'y traînait aucun papier. « Acheter Faust ? Bon sang, de toute façon j'en doute. Faust est un grand maniaque.

— Et si nous rachetions le contrat ?

— Ça n'est pas le cinéma. Ce n'est pas ce genre de contrat.

— Pas même si nous lui donnions ce qu'il voulait ? »

Diamond sifflota. « Peut-être. Peut-être que non. Vous céderiez ?

— Oui.

— Comment allez-vous faire avaler ça devant le conseil ?

— J'y arriverai. Transmettez-leur mon offre.

— Faust va peut-être se montrer plus exigeant. Maintenant qu'il vous tient par... enfin, vous savez ce que je veux dire.

— Je sais ce que vous voulez dire. Voyez cela. »

Diamond prit une petite clé dans sa poche et ouvrit le premier tiroir de son bureau. Il chaussa ses lunettes et feuilleta les pages d'un petit carnet relié de cuir. « Ça n'est pas le genre de numéro qu'on a envie de laisser traîner, expliqua-t-il. Faust n'aime pas qu'on le note par écrit, mais je n'arrive même pas à me rappeler le mien, alors, le sien, vous pensez. » Il composa un numéro. « Aaron Diamond ! cria-t-il dans le combiné. Bien sûr qu'il sait qui je suis. Tout le monde sait qui je suis, bon Dieu ! Oh... Ah oui ? Merde ! Bon. »

Il raccrocha. Il ôta ses lunettes et les essuya. Il les examina de près et les essuya de nouveau. Il dit sans regarder Diane : « Harry est à l'hôpital.

— A l'hôpital ?

— Aux Cèdres du Liban. Crise cardiaque. » Il eut de la main un mouvement ondoyant. « On lui donne cinquante pour cent de chances, à ce salaud.

— Il n'y a personne d'autre que vous pourriez appeler ? Il n'a pas d'associé ? d'assistant ?

— Bon Dieu, Diane, il ne dirige pas un studio. C'est un gangster. Les affaires de Harry sont strictement personnelles. Il est le seul qui puisse donner des ordres — ou en annuler un. Je pourrais appeler des gens que je connais, mais à mon avis ils ne feront rien tant que Harry respire encore. Où est Charles ?

— Je ne sais pas exactement. Sans doute à New York, mais c'est une hypothèse.

— Ça n'est pas au point qu'il puisse quitter le pays.

— J'ai laissé un message pour lui. Zégrin m'a donné un numéro.

— Laissez-en un autre. J'ai besoin de quelques jours pour parler à des gens, voir si je peux arranger les choses. Il devrait peut-être aller au Mexique. Il a une influence là-bas, des gens qui le protégeront... Allez avec lui.

— Aller avec lui ?

— Vous l'aimez, non ? Alors, allez avec lui. » Diamond évita le regard de Diane. « Tant que vous êtes là, il ne risque probablement rien. Ces gens-là ne tuent pas les épouses, mon chou. Vous êtes la meilleure police d'assurance qu'il puisse trouver dans les jours à venir. »

Elle était frénétique. Les gens qui prenaient les messages la rendaient folle. Ils étaient calmes, prudents, ils pouvaient seulement promettre d'« essayer » de joindre Charles. Elle pria pour la mort de Faust, car, s'il mourait, ses gens seraient peut-être disposés à « reconsidérer » le contrat, moyennant finances — tandis qu'aussi longtemps qu'il vivait, si faiblement que ce fût, ils étaient obligés de suivre ses instructions. Mais Faust ne mourait pas. Il tenait, jour après jour, en salle de réanimation, ses gardes du corps devant la porte, au cas où quelqu'un risquerait de donner un coup de main à la nature.

Elle essaya même de joindre Dominick Vale dans le faible espoir qu'elle pourrait parvenir à le retourner, mais lui aussi avait disparu. « Il n'a pas tenu sa promesse à Faust non plus, expliqua Diamond. Il est probablement terré quelque part. »

Elle suivait chaque jour sa routine habituelle, comme si c'était la seule façon de ne pas perdre la tête. Le soir, elle dînait d'un plateau chez elle, attendant la sonnerie du téléphone, craignant qu'elle lui apportât de mauvaises nouvelles ou qu'elle ne lui apportât rien du tout parce que Charles ne lui avait pas pardonné.

Le quatrième jour de cette veille qu'elle s'imposait, Kraus apparut dans sa loge, portant un gros paquet. Cela n'éveilla ni sa curiosité ni son intérêt.

« Quoi que ce soit, dit-elle, je n'en veux pas.

— C'est inoffensif. C'est une peinture.

— Une peinture ? » Diane découpa le papier d'emballage avec une paire de ciseaux à ongles. Elle regarda à l'intérieur, puis elle déchira le papier, son cœur battant plus fort. C'était le Van Gogh qu'elle avait vendu après la mort de David Konig, celui qu'il lui avait offert comme cadeau de mariage.

Elle le posa sur sa coiffeuse et le considéra un moment. Elle n'avait pas besoin de se demander d'où il venait. Charles l'avait racheté comme offrande de paix. Une simple enveloppe était collée au cadre.

Elle l'ouvrit. Elle contenait un épais document portant les cachets et les sceaux que les Anglais mettent sur tout ce qui est officiel. Elle regarda la première page où un soigneux calligraphe avait enregistré la vente à la princesse Diane Avalon Corsini d'un immeuble locatif dans Shepherd's Market.

Il y avait aussi un mot, de l'écriture de Charles — un rapide gribouillage qu'elle eut du mal à déchiffrer, puisqu'il avait rarement eu l'occasion de lui écrire.

Et, pour la première fois depuis qu'elle connaisssait Kraus, elle se jeta à son cou, les larmes ruisselant sur ses joues. « Il atterrit à Palm Springs demain, dit-elle. Il veut que j'amène Aaron pour pouvoir lui parler. Ensuite nous partirons en avion de là pour le Mexique. »

Kraus rajusta sa cravate. Il était tout rouge. « Je suis ravi, dit-il. Pour vous. Si nous devons vendre le terrain et la filmothèque pendant que vous êtes absente,... faut-il que je le fasse ?

— Vendez tout ce qu'il faudra, dit-elle à Kraus. Faites tout ce qu'Aaron vous dira qu'il faut faire. »

Il venait de lui donner une seconde chance. C'était tout ce qui comptait maintenant.

« Comment trouve-t-il un avion privé en plein milieu d'une guerre ? » demanda Aaron Diamond.

Diane fixa le ciel d'un bleu éblouissant et mit ses lunettes de soleil. « C'est typique de Charles. Il obtient toujours ce qu'il veut.

— Vous voulez que je vous dise, j'ai horreur des avions privés. Je n'aime même pas voler sur les lignes régulières. Je ne veux pas confier ma vie aux mains d'un gus qui se fait dix ou quinze briques par an, vous comprenez ?

— Ça n'est pas un problème pour Charles. Il pilote lui-même.

— Franchement, je n'aimerais pas ça non plus. Il a trop de choses en tête. Ses banques, son argent... Quand je vole, je veux que le pilote ne pense qu'à moi.

— Oh ! Bon sang, cessez de vous faire du mauvais sang. Il battait des records de vitesse aux commandes de son propre avion quand il avait vingt ans.

— Vous avez sans doute raison. J'entends son appareil, à moins que les Japs n'aient décidé de bombarder Palm Springs. »

L'aéroport n'était guère plus qu'une cabane, une pièce étouffante au beau milieu du désert. L'avion de Charles apparut au loin, un point noir sur le ciel blanc. Son ombre survola les dunes de sable, puis il arriva soudain en bout de piste, ses roues touchèrent le ciment. Charles pilotait comme il faisait tout le reste, songea-t-elle : avec élégance, avec style et un peu trop d'audace.

Diane ouvrit la porte et se précipita à sa rencontre tandis que l'appareil s'approchait sur la piste. Maintenant qu'il était au sol, il étincelait comme de l'argent fondu. Elle apercevait Charles à la place du pilote, souriant de son atterrissage parfait, ou peut-être était-ce à elle qu'il souriait. Il était en manches de chemise et portait des lunettes de soleil d'aviateur. Elle lui fit de grands signes, son long foulard de taffetas flottant dans l'air comme un drapeau rose.

La fenêtre de Plexiglas de son côté coulissa et Charles lui envoya un baiser. Puis, comme par un terrible tour de prestidigitation, il se volatilisa. L'appareil tout entier fut englouti dans une boule de feu, blanche au-dehors pendant une fraction de seconde, puis rose — les couleurs, songea Diane avec un horrible manque d'à-propos, les couleurs de sa salle de bains.

Il y eut comme un bruit de tonnerre, tellement plus fort et plus sec. Un souffle brûlant l'abattit sur le sol et elle entendit des morceaux de l'avion passer en sifflant au-dessus d'elle. Par-dessus le rugissement des flammes il y eut le hurlement d'une sirène et, quelque part au loin, elle entendit quelqu'un hurler.

Ce ne fut que plus tard, lorsqu'elle s'éveilla sur un canapé défoncé dans la salle d'attente et qu'elle vit Aaron Diamond qui la regardait, que

Diane comprit que c'était elle qui avait hurlé. Elle ne demanda pas ce qui s'était passé ni comment était Charles. Elle savait déjà. Elle avait su qu'il était mort à l'instant où l'avion avait explosé devant elle et elle pouvait lire la vérité sur le visage de Diamond.

Elle se leva péniblement et regarda par la fenêtre. Là où se trouvait l'avion de Charles il y avait un cercle noir sur le ciment blanc, avec quelques fragments calcinés d'aluminium, comme les os carbonisés des cadavres sur les bûchers de Calcutta.

Elle avait envie de pleurer, mais, on ne sait pourquoi, les larmes ne venaient pas. Peut-être dans la chaleur s'évaporaient-elles, comme des larmes invisibles.

« L'endroit est entouré de journalistes, dit Diamond. Il va falloir que vous passiez d'une façon ou d'une autre. Peut-être nous vous mettrons sur une civière... »

Mais Diane secoua la tête. Elle ferait face. Calmement, elle examina son visage dans un miroir. « Mon sac », dit-elle. Elle refit son maquillage à petits gestes précis, comme une femme qui égrène son chapelet, car cela aussi était une forme de culte. Puis elle referma son poudrier et remit le capuchon sur son bâton de rouge à lèvres.

« Je suis prête maintenant », murmura-t-elle. Elle chercha ses lunettes de soleil, elle se rendit compte qu'elles s'étaient cassées dans sa chute. N'importe. Elle affronterait le monde les yeux ouverts.

Plus tard, les gens diraient qu'elle avait été sans cœur, froide, impassible, plus concernée par l'aspect qu'elle aurait sur les photos que par la tragédie de la mort de Charles.

Seule Diane connaissait la vérité. A vingt-cinq ans, elle en avait vécu autant que la plupart des gens en toute une vie. Juste au moment où le bonheur était à portée de sa main, elle avait laissé le passé, qui l'avait toujours hantée, la rattraper. Alors même que Charles s'efforçait de le faire disparaître, ce passé la tenait toujours, façonnait ses actes, influençait ses sentiments et ses décisions. C'était sa faiblesse. Le remords et la crainte étaient le prix qu'elle devait payer pour devenir ce qu'elle était : riche, célèbre, une star.

Elle avait toujours compté sur sa beauté. Maintenant c'était tout ce qui lui restait.

Elle regarda droit devant elle, elle s'avança, appuyée au bras d'Aaron Diamond, vers le jaillissement des flashes.

Sixième Partie

Le sourire de Mona Lisa

25

Elle était fabuleusement riche. Ça, on le savait. Le reste n'était que rumeurs.

La célébrité de Diane Avalon s'accrut de façon directement proportionnelle à son éloignement des projecteurs. Elle se fit une réputation mondiale de recluse : riche, élégante, belle, mais déterminée apparemment à éviter le public.

Le bruit courait qu'elle avait subi une opération de chirurgie esthétique sur toutes les parties du corps, qu'elle ne mangeait que des aliments naturels, qu'elle passait une partie de chaque année dans une retraite spirituelle. Le bruit courait aussi qu'elle avait eu de nombreuses aventures mais, s'il en était ainsi, ses amants étaient discrets.

De ses maris, on disait que même les chroniqueurs en avaient perdu le compte. Son troisième mariage, avec un riche industriel mexicain au début des années cinquante, fut si brusque et si secret qu'il prit la presse au dépourvu et qu'il se termina aussi soudainement et mystérieusement un an plus tard. Des amis disaient que le Mexicain lui avait rappelé Charles Corsini et qu'ils s'étaient séparés « à l'amiable ». Deux ans plus tard, elle épousa le comte Philip von Krosig, un riche banquier allemand, qui avait des liens avec l'Amérique du Sud. Krosig était un bel homme, courtois et les cheveux argentés. Il y en eut pour penser que Corsini lui aurait ressemblé s'il avait vécu jusqu'à soixante ans. Ce mariage-là aussi « échoua » après moins d'un an.

Diane Avalon évoluait parmi les gens riches et célèbres qui respectaient sa vie privée et elle évitait le monde du spectacle. Elle donnait de magnifiques réceptions dans sa maison de Bel Air, dans sa villa de Malibu et au Mexique. On disait que la maison qu'elle avait fait construire à Cuernavaca était un palais de conte de fées, mais elle se dressait derrière des murs si hauts qu'on ne l'avait jamais photographiée.

On racontait qu'elle avait versé cent mille dollars à l'architecte pour qu'il ne la fît pas figurer dans son album de photos sur son œuvre et on racontait aussi qu'il avait été un de ses amants. Les gens qui avaient visité la demeure disaient seulement qu'elle était aussi belle que sa propriétaire. Quand le prince Philip s'était rendu au Mexique, il était descendu chez elle. Tout comme le shah, l'Agha Khān et le roi de Belgique, car on la considérait partout comme la doyenne de la colonie étrangère de Cuernavaca aussi bien que comme la plus fidèle des nombreuses et riches patientes du Dr Acheverria.

Le bruit courait aussi que Diane était la puissance occulte des studios Empire, mais qu'on ne l'avait jamais vue assister à un conseil d'administration. Il était demeuré de notoriété publique qu'elle contrôlait tous les immenses biens de Charles Corsini — assez pour faire d'elle une des femmes les plus riches du monde. Les gens au courant affirmaient que E.P. Kraus ne produisait jamais un grand film sans la consulter — et c'était fort possible. Quelqu'un assurément faisait ce qu'il fallait. Empire était le seul grand studio qui avait conservé sa propre filmothèque et qui, grâce à cela, avait récolté une fortune en louant les films à la télévision, si bien que dans les années soixante c'était devenu un vaste conglomérat, avec sa propre chaîne de télévision, ses parcs d'attractions et ses hôtels. Empire possédait même une maison d'édition, achetée au rabais aux héritiers d'Emmett Lincoln Starr, car Kraus croyait dans ce qu'il se plaisait à décrire à la presse comme une « synergie de communication », les rares fois où on pouvait le persuader d'emmener avec lui un journaliste de *Fortune* ou du *Wall Street Journal* avec lui dans son avion privé quand il allait d'une côte à l'autre.

Seuls, lui et Lord Goldner, le ponte anglais du spectacle qui avait fusionné ses sociétés avec Empire, connaissaient la vérité sur la participation de Diane Avalon aux affaires du groupe, et aucun d'eux ne le révéla jamais. Lord Goldner assurément était proche d'elle. Il se rendait souvent à Cuernavaca et l'on disait qu'il s'était associé à elle pour bâtir un bloc d'appartements de luxe et de cinq bureaux à Shepherd's Market, à l'emplacement de vieux immeubles de rapport.

Invisible derrière la scène, elle avait toujours clamé en public son refus de jouer dans un autre film. Aussi le monde fut-il stupéfait quand, en 1975, elle accepta de faire sa rentrée en étant la vedette d'un film où elle jouait une femme de trente ans. Son partenaire, un inconnu, n'avait que vingt ans et était d'une beauté à vous couper le souffle, et même le génie de Lucien Chambrun ne parvint pas à dissimuler la différence d'âge entre Diane Avalon et Tinny Tyrone. Pourtant, elle était si belle qu'un critique l'appela « la dernière star, le souvenir d'une époque oubliée d'élégance et de beauté ». Quant à Tyrone, il y eut des gens pour dire qu'il ressemblait de façon étonnante au jeune Charles Corsini. Quand elle l'épousa, il en tira plus de gloire que du film, mais, s'il fut déçu, il n'en montra jamais rien.

Elle ne fit jamais d'autre film après celui-là. Pas plus que Tyrone dont certains trouvaient qu'elle le traitait comme un domestique. Mais ceux qui étaient invités chez Diane (ils ne disaient jamais chez Tyrone) racontaient qu'ils formaient un couple uni, même si son attitude envers Tinny était peut-être parfois un peu autoritaire.

C'est vrai qu'elle était royale, tout le monde était d'accord là-dessus. Elle restait assise tranquillement, bougeant rarement, baignée dans le doux éclairage conçu par Billy Sofkine pour qu'elle pût toujours paraître sous son meilleur jour. Elle avait le sourire de la Joconde, tout à la fois mystérieux et provocant, bien qu'on racontât partout que la chirurgie plastique lui avait donné un caractère permanent. « Elle sourit sans doute comme la Joconde même quand elle dort », murmura Sofkine après l'un des dîners qu'elle avait donné.

Le passé de Diane Avalon demeurait aussi mystérieux que sa vie présente. Elle refusa une invitation du gouvernement indien pour venir inaugurer l'Institut indien du film, en dépit du fait qu'on savait qu'elle avait grandi là-bas, fille d'un officier anglais qui servait à la cour d'un mahārādjah. L'ambassadeur américain en Inde fut obligé d'exprimer les profonds regrets de son gouvernement : elle n'avait pas pu assister à la cérémonie pour des raisons de santé.

Même dans ses diverses résidences, il y avait peu de traces de son passé. Rien que des souvenirs, des bibelots habituels qui emplissaient les maisons de la plupart des stars. Parmi eux se trouvait un petit Van Gogh qui l'accompagnait partout, un cadeau de mariage de sir David Konig, son premier mari, l'homme qui l'avait découverte. En dessous, sur la cheminée, il y avait toujours une photographie dans un cadre argenté, d'un beau jeune homme encore qu'un peu basané, en tenue de soirée démodée, arborant une fière moustache qui ne parvenait pas à dissimuler une certaine faiblesse de la bouche. Certains en regardant la photographie remarquèrent que le visage du jeune homme, et surtout les yeux, ressemblaient à ceux de Diane, mais bien sûr aucun de ceux invités chez elle n'était assez dépourvu de tact pour demander qui il était.

Et après tout, qu'importait le passé de Diane Avalon ? Elle était en fin de compte sa propre œuvre d'art qui, à mesure que les années passaient, en arrivait à paraître éternelle, au-delà de tout changement. Il était impossible de croire qu'elle avait soixante ans ou davantage ; impossible d'imaginer que jamais elle vieillirait ou qu'elle mourrait.

Elle était l'inspiration, la force active derrière la fondation Corsini — pourtant le seul tableau du musée qui semblait vraiment l'intéresser était un banal portrait à l'huile de Corsini lui-même, qui accueillait le visiteur en haut du grand escalier de marbre. Encadré d'or, ce portrait de Corsini avait été exécuté d'après des photographies. Sous certains angles, il avait une expression sardonique ; sous certains autres, on parvenait à distinguer un sourire fugitif. Dans les yeux gris-bleu, le peintre avait réussi à saisir une sorte de vie : Corsini semblait s'amuser.

Chaque jour on disposait des fleurs fraîches de part et d'autre de la toile.

Lorsqu'on lui décerna un oscar spécial pour toute une carrière cinématographique, elle se présenta pour le recevoir dans une robe moulante d'Armand Silk, rose moiré avec des perles d'argent, un col montant et des manches longues (elle était trop habile pour laisser ses bras et son cou être comparés à ceux des femmes qui avaient quarante ans de moins). Elle portait aussi une magnifique tiare en diamants et un collier de diamants et d'émeraudes.

Elle était si belle que l'assistance observa un silence respectueux avant d'éclater en applaudissements et ceux qui étaient assis dans les premiers rangs purent voir ses yeux s'emplir de larmes — mais elle ne resta pas pour être interviewée par la presse, pas plus qu'elle n'assista à aucune des réceptions qui suivirent la cérémonie, pas même celle d'E.P. Kraus, qui était *la* soirée entre toutes.

Personne ne sut combien cet effort avait coûté à Diane ni quelles souffrances elle avait endurées. Elle ne vacilla qu'à un seul instant et ce fut tout à fait à la fin, alors qu'elle regagnait sa limousine, marchant lentement et avec un grand effort, comme si chaque pas était un supplice. Une jolie jeune femme franchit le cordon de police et se précipita jusqu'à la longue voiture blanche, brandissant un carnet d'autographes et un stylo, et bousculant les gardes et les responsables du studio jusqu'au moment où elle se trouva face à face avec Diane.

« Miss Avalon, cria-t-elle en tendant le carnet d'autographes. Je voudrais être aussi belle que vous. »

Mais, pour une fois, Diane Avalon ne sourit pas. Elle s'affala contre la banquette de la limousine et ferma les yeux, sans se soucier du livre d'autographes. Elle semblait fragile et épuisée, comme si la volonté grâce à laquelle elle demeurait belle lui avait enfin fait défaut.

On ne la revit jamais en public.

Achevé d'imprimer le 18 octobre 1985
sur presse CAMERON,
dans les ateliers de la S.E.P.C.
à Saint-Amand-Montrond (Cher)
pour le compte des Éditions Stock
14, rue de l'Ancienne-Comédie, 75006 Paris

Imprimé en France.

Dépôt légal : Novembre 1985.
N° d'Édition : 4995. N° d'Impression : 2596-1701.
54-10-3385-01

ISBN 2-234-01744-0